De Gelukzoekers

De romanserie *De kinderen van de vrijheid* omvat acht boeken. Het verhaal gaat vanaf de strijd om de onafhankelijkheid tot aan de tweehonderdste verjaardag van de Verenigde Staten. Ieder boek is opgedragen aan een van de acht Amerikanen van wie ik het meest houd. Dit is voor Rachel.

John Jakes

John Jakes

De Gelukzoekers
Kinderen van de vrijheid 1

Het Spectrum

Boeken van Het Spectrum worden in de handel gebracht door:
Uitgeverij Het Spectrum BV
Postbus 2073
3500 GB Utrecht

Oorspronkelijke titel: *The Bastard*
Uitgegeven door: The Berkley Publishing Group, New York
Copyright © 1974 by John Jakes en Lyle Kenyon Engel
Copyright © See Clause 19
Published by arrangement with Book Creations Inc., Canaan New York 12029, USA
Vertaald door: Pieter H.W.C. Rommers
In 1979 verschenen bij De Dageraad, Antwerpen, onder de titel 'De Bastaard'
Copyright © Nederlandse vertaling R. van Hevel.
Eerste druk: augustus 1989
Tweede druk: januari 1990
Omslagontwerp: Alpha Design
Zetwerk: Euroset BV, Amsterdam
Druk: Tulp, Zwolle
This edition © 1989 by Het Spectrum BV
20-0395.02 ISBN 90 274 2327 x

CIP-GEGEVENS KONINKLIJKE BIBLIOTHEEK, DEN HAAG

Jakes, John

De gelukzoekers / John Jakes; [vert. uit het Engels door Pieter H.W.C. Rommers] –
Utrecht: Het Spectrum. – (Kinderen van de vrijheid; 1)
Vert. van: The Bastard. – New York: The Berkley Publishing Group. – (The Kent
chronicles; vol. 1). – Oorspr. titel Nederlandse uitg.: De Bastaard – Antwerpen: De Dage-
raad, 1979. – (De Kent familie; dl. 1).
ISBN 90-274-2327-X geb.
UDC 82-31 NUGI 341
Trefw.: romans; vertaald.

DEEL EEN

Grillig fortuin

'The *gentleman* tells us that America is obstinate; that America is almost in open rebellion. Sir, I rejoice that America has resisted . . .

'The gentleman asks when were the colonies emancipated. But I desire to know when they were made slaves . . .

'They are subjects of this kingdom, equally entitled with yourselves to all the natural rights of mankind, and the peculiar privileges of Englishmen; equally bound by its laws, and equally participating in the constitution of this free country. The Americans are the sons, not the bastards, of England.'

1766:
William Pitt de Oude,
voor het Parlement,
ter ondersteuning van het
Amerikaans protest
tegen speciale belastingen.

I Een pak slaag

1

Het gezicht van de vrouw stond in vurige gloed, alsof het verlicht werd door een invallende lichtstraal uit het hoge raam van een kathedraal. Maar de vrouw was geen uitdrukkingsloze, gelukzalige madonna. Haar gezicht vertoonde heftige emoties.

Hij worstelde om zich aan de verzengende schittering te onttrekken, maar kon zich niet verroeren. Weer snoerde die oude, wurgende angst zijn keel dicht.

De vrouw staarde hem aan, beschuldigend. Haar zwarte ogen schenen bijna even helder als de helderste plekken van haar zwarte haar, dat haar voorhoofd sierde en in golven neerviel aan weerskanten van haar ovale gezicht. Achter haar was duisternis, niets dan duisternis. Daardoor werd de uitstraling van haar gezicht nog beangstigender, leken haar tanden nog witter. In tegenstelling tot de meeste vrouwen van haar leeftijd—nog drie jaar scheidden haar van de veertig, elk vreselijk detail was hem bekend—was haar gebit door de wonderbaarlijke goede gezondheid die zij geërfd had, gevrijwaard gebleven voor gaten en bruine verrotting.

Hij probeerde wanhopig zijn gezicht te verbergen, maar kon niet eens zijn hoofd afwenden. Zijn angst werd erger. Hij hoorde zijn eigen, raspende ademhaling. Luider en luider, omdat hij wist dat zij tegen hem zou gaan spreken . . .

En zij sprak. En zoals altijd waren haar woorden angstaanjagend: angstaanjagend, omdat hij niet wist of zij uit liefde sprak of uit razernij. 'Probeer niet weg te rennen. Ik zeg je: probéér het niet. Je zúlt naar me luisteren!'

Wegrennen. Mijn God, alsof hij dat zou kunnen! Hij stond als verlamd in die onmetelijke duisternis, waar haar gezicht zo woest oplaaide; en die ogen . . .

'Je krijgt geen Latijn. Hoor je dat? Géén Latijn! Je gaat Engels leren. Je gaat leren lezen en schrijven in je eigen taal én in het Engels. En je gaat leren hoe je sommen moet uitrekenen—iets wat ik nooit geleerd heb, maar als actrice in Parijs had ik dat niet nodig. Jíj zult het wel nodig hebben. Voor jou is een andere rol weggelegd, Phillipe. Een grootse rol, vergeet dat nooit.'

Haar ogen vlamden met een hypnotiserende kracht, als kolen in een open haard. Maar ze straalden geen warmte uit.

Hij was een en al koud zweet, angst, verlammende onbeweeglijkheid.

'Als de tijd mij rijp lijkt zal ik je vertellen wat die rol zal zijn. Tot die tijd moet je mij gehoorzamen en Engels leren als je tweede taal—en ook dingen zoals de waarde van het Engelse pond. Zo zul je in staat zijn om je toe te eigenen wat je toebehoort. Laat die idioten maar kletsen over de glorie van Frankrijk. Het grootste imperium van de wereld sinds Rome ligt aan de overkant van de zee—en daar zul jij eens heen moeten om je rechtmatige eigendommen op te eisen. Laat die kleine koorknaapjes van die kwezelachtige priester en zijn helper maar Latijn leren!'

Als dolken, vleesloze witte dingen, witte klauwen, strekten haar handen zich naar hem uit. Grepen zijn bovenarmen. Zij schudde hem heen en weer, terwijl zij zelf geschokt werd door de hevigheid van haar hartstocht. Hij probeerde haar te weerstaan, te negeren, en het lukte hem ten slotte zijn hoofd heen en weer te schudden. De inspanning vergde al zijn krachten. Maar zij liet hem niet los. Hij zag haar gezicht naar zich toe komen, verwrongen in lelijkheid, waardoor hij die oude, stille schreeuw weer in zich voelde opkomen.

'Je zult Engels leren van Girard!' gilde zij. 'Uit goede, fatsoenlijke boeken—niet uit die smerige, godslasterlijke dingen die hij in zijn kast verbergt. Hoor je mij, Phillipe?'

Hij probeerde te spreken, maar zijn keel bleef op de een of andere manier dicht zitten. Alleen een zwakke luchtstroom siste tussen zijn tanden door naar buiten.

Zij schudde hem harder en harder door elkaar, terwijl haar haar opwoei in de wind, die uit het eindeloze duister kwam, en aan haar steeds scheller wordende stem zijn klaagzang toevoegde. Het vurige beeld van haar gelaat leek in de beukende stormvlagen te flakkeren als een kaarsvlam in de storm.

'Hoor je wat ik zeg, Phillipe? Hóór je mij?'

Eindelijk lukte het hem een geluid voort te brengen, een dierlijk gejank van angst en pijn . . .

Het gebrul van de wind stopte als een onderbroken donderslag. Hij rukte zich los uit haar wurgende greep en vluchtte door de duisternis. Weg van die witte klauwen. Dat gezicht, die ogen . . .

Maar de duisternis waar hij in vluchtte bleek ijl te zijn. Zijn benen woelden in de leegte en hij viel en viel en *viel* . . .

Deze keer kwam er een schreeuw om genade uit zijn keel.

2

Hij werd zwetend wakker. Zwetend en—toen hij zich in een flits gerealiseerd had dat het voorbij was—woedend. Deze droom kwam steeds terug. Hij zou er aan gewend moeten zijn. Maar hij was het niet. Altijd bezorgde de droom hem een onverklaarbare angst.

Gedurende die eerste verwarde ogenblikken maakte zijn woede plaats voor schaamte. Hij wreef zijn ogen uit om de slaperigheid te verdrijven. Het was een geruststelling zijn knokkels tegen zijn oogleden aan te voelen.

Zijn lichaam glom van het zweet. Tegelijkertijd had hij het ijskoud op de zolder van de herberg. Hij wreef nog harder met zijn knokkels in zijn ogen. Weer viel er iets van het slaapdronken gevoel van hem af. En weer iets van de angst. Hij probeerde te lachen, maar kon alleen een schor geluid voortbrengen.

Elke keer dat hij die droom kreeg, waren de details in hoofdzaak hetzelfde. Haar gezicht, haar ogen, haar handen. De beschuldigingen, verborgen in haar lange, verwarde betoog. Stukjes ervan had hij al eerder gehoord, vaak. In zijn slaap en ook als hij wakker was. Altijd stond ze erop dat Engeland de rijzende ster was in de constellatie van wereldmachten, en weer vroeg hij zich af of ze dat zei omdat ze door haar eigen omgeving zo vunzig behandeld was.

Ze legde er altijd de nadruk op dat hij meer, veel meer, waard was dan wie dan ook in zijn omgeving. Maar ze weigerde precies te zeggen waarom. Als hij er bij haar op aandrong bijzonderheden te vertellen, lachte ze alleen maar—hoe hooghartig kon ze lachen—en gaf als antwoord: 'Als de tijd rijp is, Phillipe. Als de tijd rijp is.'

De zolder rook naar stro en naar zijn eigen zweet. Hij rolde zich op zijn zij, naar het kleine zolderraam dat uitzicht gaf op de zwarte heuvels, die nog door een glimp van sterrenlicht werden beschenen. Onder zijn linkerarm staken de boeken met hun stijve hoeken door zijn prikkerige wollen hemd, dat tot zijn knieën hing, en dat hij alleen maar in zijn broek hoefde te stoppen als het tijd was om met de dagelijkse arbeid te beginnen.

Omdat hij zo gemakkelijk lag, trok hij de kostbare, zorgvuldig verstopte boeken onder zijn lichaam vandaan—de boeken waarvan zij zo weinig begreep; de boeken die Girard hem nu al meer dan een jaar lang had toegestopt, altijd met de waarschuwing ze aan niemand te laten zien.

Een van de delen, geschreven door een Engelsman, Locke, die Girard erg bewonderde, was hem van pas gekomen bij het leren van zijn tweede taal. Maar veel gedeelten in *Two Treatises of Government* waren voor hem toch een raadsel en brachten hem in verwarring. Hetzelfde gold voor de twee andere boeken.

Het ene was een dun boek, geschreven door een Zwitserse schrijver, die Girard een van de *philosophes* noemde, als hij het tenminste niet met een zure glimlach over die gekke meester 'Jean Jacques' had.

Een van de twee bezittingen die Girard het meest koesterde was het grootste en dikste boek: het eerste deel van iets dat *L'Encyclopédie* heette—een samenvatting van alle kennis in de wereld tot op heden. Ingewikkelde verhandelingen over letterlijk van alles: van politiek tot de aard en structuur van het heelal. Twee andere, door Girard bewonderde *philosophes*, een denker, Diderot genaamd, en een wetenschapsman, d'Alembert, hadden het enorme werk verzameld.

De eerste twee delen waren op het moment, dat zij in de winkel lagen, verboden, omdat, zoals Girard met bitterheid een Franse overheidsfunctionaris citeerde, zij 'leidden tot de vernietiging van het Koninklijk Gezag, tot het aanmoedigen van een geest van onafhankelijkheid en opstandigheid en tot het oprichten van de fundamenten van dwaling, tot het bederf der zeden en tot ongeloof'.

Voordat die boeken officieel verboden waren, waren er enkele exemplaren in particuliere omloop gebracht. Girard was zo gelukkig geweest om van die eerste twee delen een exemplaar in handen te krijgen.

Terwijl Phillipe de boeken onder het stro verstopte, keerden zijn gedachten weer terug naar de droom. Misschien verdiende hij die wel, als straf.

Elk moment dat zij niet bezig waren met het bestuderen van meer legitieme werken—veiliger werken—probeerde Girard geduldig enige van die geweldige, moeilijk te vatten, ideeën uit te leggen, want Phillipe kon ze wel lezen, maar begreep ze niet.

Voltaire, Montesquieu, de gekke Rousseau: allen waren zij vertegenwoordigd in dat grote, kostbare boek dat Phillipe boven op de twee andere legde en onder het stro verborg. Allemaal waren zij geniaal, beweerde Girard belerend, en lieten zij de wereld schudden op zijn grondvesten.

En maakten zij van Phillipe een verdorven man, die in dwaalleren geloofde?

Als zij het eens wist! Hoe vaak zou hij dan wel niet die droom krijgen!

Waarschijnlijk nooit, bedacht hij met een flauwe, vermoeiende glimlach. Ze zou hem nooit hebben laten slapen, maar zou hem de les lezen, de les lezen, de les lezen . . .

Toen de drie boeken veilig uit het gezicht verdwenen waren, ontspande hij een beetje. Ademde hij, voor het eerst sinds hij wakker was geworden, langzamer en dieper. Hij snoof de lucht op van de herfstnevels, die van de Puy de Dôme naar beneden kwamen drijven. De geur van de frisse herfstnacht was als een medicijn voor hem. Maar al knapte hij er wel van op, hij was ook meteen weer terug in de realiteit: de realiteit die hem altijd weer deed twijfelen aan de droom en alles wat die inhield. Spoedig zou een volgende koude moeilijke winter de Velay-vlakte in zijn greep hebben en de rivier de Allier, die in het noorden met de Loire samenstroomde, bevriezen. Naargeestig zouden de dagen voorbijgaan en hij zou huiveren en werken en slapend zijn leven verdoen in een schimmelige herberg, die niet veel klanten meer trok.

Verstrooid kauwde hij op een strootje dat hij tussen zijn tanden had gestoken. Hij werd verondersteld te geloven dat er een of andere prachtige toekomst op hem wachtte. In *Engeland*? De traditionele vijand van Frankrijk? Hij kauwde op het strootje en wrong zijn mondhoeken weer in een wrange glimlach. Het idee alleen al was bespottelijk!

Maar het was ook de reden waarom hij geen vrienden van zijn eigen leeftijd had.

Hoewel hij nauwelijks geloofde in de beloften van die krijsende stem uit de droom en in de lange tirades overdag, die die zelfde beloften inhielden, wist hij dat hij zich soms gedroeg alsof hij ze volledig geloofde. Mensen om hem

10

heen voelden die onderbewuste arrogantie aan.

God! Hij kon er niks zinnigs van maken. Zeker nu niet. Hij voelde zich weer slaperig worden en wou weer vluchten in de dromeloze rust. Hij was totaal uitgeput. Hij ging achterover in het stro liggen, stootte tegen de boeken aan en wentelde zich in een gemakkelijker houding. Hij trok de gerafelde, naar ouderdom stinkende, deken over zich heen. Een schitterende toekomst? Voor hém? Wie was hij nou eigenlijk? Een zoon van een herbergierster. Niets meer!

En toch was hij er niet zeker van. Ook nu was hij er niet zeker van, wat die steeds terugkerende droom, dat gezicht dat op hem af kwam, die tirranniserende stem, betekende. Misschien zat er wel iets in!

'Als de tijd rijp is, Phillipe.' Was er iets dat hem nog geopenbaard zou worden? Iets dat wachtte—zoals de winter—met neer te dalen tot het afgesproken ogenblik was aangebroken? Iets geheimzinnigs en opwindends?

Hij wist het niet. Maar één ding wist hij volkomen zeker: hij vreesde de droom en verfoeide hem. Hij haatte het om bang te zijn voor de woeste blik in de ogen van zijn eigen moeder.

3

Tegen een helling, boven een smalle weg, ongeveer drie kilometer onder het gehucht Chavaniac, lag de bouwvallige herberg De Drie Geiten. Het houten uithangbord piepte en kraakte in de onophoudelijke wind van de Auvergne. Er woonden vier mensen in de herberg. Zij hielden het vuur in de gelagkamer brandend, verschoonden de bedden, bereidden de maaltijden en dienden de wijn op. Zij leidden een karig bestaan, want er deed slechts af en toe een rijtuig met voorname lieden de herberg aan. Meestal waren die op weg naar het zuiden, of naar de gevaarlijke Alpenpassen in het oosten en vervolgens naar het zonnige Italië. Daar zou hij wel nooit komen, dacht hij als hij in een realistische stemming verkeerde. Na de nachtmerrie en met het aanbreken van de mistige ochtendschemering was Phillipe precies in zo'n stemming. Hij voelde, dat hij zijn hele leven in dat rotsige landschap zou moeten slijten, het enige vaderland dat hij zich kon herinneren.

Terwijl hij lag te denken aan de kaas die hij voor de komende week moest gaan halen, was het niet aan hem te merken dat hij enig geloof schonk aan de beloften die zijn moeder hem had toegeschreeuwd in zijn droom. Of was het misschien toch te merken aan zijn iets opgetrokken schouders en zijn, een beetje opschepperige, manier van lopen? Maar gold dat niet voor alle jongens van zeventien jaar, die net zo klein en stevig gebouwd waren als hij? Het bloed stroomt sneller en heftiger op die leeftijd!

Marie, de moeder van Phillipe, bestierde de herberg. Vroeger was hij van haar vader, die, als goed katholiek, op het kerkhof van Chavaniac begraven lag. Jaren geleden was Marie van huis weggelopen om in Parijs bij het toneel te gaan. Daardoor was zij automatisch geëxcommuniceerd door de Moederkerk. Phillipe hielp haar bij het werk, samen met het dienstmeisje, Charlotte, een mollige deern met brede heupen en volle lippen. De familie van Charlotte woonde een kilometer verder zuidwaarts. Haar vader, een molenaar, had zeventien kinderen. Omdat hij niet in staat was om voor hen allemaal te zorgen, had hij een paar van zijn kinderen er op uit gestuurd om, waar dan ook, werk te vinden. Onder Maries leiding verzorgde Charlotte voor het grootste deel de maaltijden. De vierde bewoner was Girard. Een lange, gladgeschoren man, die zo'n vier jaar geleden nog had rondgezworven, een stok met daaraan vastgebonden een bundel kostbare boeken, over zijn schouder. Marie had hem overgehaald te blijven, omdat zij toentertijd een oudere, sterkere man nodig had in de herberg.

Toen Phillipe die morgen naar beneden kwam en de gelagkamer inliep, trof hij Girard aan, die bezig was de kleverige wijnvlekken te verwijderen van de enige tafel die de vorige avond bezet was geweest.

'Goeiemorgen, Phillipe,' groette Girard. 'Het is weer niet bepaald druk vanmorgen. Zou ik je een les mogen voorstellen?'

'Prima,' antwoordde Phillipe, 'maar eerst moet ik kaas gaan kopen.' 'Onze enige klant van gisteravond heeft alles opgegeten, nietwaar?'

Phillipe knikte.

'Hij was wel erg mager voor een rondreizende ketellapper,' merkte Girard op. 'Aan de andere kant . . .' Hij rammelde met de centen in zijn overschort. 'Wie ben ik, dat ik de keuze die iemand in zijn leven gemaakt heeft in twijfel zou mogen trekken? Hij heeft betaald.'

'Is mijn moeder al op?' vroeg Phillipe, terwijl hij naar de zwartberookte keukendeur liep, waarachter hij de heerlijke geur van dennehout rook. 'Ik heb in haar kamer nog geen geluid gehoord,' voegde hij er aan toe.

'Ik neem aan, dat zij nog slaapt. Waarom ook niet? Onze ketellapper is al vroeg op weg gegaan.' Girard maakte met zijn tong een bolle wang. 'Ik geloof wel, dat onze charmante mademoiselle Charlotte er al is. Pas maar op, dat zij je niet aanvalt!' Met een van zijn heldere ogen gaf hij een veelbetekenende knipoog. 'Het is maar al te duidelijk, dat zij niets liever zou willen.'

Phillipe bloosde. De toespeling die Girard maakte wond hem op. Hij wist wel ongeveer wat vrouwen en mannen samen deden, maar hoe het in de praktijk toeging was voor hem nog een mysterie.

Een stap voor de keukendeur bleef hij stilstaan. Ja, hij kon Charlotte duidelijk horen neuriën. En om de een of andere reden—zijn slecht verborgen opwinding of zenuwachtigheid, of allebei—wou hij haar, juist nu, niet tegenkomen.

Geamuseerd ging Girard op een hoek van een tafel zitten. Hij was een vreemdgebouwde man van ongeveer dertig jaar. Hij deed Phillipe denken aan een langpootvogel. Hij was van onbekende afkomst. Zijn bestemming en ambitie in het leven—zo hij die al had—waren ook onbekend. Hij scheen genoegen te nemen met het huishoudelijk werk en met het geven van lessen aan Phillipe, gewone en ongewone lessen. Gelukkig mochten leraar en leerling elkaar graag.

'Vooruit maar!' grinnikte Girard en zwaaide met zijn hand. 'Er ligt een lekker warm broodje op je te wachten, plus de weelderige charmes van mademoiselle Charlotte! Wat wil een kerel nog meer op een kille ochtend!'

Phillipe schudde zijn hoofd. 'Ik denk, dat ik eerst maar achter de kaas aan ga. Geef me geld, alsjeblieft.'

Girard viste de munten uit zijn leren schort en spotte: 'Jouw deugdzaamheid is prijzenswaardig, jonge vriend. Schuw de verzoekingen des vlezes! Klamp je vast aan de geneugten van de ziel en het verstand. Zijn wij immers niet bevoorrecht dat wij in de grootste eeuw van de mensheid leven? De eeuw van de rede?'

'Dat zeg je altijd, ik weet het niet.'

'O! We zijn met het slechte been uit bed gestapt!'

'Nou ja . . .' Phillipe lachte verontschuldigend, 'ik heb een nare droom gehad, dat is alles.'

'Niet vanwege Monsieur Diderot en zijn gezelschap, neem ik aan?'

Phillipe schudde zijn hoofd. 'Maar er zijn nog wel een paar dingen die ik je wil vragen, Girard, want van de helft van die politieke zaken begrijp ik geen barst.'

'Maar dat is nou juist het doel van onderwijs! Om te begínnen te begrijpen! En daarna om te wíllen begrijpen!'

'Dat weet ik, dat heb je al eens eerder gezegd. Ik snap nu een beetje waar sommige van die schrijvers het over hebben. Genoeg om te weten dat wat zij te vertellen hebben op de een of andere manier niet waar is. Alles wat er beweerd wordt over koningen . . . Dat zij niet meer aan God het gezag kunnen ontlenen over de levens van andere mensen te beschikken . . .'

'Precies!' brak Girard hem af.

'Maar wij hebben altijd koningen gehad!'

'Altijd betekent nog niet eeuwig, Phillipe. Er is absoluut niets in de structuur van de wereldorde dat bepaalt, dat een vrij mens zich moet onderwerpen aan gezag. Tenzij hij dat wil, in zijn eigen voordeel en met zijn eigen toestemming. Zelfs de beste koning regeert uit traditie en niet omdat hem het recht gegeven is. Een mens moet zelf bepalen of hij door het gezag in kwestie geregeerd wil worden.'

'Tot zover begrijp ik het wel, ja.'

'Onze gekke Zwitser sprak zich er nog kernachtiger over uit. Eens merkte hij op dat, als God met meneer Jean Jacques wou spreken, hij dat niet via Moses moest doen.' Even hield Girard stil. 'Wat een schandalige dingen leer ik je toch, hè?' zei hij met een twinkeling in zijn ogen.

'Voor mij zijn het voornamelijk verwarrende dingen.'

'Bewaar je vragen maar, totdat wij ons met gewonere zaken hebben beziggehouden. Als je terugkomt zullen wij een Engels toneelstuk gaan lezen. Er komen heksen en oude Schotse koningen in voor, die elkaar vermoorden. Je zult het vast wel spannend vinden, denk ik. Leren zou geen saaie bezigheid moeten zijn, al denken, godbetert, de priesters er anders over.' En quasi-ernstig besloot hij: 'Ik beschouw het niet alleen als mijn werk, maar als mijn heilige plicht je leertijd zo aangenaam mogelijk te maken, jonge vriend.'

Bij de voordeur draaide Phillipe zich om: 'Leertijd. Waarom moet ik eigenlijk leren?'

'Dat zal mevrouw de actrice je wel vertellen, jonge vriend.'

Phillipe fronste zijn wenkbrauwen. 'Waarom noem je mijn moeder steeds "mevrouw"?'

'Ten eerste staat zij er op.'

'Maar zij is nooit getrouwd geweest. Ik weet niet eens wie mijn vader is.'

'Niettemin beschouw ik jouw moeder als een dame, maar ja . . .' Girard haalde zijn schouders op en glimlachte . . . 'Als zij in een slecht humeur is noemt zij mij een merkwaardige, om niet te zeggen, gevaarlijke vent. En zij is niet de enige!'

'Jammer, dat ik mijzelf niet kan dwingen om je alleen maar les te geven in Engels en rekenen. Dat komt doordat jij een slimme kerel bent. Maar bedenk, wat ik je al eerder heb gezegd, voordat je mij met vragen komt plagen: sommige van mijn filosofische ideeën zouden je wel eens in grote moeilijkheden kunnen brengen. Beschouw dat als een raad van een vriend, die het goed met je meent. En ga nu maar gauw kaas halen, hè? Anders kan ik je niet garanderen dat mademoiselle Charlotte je niet te grazen neemt!'

4

Zo verliet, op een grauwe novembermorgen, Phillipe Charboneau herberg De Drie Geiten. Het moet gezegd dat hij nog nooit een geit op het erf had gezien, laat staan de drie, waar de vader van Marie de herberg naar genoemd had.

Hij begaf zich op pad over de rotsachtige weg, richting Chavaniac. Langzaam trok de mist op en verschenen de eerste zonnestralen. Aan de horizon kon hij een glimp ontwaren van de ronde grijze bult van de Puy de Dôme. De top van de berg werd door kraters omringd, had Girard hem verteld. Eens hadden zij rook en vuur uitgebraakt, want het waren allemaal uitgedoofde kleine vulkanen, had de rondreizende geleerde er aan toegevoegd. Phillipe haastte zich. Op de hellingen boven hem zuchtten donkere dennebomen onder de wind, die over de Velay-vallei woei. Gedurende de herfst- en wintermaanden kon de wind van de Auvergne je door merg en been gaan. Ook in de herberg was het deze tijd van het jaar koud, behalve als je vlak bij de haard ging staan.

Hij vroeg zich af hoe het zou zijn om in een luxueus château te wonen.

Zoals het kasteel vlak bij Chavaniac: de familie Motier woonde daar, had zijn moeder hem verteld. Zij waren rijk en van adel. Als het kasteel ter sprake kwam, liet zijn moeder nooit na er op te zinspelen dat zo'n leven hem ook eens ten deel zou vallen.

In de bijtende kou was Phillipe er meer dan ooit van overtuigd dat dat slechts hardop uitgesproken wensdromen van haar waren. Zijn oude wollen jas gaf maar weinig bescherming tegen de kou. Hij was door en door verkleumd toen hij een pad tussen de rotsen insloeg. Het kwam uit op een natuurlijk plateau, dat uitzicht gaf op de weg. Hier was het armzalige hutje van Du Pleis, de geitenhoeder. Hogerop kon je, achter een scherm van dennebomen, het gerinkel van geitebelletjes horen.

Een dikke, onverzorgde jongen kwam, aan zijn kruis krabbend, te voorschijn. Hij miste verscheidene tanden en had krachtige schouders. Phillipes ogen vernauwden zich toen hij hem zag. 'Wel, wel,' zei de jongen, 'kijk eens wie we hier hebben.'

Phillipe probeerde kalm te blijven. 'Ik kom de wekelijkse kaas halen, Auguste, waar is je vader?'

'Nu je er toch naar vraagt: hij ligt dronken op bed te snurken.' Auguste grijnsde. Maar net als zijn doffe ogen, was zijn grijns zonder hartelijkheid. Hij maakte een spottende buiging: 'Veroorlooft U mij U in zijn plaats van dienst te zijn, heer.'

Phillipes kin ging omhoog en zijn gezicht kreeg een hardere uitdrukking: 'Zo is het genoeg, Auguste, laten wij ter zake blijven . . .'

Net toen hij de munten uit zijn zak haalde, kwam er een andere, grotere jongen uit de hut. In zijn hand had hij een mandkruik.

De nieuwe jongen boerde: 'Gezelschap, Auguste?'

'Dit is mijn neef Bertram,' verklaarde Auguste.

Phillipe nam de nieuwkomer nauwlettend op. Hij zag, dat hij een vaag litteken had op zijn kin. Van een messengevecht? Hij had lange haren, die niet, zoals bij hem, van achteren door een strik waren samengebonden. Hij had doffe, geelachtige ogen en zwaaide een beetje.

Auguste vervolgde: 'Dit is Phillipe Charboneau, Bertram, een bekende herbergier beneden aan de weg. Hij is meer waard dan wij allemaal. Sommigen noemen hem de kleine lord.'

'Hij lijkt meer op een keutellord,' grapte Bertram en nam een grote slok uit de kruik.

'Nee hoor!' Met een strak gezicht liep Auguste op Phillipe af, die zijn smerige adem dichterbij voelde komen: 'Ook al is het bedrijf van zijn moeder niet welvarend genoeg om er ook maar één paard in de stal op na te houden, hij is een *fijn* personage! Al is het geen geheim, dat hij een bastaard is. Zijn moeder schept er tegenover iedereen in de buurt over op, dat hij ons eens zal verlaten om een of andere fantastische erfenis op te strijken. Jaja. Op een dag zal hij het vuil van de Auvergne van zich af kunnen schudden.'

Met een vlugge beweging graaide Auguste een kluit zand van de grond en smeet die tegen Phillipes jas.

'Niet lachen, Bertram,' zei Auguste zogenaamd ernstig, 'wij hebben het van zijn moeder zelf gehoord. Dat wil zeggen: die keren dat zij zich verwaardigt tegen het lagere volk te spreken.' Hij gluurde naar Phillipe. 'Wat mij op iets anders brengt, kleine lord. Toen mijn moeder overleden was, afgelopen Pasen, en jouw moeder hier kaas kwam halen, heeft zij geen enkel woord van deelneming geuit.' Hij smeet nog een kluit zand naar Phillipe. 'Geen woord!'

Gespannen voelde Phillipe de haat die uit zijn woorden sprak. Bertram slofte naar hem toe, zwaaiend met de kruik. Phillipe wist, dat het waarschijnlijk waar was wat dikke Auguste zei, maar hij voelde zich toch gedwongen zijn moeder te verdedigen: 'Misschien voelde zij zich niet goed, Auguste. Dàt moet het geweest zijn: ik herinner het mij nu, met Pasen . . .'

'Voelde zij zich net als altijd,' hoonde Auguste. En tegen Bertram zei hij: 'Ze is in Parijs aan het toneel geweest. Ik heb gehoord wat dat inhoudt, jij ook?'

Bertram grinnikte. 'Natuurlijk. Voor elke pik met geld liggen die actrices meteen met hun benen wijd op het bed.'

'En daarom wordt zij in geen enkele kerk meer binnengelaten!' riep Auguste, terwijl zijn gezicht glom van hatelijk leedvermaak. 'Wel heel ongebruikelijk voor de moeder van een kleine lord, vind je niet?'

Bertram likte zijn mondhoek met zijn tong. 'O, ik weet het niet, ik heb gehoord dat de meeste chique dames aan het hof hoeren zijn.'

'Donder op!' flapte Phillipe er plotseling uit. 'Ik heb geen enkele behoefte aan jullie vieze geklets. Geef mij de kaas maar, dan ga ik weg!' Hij smeet het geld op de grond.

Auguste wierp een blik naar Bertram, die het stille signaal scheen te begrijpen. Hij zette de mandfles op de grond. Samen kwamen de neven op Phillipe af.

'Je hebt het mis, kleine lord,' zei Auguste. 'We willen je geld en misschien een stukje van je vel op de koop toe.'

Onverwachts gaf hij Phillipe een keiharde trap tegen zijn schenen. Uit balans gebracht probeerde Phillipe met zijn vuist het gezicht van Auguste te raken. De dikke jongen dook weg. Door een schaduw aan zijn linkerkant zag Phillipe dat Bertram om hem heen liep. Even later rukte deze aan zijn haarband, zodat hij met zijn hoofd achterover sloeg. Maar hij schreeuwde niet.

Bertram greep hem van achteren bij zijn oren en gaf hem een trap op zijn achterwerk. Door die trap wankelde Phillipe naar voren, precies in de omhoog gekomen knie van Auguste. De knie trof hem in zijn maag. Dubbelgevouwen schreeuwde Phillipe het uit. Bertram gaf hem een klap op zijn nek.

Het begon Phillipe te duizelen . . .

Een seconde later zat Bertram op zijn buik. Auguste begon hem te trappen. Phillipe worstelde, vocht, haalde uit met zijn beide vuisten. Maar de meeste keren miste hij. De laars van Auguste beukte tegen zijn benen, ribben en schouders. Weer een trap, en weer een en weer een . . .

Plotseling was een van Phillipes klappen precies raak. Uit Betrams neus spoot bloed op Phillipes jas. De oudste jongen uitte een stroom van verwensingen. Hij greep zijn slachtoffer bij de oren en beukte zijn hoofd tegen de grond.

Phillipe hoorde nog slechts het merkwaardige geluid van zijn zwaar ademende folteraars, vermengd met de vervormde klank van rinkelende geitebelletjes hoog achter de dennebomen. Een paar minuten sloegen zij op hem in. Maar hij schreeuwde geen enkele keer meer.

Binnen in het hutje vroeg de ruziezoekende stem van een man iets; de vraag werd herhaald toen er geen antwoord kwam. De stem klonk boos. Auguste graaide Phillipes geld bij elkaar. Bertram stond wankelend op, pakte de kruik, bracht hem naar zijn beboede mond en dronk.

Kreunend strompelde Phillipe overeind, nauwelijks in staat om te lopen. Auguste gaf hem voor de laatste keer een trap tegen zijn achterste, waardoor hij het pad, dat naar beneden liep, opvloog.

De dikzak schreeuwde hem na: 'Kom niet meer terug voordat je hoerige moeder beschaafd tegen haar buren kan praten, goed begrepen?'

Phillipe strompelde verder. Zijn wangen schrijnden in de bijtende wind. Hij beefde over zijn hele lichaam. Hij vond het een prestatie dat hij nog op zijn benen kon blijven staan.

5

Uitgeput, zich schamend dat hij Auguste en zijn neef niet had aangekund, strompelde Phillipe over de eenzame weg naar de herberg. Omdat hij zich vernederd voelde, sloop hij om het woongedeelte van de herberg heen—hij was dankbaar dat er niemand voor hem op de uitkijk stond—en zocht toevlucht in de lege stal achter het huis. Hij sleepte zich moeizaam met zijn gewonde handen de ladder op naar de hooizolder en begroef zich in het stro, om zijn pijn te laten wegebben in de weldadige duisternis.

'Phillipe? Phillipe? Ben jij het?'

De stem wekte hem uit zijn diepe bewusteloosheid. Hij rolde zich om, knipperde met zijn ogen en zag een wit ovaal gezicht. Daarachter, door de reten in de balken van de hooizolder, ontwaarde hij een glimp van nevelige sterren. Beneden in de stal zag hij het schijnsel van een lantaarn.

'Heilige moeder Maria! Phillipe! Mevrouw Marie is al de hele dag vreselijk bezorgd. Waar heb je toch gezeten?'

'Charlotte . . .' Hij kon haar naam nauwelijks uitspreken. Zijn hele lijf deed hem nog pijn, al was die nu wel te verdragen. Bovendien was het wakker worden—de herinnering aan wat er was gebeurd—niet erg plezierig.

Charlotte knielde naast hem in het stro. Hij likte met zijn tong langs zijn verhemelte, maar zijn mond bleef droog. Charlotte steunde op haar knieën en handpalmen. Zij bewoog een beetje heen en weer, en hij dacht dat hij wijn rook. Zeker uit de kelder gejat.

Het leek hem geen toeval dat Charlotte juist die houding had aangenomen; haar blouse viel terug en hij kon haar blote borsten zien. Een ogenblik dacht hij dat ze zou gaan giechelen. Gloeiden haar ogen niet van vrolijke, listige pret? Maar heel zachtjes en zorgzaam streek zij over zijn wang.

'Lieve hemel, wat is er met jou gebeurd?'

'Ik heb een ongeluk gehad,' zei hij met raspende stem. 'Ik ben gevallen, dat is alles.

'Zo te zien van tien bergen tegelijk! Ik geloof er niets van!'

Opnieuw aaide zij over zijn wang, hij was er zich ongemakkelijk van bewust, dat haar hand talmde. Hij voelde elk van haar vingertoppen. Zij moest recht uit de keuken komen, want er zat nog vet aan.

'Wie heeft je zo toegetakeld, Phillipe? Rovers? Sinds wanneer hebben die het op arme jongens gemunt?'

'Geen rovers . . .' Elk woord kostte hem moeite. 'Maar . . . Met knarsende tanden zag hij kans overeind te komen. 'Luister, Charlotte, het doet er niet toe. Toen ik terugkwam, wilde ik niets dan slapen, en ben ik maar in het stro gekropen.'

Zij streek zachtjes langs zijn arm, en kietelde hem zachtjes, maar veelbetekenend.

Mijn God, dacht zij daaraan? Nu?

Hoe kon hij opgewonden raken met een lijf dat overal pijn deed en helemaal stijf was?

Maar Charlotte sloot hem in als een jager zijn prooi.

'Arme Phillipe, lieve arme Phillipe.' Zij trok haar rok op om de ladder weer af te dalen, en hij zag een glimp van haar blanke been.

'Je hebt een slokje wijn nodig.'

'Nee, heus niet, ik heb echt geen . . .'

'Jawel, wacht maar, laat mij maar begaan, Phillipe. In een van de stallen heb ik een paar flessen verborgen.'

Dus ze gapte uit de kelder, bedacht hij zonder dat het hem veel deed. Hij voelde de neiging achter haar aan te gaan en te vluchten. Maar hij deed het niet. Misschien zou een beetje wijn hem wel smaken, misschien zou hij er van opknappen.

Beneden in de stal hoorde hij Charlotte rommelen. Plotseling doofde het gelige licht van de lantaarn. Phillipe sperde zijn ogen wijd open. Bij de ladder hoorde hij een verrukt kreetje. Mijn God. Zij giechelde inderdaad. Hij voelde zich in de val gelokt en probeerde zich om te draaien om op zijn knieën te gaan zitten. Pijnscheuten explodeerden overal in zijn lichaam. Kreunend zakte hij weer achterover en probeerde het gevoel van vernedering en haat—dat hij van die ochtend had overgehouden—te vergeten. Charlotte klauterde van de ladder op de zolder en maakte weer dat vreemde, tevreden geluidje. Ditmaal probeerde zij niet eens zich in te houden. Struikelend plofte zij naast hem neer, en gaf hem ruimschoots de gelegenheid haar borsten tegen zijn arm te voelen. Zij drukte de fles in zijn hand, maar nam haar eigen hand niet weg.

Hij praatte moeizaam, omdat zijn gewonde lip opgezwollen was: 'Hoe heb je mij gevonden?'

'Wat . . .'

Zij strekte zich naast hem uit, waarbij zij koket met haar schouders draaide. Daarna keerde zij zich naar hem toe, zodat zijn arm tussen haar borsten kwam te liggen. Hij verlegde zijn arm, waarop zij meteen dichter tegen hem aan kroop. Zij is niet nuchter, bedacht hij met een plotseling opkomend gevoel van verwarring.

Zij streek met de palm van haar hand over zijn voorhoofd en vroeg plotseling: 'Heb je het wel warm genoeg? Je voelt helemaal ijzig aan.'

'Ik heb het warm, erg warm zelfs.'

'Dat is een grote leugen. Je klappertandt!'

'Ik heb alleen koude tanden, voor de rest ben ik warm. Ik vroeg je . . .'

'Neem wat wijn. Dat helpt.'

Bijna met geweld duwde zij de fles tegen zijn mond. De wijn van de herberg was van slechte kwaliteit en smaakte wrang. Hij moest hoesten en proesten toen hij een slok binnenkreeg, maar werd toch snel warmer toen de wijn eenmaal in zijn maag was aanbeland.

Charlotte ging met haar heup tegen hem aanliggen. Hij voelde de pijn in zijn buik en zijn maag, maar werd zich plotseling ook van iets anders bewust. Een reactie in zijn lendenen. Onverwacht; verrassend. En—god sta mij bij, dacht hij in paniek—niet helemaal onplezierig.

Maar hij voelde zich nog steeds als een in het nauw gedreven vos.

'Om antwoord te geven op je vraag,' legde Charlotte fluisterend uit, 'we hebben vanavond geen enkele klant. Niet een! En het gepraat in de keuken werd zo vervelend,—je moeder die zei dat er dit gebeurd was, en Girard die zei dat er dat gebeurd was—dat ik er doodziek van werd en het huis ben uitgeslopen om hier een slokje te nemen. Kwam dat niet goed uit?'

Haar lach had een schorre klank gekregen. Een alarmerende, opwindende hand dwaalde af naar zijn kraag en kietelde zijn nek. De vetrestjes op haar vingers voelde hij al niet meer, omdat hij ergens anders iets veel hevigers en verrassenders onderging. Wat gebeurde er in 's hemels naam?

Hij probeerde een norse toon aan te slaan: 'Wie geef je wat je overhoudt van je diefstallen? Je familie?'

'Nee hoor! Ik drink het allemaal zelf op! En als ik drink krijg ik de heerlijkste dromen—over een zeker jongmens . . .'

'Ik geloof er niks van.'

'Nou, dan heb je het goed mis! Die dromen zijn verrukkelijk!' Zij boog zich wat meer voorover, zodat haar krullen tegen zijn kraag kietelden en de merkwaardige veranderingen, die in zijn lichaam plaatsvonden, versnelden.

'Jammer, dat het alleen maar dromen blijven . . .'
'Ik bedoel dat ik je verhaal over de wijn niet geloof, Charlotte.'
'Nou ja, ik neem wel eens wát mee.' Ze wreef met haar lippen langs zijn wang, de kus maakte een zacht, smakkend, kort geluid. 'Je zult mijn geheim toch niet verklappen, hè? Alsjeblieft?'
Hij antwoordde met een gemompeld, onduidelijk, éénlettergrepig woord. Maar het leek genoeg om haar tevreden te stellen—en zich nog meer om zijn welzijn, of iets anders, te bekommeren. Zij kroop nog dichter tegen hem aan.
'Phillipe, je bent versteend van de kou.'
'Nee, heus niet, ik voel mij p-p-prima.'
'Je moet nog een slok nemen!'
Zijn protest werd gesmoord in een grote teug, die zij hem dwong door te slikken. De krachtig geurende wijn droop langs zijn kin. Naar lucht happend, vroeg hij: 'Charlotte, je hebt nog niet alles verteld. Hoe heb je mij gevon . . .?'
'O, dat. Nou, toen ik binnenkwam, hoorde ik je woelen en mompelen in je slaap. Heb je nog steeds zo'n pijn?'
Een van haar handen gleed over zijn heup. 'Kun je je eigenlijk wel bewegen?'
'Eh, ja, ik kan mij bewegen. Ik zou trouwens nu naar binnen moeten en . . .'
'Nee, nee,' riep zij zacht en drukte twee handen op zijn borst. 'Niet voor je weer warm bent geworden. Als je nu naar buiten gaat, kan je wel koorts oplopen. Je moet nog meer wijn hebben!'
Nu verzette hij zich nauwelijks meer. Het zure spul ging hem steeds beter smaken. Het ontspande hem. Behalve dan op een bepaalde plek, waar hij, door Charlottes voortdurende gevrij, geen macht meer over had. In het donker scheen zij over extra handen te beschikken, veel meer dan gewoon Na van de eerste schrik te zijn bekomen, die de naar beneden glijdende vingers bij hem hadden veroorzaakt, werd hij zo in beslag genomen door de merkwaardige ontmoeting die daar plaatsvond, dat hij, half-angstig, half-opgewonden, de hele obsessie van de vechtpartij vergat.
'Nu is het mijn beurt,' giechelde zij en trok met enige moeite de fles uit zijn licht trillende hand. Zij nam een slok. De fles gleed uit haar handen en viel kapot op de vuile stalvloer.
'Ojee!' zuchtte Charlotte. 'Wat moeten we nu doen om het warm te krijgen?'
'Dank je, Charlotte, maar ik heb het warm genoeg.'
'Nee hoor, je arme lieve handen zijn nog ijskoud!'
Ze is dronken, dacht hij. Zijn hoofd gonsde. Zij was niet de enige!
'Wij móeten wat voor je handen doen. Een warm plekje . . .' Zij greep zijn handen en drukte die tussen haar borsten.
Nu voelde hij zijn schrammen en builen helemaal niet meer. Maar die geheimzinnige andere sensatie werd hoe langer hoe heviger.

20

'Jeetje, het helpt nóg niet! Je zult me wel vrijpostig vinden, maar in het belang van je gezondheid, lieve jongen . . .'

Gegiechel. Op de een of andere manier had zij kans gezien haar rok omhoog te krijgen—zij leidde zijn handen naar een nieuw warm plekje: donzig en benevelend. 'Mmmmm—dat is beter,' stamelde zij. Hij leek de macht over zijn handen verloren te hebben, want onder haar leiding ontdekten ze even nieuwe, als verbazingwekkende plekjes.

Plotseling kuste zij hem op zijn oor. Zij kietelde zijn oorlelletje met haar tong, zodat het was of er allemaal kleine vuurtjes in hem ontbrandden . . .

'Ook de liefde verwarmt het bloed, Phillipe, wist je dat? Of als je te veel pijn hebt . . .'

'Ik heb voortdurend pijn, Charlotte, ik ben behoorlijk in elkaar geslagen. Ik geloof dan ook niet, dat wij . . .'

'Je gaat me toch niet vertellen, dat je niets om meisjes geeft!'

'Eerlijk gezegd heb ik daar vanavond niet over nagedacht.'

'Dénk er dan over na.'

Er belandde nog een kus op zijn oor.

'Lieve jongen, je zult je achteraf echt beter voelen. Dat beloof ik je!'

Voordat hij het wist daalde haar mond op de zijne en proefde hij de wijn van haar tong. Op een onverklaarbaar vreemde manier was al zijn pijn gestild, maar niet alles was gestild . . .

'O, ik stik bijna!' hijgde Charlotte.

Het duizelde hem, maar even later wist hij precies wat haar blote borsten tegen zijn armen betekenden, om nog maar te zwijgen van haar hand bij zijn broekriem . . .

Zijn broek was nu uit. En eindelijk ontvouwde zich het mysterie in haar gretige lichaam.

'Hier, hier, lieve Phillipe. Hier . . . nee, nog niet helemaal—zò ben je warmer aan het worden. Ik kan het voelen! Godzijdank. De behandeling werkt!'

'God . . . ja . . .' zei hij hees en liet elke andere overweging varen, behalve de hitte van haar mond en het vreemde, verwonderlijke ritme, dat uit hun, haast ondraaglijk heerlijk, samenzijn was ontstaan.

Charlotte sloeg haar handen om zijn nek en klampte zich aan hem vast. Ergens ging een deur open en dicht . . .

Het ritme versnelde. De handen van het meisje bewogen langs zijn rug op en neer. Hij kon haar gebroken, door het werk stomp geworden nagels voelen. Het krabben deed hem alleen nog razender ademhalen. Oncontroleerbare sidderingen welden diep in hem op en barstten los. In zijn verwarring bedacht hij dat dit wel het meest geneeskrachtige, verbazingwekkende en opmerkelijke medicijn was, dat er voor schrammen, bulten en kwade herinneringen was uitgevonden.

6

Zij lagen heerlijk te doezelen, hun armen ineengestrengeld, toen er zonder enige waarschuwing een fel licht van beneden kwam. Hij hoorde dat er iets omver gestoten werd—de uitgeblazen lantaarn?
'Phillipe? Charlotte?'
Phillipe stommelde terwijl hij opstond. Charlotte beduidde hem haastig, dat hij stil moest zijn. Een ogenblik later hoorde hij de stem van zijn moeder, die hem beval naar beneden te komen.
Hij voelde zich in de val gelokt en trok haastig zijn broek omhoog.
'O wee! O wee!' klaagde Charlotte angstig. Hij raakte haar hand aan om haar gerust te stellen. Maar haar ogen keken verslagen en haar wangen zagen lijkwit in het schijnsel van de nieuwe lantaarn, onderaan de ladder. Phillipe klom het eerst naar beneden. Hij stapte kreunend van de onderste sport. De pijn was terug.
Charlotte kwam bij hem staan en streek haar jurk glad, die scheef zat, zodat de strik ergens bij haar linkerheup bungelde. Doodsbang voor de woedend kijkende vrouw met de lantaarn begon zij: 'Alstublieft, Madame Charboneau, ik zal het u uitleggen . . .'
'Stil jij, kleine slet.'
Charlotte begon te huilen. De moeder van Phillipe hief de lantaarn hoger en staarde haar zoon aan.
'Mijn God, ben je onder vallend gesteente terecht gekomen of heeft zij je soms zo toegetakeld?'
Madame Charboneau was een knappe vrouw met een brede mond, een mooie aristocratische neus en het donkere haar van de Auvergne, dat haar zoon van haar geërfd had. Terwijl Charlotte nog steeds snotterde, sprak Marie rustig: 'Ga naar binnen en zeg tegen Girard dat hij je je weekloon moet geven. En dat hij je vanavond naar huis moet brengen. Je komt hier niet meer terug.'
'Ik ben zeker niet goed genoeg voor Phillipe, hè, dat is het!' barstte het meisje los. 'Wat een edele houding voor een vrouw als u! Een vrouw die nog niet eens de deur van de kerk binnen kan omdat . . .'
Marie sloeg haar vlug en venijnig. Charlotte schreeuwde het uit en struikelde doodsbang achteruit, met haar hand op haar wang.
'Verdwijn!' riep Marie.
'Luister eens, *maman*, dat is niet eerlijk,' zei Phillipe. 'Ze probeerde mij alleen maar te troosten omdat ik had gevochten . . .' Maar terwijl hij nog sprak, fladderde een schaduw langs hem heen. Charlotte was verdwenen. Of zij nou huilde of vloekte wist hij niet. Marie Charboneau nam haar zoon op. 'Is dit de eerste keer, dat je het met haar doet?'
'Ja.'
'Ook nooit met een ander?'
'Nee. In godsnaam, *maman*, ik ben zeventien! Het is toch geen misdaad om . . .'

'Wie heeft je geslagen?' onderbrak Marie hem.

Zo zakelijk mogelijk vertelde Phillipe wat er gebeurd was, maar liet daarbij alle smaad, die over haar was uitgestort achterwege. Toen hij klaar was, keek hij haar recht in de ogen. 'Ik wil weten waarom zij mij "kleine lord" noemen. Ik heb het al eerder gehoord—en altijd was het hatelijk bedoeld. Ik wil weten wat er verkeerd is aan een meisje als Charlotte. Ze was aardig. Ik had pijn en zij heeft mij wijn gebracht . . .'

'Om je in de val te lokken,' zei Marie.

'Dat is geen verklaring. Wat zou er gebeuren, als ik zou zeggen dat ik met Charlotte wilde trouwen? Jongens in de Auvergne zijn soms al op hun veertiende getrouwd!'

Marie antwoordde: 'Phillipe, ga mee naar binnen. Er zijn dingen die ik je nu moet vertellen, voordat je jezelf in moeilijkheden brengt en vergissingen begaat.'

Zij draaide zich om, de lantaarn hoog in de hand, en liep, zoals altijd, met zelfverzekerde tred de stal uit. Vol van verwarde gevoelens volgde hij haar—om kennis te nemen van de geheimen, die zij eindelijk besloten had aan hem te openbaren.

II Het geheim van de Madonna

1

'Ik wil met je over je vader praten,' zei Marie Charboneau.

Het was stil in haar grote, spaarzaam gemeubileerde kamer, boven aan de trap. Zij hield de kamer brandschoon, of liever gezegd, zorgde ervoor dat Charlotte de kamer brandschoon hield, voor het geval dat er eens zoveel gasten zouden zijn dat hij verhuurd moest worden. Dat gebeurde misschien een keer per jaar, als het tenminste een goed jaar was.

Phillipe dacht even aan Charlotte, ze was samen met Girard weggegaan. Hij haalde zich dat onbeschrijfelijke gevoel dat hun vrijpartij bij hem teweeg had gebracht weer voor de geest. Zijn wangen gloeiden er nog van. Zijn moeder verwachtte kennelijk dat hij haar antwoord zou geven. Hij ging op een stoeltje aan het eind van haar bed zitten en probeerde te glimlachen. 'Ik heb altijd aangenomen, dat ik er een zou hebben, mama.'

Marie lachte niet terug. Nuchterder vervolgde Phillipe: 'Ik veronderstelde ook dat hij wel eens een Engelsman zou kunnen zijn, aangezien jij altijd zo hoog van dat land opgeeft. Maar ik begrijp niet, hoe een vrouw een man heeft kunnen ontmoeten uit het land, dat altijd onze aartsvijand is geweest.'

Ze liep naar een donkere hoek toe, waar de gloed van die ene kaars die op haar wastafel stond, nauwelijks kon doordringen. Daar bevonden zich de enige dingen die tot verfraaiing van de kamer moesten dienen. Aan de muur hingen twee lelijke miniatuurtjes. Het ene, een woest kijkende man, was zijn grootvader, het andere, een heel klein vrouwtje, zijn grootmoeder, zo had Marie hem verteld. Maar zelfs op de hoge leeftijd, waarop zij geschilderd was, bezat de vrouw nog dat prachtige, zwarte haar, dat haar dochter en kleinzoon van haar geërfd hadden. De schilderijen waren gemaakt door een rondreizende kunstenaar, die alleen maar zijn logies kon betalen door daarvoor in ruil een paar dagen van zijn tijd en van zijn middelmatige talent te geven.

Naast de schilderijen was een nis, die eigenlijk te groot was voor de Madonna en de twee kleine devotie-lichtjes in amber glas, die er in stonden. Hoewel zijn moeder al lang geleden, vanwege haar beroep, uit de Kerk gestoten was, had het beeldje, zolang Phillipe het zich kon herinneren, op die plaats gestaan. Hij had haar er echter nooit voor zien bidden.

Nu schoof ze de Madonna opzij. Daarachter tilde zij uit het donker een klein leren kistje op, waarvan de hoekstukken beslagen waren met spijkers van zacht, geelachtig koper.

'Het was voor mij niet moeilijk een Engelsman te ontmoeten toen ik twintig was en Molière speelde in 'Rue des Fosses-St Germain'.' Hij bleef naar het krakende leer van het kistje staren terwijl zij vervolgde: 'Herinner jij je die koets, die hier in augustus stopte?'

Of hij het zich herinnerde. 'Vier heel elegante en akelige Engelsen. Met jassen van gouddraad. Poeder in hun haar. En geen van allen meer dan een jaar of twee ouder dan ik. Maar alle vier hadden zij twee bedienden voor zichzelf, die trouwens net zo vuilgebekt waren als hun meesters. Een paar van hen zou ik in elkaar hebben geslagen om de manier waarop zij over Charlo . . . de dingen hier, praatten, als ze niet zoveel verteerd hadden. Girard en ik hebben het naderhand over hen gehad. Hoe zij zich het recht aanmatigen om iedereen te commanderen. Girard zei dat de adel het zich binnen niet al te lange tijd, niet meer zou kunnen permitteren zich zo te gedragen.'

Geërgerd ging zijn moeder aan het voeteinde van het bed zitten en leunde naar hem over: 'Ik heb Girard in dienst genomen om je wiskunde en Engels te leren . . .'

'Die vakken ken ik al vrij redelijk.'

' . . . en níet om je geest te verpesten met zijn radicale praatjes. Die jonge heren behoren tot een stand waar jij ook eens toe zult behoren.'

Alsof zij er haar standpunt mee wilde bevestigen, zette zij het kistje met een beslist gebaar op de wollen deken. Toen ontspanden haar gelaatstrekken zich enigszins. 'Niet alle mensen van hoge komaf zijn trouwens zo slecht gemanierd als die vier. Maar weet je waarom zij toen hier zijn blijven overnachten? Waar zij naartoe gingen?'

'De Alpen over. Naar Rome. Zij schepten er over op.'

'In Engeland is het de gewoonte dat rijke jongemannen met een titel een grote reis maken, nadat zij hun universitaire studie hebben voltooid. Zij bezoeken Parijs, Berlijn, Rome—de grote hoofdsteden. Daar gaan zij naar de musea en de theaters. Zo heb ik ook je vader ontmoet. In Parijs. Ik was toen twintig en hij maar een paar jaar ouder. Hij kwam naar de Comédie Française, waar ik optrad. Hij zat niet in de zaal, zoals al die dronken fatten, die de spelers sarden, zodat soldaten met bajonetten de orde moesten handhaven. Jouw vader zat in een van de, voor de adel bestemde, rijen op het toneel. Hij jouwde ons niet uit en haalde ook niet van die nare grappen uit, waar maar al te veel leden van ons heetgebakerde gezelschap razend om werden en uiteindelijk door in de gevangenis belandden, dank zij de politie.

'Toen ik negentien jaar was en de woede van mijn vader—jouw grootvader—weerstond en naar Parijs ging om mij aan te sluiten bij een van de toneelgezelschappen, wist ik dat acteurs en actrices geen enkel recht bezaten. Ik realiseerde mij de risico's. Elke dronken hertog in het publiek die de spelers overlaadde met de smerigste beledigingen, ging vrijuit. Maar hij kon er wel voor zorgen dat de ongelukkige acteur, die hem van repliek diende, in de gevangenis gestopt werd. Ik wist ook wel, dat ik uit de kerk gestoten zou worden . . .'

25

Haar stem had een bittere klank gekregen. Buiten floot de wind langs de dakgoot. Een melancholiek geluid.

'Het kon mij helemaal niets schelen, want ik had er genoeg van om hier te blijven wonen. Ik voelde dat ik mijn leven zou verdoen als ik hier bleef. Ondanks de gevaren—de lage status van toneelspelers—was ik er van overtuigd dat ik in Parijs kans zou hebben op iets beters. Zelf heb ik ook twee keer in de gevangenis gezeten, omdat ik geen lelijke idioten in mijn bed wilde hebben. Heb ik je dat ooit verteld?'

Gefascineerd schudde Phillipe zijn hoofd. Zijn gedachten dwaalden weer terug naar zijn eerste, vage indrukken op de hooizolder.

Marie vervolgde: 'Maar toen, op een glorieuze dag, kwam jouw vader naar de schouwburg. Hij zat op het toneel naar mij te kijken. Omdat hij zo knap was en naar niemand anders scheen te kijken, verknoeide ik de helft van mijn tekst. Op dat moment wist ik weer dat mijn vertrek naar Parijs de moeite waard was geweest; ondanks de smerige gevangenissen, de verachting van de priesters, de woede van mijn vader en het gebroken hart van mijn moeder. Hij ondernam juist zo'n grote reis, waarover ik je verteld heb. Iets meer dan zeventien jaar geleden, een jaar voor de Grote Oorlog, toen Frankrijk en Engeland in heel Europa en ook in Amerika als razenden te keer gingen. Ik geloof dat ik op slag verliefd was op jouw vader. Hij bleef twee maanden in Parijs, terwijl de rest van zijn vrienden naar Rome ging. Het was de gelukkigste tijd van mijn leven. Het liefste wat ik wilde, was een kind van hem. En dat gebeurde ook. Jij.'

'Hoe . . . hoe heette hij, mama?'

'Hoe héét hij, Phillipe. Zijn naam is James Amberly. Zijn titel is: de zesde Hertog van Kentland. Dat is de reden waarom je je niet moet afgeven met sletjes als Charlotte. Kinderen van edellieden, ook al zijn het bastaards, kunnen een goed huwelijk sluiten als zij over geld beschikken. Jouw vader leeft nog en woont in Engeland. Hij geeft om je. Hij schrijft mij brieven waarin hij vraagt hoe het met je gaat. Daarom heb ik ervoor gezorgd dat je veel beter Engels hebt geleerd dan ik. Ik geloof dat hij je op een dag zal willen ontmoeten. En dan moet je voorbereid zijn, Phillipe.'

Maries ruwe handen, die vroeger zo zacht moesten zijn geweest, als zij met een waaier op het toneel stond, klemden zich om het leren kistje. Zij lichtte het op als een offerande. 'Jouw vader heeft je erfgenaam gemaakt van een aanzienlijk deel van zijn fortuin.'

2

Het geloei van de wind om de herberg werd steeds luider. Phillipe liep naar het raam. Hierop was hij niet voorbereid geweest. Hij was tot in het diepst van zijn ziel geschokt. Hij duwde een luik open en keek of er aan de hemel nog een ster te bekennen was, die het bewijs moest zijn dat de wereld om hem heen nog de werkelijke wereld was. Maar door de noordenwind was er een laaghangende mist. De sterren waren verdwenen. Zijn gezicht werd vochtig en koud. Hij draaide zich om en keek naar zijn moeder. Zij leunde achterover, alsof zij eindelijk van een zware last bevrijd was.

Langzaam zei hij: 'Ik dacht dat, wanneer jongens zoals Auguste mij kleine lord noemden, dat alleen maar als een stomme grap bedoeld was.'

Zij schudde van nee. 'Dat is een beetje mijn schuld, vrees ik. Zo af en toe, als ik mij neerslachtig voel, drink ik wel eens een glaasje te veel in het dorp. Soms flap ik er dan wel eens wat uit. Maar ik geloof niet, dat die idioten hier ooit beseft hebben waar ik op doelde. Ik geloof, dat zij alles wat ik over je zeg, gewoon als opschepperij beschouwen.'

'Een Engelse lord!' riep hij en klapte van puur enthousiasme in zijn handen. Hij wou dat Auguste het kon horen; wat zou die gek gekeken hebben! Opgewonden vloog hij naar het bed en belandde vlak naast zijn moeder. 'Hij heet Amberly, zei je?'

'Maar de titel van de familie is Kentland. Zij bezitten een schitterend landgoed en hebben vele belangrijke connecties aan het hof van George de Derde. Toen de oorlog van vierenvijftig uitbrak diende jouw vader in het leger. Hij streed mee in de grote slag bij Minden, in negenenvijftig.'

Phillipe knikte bevestigend. Hij had over Minden gehoord. Een van die historische botsingen tussen de Frans-Oostenrijkse alliantie aan de ene kant en Pruisen, Hannover en Engeland aan de andere.

Marie vervolgde: 'Maar desondanks, Phillipe, was hij—en is hij—een goed mens. Lief.

Bij Minden kreeg hij een sabel in zijn zij. Een grote wond. Dat gebeurde toen de mannen van zijn eenheid, de Tiende Dragonders, op hun eentje een charge uitvoerden, nadat hun laffe commandant, Lord Sack-en-nog-wat, geweigerd had zich met zijn ruiters in het gevecht te mengen, hoewel hij daartoe drie keer bevel gekregen had. Na de slag was je vader gedwongen naar Engeland terug te keren. In zijn brieven schrijft hij dat hij nog steeds last heeft van de wond.'

'Is hij getrouwd? Ik bedoel—hij is toch nooit met jou getrouwd, nietwaar? Ook niet in het geheim?'

Zij schudde haar hoofd. 'Gedurende die twee maanden in Parijs, wisten wij dat het niet mogelijk zou zijn. Hij heeft mij trouwens niet aangeraakt voordat hij mij had uitgelegd dat hij met geen enkele andere vrouw zou kunnen trouwen, dan degene die voor hem uitgekozen was. Het kon mij niets schelen. Ik was al blij genoeg bij hem te zijn. En ondanks dat acteurs er om bekend staan kleine kinderen te willen blijven, die nooit opgroeien, wist ik zeer goed wat ik kon verwachten. Ik was van lage afkomst. Ik kwam uit de modder van de Auvergne. En in de ogen van de magistraten en prelaten was ik niets beter dan een hoer. Wat had ik dan voor kans op een goed huwelijk? Zoals ik zeg—het deed er niet toe. Omdat jouw vader een fatsoenlijk mens is, komt hij zijn plichten jegens zijn vrouw na. Maar toch heeft hij op een speciale manier aan mij gedacht.'

Ze opende het kistje. Bij het flakkerend kaarslicht zag hij een pak brieven met een groot lint er omheen. Zij waren in het Frans geschreven. Marie haalde er een uit.

'Ik zal ze je niet allemaal laten zien. Maar deze is de belangrijkste. Het is de enige reden waarom ik, na Parijs, naar dit afschuwelijke oord ben teruggekeerd. Om af te wachten. Om jou op te voeden.' Zij liet het met dunne inkt beschreven perkament in haar schoot vallen en greep hem bij de schouders. Tranen van vreugde en verdriet welden in haar ogen op.

'Ik zeg het je nog een keer—het is geen schande om de bastaard van een edelman te zijn. Jouw vader houdt van je als van een échte zoon. En deze brief is daar het bewijs van!'

3

Zij praatten tot het weer bijna ochtend was. Door Maries onthullingen begon Phillipe verschillende zaken, die hem eerder een raadsel waren geweest, te begrijpen: de woede waarmee zij had gereageerd op een mogelijke verhouding met Charlotte, haar hooghartigheid tegenover de mensen die boven en beneden in de vallei woonden.

Het was wel eens eerder in hem opgekomen dat zijn vader een buitenlander zou kunnen zijn—misschien wel een of andere, toevallig voorbijgekomen deserteur uit de Zevenjarige Oorlog. Maar een Engelse lord! Zij had volkomen gelijk dat zij zo'n houding aannam. En het was ook geen wonder dat zij hem niet berispte als hij zo af en toe zijn schouders hooghartig optrok.

Marie vertelde hem de bijzonderheden van haar leven. Zij moest James Amberly, Lord Kentland, met hart en ziel hebben liefgehad, besefte Phillipe, omdat zij, nadat hij vertrokken was, welbewust de keuze had gemaakt naar Auvergne terug te keren, hoewel zij wist dat zij zwanger was.

'Ik wist dat ik een zoon zou krijgen,' zei zij. 'Ik wist het—en keerde voor het kind terug naar dit verfoeilijke oord. Weet je: James had beloofd het kind op een goed ogenblik te erkennen, om het zo te kunnen laten meedelen in de erfenis. Dus ben ik teruggekomen en sloot, zo goed en zo kwaad als het kon, vrede met mijn vader.' Zij wees verdrietig naar de miniatuur van de oude man bij de nis.

'Een week na je geboorte schreef ik hem in het Frans—natuurlijk kan je vader goed Frans lezen—dat zijn zoon op de wereld was gekomen. Sedertdient heeft hij mij elk jaar trouw geld gestuurd.'

'Geld?' herhaalde Phillipe als door de bliksem getroffen. 'Voor mij?'

'Voor ons. Tien Pond sterling per jaar. Een aardig bedrag in die dagen. Genoeg om van te leven als er eens geen gasten zijn. En ook genoeg om een leraar in dienst te nemen, toen ik daar de gelegenheid voor zag. Girard werd door de hemel gezonden.'

'Dus dat is de reden waarom ik Engels moest leren: om mij verstaanbaar te

maken tegenover mijn vader als ik hem ontmoet?'
'Ja. Maar dat kan nog wel jaren duren. Misschien ben ik dan al lang begraven. Maar dit testament garandeert dat het gebeurt. Dit testament zal er voor zorgen dat je niet de rest van je leven in dit vervloekte land hoeft te slijten.'
Ze pakte de brief weer op en ontvouwde het krakend perkament zorgvuldig. De brief was gedateerd December 1754, een jaar na zijn geboorte. Hij las:

Mijn liefste Marie, ik heb er een aanzienlijk hoog bedrag voor overgehad, om te zorgen dat de koetsier met deze brief je bereikt, ondanks het uitbreken van de vijandelijkheden. Dit is de brief, die ik je in Parijs beloofd heb en ik heb hem met al mijn geloof en toewijding verzonden. Ik ben verheugd over de geboorte van mijn zoon, die jij Phillipe genoemd hebt. Ik had je al eerder willen schrijven dat zijn toekomst verzekerd was. Maar, in alle openhartigheid gezegd: de geboorte van onze zoon, Roger, was erg moeilijk. Mijn vrouw is er bijna aan bezweken.

Phillipe keek op van de brief en fronste zijn wenkbrauwen. 'Heeft hij nog een zoon? Die na mij geboren is?'
'Natuurlijk. De erfelijke titel moet blijven voortbestaan. Lees verder.'

Geleerde doktoren hebben mij gezegd, dat mijn vrouw vanwege bovengenoemde moeilijkheden, nooit meer in staat zal zijn haar natuurlijke vrouwelijke rol te vervullen. De handtekeningen van de getuigen onder aan deze brief maken er een wettig document van. Twee van mijn vrienden hebben in vertrouwen getekend en getuigen daardoor, dat mijn natuurlijke zoon Phillipe hierbij door mij erkend wordt en dientengevolge, volgens de wetten van dit land een gelijkwaardig aandeel in mijn bezittingen zal erven, uitgezonderd Kentland zelf . . .

Weer schoot Phillipes hoofd omhoog: 'Kentland?'
'Dat is ook de naam van het landgoed. Ga verder, lees de brief uit en daarna zal ik je de rest vertellen.'

. . .dat volgens het geboorterecht op mijn oudste, wettige zoon moet overgaan. Ik verklaar voor het aangezicht van de Almachtige God en in aanwezigheid van mijn twee achtenswaardige vrienden, dat dit mijn vaste voornemen is en dat ik dit besluit uit volledig vrije wil heb genomen.
Mijn liefste Marie, al kan ik om der wille van de fatsoensnormen niet in details treden, wees overtuigd van de levenslange toewijding en genegenheid van hem die altijd zal blijven.

Jouw, je eeuwig trouwe,
Jas. Amberly
Hertog van Kentland.

Onder de handtekening van zijn vader zag hij de twee andere, in een ander, niet vertrouwd handschrift. Een ogenblik lang staarde Phillipe naar de naam van zijn vader. Toen sprong hij juichend op. Daardoor viel het perkament tegen de bedrand aan en brak er een hoekje van het broze papier af.

'Pas op,' riep zijn moeder. Haastig, maar ook voorzichtig, pakte zij de brief op en vouwde hem dicht. 'Dit betekent voor jou de poort naar vrijheid en aanzien, Phillipe. De vrouw met wie hij getrouwd is, kon niet meer dan één kind ter wereld brengen, zoals je gelezen hebt—de zoon Roger. Je krijgt de helft van het fortuin van je vader. De helft!'

Voorzichtig stopte zij de brief terug in het pak, legde het pak in het kistje en plaatste dat weer achter de Madonna. Zij schoof de Madonna ervoor, zodat het kistje weer uit het zicht was. 'Nu zal ik je uitleggen,' zei zij, 'hoe het komt dat de helft van de erfenis aan jou kan toebehoren.'

In het kort maakte zij hem deelachtig van haar kennis van het Engelse erfrecht, dat zij zich tot taak had gesteld te leren. Zij vertelde hem, dat Lord Kentland zijn titel niet kon doen overgaan op een bastaard. Zijn huis en landerijen konden alleen maar overgaan op de oudste zoon van zijn zoon Roger, die er zelf niet over kon beschikken. Roger kwam het vruchtgebruik toe, wat inhield dat hij het landgoed niet kon verkopen of belasten, zonder toestemming van het Parlement. Een toestemming die eerst na langdurige en ingewikkelde procedures verkregen kon worden. Op deze manier werden grote familiebezittingen voor het nageslacht behouden.

'De rest van jouw vaders vermogen,' vervolgde Marie, 'voornamelijk geld—en hij heeft zeer veel geld—wordt in gelijke delen onder de kinderen verdeeld. Begrijp jij wat dat betekent? Dank zij de brief ben jij erkend. Er is maar één andere erfgenaam—dus komt de andere helft van de erfenis automatisch aan jou toe. Geloof mij maar, jij zult een rijk man worden. De deftigste salons zullen voor je opengaan, om nog maar te zwijgen van alle vrouwen die naar je hand zullen dingen! Misschien kan je dan ook in Engeland trouwen. Misschien wel niet met een adellijke dame, maar dan toch zeker wel met de dochter van een welvarend koopman. Jouw vader heeft mij geschreven dat de koopliedenstand erg aan het opkomen is. Welke vader die na zijn dood—bijvoorbeeld een leerlooierij—aan zijn dochter nalaat, zou het niet prettig vinden als daar nog eens de helft van een hertogelijk fortuin bij zou komen?'

De laatste woorden van zijn moeder lieten Phillipe koud. Misschien kwam het door het late uur, of door zijn toenemende vermoeidheid, maar zijn stem klonk ruzieachtig toen hij zei: 'Mama, ik heb geen zin om met een meisje te trouwen, alleen maar omdat haar vader de eigenaar is van een leerlooierij!'

Hij maakte haar boos met die opmerking. 'Ik geef alleen maar een voorbeeld, niets anders! Begrijp je nou helemaal niets van wat ik zeg? Ik heb er mijn leven—mijn héle leven, hier in dit oord, waar ik zo'n hekel aan heb—voor over gehad dat jij ergens anders naar toe zou kunnen trekken.

Weg uit Auvergne. Dat jij te midden van heren van aanzien zou kunnen leven, die jou als hun gelijke zouden beschouwen! Het kan mij niet schelen met wie jij het aanlegt, zolang het maar een meisje is van jouw niveau. Aangezien jij zelf iemand met een zekere positie zult zijn, moet jij door het huwelijk jouw aanzien en vermogen alleen maar kunnen vergroten.'

Hij wilde in opstand komen tegen de harde manier waarop zij haar ideeën naar voren bracht. Maar deze keer zweeg hij, omdat zij hem zo fel aankeek.

Zij greep hem hard bij de schouder. 'Onthoud dit vooral, Phillipe. De grootste misdaad, die een mens kan begaan, is dat hij zichzelf in armoede stort, in vergetelheid, in . . .' Zij liet zijn arm los en maakte een gebaar naar de kamer, dat zowel treurigheid als doem inhield. 'Dit allemaal. Ik heb die misdaad begaan, opdat jij dat niet zou hoeven. Zweer dat jij dat niet zult doen, Phillipe. Zweer het!'

Het leek of hij naar een vrouw staarde die hij niet kende. Een vrouw met agaten ogen, vol smart en haat. Hij was bang voor haar. 'Ja, ik zweer het.'

Haar trekken werden meteen zachter en ze drukte hem tegen haar borst. 'Dan is het tijd dat wij gaan slapen, mijn kleine lord. Dat klinkt je niet zo gek in de oren, hè? Kleine lord. En nu weet je dat het nog waar is ook!'

Haar moederlijke gevoelens waren weer boven gekomen en ze streelde zijn haar terwijl ze hem naar de deur begeleidde. 'Ik neem aan dat ik je dit al jaren geleden had moeten vertellen, maar ik zag daar geen reden toe. Zoals ik al zei, moet je misschien nog heel lang wachten voordat James Amberly overlijdt. Maar jij zult niet tevergeefs hoeven wachten. Daarom moet jij je toekomst niet verprutsen door je te laten strikken door een doodarm boerenmeisje. Misschien dat ik Charlotte wat overhaast heb weggestuurd, maar het is nu eenmaal gebeurd en ik vind het beter zo. Ga nu slapen. Maar denk aan de eed, die je gezworen hebt.'

Alsof hij dat niet zou doen!

Hij lag op zolder. Buiten brak het grauwe ochtendgloren weer aan. Zijn verbijsterde geest speelde met de bijzonderheden van het verhaal, alsof het exotische snuisterijen waren. In zijn verbeelding zag hij zich al gekleed gaan in een jas met gouden tressen, een schitterende vrouw aan zijn arm. Zij liepen door een drukke straat en werden door de menigte toegejuicht. Hij herkende een gezicht—Auguste—en spoog op zijn laarzen. Auguste durfde niks terug te doen.

Met de gedachte aan de grootste misdaad die, volgens zijn moeder, door een mens kon worden gepleegd, viel hij in slaap. Voor hem had zij die misdaad gepleegd. Voor haar zou hij dat nooit hoeven doen.

'Zo,' merkte Girard op, terwijl hij tussen zijn tanden peuterde, 'dus nu weet je het. De geleerde is geen filantroop, maar is die vier jaar alleen hier gebleven, omdat hij ervoor betaald werd. Overigens is het voor mij geen onvoordelige afspraak geweest. In wezen loop ik op deze wereld niet in de pas. Ik studeer de verkeerde dingen—en vaak geloof ik er nog in ook! Als ik in Parijs rond zou lummelen, zou ik ten slotte dronken in een kroeg mijn libertijnse ideeën rond gaan bazuinen en daardoor in de gevangenis terechtkomen. Of nog erger. Ik heb je verteld over hoe Meester Jean Jacques van het ene land naar het andere werd opgejaagd—en die heeft een internationale reputatie! Heeft invloedrijke vrienden, zoals Diderot. Stel je voor hoe zij een gewoon mannetje als ik zouden behandelen!'

Girard zat met zijn leerling op de rotswand die op de herberg en de bochtige weg uitzag. Er waren verscheidene dagen voorbijgegaan sedert de onthullingen in de kamer van Marie. Klaarblijkelijk had zij de inhoud van het gesprek aan Girard meegedeeld. Sindsdien was hij wat meer ontspannen geweest in zijn gedrag. Het was een verbluffend heldere morgen. De mist, die tussen de elkaar verdringende heuvels hing, was opgetrokken, maar er stond een stijve bries en Phillipe voelde de bijtende winterkoude. Zijn handen waarin al die tijd het kleine boekje rustte dat zij aan het bestuderen waren, waren verkleumd. Het was een toneelstuk over de tegenspoed van een Schotse koning, Macbeth. De drie kostbare boeken van Girard lagen aan zijn voeten, tegen de wind beschermd door zijn laarzen. Hij had ze stiekem van de zolder hier naartoe gesmokkeld, in de hoop dat Girard enkele van de raadselachtige ideeën, die er in stonden, zou willen toelichten.

Maar het afgelopen uur had Girard er op gestaan zijn normale verplichtingen jegens Marie na te komen. Phillipe had het stuk hardop voorgelezen, terwijl Girard zijn uitspraak van de gewone woorden verbeterde. 'Vraag me niet naar de betekenis van de ongebruikelijke woorden—het Elizabethaans bargoens van onze lieve William. Hoe zou ik dáár de betekenis van moeten kennen! Het is een oud stuk. Gewoontes veranderen, en of het nu de beeldspraak is of het koningshuis, alles verandert.'

'Ja, maar het blijft Engels.'

'En eerlijk gezegd spreek jij het niet eens zo slecht na vier jaar studie, hoewel ik moet toegeven dat ik er gedurende de eerste twee jaar meer dan eens de brui aan heb willen geven. Maar nu kun je veilig het kanaal oversteken. Men merkt nog wel aan je dat je een buitenlander bent, maar je zou je in ieder geval goed verstaanbaar kunnen maken.'

Aan het eind van de les vroeg Phillipe: 'Ben jij wel eens in Engeland geweest, Girard?' Phillipe wees naar het bovenste boek van de stapel achter zijn hielen. 'Heb je daar dit boek van Locke op de kop getikt?'

'Nee, dat ik heb ik in Parijs gekocht. Maar mijn bezoek aan meneer Lockes vaderland was voor mij, tenminste gedeeltelijk, als een heilige pelgrimstocht.' Zijn heldere blauwe ogen straalden vrolijk. 'Als het een ongelovig iemand als ik tenminste gepermitteerd is zoiets mee te maken. Je zei een paar dagen geleden, dat je nog vragen had over Locke . . .'

Phillipe zuchtte. 'Ik ben de helft alweer vergeten. Ik kan zijn Engels moeilijk volgen. Te ingewikkeld. Sommige passages moest ik twee of drie keer overlezen, voordat ik door begon te krijgen wat hij ermee bedoelde . . . dat hij niet geloofde dat koningen aan God het recht konden ontlenen om te regeren.'

'Zo is dat. Locke was de eerste die de theorie van het Goddelijk Recht van de koning op de troon verwierp. Als je hem nog iets beter bestudeert, zul je ontdekken dat een van de ideeën die altijd aan Monsieur Rousseau worden toegeschreven, in feite van hem afkomstig is.'

'Je bedoelt die toestand over een of ander contract?'

Girard knikte en draaide de punt van zijn schoen naar een dun boekje toe, waarop met gouden letters *Le Contrat social* gedrukt stond. 'In feite omhelsde Locke de theorie van het sociaal contract als deel van zijn rechtvaardiging van de constitutionele monarchie. Hij verklaarde, dat de koning een dienende rol had en geen heersende—en dat zijn regering beoordeeld moest worden naar de mate waarin de onderdanen gelukkig en welvarend waren. Zo ja, dan moest hij gehoorzaamd worden. Zo nee, dan moest hij verjaagd worden.'

'Dus de beste koningen zijn'—Phillipe zocht naar het juiste woord—'verlichte . . . wat?'

'Despoten. Verlichte despoten. Ja, dat is een populaire theorie. Maar zelfs zij die er geloof aan hechten, doen dat niet zonder voorbehoud. Hier, geef mij *l'Encyclopédie* eens aan.'

Phillipe gaf hem het boek en Girard bladerde erin totdat hij de juiste passage had gevonden. Hij liep Phillipe de pagina zien.

'Heb je dit gelezen?'

'Nee.'

'Nou dan: Monsieur Diderot is geen revolutionair met vlammende ogen. Toch onderkent hij de gevaren die verbonden zijn aan een erfelijke koning—zelfs al is het een goede koning. Let op . . .' Girard schraapte zijn keel en begon de passage te citeren: 'Er wordt soms beweerd dat de regering van een rechtvaardige en verlichte despoot de gelukkigste regeringsvorm is. Dat is een zeer roekeloze uitspraak. Het kan gemakkelijk gebeuren dat de wil van deze absolute heerser strijdig is met de wil van zijn onderdanen. Dan zou het verkeerd zijn, ook al handelde hij rechtvaardig en verlicht en in hun eigen belang, om zijn onderdanen rechten te onthouden.'

Phillipe schudde zijn hoofd. 'Maar als er dan geen koningen zouden zijn, aan wie zou dan de macht moeten toekomen?'

Vlug sloeg Girard een paar bladzijden om. 'Dit is ook Diderot: De enige ware vorst, de enige ware wetgever kan slechts het volk zijn.'

'Je bedoelt dat koningen de toestemming van het volk nodig hebben om te regeren.'

'Onze toestemming. Wat is het volk anders dan jij en ik en zelfs de arme door de liefde bezeten mademoiselle Charl . . . nou, nou, trek maar niet zo'n gezicht! Is dat nou werkelijk zo'n verbazingwekkende gedachte?'

'Ja, ik kan me voorstellen dat dat tot allerlei moeilijkheden leidt. Twisten . . .'

'En waarom niet?' riep Girard uit. 'Lang geleden slikten de mensen elk idee en elk bevel dat hun gegeven werd.' De geleerde spuugde op de grond. 'Dat was goed voor de eeuw van het blind vertrouwen. Toen begon de mensheid de macht van haar eigen verstand te ontdekken. Eerst ging dat langzaam, maar gedurende de laatste honderd jaar gaat dat proces sneller en sneller. De mens heeft ontdekt dat hij de macht bezit te vragen naar het waarom! De macht om logische antwoorden te geven op vragen op elk gebied van het menselijk streven. Als zo'n kracht eenmaal ontketend is, kan hij niet meer worden tegengehouden. Ik durf te zeggen dat tegen de tijd dat jouw hertogelijke vader zijn leven inruilt voor wat er ook aan gene zijde van het graf wacht—vergetelheid, als je het mij vraagt—de wereld wel eens radicaal veranderd zou kunnen zijn, en dat is voor een deel te danken aan deze jongens—nog het meest aan onze gekke Jean Jacques.'

Phillipe wees naar het met gouden letters bedrukte boek en zei: 'Maar heus, een heleboel van wat daar in staat is gewoon brabbeltaal.'

'Daar moet je doorheen kijken!' Rousseau heeft de verbeelding van de wereld op gang gebracht. Wie kan uitleggen waarom dat sommige schrijvers wel lukt en andere niet? Maar hem is het gelukt! Ik heb gehoord dat hij heel populair is aan de overkant van de Atlantische Oceaan, bijvoorbeeld. Ik ben het er mee eens dat veel van zijn ideeën gewauwel zijn. Of herkauwsels van wat anderen al eerder zeiden. Maar toch weet hij van tijd tot tijd, met meesterlijke precisie, de slimste dingen over regeren en de vrijheid van mensen te zeggen die ik ooit ben tegengekomen.'

In de koude wind zag het Phillipe groen en geel voor zijn ogen, en kon hij slechts met moeite zijn gedachten formuleren: 'Het lijkt me dat hij van geen énkele vorm van regering houdt.'

'Volkomen waar. Elke regeringsvorm beschouwt hij als een kwaad en als iets onnatuurlijks. Hij geeft echter toe dat ongelimiteerde vrijheid, hoe begeerlijk ook, eenvoudig niet kán. Dus sluit hij een compromis.'

'Weer dat contractidee?'

'Ja, maar nog verder doorgevoerd. Hier, het boek . . .'

Phillipe moest glimlachen over Girards overduidelijke opgetogenheid. Terwijl hij in sneltreinvaart door het boek bladerde, op zoek naar het gedeelte dat hij wou hebben, leek hij precies op een klein kind dat met een glanzend nieuw speelgoedje aan het spelen is.

Terwijl hij de bladzijden omsloeg legde Girard uit: 'In feite heeft Meester Jean Jacques veel van het politieke denken van de afgelopen honderd jaar gezuiverd. Hij stelt niet alleen vast dat niemand een persoonlijk recht heeft om te regeren, maar ook dat hij geen gezag kan uitoefenen, onafhankelijk van de mensen over wie hij regeert. Ja . . .'

34

Hij las: 'Ik heb aangetoond dat de hoeders van de uitvoerende macht niet de meesters van het volk zijn, maar de dienaren daarvan. Dat het volk hen, naar believen, kan aanstellen of ontslaan. Dat deze dienaren geen contract hebben, maar alleen maar moeten gehoorzamen. Dat zij slechts hun burgerplicht vervullen met het uitoefenen van de functies, die het volk hun oplegt en dat zij geen enkel recht hebben voorwaarden te stellen . . .'

Phillipe floot. 'Geen wonder dat hij berucht is.'

Girard haalde zijn schouders op en sloot het boek. 'Ik herhaal nog eens dat ik veel van zijn werk idioot vind. Speciaal zijn romans. Kinderachtige romantische nonsens! Maar over politiek, ja over politiek . . .!' Hij zoende zijn vingertoppen.

'Toch verbaast het me dat hij niet gevangen zit,' zei Phillipe.

'Tja, je moet natuurlijk niet vergeten dat zijn ideeën op het juiste moment komen. Meer en meer mensen beginnen zich te realiseren dat wij allemaal in een natuurlijke toestand van vrijheid geboren zijn—en dat macht niet iets is dat in aparte lichtstralen uit de hemel naar beneden komt, lichtstralen die slechts de daartoe uitverkorenen beschijnen. Zoals onze goede koning Lodewijk XV daar in Parijs.' Girard trok een gezicht. 'Of die boer uit Hannover, die op de troon van Engeland zit. Zij geven niks om de idee dat macht en gezag de resultaten zijn van contracten tussen het volk en de regeerders—en dat het volk die contracten elk ogenblik kan verbreken.'

Quasi-ernstig stopte hij het boek van Rousseau in zijn ruime zijzak. 'Het is gevaarlijk speelgoed.'

'Ik vraag het mij af.'

'Wát?'

'Misschien zijn het alleen maar een hoop moeilijke woorden. Zeepbellen . . .'

Girard begon tegen te sputteren.

Snel ging Phillipe verder: 'Ik bedoel—een van de dingen die ik je werkelijk wou vragen was: heeft een van deze boeken feitelijk iets veranderd?'

'Iets veránderd!' Girards ogen rolden uit zijn oogkassen. 'Mijn beste leerling! Over de hele wereld doen zij nieuwe winden opsteken. Heb je wel eens gehoord dat reizigers in de herberg het hadden over de voormalige Britse eerste minister Pitt?'

'Ja. Zij vloekten hem meestal uit.'

'Natuurlijk! De grote Commoner,—commoner is een lid van het lagerhuis—, zoals het volk hem liefdevol noemde, dirigeerde Engelands inspanningen gedurende de afgelopen, door niemand betreurde Zevenjarige Oorlog en stal het grootste deel van het Franse gebied in de Nieuwe Wereld op de koop toe.

Een paar jaar geleden probeerden de ministers van koning George verscheidene krenterige belastingen te heffen, bijvoorbeeld een officieel zegel op alle wettelijke documenten. Maar deze belastingen zouden alleen maar geheven worden in de Britse koloniën in Amerika. En Pitt *himself*—hij was toen al graaf—stond op in het parlement en bestreed dat de koning het

35

recht had om zo'n belasting te heffen. Hij verkondigde dat er aan Engelands zonen over zee onrecht werd gedaan. En zo hielp hij eraan mee, dat de zegelbelasting werd verworpen! Dat is nog eens een dienaar van het volk. In diezelfde tijd was er een Ier, een zekere kolonel Barre, als ik mij goed herinner. Ook hij prees de kolonisten dat zij geen belastingen wilden betalen, aangezien zij geen vertegenwoordiging hadden in Londen. Hij noemde de strijdbare Amerikanen de "Zonen van de vrijheid". Vertel het niet aan je moeder, maar van zulke dingen houd ik wel. Phillipe, besef je wel dat deze twee woordvoerders van het gewone volk honderd jaar geleden gemakkelijk op het schavot terecht hadden kunnen komen?'
'Ik geloof je op je woord.'
Even glimlachte de leraar en vervolgde: 'Het komt hierop neer. Door dit soort boeken, dat jij zo ijverig probeert te begrijpen, zijn er twee verschillende overtuigingen aan het ontstaan op de wereld, die op elkaar zullen botsen. De wil van het volk en de wil van de heersers. In Engeland is dat al aan de gang. In Frankrijk zal die botsing ook eens plaatsvinden.'
'Wel,' zei Phillipe een beetje zelfvoldaan, 'mijn moeder—en vader—hebben voor mij al gekozen aan welke kant ik zal staan, neem ik aan.'
Girard keek hem aan op een manier waaruit enige bezorgdheid sprak.
'In het belang van je toekomst—en van de ambities van je moeder—hoop ik van harte dat het niet de verkeerde kant is.'
'Meen je echt dat dat zou kunnen?'
Girard staarde hem aan. 'Wil je dat ik je antwoord geef als leraar, die ervoor betaald wordt je uit onomstreden boeken les te geven?'
'Nee,' antwoordde Phillipe, terwijl hij zich op een vreemde manier beklemd voelde. 'Als jezelf.'
'Heel goed. Misschien is het wel afgunstig gepraat, maar ik geloof dat ik mij niet op mijn gemak zou voelen als ik op dit ogenblik tot een adellijke familie zou behoren. Zoals ik al suggereerde, zijn de Britten altijd iets heviger op hun vrijheid gesteld geweest dan de meeste andere Europeanen. En hebben zij relatief meer gedaan om die vrijheid veilig te stellen ten koste van hun koningen en van hun adel. Wanneer intellectuelen, zoals onze gekke Meester Rousseau, proclameren dat contracten tussen regeerders en onderdanen verbroken kunnen worden door de wil van het volk als de heersers te autocratisch mochten worden—en wanneer Britse staatslieden opstaan en de juistheid van de wetten in twijfel trekken, die door 's Konings eigen ministers gemaakt zijn, en de zijde van het opstandige volk kiezen—nou, dan kan ik alleen nogmaals constateren dat er sterke winden waaien. Wie weet wat of wie zij zullen wegvagen?'
Phillipe vroeg: 'Aan welke kant zou jij staan bij zo'n botsing, Girard?'
'Spreekt dat niet voor zichzelf? De kant waar ik geboren ben. Mijn vader was een boer in Brittannië. Hij werd doodgestoken door de sabel van een Franse huzaar, toen deze onze enige melkkoe opeiste voor zijn troepen. In naam en op gezag van koning Lodewijk. Mijn vader weigerde, dus werd hij gedood. Als het in mijn macht lag, zou ik het contract met een koning die

36

zo'n moord toelaat, voor altijd vernietigen.' Girards gezicht had een melancholieke uitdrukking gekregen. Wat Phillipe zoëven gehoord had was het eerste—en het laatste—autobiografische detail, dat hij ooit uit de mond van zijn leraar vernomen had.

Girard ging verder: 'Ja, schrijvers zoals Rousseau geven de gewone burgers een subtiel duwtje totdat zij gaan beseffen dat zij, gezamenlijk, tegen iedere monarch die hen slecht dient, eenvoudigweg kunnen zeggen: Jij hebt voor ons afgedaan!'

'Maar ik kan mij nog steeds niet voorstellen dat zoiets werkelijk zou kunnen gebeuren.'

'Waarom niet? Omdat jij het niet wil? Omdat het jouw schitterende toekomst zou kunnen bederven?'

Geïrriteerd viel Phillipe uit: 'Ja! Hier! Ik heb genoeg van jouw boeken!'

Girard pakte de twee andere boeken en zei kalm: 'Het punt is, Phillipe, dat ze je toch blijven bezighouden. Of jij het nou leuk vindt of niet.' Hij zuchtte. 'Maar laten wij geen ruzie maken over woorden. Ik heb je deze boeken een paar maanden geleden alleen maar gegeven om nog wat meer licht in je heldere, jonge verstand te laten schijnen.'

'En in plaats daarvan heb jij mij de indruk gegeven dat de wereld ingrijpend zal veranderen.'

'Nou, dat is waar. Er wordt over gefluisterd—nee, veel meer dan gefluisterd—in diezelfde Britse kolonies waar ik het daarnet over had. En die 'Commoner'—en andere leden van koning Georges eigen regering—klappen in hun handen! Zegt je dat helemaal níets?'

Phillipe stapte over zijn ergernis heen en grinnikte. 'Het zegt me dat ik geluk heb, dat ik rijk word. Ik zal genoeg geld hebben om een groot huis te bouwen met veilige, dikke muren er omheen.'

Maar Girard lachte niet terug.

'Laten we, omdat ik je graag mag, Phillipe, dan maar oprecht hopen dat rijkdom muren kan bouwen die dik genoeg zijn om winden te weerstaan, die, voordat jij veel ouder bent, tot een wervelstorm kunnen zijn aangewakkerd.'

III Bloed in de sneeuw

1

Eind november deed in de omgeving het nieuwtje de ronde, dat de oude Du Pleis was gestorven. Zijn zoon, Auguste, verdween spoorloos. Het hutje boven aan het pad was verlaten. En Phillipe ontkwam zo aan nog meer ontmoetingen met zijn thans verdwenen vijand. Sinds de vechtpartij was hij niet meer naar het plateau in de heuvels teruggekeerd en ging hij in plaats daarvan naar Chavaniac, dat drie kilometer verderop lag, als hij de kaasvoorraad moest aanvullen. Maar als hij bij de plek kwam, waar het pad van de weg naar boven kronkelde, kreeg hij telkens weer dat gevoel van vernedering—en van spijt, dat hij geen kans had gezien de zoon van de geitenboer met gelijke munt terug te betalen.

Hij ging nu met aanzienlijk meer zelfvertrouwen naar het dorp. Dat kwam door de onthullingen van zijn moeder. Zelfs als hij langs het kleine kerkje van Saint-Roch liep voelde hij vrijwel niets meer van zijn oude angst, dat de priester plotseling naar buiten zou komen en hem zou herkennen als de niet-verloste zoon van de niet voor verlossing in aanmerking komende actrice.

Op een middag, een paar weken voor Kerstmis, ging hij weer eens naar het dorp. De eerste sneeuwstorm van de winter gierde uit het noorden en joeg witte kristallen in zijn ogen, boven de wollen sjaal die hij om zijn neus en mond had geslagen. Zijn handen en laarzen had hij in vodden gepakt. Maar desondanks raakte hij snel verkleumd, terwijl hij voortsjouwde door de sneeuw die zich al opgehoopt had.

Toch genoot hij op een merkwaardige manier van de aanhoudende woeste wind. Het deed hem denken aan de winden waarover Girard het had gehad. En aan andere, toevalliger stormen: de gelukswinden, de winden van veranderende omstandigheden, die hem plotseling hadden opgepakt en hem naar een nieuwe toekomst slingerden. De wind van het geluk mocht dan woest zijn, zo besliste hij, maar het was veel opwindender daardoor opgepakt en voortgedreven te worden, dan voor altijd tot bedaren gebracht voort te leven.

Voorover gebogen bestreed hij de verschrikkelijke sneeuwstorm als een vijand van vlees en bloed. Alleen maar voor de sport, was hij vastbesloten in recordtijd het dorp te bereiken en thuis te komen. Aangezien hij zich concentreerde op de snelheid die hij maakte, was hij totaal onvoorbereid op een onverwacht geluid. Hij stopte op de besneeuwde weg, en luisterde. Had de wind hem parten gespeeld? Nee. Hij hoorde geschreeuw van twee stemmen: een stem was hoog, misschien die van een jongen. De andere was lager. Ruw.

Vlak voor zich uit zag hij paardesporen, die nog niet door de sneeuw waren weggevaagd. De sporen gingen rechtsaf, naar de grote zwarte, door de wind geteisterde dennebomen. Hij hoorde de lage stem nog een keer ... Hij kwam achter die bomen vandaan!

Phillipe begon te rennen. Hij volgde de kreten en de paardesporen en bereikte snel het bos. Even verderop ontwaarde hij een jongen, die zich verdedigde tegen twee in lompen gehulde aanvallers. De jongen droeg een jas met lange panden en een steek, die op de een of andere manier op zijn rode hoofd bleef zitten, terwijl hij van de ene kant naar de andere sprong en de uitvallen van de andere twee afsloeg met een soort scherpe, puntige lans, die wel twee meter lang leek. Voorbij de vechtenden snoof en hinnikte een verschrikt paardje, dat in de warrelende sneeuw vastgebonden stond aan een boom. Phillipe bleef rennen.

'Jij kleine opsodemieter!' schreeuwde een van de belagers. De jongen had, door links en rechts met zijn lans heen en weer te zwaaien, de dikste belager een haal over zijn gezicht gegeven.

De gewonde wankelde vloekend achteruit. Struikelend draaide hij zich om, waarbij hij bijna tegen Phillipe aanbotste. Phillipe keek recht in zijn ogen. Zelfs al hield hij zijn gehandschoende hand voor de gapende wond op zijn wang en bedekte een vieze bontmuts zijn voorhoofd, toch herkende Phillipe onmiddellijk zijn gezicht in de schuin neervallende sneeuw. Auguste!

'Loop naar hem toe! Grijp dat verdomde ding!' gilde de tweede belager. Phillipe herkende de stem van neef Bertram.

De jongen—hij was hoogstens twaalf of dertien jaar oud—sprong naar links, terwijl hij de lans met geoefende souplesse hanteerde.

'Dat wij hem alleen maar willen pakken om een losgeld te krijgen, kan hij wel vergeten,' gilde Auguste boven het geluid van de storm uit. 'Hij heeft mijn gezicht aan stukken gereten—doe bij hem hetzelfde!' Bertram leek niets anders van plan, terwijl Phillipe de laatste meters naar de open plek af snelde.

'Hé daar! Stop!' schreeuwde Phillipe.

De jongen, wiens rode, in een knot samengebonden haar, de enige felle kleur was in het grijswitte decor, werd door de schreeuw in verwarring gebracht. Phillipe zag een angstig maar vastberaden gezicht.

De jongen maakte een plotselinge draai en verloor zijn evenwicht. Hij struikelde en gleed uit. Bertram greep de schacht van de lans, ontworstelde hem aan de jongen en gooide hem achter zich.

Phillipe dook weg voor de lans, die rakeling langs zijn wang tegen de dennetakken aansloeg waardoor hij onder de sneeuw werd bedolven.

Bertram gaf een houw met zijn dolk, maar de jongen dook tussen zijn benen door en de stoot miste.

Phillipe keek naar de dichtstbijzijnde belager, Auguste. Die trok net zijn handschoen van de bloederige, gapende wond. Waar de huid was opengelegd vertoonde de diepe wond een roze schittering. Daarboven keek een verbijsterd oog. Zijn gezicht werd nog afzichtelijker toen hij Phillipe herkende. 'Je had er verstandiger aan gedaan geen aandacht te schenken aan zijn hulpkreten, kleine lord.'

Van Augustes kin sijpelde bloed op de sneeuw. Met zijn rood geworden handschoen frommelde hij aan zijn heup en haalde net zo'n dolk te voorschijn als waarmee Bertram naar zijn slachtoffer bleef uithalen. Uiteindelijk was diens steek afgevallen, terwijl hij als een acrobaat, dan weer de ene, dan weer de andere kant opsprong, om de dolk te ontwijken.

Met donkere ogen vol haat en pijn deed Auguste een uitval, het mes op de buik van Phillipe gericht.

Phillipe had geen tijd om na te denken. Hij reageerde instinctmatig en greep naar het dichtstbijzijnde wapen—de lans, die vlak bij hem op de grond was gevallen. Hij stootte met twee handen, hard. Auguste schreeuwde, daar hij zijn voorwaartse beweging niet meer kon stoppen. Zijn vaart spietste hem aan de punt van de lans. Phillipe liet de lans los en sprong achteruit toen Auguste viel en wolken poedersneeuw deed opstuiven. Het bloed spatte naar alle kanten rond de trillende lans. De stof van Augustes jas was in de wond gedreven.

Midden in een uitval hield Bertram in terwijl hij met uitpuilende ogen naar zijn neef keek. Auguste kroop op zijn zij en vlekte de hagelwitte sneeuw donkerrood. 'God sta ons bij,' bracht Bertram uit. 'Neef?' Toen keek hij met fonkelende gele ogen naar Phillipe.

De roodharige jongen rende naar het paardje, opende een draagtas en haalde er een enorm pistool uit.

Bertram wees naar het bewegingloze lichaam. 'Moordenaar. Jij hebt hem gedood!'

Met een vermetelheid, die Phillipe nauwelijks kon geloven, liet de jonge knaap Bertram de loop van zijn pistool zien. 'Als jij je nog ooit in Chavaniac vertoont, zal het jou net zo vergaan. Mijn tantes hebben mij verteld, dat Auguste du Pleis op het dievenpad was geraakt, nadat zijn vader was overleden. Maar ik wist niet dat dat ook het beroven van mensen op konijnenjacht inhield.'

Phillipe keek met stijgende verbazing naar het half-jonge, half-volwassen gezicht en naar de lichtbruine ogen, die geen ogenblik knipperden. De stem van de knaap klonk zelfverzekerd. Hoewel hij drie à vier jaar jonger was dan Phillipe, en tenger gebouwd, bleek hij volkomen vertrouwd te zijn met het hanteren van wapens, eerst de lans en nu het pistool.

De jongen deed een stap naar Bertram toe. 'Versta je me? Verdwijn of ik schiet je neer. Ik geef je een kans. Gebruik hem.'

Ineens drong de dreiging, die van de loop van het pistool uitging, tot Bertram door. Een ogenblik later was hij met dreunende laarzen tussen de dennebomen verdwenen. Toen was het weer stil in het bos.

Onzeker op zijn benen liep Phillipe naar Auguste. 'Is hij werkelijk . . .'

'Dat zou ik zo zeggen,' onderbrak de jongen hem en plaatste zijn laars op Augustes nek. 'Een officier neemt zijn hellebaard niet mee in de strijd om er mee te pronken. Hij is bedoeld om te doden.' Zonder een spoor van emotie te vertonen wrikte de jongen aan de lans, totdat de bloederige punt uit Augustes buik losschoot. Toen wees hij op het pistool, dat hij in zijn riem had gestoken. 'Gelukkig maar, dat die twee niets van vuurwapens afwisten. Met deze nattigheid had ik nooit een kogel kunnen afschieten. Het kruit zou zijn ontbrand voor . . . hé! Kijk niet zo zenuwachtig! Ik heb die andere de doodschrik op het lijf gejaagd. Die zullen wij niet meer terugzien. En deze heb jij gedood om mij te verdedigen. Laten wij hem wat dieper in het bos slepen. Als hij in de lente wordt gevonden, zal niemand hier in de buurt kunnen zien waaraan hij gestorven is—of er zich druk over maken.'

Ondanks de geruststellende woorden van de jongen, beefde Phillipe, als reactie op het gevecht, over zijn hele lichaam. Hij had een ander menselijk wezen gedood. En blijkbaar was de roodharige jongen er in het geheel niet ondersteboven van.

De jongen wierp de lans op de grond. Hij bukte zich over Auguste heen om hem bij zijn kraag te grijpen. Lichtelijk geïrriteerd keek hij om naar Phillipe. 'Hé, help me eens even!'

Phillipe wreef de sneeuw uit zijn ogen. 'Ja, ja, ik kom er aan. Maar hoe oud ben jij eigenlijk?'

'Doet dat er iets toe? Dertien!'

'Je gaat met wapens om als een volleerd soldaat.'

'Dat komt doordat ik twee jaar in Parijs ben geweest. Ik ben hier alleen maar voor de kerstdagen naar toe gekomen, om mijn tantes en mijn grootmoeder op te zoeken. In de stad ben ik in het omgaan met zwaarden en pistolen geschoold door een oude officier. Een van de beste. Hij heet De Margelay. Als de lente aanbreekt, word ik kadet bij de Zwarte Musketiers.'

Toen Phillipe geen antwoord gaf, verscheen weer die geïrriteerde blik op zijn gezicht. 'Je hebt toch zeker wel gehoord van het regiment lijfwachten van koning Lodewijk?'

Phillipe schudde zijn hoofd. 'Van die dingen weet ik niks af. Mijn moeder heeft hier vlakbij een herberg. De Drie Geiten.'

'O! Daar ben ik wel eens langs gereden.'

'Waarom vielen die twee je aan? In de hoop dat zij losgeld voor je zouden kunnen krijgen?'

'Ongetwijfeld. Het was geen geheim dat ik met vakantie naar huis zou komen. Ik was zo verdiept in het zoeken naar konijnesporen, dat zij mij compleet verrasten. Maar je zult niet gestraft worden omdat je hem gedood hebt. Dat kan ik je verzekeren. Feitelijk zijn wij door wat er gebeurd is, kameraden geworden, die door bloed met elkaar verbonden zijn. In het leger is er geen band die sterker is. Maar kom, laten we hem wegslepen.'

Phillipes verwarring en angst werden met het moment minder. Ze verbor-

gen het lijk onder een sneeuwhoop, op enige afstand van de open plek. De jonge soldaat wierp nog wat sneeuw over het afgrijselijke gezicht van Auguste, zette zijn steek recht en vroeg: 'Was jij op weg naar huis?'
'Nee, naar het dorp.'
'Klim dan bij mij achterop. Sirocco kan er net zo goed twee dragen als een. Geen tegenwerpingen, alsjeblieft—ik sta er op!'
Het viel Phillipe op dat de jongen er niet aan gewend was dat men aan zijn wensen geen gehoor gaf. Opmerkelijk. Zeker omdat hij pas dertien was. Zonder een woord te zeggen liep hij achter de roodharige aan, terug naar het stampende paardje.

2

'Zij zijn de misdadigers, niet jij,' schreeuwde de jongen boven het gebulder van de wind uit, terwijl het paardje door de sneeuw naar het dorp toe zwoegde. 'Iedere soldaat mag zijn vijand in de strijd doden.'
'Ik zal proberen het te onthouden,' gilde Phillipe, terwijl hij met zijn ene hand de jongen om zijn middel vasthield en met de andere de lans, die hij over zijn schouder droeg. Maar toch werd hij nog achtervolgd door het akelige beeld van de bloedende Auguste.
De sneeuw beet hem in het gezicht. In de verte kon hij al de eerste huisjes van Chavaniac ontwaren, gelegen aan de enige, bochtige straat die het dorp rijk was. 'Ik moet er zo dadelijk af,' riep Phillipe. 'Ik was op weg naar het dorp om kaas te halen voor . . . Hé! Rijd eens wat langzamer!' Maar de jongen gaf het paardje de sporen en de vos droeg hen de korte klinkerweg op, omhoog, en spoedig hadden zij het dorp weer achter zich gelaten. De jongen wendde de vos naar het westen.
'Waar gaan wij naartoe?' vroeg Phillipe.
'Naar mijn huis. Het is even verderop. Daar kunnen wij bij de warme haard een glas wijn drinken en dan zal ik je een paar kunstjes met de lans laten zien. Je hebt nooit met wapens geoefend, hè?'
'Nooit. Maar mijn vader was soldaat.' Het laatste kwam er als vanzelf uit.
Ondertussen ploeterde het paardje voort door de sneeuw die onder de takken van de kale, kreunende bomen lag opgehoopt. Plotseling wist Phillipe waar hij was. Maar hij kon het niet geloven.
'De mijne ook,' schreeuwde de jongen ten antwoord. 'Hij is in negenenvijftig bij Minden gesneuveld. Hij werd getroffen door een scherf van een Britse kanonskogel. Wat was het regiment van jouw vader?'
'Dat weet ik niet meer.' Het paardje droeg hen langs de voorzijde van een reusachtig, vesting-achtig kasteel, met twee torens. 'Hij is niet meer bij ons, begrijp je?'
'Weet je nog wel hoe je heet?' vroeg de jongen geamuseerd.

42

'Phillipe Charboneau.'

'Je moet me Gil noemen. Het is te vervelend om mijn hele familienaam op te noemen.'

'Zeg het mij toch maar.'

'Marie Joseph Paul Yves Roch Gilbert du Motier. En sinds mijn vaders dood, Markies de Lafayette. Zie je wel, ik heb je gewaarschuwd! Laten wij het gewoon op Gil en Phillipe houden. Soldaten-broeders.' Hij zweeg en leidde het paardje in een ruime stal achter het kasteel dat toebehoorde aan de familie Motier. De rijkste familie in de omgeving.

Elk uur schenen de gelukswinden hem weer in nieuwe, verbazingwekkende richtingen te blazen.

3

De betrekkelijke stilte in de naar paardemest ruikende stal, kwam als een verademing. Gil leidde het paardje stapvoets in haar box en sprong van het zadel. Toen nam de jonge markies de lans van Phillipe over en begon het opgedroogde bloed, dat nog op de punt zichtbaar was, af te vegen: 'Wat betreft het verhaal dat wij moeten vertellen,' zei hij, terwijl hij niet van zijn werk opkeek, 'jij zag mij aan de kant van de weg door de sneeuw strompelen. Ik was op zoek naar Sirocco, die in de sneeuw was gestruikeld en mij in haar val uit het zadel had geworpen en er daarna vandoor was gegaan. Na lang zoeken en met jouw hulp, heb ik uiteindelijk het paard terug kunnen vinden.' Gil keek op. 'Afgesproken?'

Geboeid door de rust die uit die half-jonge, half-oude bruine ogen sprak mompelde Phillipe: 'Afgesproken.'

Helemaal aan de andere kant van de stal flikkerde licht op. Een oude stalknecht met een lantaarn strompelde naar hen toe. Zijn houten valse tanden klapperden.

'Wat bent u laat thuis, heer! Hoe was de jacht?'

'Niet veel bijzonders,' antwoordde Gil. 'Behalve dan dat ik een nieuwe kameraad heb gevonden. Geef Sirocco een extra portie haver, alsjeblieft.'

Met volmaakt gezag leidde hij Phillipe bij zijn elleboog de stal uit. Door de geselende sneeuw staken zij de binnenplaats over en traden het kasteel binnen, waar nieuwe wonderen op hem wachtten.

4

'Ik geloof geen woord van je verhaal,' zei Girard later op de avond. Hij warmde zijn kousevoeten bij de haard van de gelagkamer.

'Je hebt die kazen gestolen, Phillipe.'

'Dat is niet waar, zeg ik je! Ik heb ze van zijn tantes gekregen. Saint-Nectaire. De duurste.' Met een fier gebaar strooide hij de munten op tafel. 'Vooruit, tel maar na, het is tot op de laatste centime evenveel als ik mee heb genomen.'

Girard liet zijn vingers door de munten spelen. 'Wij dachten dat je het slachtoffer van bandieten was geworden. Maar nu draait het er op uit, dat het alleen maar een markies was.' Ondanks zijn geplaag, konden de blauwe ogen van Girard een zekere bewondering niet verbergen.

Marie was in een jubelstemming. Met bijna sensueel genoegen sneed zij de kaas aan. Zij stak een stukje in haar mond, proefde en riep: 'Het is Saint-Nectaire! Ik heb hem van mijn leven maar één keer gehad, Phillipe. Kon je opschieten met de markies? Ging het je makkelijk af?'

'Het ging heel makkelijk, en ik geloof niet, dat hij alleen maar aardig deed omdat ik hem geholpen heb om zijn paard te redden. We zijn nu vrienden. Morgen ga ik hem weer opzoeken. En tot hij na de vakantie terug gaat naar Parijs, mag ik hem net zo vaak opzoeken als ik wil. Zijn moeder is verleden lente overleden, weet je,' vervolgde Phillipe op de lichtelijk neerbuigende toon van iemand, die het voorrecht heeft een nieuwtje te verklappen. 'In Parijs wordt hij kadet bij de Zwarte Musketiers.'

Zij zwegen. Met uitgesproken hooghartigheid voegde hij er aan toe: 'Het regiment lijfwachten van de koning.'

Flits deed het mes en sneed diep in de kaas. Marie hanteerde het alsof zij met een oude vijand te maken had.

'Zie je wel, Girard? Zij gaan fantastisch met elkaar om, omdat mijn zoon voor zo'n leven geboren is. Bloed verraadt zich nooit. Uiteindelijk komt een mens op de rechtmatige plaats terecht.'

Girard proefde een stuk en wierp een zijdelingse blik op Phillipe. Maar die was veel te opgewonden door de herinneringen aan het prachtige kasteel, de ongelooflijke, goud-glanzende kamers en de aardige tantes, om de verslagenheid op te merken in de ogen van de lange, magere leraar.

5

Lang nadat het vuur was uitgegaan en de herberg was gesloten, lag Phillipe nog te rillen in zijn bed en probeerde hij vergeefs in slaap te komen. De herinneringen aan de door het bloed van Auguste rood bevlekte sneeuw, hielden hem wakker. Steeds weer moest hij denken aan wat Gil hem had verzekerd. Langzamerhand begon zijn ongerustheid over een eventuele ontdekking—straf—te verminderen. Maar één aspect van de persoonlijkheid van zijn nieuwe vriend, de Markies de Lafayette, verontrustte hem nog steeds: de achteloze manier waarop Gil over het gebeurde sprak—en de daad verborg. Beschouwde de adel een ander mensenleven als waardeloos, als het eigen leven in gevaar was? Ontdeden zij zich van hun slachtoffers in de veilige wetenschap, dat hun positie hen zou beschermen tegen eventuele vergelding? Gedroeg zijn vader, James Amberly, zich ook zo? Zo ja, dan kon Phillipe best begrijpen dat Girard instemde met het verzet tegen zulke aanmatigende daden.

Een benauwende sufheid maakte zich meester van zijn verontruste geest. Hij dacht weer aan de dingen die hij van Gil zou kunnen leren voor de jonge Markies naar Parijs terugkeerde. Al met al was het misschien toch een goede dag geweest.

Ik moet de dode jongen vergeten, zoals Gil hem vergeet, dacht hij, vlak voordat hij in slaap viel. *Ik moet aan de grootste van alle misdaden blijven denken. Dat is de enige misdaad, die ik nooit moet begaan.*

6

De daarop volgende dagen werd Phillipe—met de zegen en de aanmoediging van zijn moeder—een vrijwel dagelijkse bezoeker van het Kasteel Chavaniac.

De tantes en de oude grootmoeder van Gil behandelden hem vriendelijk en voorkomend. En er waren zoveel opwindende dingen te doen, te zien, en te leren, dat het Phillipe nooit opviel dat de tantes elkaar zo af en toe een steelse blik toewierpen; dat zij soms stilletjes lachten als Phillipe een wijnglas omgooide of met zijn besneeuwde schoenen over een kostbaar kleed liep.

Trots pronkte Gil met zijn militaire uniform. Het was scharlaken en paars, met een mantel waarop met zilverdraad een kruis was genaaid waaromheen een vuurcirkel.

Op het erf van de stal, waar de sneeuwhopen in het winterse zonnetje verblindend wit schitterden, demonstreerde Gil de beginselen van de zelfverdediging met het zwaard. Natuurlijk gebruikten zij geen echte zwaarden, maar stevige stokken. Gil scheen het niet erg te vinden om met dat primitieve wapentuig, dat hij al lang ontgroeid was, de stoten en tegenstoten te demonstreren.

Twee dagen voor Kerstmis nam Gil Phillipe mee naar een bevroren meer vlak bij het kasteel. Daar haalde hij zijn dierbaarste bezit, dat in een oliedoek gewikkeld was, te voorschijn.

'Mijn leraar in de krijgskunde heeft dit in Parijs gekocht,' legde hij uit, 'voor mijn verjaardag. Ze zijn verdomd moeilijk te krijgen.' Hij wierp een glanzende musket van notehout in Phillipes handen. 'Het is het beste wapen van de wereld. Brown Bess. Kijk, zelfs de loop is bruin. Ze hebben het metaal behandeld met een geheim middel, tegen het roesten.'

Het unieke geweer was bijna twee meter lang. Vol ontzag hield Phillipe het voorzichtig vast, terwijl Gil een doos met kogels uit zijn zak haalde. Vervolgens onderwees Gil zijn vriend in het eerst dit-dan dat ritueel, dat aan een schot vooraf moet gaan. 'De meeste roodjassen van King George kunnen binnen vijftien seconden laden en vuren,' merkte hij op. 'Daarom haten de Fransen, militair gezien, niet alleen George maar ook zijn musketten.'

In een uurtje had Phillipe geleerd hoe hij kruit in de loop moest strooien, de kogel erin moest doen en daarna met de laadstok een prop papier tegen het kruit aan moest drukken, zodat het vast bleef zitten.

'En dan: Geef met de muis van je hand een klapje tegen de loop, zodat er een beetje poeder in het zundgat komt.'

Toen hij Brown Bess aan zijn schouder had gezet, beging hij bijna een grote fout. Gil riep: 'Doe je ogen dicht! Als de wind verkeerd staat, kan de vlam terugslaan en je blind maken. Houd hem alleen goed vast, mik in de richting waar je heen wilt schieten, sluit je ogen en haal de trekker over.'

Phillipe volgde de instructies op. Door de donderende terugslag tuimelde hij op de grond. Aan de overkant van de plas kraakte een dennetak doormidden en viel op de grond.

'Helemaal niet kwaad,' knikte Gil goedkeurend.

Phillipe stond op, klopte de sneeuw van zich af en schudde zijn hoofd. 'Ik begrijp niet hoe een soldaat een gevecht kan winnen met zijn ogen dicht, Gil.'

'Als duizend Britse infanteristen hun ogen sluiten en tegelijkertijd schieten, kunnen zij alles wat er voor hen is vernietigen. Als wij zulke musketten hadden, zouden wij de wereld kunnen beheersen. Omdat wij ze niet hebben, hebben wij bijna alles verloren.' Glimlachend keek hij naar de bruine loop, die glinsterde in het zonlicht. 'Je hield hem vast alsof je er voor in de wieg gelegd was. Je moet wel wat soldatenbloed van je vader in je hebben.'

Phillipe lachte terug. Zijn vriendschap, en zijn geheim, zorgden ervoor dat hij toch warm was van binnen, op deze bitterkoude dag.

7

Maar met Gils terugkeer naar Parijs eindigde de vriendschap net zo snel als zij was begonnen.

Het vertrek werd aangekondigd door het geklik-klak van paardehoeven, die stilhielden voor de deur van de herberg. Marie gluurde naar buiten en sloeg opgewonden haar handen ineen. 'God sta me bij, Phillipe, het is je vriend de markies! En het is hier niet eens goed geveegd—Girard!'

Op haar geroep kwam de slungelige man van achter uit de herberg te voorschijn. Precies op het moment dat Gil binnentrad. Onder zijn driekante steek schitterden zijn rode haren in de middagzon. Geagiteerd maakte Marie een revérence. Girard zuchtte en begon de vloer te vegen.

Phillipe snelde naar voren om zijn vriend te begroeten. 'Ik had verwacht je aan het eind van de middag op het kasteel te treffen.'

'Ja, maar mijn grootvader wil dat ik over twee dagen in Parijs terug ben. De koets vertrekt over een uur. Hier, ik heb een cadeau voor je meegebracht. Ik heb het bewaard voor de laatste dag, dat wij samen zouden zijn.'

'Heer,' zei Marie, 'mag ik u een glas wijn aanbieden?' Er voer een lichte huivering door Phillipe. Zij had een bijna kruiperige uitdrukking op haar gezicht.

Gil wuifde het aanbod hoffelijk weg. 'Nee, dank u. Ik moet meteen weer weg. Ik heb alleen even tijd om dit aan Phillipe te geven.' Hij stak een lang, dun, in oliedoek gewikkeld pak naar voren. 'Als blijk van onze vriendschap. Misschien vind je het prettiger hiermee te oefenen dan met een stok.'

Geroerd legde Phillipe het pak op een van de haveloze tafels en haalde voorzichtig het oliedoek er af. Tussen de luiken scheen een straal van de winterzon naar binnen en viel op het licht-gebogen, stalen lemmet en het bronzen gevest.

'Lieve hemel, wat een prachtig zwaard!' riep Marie, buiten adem, uit.

Phillipe moest haar gelijk geven. Het gevest had een knop in de vorm van een vogelkop, een beugel en een geribbelde greep. Phillipe nam het verbazingwekkende cadeau op en zag dat er nog iets onder lag, afzonderlijk ingepakt. Zelfs Girard kon zijn bewondering niet onderdrukken toen hij zag wat dat was: een schede van prachtig leer, aan de boven- en onderkant met koper beslagen.

'En een bandelier en koppelriem,' wees Gil, die kennelijk genoot van zijn rol als weldoener. 'Zoals elke echte Franse grenadier heb je nu je eigen briquet.'

'Zo'n schitterend cadeau verdien ik niet, Gil.'

'Natuurlijk wel! Ik geloof dat je een perfect soldaat zou kunnen worden, als je je aangeboren aanleg verder zou ontwikkelen.'

'Maar . . . ik kan je er niks voor teruggeven.'

De bruine ogen schenen even op te lichten. Gil antwoordde weliswaar langs zijn neus weg, maar zijn woorden waren er niet minder duidelijk om. 'Jij hebt mij al heel veel gegeven, Phillipe. Zonder jou was mijn bezoek aan mijn lieve tantes en grootmoeder opnieuw een saaie aangelegenheid geworden. Verder heb jij mij het genoegen verschaft een beetje schermles te kunnen geven aan een vlugge leerling. Nu moet ik terug om zelf weer leerling te zijn. We zien elkaar terug. Zo niet in Parijs dan wel ergens anders, heb ik het gevoel. Op een slagveld? Wie zal het zeggen? Maar wapenbroeders komen elkaar altijd weer tegen. Dat is iets waarvan oudgedienden overtuigd zijn.'

Met een laatste doordringende uitdrukking op zijn gezicht—het hernieuwd zweren van de belofte tot geheimhouding—liep hij naar Phillipe toe en omhelsde hem. Het was een bewogen maar correcte omhelzing. Phillipe kreeg er tranen van in zijn ogen.

'Gods genade zij met u allen,' zei Gil en wuifde met zijn hand toen hij vertrok. Buiten gekomen besteeg hij Sirocco en galoppeerde door de sneeuw naar het noorden. Naar Chavaniac.

'Hij omhelsde je als zijn gelijke!' riep Girard uit.

'Ik heb je toch gezegd, dat de afkomst van mijn zoon voor iedereen met een beetje gezond verstand te herkennen was,' wierp Marie tegen.

'Maar: wapenbroeders? Dat is een merkwaardige uitdrukking voor de vriendschap tussen jongens.' Phillipe sloot zijn vingers om het geribbelde handvest van het blinkende zwaard. 'Dat komt doordat ik hem geholpen heb om zijn paard te vinden in die sneeuwstorm. Het is gewoon zijn manier van spreken. Alles in militaire taal.'

'Mm,' antwoordde Girard.

Phillipe wendde zich af van de blauwe ogen die hem met enige nieuwsgierigheid—en scepsis—aankeken. 'Doe de deur dicht, het vriest hier!' zei hij luid. En tot zijn verbazing gehoorzaamde Girard.

8

Het lot geselde ook het jaar 1771 met zijn stormvlagen. Maar deze keer waren het bittere winden. Het werd al groen tussen de granieten heuvels van de Auvergne, toen op een dag een koerier te paard bij de herberg stilhield. Nadat voedsel en wijn hem hadden verkwikt, deelde hij Marie op hoge toon mee dat hij helemaal van Parijs naar dit godverlaten oord was gereden om dít af te leveren . . . Hij overhandigde haar een rol met een lint eromheen, met bruin-rode lak dichtgeplakt. In de lak was een zegel gedrukt.

Marie trok zich terug in de keuken. Hoewel niemand hem dat gezegd had, vermoedde Phillipe dat het het zegel van zijn vader was. Hij leidde dat af uit het feit, dat haar vingers licht trilden toen zij de lak aanraakte en ook uit de opmerking van de koerier dat de rol van de overkant gekomen was.

Terwijl Phillipe meer wijn voor de geïrriteerde boodschapper haalde, riep Marie met een doordringende kreet zijn naam. Hij trof haar met een lijkbleek gezicht aan bij de keukendeur. Zij drukte een brief in zijn hand. Hij zag, dat hij in het Frans was geschreven. Maar het was niet het mannelijke handschrift van Amberly . . .

'Hij is van de vrouw van je vader,' fluisterde Marie. 'Hij is ziek geworden. Zij vrezen voor zijn leven.'

Phillipe las de brief. Uit de koude toon kon hij opmaken dat die door James Amberly's vrouw alleen op uitdrukkelijke wens van haar echtgenoot was geschreven. Er lag een sombere blik in zijn ogen toen hij de brief gelezen had. 'Zij zegt dat de oude wond die hij bij Minden heeft opgelopen, zijn gestel vergiftigt.'

'En dat hij je wil zien. Voor het geval dat hij d . . .' Marie kon het woord niet over haar lippen krijgen. Zij wreef hevig in haar ogen om haar tranen te onderdrukken.

Ineens ontdekte Phillipe nog iets. Op de schraag lag een stapel bankbiljetten. Franken. Meer dan hij ooit bij elkaar had gezien.

Plotseling was Marie een en al vastberadenheid: 'Het geld is meer dan genoeg voor onze reis naar Parijs en dan, per boot, naar Engeland. Wij vertrekken onmiddellijk. Girard wil vast wel op de herberg passen.' Zij vloog op haar zoon af, sloeg haar armen om hem heen en drukte hem tegen haar borst. 'O, Phillipe, heb ik het niet beloofd? Voor dit ene ogenblik heb ik geleefd!'

Hij voelde haar lichaam schokken van de tranen die zij niet meer kon inhouden.

'Maar ik wil niet dat hij dood gaat. Ik wil niet dat hij dood gaat!'

IV Kentland

1

Er scheen een vrolijk april-zonnetje toen de kustvaarder, een logger uit Calais, de haven van Dover binnengleed. Phillipe stond aan de reling en staarde vol ontzag naar de witte rotsen die achter de pieren verrezen, en naar de wirwar van kleine vaartuigjes die in de buurt voor anker lagen. Boven hem cirkelden meeuwen krijsend in het rond. Hij snoof de geur van het zoute water op.

De afgelopen veertien dagen had hij zoveel wonderbaarlijke, nieuwe dingen gezien, dat hij ze zich nauwelijks meer allemaal voor de geest kon halen. Zeker nu niet. Hij was een beetje beangst omdat hij het land van zijn vader, als vreemdeling en als Fransman, de traditionele vijand, binnenkwam.

Afgezien daarvan: Marie had de reis niet goed doorstaan. Gedurende de ene dag dat zij in Parijs waren geweest—die prachtige stad waar het krioelde van de mensen—was Marie aan haar bed gekluisterd geweest in een vies hotelletje in een achteraf straatje.

Phillipe had willen rondzwerven door de grote metropool en zoveel mogelijk willen zien, voor de koets naar de kust zou vertrekken. In plaats daarvan had hij de hele nacht op een stoeltje aan het bed van Marie gezeten, die hevig te lijden had van krampaanvallen en koorts. Misschien waren de vermoeienissen van de reis daar de oorzaak van. Maar het kon ook zijn—zo bedacht hij die nacht in Parijs voor het eerst—dat de harde jaren in Auvergne haar gezondheid en vitaliteit hadden aangetast. Dat dat laatste wel eens het geval kon zijn, bleek al gauw toen de logger de haven van Calais verlaten had.

Marie klaagde over duizeligheid en ging naar het benedendek. Zij moest twee keer overgeven tijdens de nachtelijke oversteek. Zeer tot ongenoegen van de Franse bemanning die Phillipe een dweil bezorgde om de boel zelf maar op te ruimen.

Hij besteedde de meeste zorg aan de goedkope, tweedehands koffer, die zij voor hun vertrek in Chavaniac hadden gekocht. Hij veegde hem zorgvuldig schoon, hoewel de stank hem misselijk maakte. Marie lag in een benauwde kooi en zag nog bleker dan toen zij het nieuws van Amberly ontving. Nu eens smeekte zij God om de golven te doen bedaren—het was die nacht ruw weer op Het Kanaal—dan weer liet zij blijken dat zij zich schaamde voor haar zoon en zich vernederd voelde.

Toen hij de oude koffer schoon had, bleef hij er nog een ogenblik naar staan kijken. De koffer bevatte het weinige van waarde, dat zij bezaten. Behalve dan natuurlijk de herberg. Die hadden zij aan de zorgen van Girard toevertrouwd.

De goede kleren van Marie zaten in de koffer. Haar kostbare kistje met brieven. En Phillipes zwaard.

Hij kon niet precies verklaren waarom hij het zwaard had meegenomen. Maar hij wilde het toch bij zich hebben in het land van de vijand.

Nu leunde hij dan op de reling en zijn blik gleed langs de meeuwen naar een vreemde, hoge toren boven de kalkrotsen. Zijn zelfvertrouwen van de afgelopen maanden was bijna geheel verdwenen. Hij zag dat de kade een en al bedrijvigheid was. Dat waren nou Engelsen. Zou hij zich met zijn beperkte kennis van de taal wel goed genoeg kunnen redden? Zijn moeder en hij moesten nog een heel eind reizen voordat zij bij het ziekbed van zijn vader waren. Lady Jane Amberly had in haar brief geen enkele aanwijzing gegeven. Misschien wel met opzet.

Hij keek opnieuw naar de toren, die hem op een vreemde manier afschrikte. Ondertussen werden de zeilen ingehaald en schreeuwde de bootsman de bemanning, die over het dek holde, bevelen toe. De stuurman, een man met een gouden ring in een oor, zag de verrukte uitdrukking op Phillipes gezicht en gaf hem een klap op zijn schouder. Hij zei in het Frans: 'Wat een drukte hier, hè? Je raakt er wel aan gewend. Als de kapitein het hoort, geeft hij mij een trap in mijn kruis, maar ik vind die Engelsen zo gek nog niet. Tenslotte stroomt er door de aderen van al die landjonkers en boeren nog heel wat oud Frans bloed . . .' Toen wees hij hem op enkele bouwsels hoog op de rotsen, zoals de vesting tegen de Noormannen en ook de vreemde, hoge toren. Daarover vertelde hij: 'Lang geleden stonden er twee Romeinse vuurtorens daarboven. Hun vuren leidden de galeien van de legioenen de haven binnen. En de soldaten van Caesar verwekten heel wat bastaardkinderen voor zij weer vertrokken. Dus wat je ook in Engeland te doen hebt, mijn jongen, laat je niet door de inwoners uit het veld slaan. Hun voorvaderen zijn uit heel Europa vandaan gekomen, en God weet uit welke werelddelen nog meer. Trouwens, op het ogenblik is het vrede tussen ons. Zolang het duurt.'

Voordat hij naar het achterschip liep, voegde hij er aan toe: 'Ik wil jou en je moeder graag helpen een diligence te vinden. Het is spijtig dat zij zo onder de overtocht geleden heeft. Het is een knappe vrouw. Als ik niet al twee vrouwen had, zou ik haar zelf het hof willen maken.'

Phillipe lachte en zijn bezorgdheid nam wat af. Hij liep naar beneden. Daar trof hij zijn moeder aan, die in het duister naast de oude koffer zat. Zij had haar bleke handen in haar schoot gevouwen. Hij sloot haar handen in de zijne. Wat waren zij koud! 'De stuurman heeft beloofd dat hij ons zal helpen om een rijtuig te vinden, mama.'

Marie zei niets, keek nergens naar.

Weer voelde Phillipe zich ongerust worden. Ver weg hoorde hij het anker van de logger in het water plonsen.

2

De stuurman bracht hen van de kade naar de stad. Op zijn gespierde schouder droeg hij de koffer, alsof er helemaal niets in zat. Hij stopte op de binnenplaats van een drukke herberg, waar, in het Engels, de vertrektijden van de verschillende 'vliegende reiskoetsen' op een bord werden aangekondigd. De plaatsen waar zij naartoe gingen hadden vreemde namen. De stuurman probeerde het Engels te ontcijferen.

'Vliegende koetsen, dat is natuurlijk een compliment voor de snelheid van de openbare verbindingen.' De stuurman grinnikte. 'Maar als ik het goed begrijp, is het even goed gelogen als elke andere advertentie. Bah, ik begrijp niets van dit goddeloze taaltje! Ik zal binnen eens informeren. Wat is de naam van het dorp waar jullie naar toe willen?'

'Tonbridge,' zei Phillipe. 'Het moet ergens aan een rivier ten westen van hier liggen.'

De man met de gouden oorring verdween en kwam even later naar buiten met de mededeling dat zij het kustrijtuig moesten hebben, via Folkestone, dat diezelfde middag nog zou vertrekken. Terwijl zij wachtten, hield hij hen gezelschap, omdat, zo zei hij, als hij er alleen op uit ging, hij al zijn geld toch maar zou uitgeven aan drank en vrouwen.

De stuurman was een vrolijke, vrijgevige man en hij trakteerde hen zelfs op een lunch—bruin brood en bier—in een herberg die The Cinque Ports heette.

Toen hielp hij hen bij het instappen in de indrukwekkende reiskoets. De koetsier riep: 'De diligence voor Folkestone, mijn heren! De expresse voor Folkestone vertrekt over enkele minuten!'

Met hulp van de stuurman hadden zij wat Franse francs voor Engels geld kunnen inwisselen. Nu nam hij het precieze bedrag uit Phillipes hand en betaalde de kaartjesverkoper. Hij wuifde ze na, toen het rijtuig de binnenplaats uitreed.

Slingerend reed de diligence westwaarts. Ze zaten met nog zes andere passagiers dicht op elkaar in het rijtuig. Een van hen was een geestelijke, die in stilte zijn bijbel zat te lezen, de andere vijf waren met elkaar in het Engels aan het praten. Phillipe en Marie zaten ineengedoken in een hoekje. Zij zwegen en probeerden de nieuwsgierige blikken te ontwijken.

Een dikke heer met een pruik op en in een wijnrood fluwelen kostuum gestoken, praatte voor twee. Kennelijk had hij iets met weverijen van doen. Hij klaagde over het feit dat die 'verdomde kolonialen' weigerden Britse goederen te importeren—als protest tegen enkele van de belastingen, waar Girard hem over verteld had, als Phillipe het tenminste goed begreep . . .

'Maar verdomme nog aan toe, de Koningsgezinden hebben nu de macht,' sputterde de dikke man. 'North zal die opstandige honden wel mores leren, wat zeg jij?'

De muizige echtgenote van de koopman zei dat zij het met hem eens was. 'O ja, absoluut.'

Het gezicht van de dikke man straalde van zelfgenoegzaamheid. Door de ramen van het rijtuig kwam heet stof naar binnen stuiven. Hotsend en botsend slingerde het rijtuig zich langs de zogeheten moderne grote kustweg naar het zuiden.

3

Laat op de avond arriveerden zij in Folkestone, waar Phillipe een kamer wist te krijgen. Zijn Engels bleek daarvoor toereikend, hoewel zijn uitspraak wel even verbazing wekte.

De waard behandelde zijn Franse gasten echter heel beleefd en in de ochtendschemering hielp hij Phillipe de koffer in de bagageruimte van de volgende koets te hijsen. Kort na zonsopgang hobbelden Marie en haar zoon naar het noordwesten, door een bijzonder plezierig landschap. Vanaf de zacht glooiende groene heuvels, hadden zij een weids uitzicht op de kleine dorpjes die tussen de hopvelden en boomgaarden verspreid lagen. De zoete geur van roze en witte bloesem vulde de koets. Marie maakte zelfs een opmerking over het welkome zonnetje.

Phillipe bracht de moed op aan een oudere dame te vragen hoe het district heette. Zij antwoordde met een glimlach: 'Kent, meneer. Het land van de kersen en de appels en de knapste meisjes van het imperium!'

Aan de rand van een groot woud, 'The Weald' genaamd, brak een as van de koets. Zij verloren vier uur, omdat de koetswacht, nadat hij zijn donderbus ter bescherming van de passagiers aan de koetsier had gegeven, naar de dichtstbijzijnde plaats moest lopen. Hij keerde terug met een andere as en twee jonge wagenmakers, die de reparatie uitvoerden. Maar eindelijk, op de avond van de derde dag van het verblijf van Phillipe en Marie in Engeland, ratelde de koets over een brug het dorpje Tonbridge binnen, een klein, rustig plaatsje in het dal van de Medway.

Zij vonden logies boven Wolfe's Triumph, een herberg die natuurlijk genoemd was naar de heldhaftige generaal die de Fransen vernietigend had verslagen bij Quebec. In Auvergne werd de naam van de generaal bespot en beschimpt. De eigenaar van de herberg was een kleine man van middelbare leeftijd, met vooruitstekende boventanden. 's Avonds laat liep Phillipe naar beneden om een praatje met hem te maken. Marie lag al in bed. Zij lag onbeweeglijk op haar rug, maar sliep niet: alsof de reis te veel van haar had gevergd.

Een heerlijk geurend beukenvuur brandde in de gelagkamer van de herberg. Buiten was de lenteavond kil geworden. De gelagkamer zat vol met mannen uit het dorpje. Zij dronken en roddelden over de dingen van de dag. De meeste mannen hadden blond haar en een blozende gelaatskleur, waar de zwarte haren en ogen van Phillipe sterk tegen afstaken. Maar hij raakte eraan gewend dat hij altijd veel bekijks had.

Toen Phillipe naderbij kwam, draaide de waard zich om van het biervat. Hij gaf twee kroezen aan een plomp dienstertje, dat er mee wegliep terwijl zij met haar achterste draaide en Phillipe toelachte.

'Zo, jonge gast,' zei de waard, 'mag ik iets inschenken?'

'Nee, dank u. Ik heb geen dorst.' Phillipe lette er op elk Engels woord duidelijk uit te spreken. Maar zijn antwoord was een leugen. Hij was niet zeker genoeg over de toekomst, om zomaar geld aan drank uit te geven.

'Dat is jammer,' zei de oudere man. 'Ik had je de eerste willen aanbieden van het huis.'

'O—in dat geval, graag. Dank u wel.'

'De vrouw die samen met jou is aangekomen—is dat je moeder?'

Phillipe knikte.

'Voelt zij zich wel goed?'

'Zij is vermoeid, dat is alles. Wij hebben een lange reis achter de rug.'

'Over Het Kanaal. Jullie zijn Fransen, nietwaar?' De man nam een schuimende kroes onder het vat weg en zette daar, met een handig, snel gebaar een andere voor in de plaats, zodat er vrijwel geen bier verloren ging. 'Goed Engels bier,' zei hij en overhandigde Phillipe de kroes. 'Ik houd er niet van aan jongeren gin te geven. Het is de ondergang van duizenden kleine schooiertjes in Londen.'

Phillipe nam een klein slokje en probeerde zijn aanvankelijke tegenzin tegen het geelbruine brouwsel te verbergen. 'Mmmm. Heerlijk. Om antwoord te geven op uw vraag . . .' Hij veegde met zijn mouw het schuim van zijn lippen af. 'Ik ben een Fransman. Maar een familielid van mij woont hier in de buurt. Mijn moeder en ik moeten zijn huis vinden, om hem te kunnen opzoeken.'

'Wel, meneertje, Fox kent zowat iedereen hier in de buurt. Hoe heet uw familie?'

'Amberly.'

Aan de tafel vlakbij stokte de conversatie. Ogen staarden hem aan door de rook uit stenen pijpen, vastgehouden door plotseling roerloos geworden handen. In de levensgrote haard viel een houtblok om in de as. De waard peuterde met een gebroken nagel aan een vooruitstekende boventand. 'Amberly, hè? Is dat zijn naam?' Er klonk onderdrukt gelach. De waard nam de haveloze kleren van Phillipe in ogenschouw. Toen vroeg hij: 'Je bedoelt zeker, dat er verwanten van je in dienst zijn bij de Amberly's?'

'Nee, meneer. Ik ben familie van de Amberly's. Hoever is het van het dorp naar hun huis?'

'Als je hun landgoed bedoelt, jongen,—alleen wij, eenvoudige mensen wonen in huizen . . .'

In de gelagkamer klonk gelach.

'Niet ver. Een mijl verderop langs de rivier. De hertog is ziek, wist je dat?'

'Ja. Is er misschien iemand die tegen betaling de boodschap over kan brengen, dat wij aangekomen zijn?'

54

'Mijn zoon Clarence.' De stem van Fox klonk zowel geamuseerd als sceptisch. 'Maar morgenochtend, hè?'

Op de afgesproken tijd betaalde Phillipe een halve penny en wachtte. Om twaalf uur 's middags begon hij de hoop te verliezen. Maar toen kwam Fox stommelend de trap oplopen, klopte en kondigde aan: 'Clarence is terug! Lady Amberly stuurt een koets voor jou en je moeder om drie uur vanmiddag.'

Hij was zonder enige twijfel met stomheid geslagen.

4

De koets ratelde langs het jaagpad naast de helder stromende Medway. Op de oevers lieten groene wilgen hun takken in de rivier hangen. Phillipe en Marie zaten achterin. Ze hadden hun mooiste kleren aangetrokken, maar Phillipe was er zich van bewust dat ook die tot op de draad versleten waren. Dan waren de kleren die de oude koetsier droeg veel eleganter. Een oranje broek; een jas van geel fluweel. Misschien waren het wel afdankertjes, maar in ieder geval waren het kostbare kledingstukken.

Kort nadat zij het dorp hadden verlaten vroeg Marie: 'Kunt u mij iets over de ziekte van de hertog vertellen?'

De oude man aarzelde. 'Tja, eigenlijk moet u daarvoor bij Lady Jane zijn. Maar het is waar dat dokter Bleeker veel aanwezig is. Ik heb begrepen dat hij de hertog regelmatig aderlaat. De slaapkamer van de hertog is verduisterd. Hij wordt nooit buiten zijn slaapkamer gezien.' Plotseling barstte de man uit: 'Het is een schande, een grote schande! Hij die zoveel vrienden aan het hof heeft en die minister had kunnen worden, nu Lord North premier is. Wij wachten al dagen op een persoonlijk bezoek van His Lordship. Over andere bezoeken hebben wij niets gehoord,' voegde hij er nadrukkelijk aan toe.

Nee, dacht Phillipe, *ik weet zeker dat mijn vaders echtgenote ons onwelkom bezoek niet zal hebben rondverteld.*

In rustige vaart leidde de koetsier zijn paard om een groen heuveltje heen en vertelde verder: 'Kentland is in rep en roer, moet u weten. Kort voordat haar echtgenoot ziek werd, heeft Lady Jane de beroemde Capability Brown in dienst genomen om de tuinen opnieuw aan te leggen. Ik zou u aanraden uw bezoek zo kort mogelijk te houden, wat voor belangrijke zaken u ook te bespreken heeft.'

Marie kreeg een kleur en wilde een vinnig antwoord geven. Maar Phillipe die naast haar zat, schudde zijn hoofd. De koetsier zag niet, dat de mond en de ogen van de vrouw zich vernauwden.

Haat? Angstige voorgevoelens? Of allebei?

Maar zij liet zich door haar zoon leiden. Hij voelde zich plotseling een stuk ouder.

De koetsier zette het paardje aan. Het jaagpad maakte opnieuw een bocht om een heuveltje. Marie slaakte een onderdrukte kreet. Met soevereine rust keek Kentland uit over de rivier de Medway. De gele Tudor stenen van het reusachtige, twee verdiepingen hoge hoofdgebouw werden beschenen door de zachte gloed van de zon. Het huis lag in het midden van een park met grote gazons, waar allerlei figuren druk in de weer waren. Tuinknechten sjouwden met kleine boompjes, waarvan de wortels bijeengebonden waren, anderen waren aan het spitten. Vol ontzag bezag Phillipe het enorme landgoed. Hij telde zes bijgebouwen, terwijl de koets de lange oprijlaan op reed. Bij de hoofdingang liet de koetsier hen uitstappen en reed zonder om te kijken weg.

5

Naderhand besefte Phillipe, dat de ontvangst die hun ten deel viel tot in de kleinste details bedoeld was om hen te intimideren.

Het begon al bij de deur. Nadat hij aangeklopt had, gebeurde er enige minuten helemaal niets. Eindelijk deed een lakei met een gepoederde pruik, witte kousen en een satijnen livrei, de deur open. Hij keerde zich om, zonder er op te wachten, dat zij zouden zeggen, wie zij waren. Blijkbaar wist hij het al. De lakei bracht hen naar een reusachtige, lichte salon aan de zuidkant van het huis. Grote openslaande deuren, met daartussen hoge spiegels, gaven uitzicht op de uitgestrekte groene tuinen, die naar de rivier omlaag liepen. De salon had gebeeldhouwde deuren, een prachtige witte schoorsteenmantel en er stonden driepoot-tafeltjes van verguld hout en met gobelin beklede stoelen.

In een van de stoelen, vlak onder een reusachtige kristallen luchter zat een vrouw van om en nabij de leeftijd van Marie. Zij stond niet op toen de lakei de bezoekers binnenliet.

Een streng ogende, grijzende man zat in een gemakkelijke stoel bij een openslaande deur, waar de gordijnen van scharlaken damast zachtjes in de wind heen en weer bewogen. Hij had een vormelijke mond en onverschillig kijkende ogen. Op zijn witte manchetten na, was hij in het zwart gekleed. Maar de blikken van Marie en haar zoon waren op de vrouw gevestigd. Zij had grijze ogen en haar wangen leken enigszins ingevallen. Ondanks haar strenge gelaatsuitdrukking, was het duidelijk dat zij een opvallende schoonheid was. Haar blauw gepoederde pruik werd door het zonlicht beschenen. Hij paste precies bij haar prachtig blauwe robe met Turkse mouwen.

Marie kromp niet ineen onder de indringende blik van de vrouw. Haar beide voeten stevig op de grond, als een boer die op het punt staat te gaan loven en bieden, kondigde zij in haar Franse Engels aan: 'Ik ben Marie Charboneau. Ik heb mijn zoon, Phillipe, meegenomen.'

Lady Jane Amberly knikte even. De vluchtige blik waarmee zij Phillipe inspecteerde, sprak boekdelen. Het was maar al te duidelijk wat zij er van vond om Amberly's bastaard hier in haar salon te hebben. Zij sprak tot Marie: 'Ik wist niet of u onze taal machtig zou zijn. Nu dat het geval is, kunnen wij onze zaken met nog grotere spoed afhandelen. Ik zal u geen verversingen aanbieden. Wij zijn hier niet bij elkaar voor de gezelligheid. Ik heb u alleen geschreven omdat mijn echtgenoot er op stond.'

Misschien dat Marie nog wat innerlijke kracht in reserve had gehouden, of misschien dat haar training als actrice haar nu van pas kwam. In ieder geval klonk haar stem zeker even hooghartig als die van Lady Jane: 'Neemt u mij niet kwalijk, dat ik u verbeteren moet, my lady, maar ik ben hier niet in de eerste plaats voor zaken, zoals u dat noemt. Ik ben hier in de eerste plaats, omdat uw echtgenoot zijn zoon wil zien.'

'Nadat ik u geschreven heb, zijn de omstandigheden veranderd. Dat zou wel eens niet mogelijk kunnen zijn.'

Weer bewogen de damasten gordijnen lichtjes. Plotseling voer er een onverklaarbare, koude rilling door Phillipe heen. Met een air van gezag stapte de heer-in-het-zwart naar voren. 'Lady Jane heeft volkomen gelijk. De wond van de hertog is ernstig ontstoken. Vergiftiging. Zijn lijden berooft hem van alle besef en energie. Hij is zelden wakker.'

Wederom boog de blauwgekleurde pruik ietwat naar voren. Lady Janes stem klonk lusteloos, alsof elk woord een vermoeiende plicht was: 'Dokter Bleeker is een van de meest geachte artsen van Londen. Hij verblijft in Kentland om mijn echtgenoot te verplegen. Ik wil niet dat de hertog sterft, maar de mogelijkheid bestaat. Wij allen moeten dit aanvaarden. En dien-overeenkomstig handelen.'

Phillipe nam de dokter op en dacht: uit Londen? Dan moeten de kosten duizelingwekkend zijn . . .

Er viel een stilte in de salon. Men hoorde slechts het ritselen van de gordij-nen, het getinkel van de luchter en een kreet vanuit het legertje tuinmannen dat buiten aan het werk was.

Ten slotte verbrak Marie de stilte: 'Weet James, dat zijn zoon hier is, my lady?'

'Kort nadat uw boodschap ons vanmorgen bereikte, is hij op de hoogte gesteld. Hij was toen even wakker.'

'Dan verzoek ik u ons, ondanks zijn gevaarlijke toestand, ogenblikkelijk naar hem toe te brengen.'

'Daar kan ik geen toestemming voor geven,' zei dokter Bleeker. 'Op mijn uitdrukkelijk verzoek zijn de deuren van de hertogelijke slaapkamer voor iedereen gesloten, behalve voor diegenen die ik persoonlijk binnenlaat. Op het ogenblik is een goede vriend en geestelijk raadsman van de familie, bisschop Francis, bij hem. Hij bidt terwijl de hertog slaapt.'

'Het gezicht van zijn zoon zou wel eens een beter medicijn kunnen zijn dan gebeden,' zei Marie.

'En overigens: dat deze jongeman de zoon van mijn echtgenoot zou zijn'—Lady Jane liet even haar blik op Phillipe vallen, en negeerde hem vervolgens weer—'daar heb ik geen bewijs van.'

'Maar ik heb een brief, my Lady. Een brief, waarin uw echtgenoot aan Phillipe zijn rechtmatig aandeel in de bezittingen toekent!'

Plotseling stond Lady Jane op. 'Ik duld geen luide stemmen in deze kamer, mevrouw. Ik heb gehoor gegeven aan het verzoek van mijn echtgenoot. Met tegenzin weliswaar, maar ik heb er gehoor aan gegeven. Dat is het enige, dat ik van plan ben te doen. Als er zich een geschikt ogenblik voordoet, dat deze jongen, van wie u beweert dat hij de onechte zoon van de hertog is, mijn echtgenoot zou kunnen bezoeken, dan is mij dat om het even. Zoniet . . .' Zij haalde haar schouders op.

'Ik beweér niets!' wierp Marie terug. 'Het is de waarheid.'

'Wilt u in godsnaam zachter praten en wilt u zich op een betamelijke manier gedragen? Begrijpt u het dan niet? Jullie zijn indringers! Nu ik mijn geweten tot het uiterste geweld heb aangedaan en hem van uw komst heb verwittigd, wens ik, dat hij op geen enkele andere manier gestoord wordt, tenzij dokter Bleeker zijn toestemming verleent.'

Bleeker zei: 'Het vooruitzicht dat dat in de naaste toekomst zal kunnen gebeuren is twijfelachtig.'

Marie zag er ontdaan uit. 'In dat geval zullen wij terugkeren naar de herberg in Tonbridge . . .'

Lady Janes oogleden trilden en besluierden haar grijze pupillen terwijl zij de dokter fronsend aankeek. Bleeker, van zijn kant, reageerde geamuseerd. Maries moeizame Engels had er Town-briedge van gemaakt. Phillipe voelde de lust in zich opkomen met zijn vuist een einde te maken aan Bleekers verwaande gelaatsuitdrukking.

Lady Jane onderdrukte haar korte opwelling van woede, terwijl Marie met wat vastere stem besloot: 'Maar wij vertrekken niet voor mijn zoon zijn vader heeft ontmoet.'

Zacht zei Lady Jane: 'Het zou wel eens onvoorzichtig kunnen zijn te blijven wachten.'

Maries adem stokte. Net als haar zoon voelde zij dat er achter die opmerking een dreigement schuil ging. De gordijnen van scharlaken damast veroorzaakten, door hun bewegen in de wind, een afwisselend patroon van zonlicht en schaduw, dat Phillipe op een of andere manier dreigend toescheen. Hij rilde.

Zat er een dreigement verscholen in wat Lady Jane had gezegd? Of was zijn reactie alleen maar het produkt van zijn eigen verbeelding, nu hij werd geconfronteerd met een gespannen en moeilijke situatie? Hij slaagde er in om te zeggen: 'Ik ben er niet zeker van dat ik precies begrijp wat u bedoelt, my Lady.'

'O . . .' Fijntjes haalde Lady Jane even haar schouders op. Er kwam een valse, ijzige glimlach op haar gezicht. Plotseling keken de grijze ogen poeslief. 'Ik bedoelde alleen maar dat ik er mij van bewust ben, dat u slechts over zeer bescheiden middelen beschikt. Ook als ik rekening houd met wat mijn echtgenoot u gestuurd heeft.'

Was dat het enige wat zij bedoelde? Phillipe betwijfelde het.

Dokter Bleeker verbrak de stilte: 'En ik moet er aan toevoegen, dat wachten niet alleen langdurig, maar ook geheel vruchteloos zou kunnen zijn.' Alsof hij de zaak nu als afgedaan beschouwde, draaide hij zijn rug naar hen toe en keek met verveelde blik naar buiten.

'U moet natuurlijk zelf beslissen,' zei Lady Jane tegen Marie. 'Ik zou echter graag de brief, die u beweert in uw bezit te hebben, nader willen onderzoeken.' Het was duidelijk dat haar stem even stokte en Phillipe voelde dat zij een punt in hun voordeel gescoord hadden. Ze kan aan mijn gezicht zien dat ik zijn zoon ben, dacht hij. Ze weet dat die brief bestaat. *En ze is bang.* Toen hij zich dat realiseerde, kwam een kortstondig, wraakgierig gevoel in hem op. Wat voor recht had deze elegante vrouw om Marie Charboneau aan te staren alsof zij gehoorzaamheid eiste van een bediende?

Hij hoorde dat Marie antwoordde: 'Ik heb hem niet bij me, mevrouw, hij ligt veilig opgeborgen.'

'Dan zult u mij toch wel toestaan, dat ik hem te zijner tijd kan zien, zodat ik zijn twijfelachtige echtheid kan verifiëren . . .'

'Er is niets twijfelachtigs aan . . .' begon Phillipe luid, maar hij werd onderbroken door een geroezemoes van stemmen. Nijdig geworden, draaide hij zich om. Het gelach van de nieuwkomers zei hem dat Lady Janes woorden over de ernstige situatie in Kentland althans voor een deel komedie waren geweest; een komedie die was opgevoerd om een boerenvrouw en haar boerenzoon te intimideren.

Een jongeman van Phillipes leeftijd stormde de kamer binnen, terwijl hij een meisje van ongeveer negentien jaar aan zijn hand meetrok, of liever, meesleurde. Het paar stopte plotseling. De jongeman riep uit: 'Allemachtig, god beware ons! De Franse bezoekers? Mijn vermoedelijke halfbroer . . . eh, eh?'

Phillipe gaapte hem aan. Op het eerste gezicht kon de jongeman een subtiel verdraaid spiegelbeeld van hem zelf zijn. De mond was dunner. De schouders breder. En de nieuwkomer was een half hoofd groter, hoewel hij een enigszins gebogen houding voorwendde. Maar toch was de gelijkenis opvallend.

Natuurlijk niet wat betreft de kleren. In tegenstelling tot het eenvoudige kostuum van Phillipe, was de jongen gekleed in een lange geruite jas, die veel weg had van een ochtendjas. Zijn kleding werd gecompleteerd door een Hollandse pofbroek en roze, satijnen schoenen. Hij hield een lange, geverniste wandelstok met een reusachtige zilveren knop in zijn hand. Het draagkoord zat met een lus om zijn pols.

Hij had paarlen spelden in zijn pruik. Phillipe was nog nooit zo'n wonderlijke verschijning tegen het lijf gelopen. Pas veel later kwam hij te weten dat zo'n uitmonstering in de ogen van de 'macaronies'—jonge edellieden, die de laatste mode volgden en het 'eh, eh?' gebrabbel van de koning naäapten—ouderwets was.

59

Misschien een hartslag lang moest Phillipe de neiging weerstaan in lachen uit te barsten om de bizarre kledij en de bestudeerd verveelde houding van de jongeman. Maar twee dingen weerhielden hem daarvan—het eerste was de volstrekte afwezigheid van enige milde humor in de ogen van de jongen. Ogen, die nu op Phillipe gericht waren, en die een groot contrast vormden met de paarlen spelden, de roze schoenen en de zilveren knop van de wandelstok logenstraften. Het waren lelijke ogen—even lelijk als de kleine paarse moedervlek, die aan de buitenkant van zijn linker wenkbrauw zat. De vlek had min of meer de vorm van een U, maar dan op zijn kop, zodat de onderkant naar zijn linker oorlel wees. Toen ontdekte Phillipe dat de boog van de vlek gespleten was. Hij vond nu dat ze niet zozeer op een letter als wel op een gebroken hoef leek. Hoewel ze niet groter was dan een duimnagel, was ze ongetwijfeld erg paars en ontsierend.

Phillipe herinnerde zich wat zijn vader in zijn brief had geschreven over de problemen, die Lady Jane had gehad bij de bevalling van Amberly's wettige zoon. Want Phillipe twijfelde er niet aan wie de jongeman was—of waarom hij hem met zo'n openlijke vijandigheid aankeek. Nog even bleef dit beeld voor zijn ogen; toen trok het meisje zijn aandacht. Zij was beeldschoon. Op zo'n zachte manier beeldschoon, dat hij bijna een kreet gaf toen hij haar voor het eerst wat beter bekeek. Zij was ongeveer even lang als haar metgezel, maar slanker. Haar volle borsten werden geaccentueerd door de militaire stijl van haar ruiterkostuum. Ze droeg een donkerblauwe jas, met twee rijen knopen en wit aan de voorkant. Bij haar keel ontwaarde hij een glimpje van een witte das. Zij droeg geen pruik. Haar lichtbruine haar werd van achteren bij elkaar gehouden door een eenvoudig lint. Zij tikte met een zweepje tegen haar rok. Glimmende punten van mannenlaarzen staken onder de zoom van haar rok uit.

Haar hemelsblauwe ogen ontmoetten die van Phillipe met oprechte belangstelling. En zonder de duidelijke antipathie waarmee de jongen hem bleef aanstaren. Langzaam, terwijl haar lippen zich in een lachje krulden, dwaalde haar blik af, maar niet voordat Phillipes verbijsterde ogen de overeenkomstigheid hadden gezien tussen haar blik en die van Charlotte. Zijn instinct zei hem dat zij, net als Charlotte, een zinnelijk wezen was. Maar zij was niet ordinair. Misschien wel een hoer in haar hart. Maar een vergulde . . .

Blijkbaar hadden de twee een inspannende paarderit achter de rug. De jongeman rook naar zweet, terwijl hij hooghartig op Phillipe afstevende en bij elke stap met de punt van zijn stok op de grond tikte: tak, tak. Hij had nog steeds een scheve grijns op zijn gezicht, dat verder een ontspannen indruk maakte, in tegenstelling tot zijn ogen.

Het meisje deed alsof zij niet geïnteresseerd was, en keerde zich van de twee jongemannen af. Maar zij bleef hen van terzijde aankijken. Op haar bovenlip parelden kleine zweetdruppeltjes.

Tak, tak, tak . . .

Twee meter voor Phillipe bleef de jongeman staan. Staarde hem aan. De

60

grijns verdween van zijn gezicht, dat nu alleen nog walging vertoonde. Met onmiskenbare tegenzin verbrak Lady Jane ten slotte de langdurige spanning: 'Mag ik mijn zoon Roger voorstellen en zijn verloofde, Alicia Parkhurst, dochter van de Graaf van Parkhurst?'

Rogers stok schoot naar boven en Phillipe moest snel een stap naar achteren doen om niet door de punt getroffen te worden. Hij had de glimp van plezier in Rogers ogen niet gemist. Roger wees met zijn stok naar Marie. 'Is dit dat mens van Charboneau?'

'Ja, de naam van de jongen ben ik vergeten.'

Phillipe kookte inwendig van woede toen Marie uitviel: 'U weet best, dat hij Phillipe heet.'

Alicia Parkhurst nam Phillipe op door haar bruine wimpers en zei: 'Zij lijken inderdaad op elkaar.'

De ogen van Lady Jane schoten vuur.

Roger zag zijn moeders woede en draaide zich, alsof er een onzichtbaar signaal tussen hen tweeën heen en weer was gegaan, snel om naar Alicia, daarbij hard met de punt van de stok op de grond slaande: 'Er is geen gelijkenis! Geen enkele!'

'O, maar lieve Roger, gebruik je ogen toch!'

Rogers mond vertrok, zijn gezicht verduisterde. Met drie snelle stappen was hij bij Alicia. Het litteken bij zijn wenkbrauw was nu eerder zwart dan paars. Woest las hij haar de les: 'Mijn ogen zijn uitstekend, liefste Alicia. Jouw ogen daarentegen ... men zou haast denken dat je weer toegegeven hebt aan je buitensporige liefde voor bordeaux. Je raaskalt.'

Er kwam een blos op het gezicht van het meisje. Haar schouders beefden. Haar gelaatsuitdrukking toonde achtereenvolgens boosheid, vernedering en angst. Roger stak zijn vrije hand uit en kneep in het puntje van haar kin. Niet zachtjes, zag Phillipe. Hij deed haar pijn. De ogen van het meisje schoten vuur.

Roger zei: 'Hou jij nou je mond Alicia, terwijl wij aan deze vermoeiende affaire een eind maken.'

Nu zij op deze manier werd buitengesloten en geïntimideerd, leek het meisje op het punt te staan hem te lijf te gaan. Met doodsbleke vingers omklemde zij haar rijzweep. Maar zij kromp ineen onder de furieuze blik van Roger. Hoewel nog steeds woedend, draaide zij zich om.

Waarom gaf zij zich over, vroeg Phillipe zich af. Angst? Of was er nog iets meer dan dat?

Tak ... *Tak* ... TAK ...

Roger Amberly had zichzelf weer in bedwang en liep langzaam naar Phillipe toe. Vlak voor hem bleef hij staan en veinsde een glimlach. 'Nee,' zuchtte hij, 'er is geen gelijkenis. Op één na. We ruiken een beetje hetzelfde. Maar ja, ik heb een leuk ritje gemaakt, nietwaar?' Hij stak heel eventjes met de zware zilveren knop van zijn wandelstok in de richting van Phillipes oksel.

Phillipes handen schoten uit. Hij rukte zo hard aan de stok, dat de draaglus

61

brak. Zonder te kijken smeet hij de stok weg. Die vloog kletterend op de vloer en belandde aan de voeten van dokter Bleeker. 'Ik ben geen beest waar je naar kunt steken,' zei Phillipe.

Het litteken op het gezicht van Roger werd nog donkerder. Hij schoot naar voren. 'Jij vuile Franse pummel, hoe durf je iets van mij aan te ra . . .'

'Roger!'

De stalen klank van Lady Janes stem bracht Roger in tweestrijd. Een ader in zijn keel was opgezwollen. Hij deed nog een stap naar voren, maar Lady Jane kwam tussenbeide. 'Nee Roger, nee. Ik zal dit afhandelen.'

Hij gehoorzaamde haar. Maar niet zonder tegenzin. Teleurgesteld wierp hij een woedende blik naar Phillipe; en over Rogers schouder heen dacht Phillipe gezien te hebben dat de ogen van Alicia een ogenblik verrukt oplichtten. Maar toen Roger naar Bleeker toe stormde en wild zijn stok van de grond graaide, was die blik weer gauw van haar gezicht verdwenen. De punt van de stok raakte een porseleinen vaasje op een tafeltje en verbrijzelde het. Lady Jane keek haar zoon aan. Het laatste stukje van de vaas rinkelde op de grond. Roger ademde lang en diep, alsof er iets in hem was vrijgekomen. Met een mengsel van angst en nieuwsgierigheid vroeg Phillipe zich af of Rogers getekende gezicht een weerspiegeling was van een dieper, schadelijker litteken in zijn geest . . . Misschien door de moeizame geboorte?

Lady Jane zei met toonloze stem tot Marie: 'Weest u zo goed samen met deze lompe schreeuwlelijk mijn huis te verlaten.'

'Het is de vraag wie hier de lompe schreeuwlelijk is,' zei Phillipe.

Rogers ogen vernauwden zich en keken hem vol haat aan.

'Ik zal gaan,' antwoordde Marie. 'Maar ik blijf in het dorp tot Phillipe aan het bed van zijn vader staat en als zijn zoon wordt erkend.'

'Van beide zaken, mevrouw,' zei Lady Jane met smetteloze zelfbeheersing, 'is de afloop hoogst onzeker.'

'Ik heb een door getuigen ondertekende brief! De waarheid daarvan kunt u niet vernietigen!' Marie keerde zich om en liep weg.

Met gloeiend gezicht wou Phillipe haar volgen, maar Roger sprong naar voren: 'Hela, wacht eens even!'

Phillipe bleef staan en draaide zich om. Hij had vastgesteld dat Roger jonger was dan hij, maar bepaald geen lichaamskracht te kort kwam. Roger hield de stok in zijn hand, zijn vingers streelden liefkozend over de zware, gekrulde knop.

'Volgens onze wetten,' zei Roger giftig, 'kan ik je laten aanhouden omdat jij mij hebt aangevallen.'

'Als dat zo is, zijn jouw wetten even waardeloos als jijzelf.'

Roger verstijfde, zijn hand gleed van de zilveren knop af, die dodelijk helder opflikkerde in een baan zonlicht. Phillipe bereidde zich voor op een aanval, maar zag dat Lady Jane haar zoon met haar sterke, grijze ogen waarschuwde.

Met strak gespannen mond zei Roger: 'Ik zal het gerecht er heus niet bijhalen, kleine Franse bastaard. Als er gestraft moet worden, zal ik dat zelf doen. En grondig ook!'

Phillipe probeerde zijn angst voor de dolgedraaide jongen weg te slikken en antwoordde: 'Misschien komt het nog eens zover, dat we jouw grootspraak op de proef kunnen stellen.'

'Als jij nog lang in Tonbridge blijft, zal dat zeker gebeuren.'

Plotseling stond Lady Jane weer tussen hen in, haar arm om de arm van haar zoon. 'Het is hier geen Londens hanengevecht! Daar wil ik jullie wel even op attenderen.'

Dokter Bleeker keek op van zijn kleine snuifdoos. 'Zal ik de bedienden opdracht geven de jongen te verwijderen, my Lady?'

'Nee, nee! Zulke moed mag niet gestraft worden!'

Verrast door de vrolijke lach van Alicia Parkhurst draaide Phillipe zich, net als de anderen, met een ruk om. Alicia liet haar hemelsblauwe ogen op Phillipe rusten. Bewonderend? Of was dat slechts hoopvol zelfbedrog?

Terwijl ze nog steeds glimlachte, sprak ze haar echtgenoot-in-spe toe: 'Ik zou het maar niet wagen al te overmoedig te zijn, Roger . . .'

'Hou je mond.'

Ondanks die laatste, verbale slag in haar gezicht, knipperde Alicia nauwelijks met haar ogen. Zij was bang voor Roger. Dat voelde Phillipe heel duidelijk. Toch liet zij zich niet gemakkelijk vernederen. Er school boosaardigheid in de vrolijke manier waarop zij doorging: 'Maar ik meen het, lieve Roger. Het blijkt, dat de jongen tegen jouw opvliegend karakter is opgewassen. En broer tegen broer: dat zou schandelijk zijn.' Uitdagend richtte zij haar hoofd op: 'Als je hem slaat, zou dat hetzelfde zijn als dat je jezelf sloeg. Per slot van rekening is hij even knap als jij. Misschien zelfs een graadje knapper, ik zou het niet precies kunnen zeggen . . .' Ze daagde hem—iedereen—uit haar het recht te ontzeggen te spreken. 'U wel, Lady Jane?' vroeg zij. 'U, dokter Bleeker?'

Phillipe bewonderde haar moed, maar betreurde haar roekeloosheid.

Lady Jane zei niets, maar keek bijna even toornig als haar zoon.

Door de wederzijdse beledigingen en wreedheden, was de atmosfeer in de tochtige salon plotseling onverdraaglijk bedorven en gevaarlijk geworden. Phillipe glipte naar Marie, die op de drempel stond, maar was zich ondertussen bewust van de zijdelingse, speculatieve blik die Alicia hem toewierp. Toen hij aan Maries zijde stond, sprak zij op onverzoenlijke toon: 'Wij zullen in het dorp wachten. Zo lang dat nodig is.'

'Op jullie eigen verantwoording,' zei Roger.

Phillipe hoorde hoe Lady Jane met een sissende ademstoot haar zoon tot bedaren probeerde te brengen. Toen nam hij Marie bij de arm en verliet met haar de kamer met de woedende gezichten. Hij was zelf ook nog half blind van woede en scheen nog maar één beeld voor ogen te hebben: de heldere, levendige ogen van Alicia toen hij haar passeerde!

Achter hem verhief Lady Jane haar stem. Het had geen nut. Roger schreeuwde: 'Voor iemand jouw zoon mijn rechtmatige broer noemt, is hij al dood, Franse hoer!'

Met een ruk draaide Phillipe zich om, er kwam een diep geluid uit zijn keel.

De hand van Marie op zijn arm hield hem tegen. Terwijl hij probeerde zijn woede de baas te worden, liep hij struikelend achter haar aan. Hij wist niet of de ontmoeting nu een overwinning of een nederlaag was geweest. Maar het leed geen twijfel of er waren door de confrontatie nieuwe gevaren gerezen. Toen zij naar buiten liepen sloeg hij de voordeur met een daverende klap achter zich dicht, om zo als het ware de wereld—en zichzelf, ervan te overtuigen dat hij niet bang was.

V Liefdesspel

1

Na de stormachtige scène in Kentland had Phillipe de hele tijd lopen piekeren. Terug in Wolfe's Triumph maakte hij die avond Marie deelgenoot
van zijn bezorgdheid: 'Hoelang kunnen wij blijven wachten? Lady Jane
had gelijk: eens zal ons geld opraken.'
'Dan zullen wij iets verzinnen om weer wat te krijgen.'
Phillipe kon het gezicht van zijn moeder niet zien. Hij lag op het lage bedje,
dat hij onder het hoge bed vandaan had gerold. Hij hoorde hoe Marie in
bed stapte. Het geroezemoes en gelach van beneden benadrukten nog eens
hoe geïsoleerd en kwetsbaar zij waren in dit vreemde land. En zeker kwetsbaar voor het heftige temperament van Roger Amberly. Het antwoord van
zijn moeder scheen daar geen rekening mee te houden.
Na een ogenblik vervolgde zij: 'Wij vertrekken niet voor jouw vader jou
gezien heeft en jij hem. Wat het ons ook mag kosten.' Met een krachtige
ademstoot blies zij de kaars op het nachtkastje uit.
Zijn handen acher zijn nek gevouwen, dacht Phillipe, starend in het donker, dat het nu al heel wat gekost had. Toen zij Kentland verlieten, stond er
geen koets te wachten om hen naar het dorp terug te brengen. Dus moesten
zij lopen. Geen lange wandeling, tenminste niet voor hem. Lady Jane en
haar zoon hadden geprobeerd hen te vernederen, maar het deed hem toch
goed dat zij niet helemaal in staat was geweest om haar angst voor Marie
Charboneaus aanwezigheid en de zijne, te verbergen.
Marie had het wel moeilijk gehad toen zij terugliepen naar Tonbridge. Herhaaldelijk raakte zij buiten adem en moesten zij even rusten. Phillipe had
zich ernstig zorgen gemaakt over de ongezond bleke kleur van haar gezicht,
in het licht van de namiddagzon.
In de benauwde, donkere kamer in de herberg van Fox bracht hij zijn
bezorgdheid onder woorden: 'Weet je wel heel zeker, dat jij je goed genoeg
voelt om hier een tijd lang te blijven, mama?'
'Waarom vraag je dat, Phillipe? Omdat de jongen je bedreigd heeft?'
'Nee!' riep hij. 'Ik ben niet bang voor hem; hij is waarschijnlijk alleen maar
een bluffer.' In werkelijkheid was hij van geen van beide overtuigd. Hij zei
daarom maar: 'Ik maak mij ongerust over jou!'
'Ik ben sterker dan zij! Dat zal je zien. Ga nu maar slapen.'
Boven het geluid van beneden uit hoorde Phillipe een zwak gerommel in
de verte. De donder van de eerste lentestormen, die uit het noorden kwamen, uit de grote stad Londen. Door het open raam zag hij witblauw licht

langs de hemel flitsen.

Bliksemflitsen vulden zijn onrustige dromen.

Een woedend gezicht waarin een paars litteken was gebrandmerkt.

En een vaas die in stukken viel . . .

En de hemelsblauwe ogen van een aristocratisch meisje.

2

De volgende morgen vroeg maakte een klop op de deur hem wakker. Hij klauterde uit bed en zag dat de mouw van zijn grove nachthemd vochtig was geworden van de regen. Een luik klapperde in de kille wind. Hij struikelde er naar toe om het dicht te maken en zag in de mistige morgen een glimp van de kronkelige, grijze rivier bij High Street. De stenen en strooien daken van de huisjes in het dorp glinsterden nog van de regen, die de hele nacht lang op Tonbridge was gevallen.

Vlak onder het raam zag hij een span schimmels staan op het modderige pad, voor een prachtige blauw-gouden koets met een familiewapen op de portieren. Twee mannen stonden ineengedoken op de achterste treeplank. De koetsier beklaagde zich er over, dat het mooie weer plotseling afgelopen was. Een van de mannen aan de achterkant van de koets peuterde aan de modderspatten op zijn witte sokken en vroeg zich af hoelang zij hier nog zouden moeten wachten.

Er werd weer op de deur geklopt, waardoor ook Marie wakker werd. Ze mompelde nog iets in zichzelf, alsof zij nog gedeeltelijk in de greep was van een boze droom. Phillipe raakte haar arm aan om haar te kalmeren. Voor de derde keer werd er, luid nu, op de deur geklopt en plotseling had zij haar bruine ogen, angstig, opengesperd. Terwijl Phillipe naar de deur liep wierp hij een blik op de koffer en vroeg zich af of hij niet gauw zijn zwaard eruit zou halen. Maar hij besloot van niet. Hij lichtte de klink van de deur en opende hem zo, dat zijn lichaam de opening blokkeerde. Een ogenblik later zei hij opgelucht tegen Marie: 'Geen gevaar. Het is de zoon van de waard maar.'

Clarence Fox, een vlaskop met net zulke vooruitstekende tanden als zijn vader, zei met een fluisterstem: 'Er is bezoek voor u, beneden. Zij willen u privé spreken. Mijn vader en ik moeten in de keuken blijven. Zij vragen of u en uw moeder zo snel mogelijk naar beneden komen. Doet u dat, want mijn vader kan zich niet veroorloven ruzie te hebben met aanzienlijke mensen uit deze streek.'

Gespannen vroeg Phillipe: 'Wie zijn de bezoekers? Komen zij van Kentland?'

'Het is Lady Jane zelf. En een geestelijke, in het paars. Mijn vader was heel erg beleefd tegen ze.'

Marie zat rechtop in bed en bedekte haar versleten nachtpon met de wollen deken. Haar ogen waren weer helder en waakzaam geworden. Met een flauwe glimlach gaf zij blijk van haar tevredenheid.

Phillipe handelde dienovereenkomstig. 'Ga naar beneden en zeg dat wij komen, zodra mijn moeder zich heeft aangekleed.'

Toen hij de deur dicht deed, lachte Marie. Er waren geen woorden voor nodig om uit te leggen waarom ze lachte. Lady Jane zou zich niet de moeite hebben getroost hen op te zoeken als de vordering van Marie geen rechtsgeldigheid bezat.

3

Maar die vrolijkheid was van korte duur en verdween op het moment dat Phillipe en zijn moeder beneden de gelagkamer binnenkwamen. Fox en Clarence hadden zich inderdaad teruggetrokken. Zij hadden een dienblad met een stuk kaas en twee appels achtergelaten op de tafel waaraan Lady Jane, roerloos, zat. Zij had de capuchon van haar parelgrijze jas over haar hoog opgestoken haar getrokken. Haar handen omklemden de knop van een glanzend zijden paraplu.

Fox had een vuurtje aangestoken in de haard. Tegen de vlammen zag men het silhouet van een corpulente man. Gekleed in het paars, zoals Clarence al had gezegd.

Op het moment dat Marie voor haar zoon binnenkwam, draaide hij zich om. Het vollemaansgezicht van de man wedijverde in gestrengheid met dat van Lady Jane. De kleine blauwe ogen, die de nieuwkomers opnamen, leken vrij van enige emotie, of het zou misschien een licht gevoel van afkeer moeten zijn. Maar wellicht werd Phillipe misleid door het flakkerend schijnsel van het vuur.

Plotseling likte de man met zijn tong over zijn lippen, die al vochtig waren, en schonk hun een zalvende glimlach. Zijn vlezige neus vertoonde een wirwar van paarse adertjes. Niettemin straalde hij welvaart, aanzien en gezag uit. En bleef hij onverstoorbaar glimlachen.

Marie handhaafde de schijn van beleefdheid. 'Het spijt mij, dat ik u moest laten wachten, my Lady. Ik was nog niet wakker toen de jongen op de deur klopte.'

Lady Jane betrachtte geen plichtplegingen en kwam meteen ter zake. 'Gisteravond, mevrouw, heb ik verscheidene uren nagedacht over de onaangenaamheden die in Kentland hebben plaatsgevonden. Toen ben ik te rade gegaan bij bisschop Francis.' Zij wees naar de corpulente heer, die bij de haard stond, zijn handen achter zijn rug gevouwen.

Dus dit was de prelaat die verondersteld werd voor James Amberly te bidden. Phillipe vond, dat de man er naar uitzag dat hij beter op de hoogte was van de wegen des vlezes dan van die des heils.

De bisschop zei, met compassie in zijn honingzoete, lage stem: 'En natuurlijk heb ik Lady Amberly geadviseerd de zaak zo spoedig mogelijk en in alle vriendschap af te handelen, in het belang van beide partijen. Ik ben er zeker van dat u zult begrijpen dat de toestand in Kentland zo al moeilijk genoeg is.' Even trokken de kromme lippen zich samen. 'Als u werkelijk geïnteresseerd bent in het welzijn van de hertog—en in uw eigen welzijn—zult u zeker ontvankelijk zijn voor het voorstel van my Lady.'

'Ik ben bezorgd zowel om zijn welzijn als om dat van zijn zoon,' gooide Marie er uit, terwijl zij met een veelzeggend gebaar naar Phillipe wees.

'Ja, ja, natuurlijk, maar bedoelt u niet zijn "zogeheten" zoon?' vroeg bisschop Francis, terwijl hij nauwelijks merkbaar met zijn ogen knipperde. 'Het is een twijfelachtige zaak . . .'

'Niet wat ons betreft,' zei Phillipe.

De gehandschoende hand van Lady Jane liet de knop van de paraplu los. 'Alstublieft, laten wij tot een oplossing komen, zonder het probleem zelf te hoeven bespreken.' En tegen Marie: 'U moet kunnen begrijpen dat uw aanwezigheid een extra last betekent voor onze familie. Ik ben hier gekomen om die last weg te nemen, door u over te halen te vertrekken. Op voorstel van de bisschop, ben ik bereid aan mijn voorstel gunstige voorwaarden te verbinden, die u zeker ten goede zullen komen.'

Ogenblikkelijk had Phillipe het spelletje door. Marie eveneens. Haar wangen werden krijtwit. Maar dank zij haar acteerkunst wist zij haar zelfbeheersing te bewaren. Zij liep naar een stoel vlakbij Lady Jane en nam sierlijk plaats. Haar donkere ogen vonden die van de andere vrouw; en hielden ze vast. Bisschop Francis bleef deelnemend glimlachen. Maar er was onrust te lezen in zijn kleine blauwe ogen. Hij voelde al, dat er tegenstand geboden werd.

'U bent hier gekomen om ons een financieel aanbod te doen?' vroeg Marie.

'Enkel en alleen om verdere onaangenaamheden te voorkomen, lieve mevrouw,' zei de bisschop.

Marie draaide zich snel om en keek hem aan. 'Nee. Om er zeker van te zijn dat, mocht de ziekte van de Hertog fataal blijken, mijn zoon geen aandeel in de bezittingen van zijn vader zal krijgen.'

Lady Jane kon maar met moeite haar kalmte bewaren. 'Mevrouw, dat is een grove belediging.'

'Worden mensen van uw stand altijd beledigd door de waarheid, my Lady? Wat spijtig is dat voor u!'

Lady Jane verrees uit haar stoel.

Bisschop Francis liep van de haard vandaan en hief een roze, mollige hand op. Zijn stem droop van verzoeningsgezindheid: 'Laten wij geen onchristelijke woorden bezigen, terwijl de onsterfelijke ziel van een mens bedreigd wordt.' Hij liep naar Marie, terwijl hij onbewust met zijn vingers langs de purperen plooien streek, die om zijn dikke buik waren gedrapeerd. 'Het aanbod is bijzonder edelmoedig. U en uw zoon vertrekken binnen redelijke tijd uit Tonbridge—een of twee dagen—en my Lady is bereid vijftig pond in uw handen te laten overgaan. Realiseert u zich wel hoeveel dat is?' Er kwam een vleugje ironie in zijn glimlach. 'Sommige van onze dorpspastoors kunnen van twee of drie pond per jaar gemakkelijk leven.'

Al het acteertalent van Marie spitste zich toe in een verachtelijke lach. Lady Jane keek alsof zij een klap in haar gezicht kreeg. De wenkbrauwen van bisschop Francis schoten omhoog. Er verschenen vette vouwen tussen zijn rimpels.

Marie zei: 'Vijftig pond, is dat alles? Voor een jongeman die een rechtmatig erfgenaam is van het vermogen van James Amberly?'

'Maar mijn beste mevrouw, wij hebben toch geen bewijs dat hij de zoon van de Hertog is?' zei Francis. 'Geen enkel.'

'Dan zal ik u het bewijs laten zien,' riep Marie en snelde naar boven. In een oogwenk was zij terug met het koperbeslagen kistje onder haar arm. Phillipe was een paar tafels van Lady Jane af gaan zitten. Vanaf die gunstige plek keek hij toe hoe bisschop Francis met gretige nieuwsgierigheid het kistje bekeek. Evenals zijn mond waren nu ook de ogen van de bisschop vochtig geworden.

Ineens werd Francis de dreigende blik van Phillipe gewaar. De prelaat draaide zich weer naar het vuur toe, zuchtte en wreef met zijn dikke middelvinger sierlijk over een ooglid.

Lady Jane ademde sneller. Hoewel de bisschop weer glimlachte, terwijl zijn trillende lippen in het licht van het vuur glinsterden, had Phillipe het onverklaarbare gevoel dat er gevaar dreigde.

Marie zette het kistje op de tafel en opende het. Ze haalde het bovenste document uit het pak. 'Deze brief is met eigen hand door de hertog geschreven. Twee vrienden hebben hem als getuigen ondertekend, ten behoeve van de rechtsgeldigheid. De brief belooft aan Phillipe zijn deel van de erfenis volgens Engels recht. Aangezien James slechts één mannelijke nakomeling heeft, is dat deel de helft. Geen vijftig pond. De helft!'

Bisschop Francis stak zijn rechterhand uit. 'Wilt u zo vriendelijk zijn mij het document te laten onderzoeken?'

Phillipe zag dat Lady Jane een blik van het document naar de haard wierp. Hij sprong naar voren en griste de brief uit de hand van zijn moeder. 'Laat mij dat doen.' Phillipe vouwde voorzichtig het document open en hield het aan de boven- en benedenkant vast.

Bisschop Francis liet zijn uitgestoken hand zakken. Even was elke uitdrukking van zijn vette gezicht verdwenen. Toen boog hij zich voorover en onderzocht de brief nauwkeurig. Hij zei tegen Lady Jane: 'Mijn kennis van het Frans is niet meer wat zij was in mijn studentenjaren. Maar ik herken de handtekening van uw man. En de brief is inderdaad door getuigen ondertekend.'

Phillipe legde het waardevolle stuk terug in het kistje en sloot het deksel.

Bisschop Francis krabde nadenkend over zijn wang. 'Gezien deze nieuwe feiten, my Lady,' zei hij, 'zouden wij misschien in nog grotere mate van onze christelijk generositeit blijk kunnen geven. Het is duidelijk, dat deze

vrouw en haar zoon het niet breed hebben. Honderd pond?'
'De helft en niets minder!' riep Marie.
De bisschop dwaalde met het puntje van zijn tong over zijn onderlip. Hij keek alsof hij door smart overmand werd. 'U verwerpt het aanbod van my Lady?'
'Volledig.'
Plotseling maakte Lady Jane een abrupt gebaar, dat van walging getuigde. Zij liep naar de deur met ogen vol haat. Op de drempel draaide zij zich om. 'Mevrouw, u probeert mijn zoon van zijn volle erfenis te beroven—net zoals u mij jaren lang heeft beroofd van de genegenheid van mijn echtgenoot. Ik kan niet voorspellen wat er, als gevolg van zijn ziekte, met de hertog zal gebeuren. Maar ongeacht de afloop, zal Roger zijn volle aandeel in de nalatenschap ontvangen—nu, of later.

Ik heb bijna mijn leven gegeven om mijn zoon ter wereld te brengen. Zijn welzijn is altijd mijn eerste zorg geweest, omdat hij het enige kind is dat ik heb kunnen baren. Een jaar na zijn geboorte waren wij er nog niet zeker van dat hij zou blijven leven—het was zelfs zo, dat de vroedvrouwen en de dokter, die bij de bevalling aanwezig waren, vermoedden dat hij bij zijn geboorte een onbekende kwetsuur had opgelopen. Toen hij bleef leven, en opgroeide, dankte ik de Almachtige en zwoer dat ik, zijn hele leven lang, voor hem zou blijven zorgen. Dus neem ik geen enkel bedreiging van zijn toekomst lichtvaardig op. Ik heb u gewaarschuwd.'
Ze stormde naar buiten. Linea recta naar de koets, waar de lakeien in de modder sprongen om voor haar het portier te openen.
Bisschop Francis bleef een ogenblik achter, een plompe gestalte in de grijze ochtendnevel. Hij lachte treurig. 'Mevrouw, jongeheer, veroorloof mij te spreken als iemand wiens enige taak en heilige opdracht het is mee te leven met aardse schepselen, ongeacht hun rang of stand. Voor uw eigen bestwil—uw eigen veiligheid!—smeek ik u, deze familie niet te tarten. En het zou wel zeer onverstandig zijn dat lang te doen! De onontkoombare gevolgen zouden mij zeer verdrieten. Neemt u mijn waarschuwing ter harte—en herzie uw besluit.'
'Nee,' zei Marie.
Zuchtend en hoofdschuddend vertrok bisschop Francis in een paarse werveling. Phillippe kon niet zeggen of de bisschop een oprecht mens was—of een geslepen charlatan.
Toen de weelderige koets was vertrokken, drukte Marie het kistje in haar handen. Zij was in een jubelstemming. 'Begrijp je wel, wat dit betekent, Phillipe? Onze aanspraken zijn geldig! Zij weet het! Wat er ook gebeurt: we blijven wachten tot we de hertog kunnen bezoeken. Wij zijn geen vuil, dat zij naar believen van zich af kan schudden—of voor een fooi kan afkopen!'
Phillipe zei niets. In principe was hij het met haar eens. Maar hij hoopte dat zij geen doldriest besluit hadden genomen.
Het was stil geworden. Hij meende dat hij in de verte de koets van de

Amberly's met donderende vaart Tonbridge hoorde verlaten. Hij legde zich er bij neer, dat hij nog lang zou moeten wachten. Te midden van mensen die nu overduidelijk zijn vijanden waren.

4

Diezelfde dag stelde Phillipe een korte brief op voor Girard. Hij schreef,dat zij langer weg zouden blijven dan verwacht en verzocht hem de herberg zo goed en zo kwaad als het ging te bestieren. Fox hielp hem de brief per postkoets te versturen.
Phillipe had er geen idee van, wat de volgende zet zou zijn. Hij was er zeker van, dat Lady Jane hun aanwezigheid in de gaten zou houden. En het duurde inderdaad niet lang, of hij had een nieuw bewijs van de gevaarlijke situatie waarin zij verkeerden. Twee dagen waren voorbij gegaan. Om de uren te vullen hielp hij Clarence met karweitjes in en om de herberg. Van Clarence hoorde hij dat Marie en hij bespioneerd werden.
'Vanmorgen was hier een knecht van Kentland,' berichtte Clarence.
'Wat wou hij?'
'Hij vroeg aan mijn vader of hier nog steeds een Franse vrouw logeerde. Een Franse vrouw en haar zoon.'
'Is dat alles?'
Clarence beet een ogenblik op zijn lip. 'Nee, de knecht zei dat als iemand van Kentland de zoon ergens alleen zou aantreffen, hij hem voor de grap de benen zou breken.'
Phillipe zat op zijn knieën het vet van de keukenvloer te schrobben en negeerde de blik van Clarence die op een verklaring hoopte. Eens te meer was hij er zich van bewust dat Marie en hij het in een vreemde, stille oorlog moesten opnemen tegen machtige tegenstanders. Wie zou zich het eerst overgeven? En wat nog belangrijker was: wanneer kwam de volgende, rechtstreekse aanval?

5
De zoete maand van mei brak aan. De groene knoppen van de bomen barstten open en de tuinen van de huisjes in Tonbridge waren een en al weelderige bloemenpracht. Phillipe was, ondanks de open en verhulde dreigementen, door de velden gaan zwerven. Als hij niet bezig was Clarence te helpen bij het doorsteken van het stro, of het poetsen van de tafels, vulde hij zijn tijd met zwerftochten gedurende de tijd dat er taal noch teken van Kentland werd vernomen. Het leek alsof beide parijen zich achter hun stellingen hadden verschanst, en daar nieuwe strategieën aan het voorbereiden waren.

Maar de tactiek was dezelfde gebleven. Dat was maar al te duidelijk. Op een vroege ochtend ging Phillipe weer eens op pad in de richting van het landgoed van zijn vader. Na een eindje gelopen te hebben, kwam hij drie slonzig geklede knechten tegen, die met manden op weg waren naar het dorp. Hoewel zij geen livrei droegen, had hij meteen door dat zij van Kentland kwamen. Zij herkenden hem op het eerste gezicht. Hij bleef roerloos aan de rand van het jaagpad staan en zag, dat zij enkele meters verderop stil hielden.

'Nee maar! Als dat de Franse bastaard niet is!' spotte de jongste van het drietal. 'Hij durft nog steeds zijn gezicht te vertonen op klaarlichte dag!'

Een van zijn kameraden griste met een vlugge beweging een steen van de grond en wierp hem met grote kracht naar Phillipe. Phillipe sprong niet vlug genoeg opzij. De steen raakte hem op zijn voorhoofd en liet een stekende, bloedende wond achter.

Grommend maakte Phillipe aanstalten om de knechten te lijf te gaan—maar kwam op zijn voornemen terug toen hij zag dat twee van hen al grotere stenen opraapten, terwijl de derde een mes uit zijn laars trok. Het lemmet flikkerde in het vroege zonlicht. Tegen vechtersbazen ingaan was één ding. Maar ongewapend je zelfmoord tegemoet snellen een tweede. Als hij eens ernstig gewond zou raken? Of zelfs gedood zou worden door deze nietsnutten? Hoewel zijn aarzeling hem ergerde, wist hij dat hij niet het risico mocht lopen zijn moeder op te schepen met een dode of gewonde zoon. Zeker niet nu zij al zoveel hoop en energie had verbruikt om het zover te brengen.

Hij trok een lange neus tegen het drietal, gaf een rijtje Franse vloeken ten beste en keerde zich om.

Gelach, beschimpingen en even vuile, Engelse vloeken, waren zijn deel. Zijn gezicht liep rood aan. Hij versnelde zijn pas, sloeg stroomopwaarts de richting van een bosje in. Hij wist dat hij deed wat hij moest doen. Maar toch was het vernederend. Terwijl zij hem met stenen bekogelden, gingen de knechten achter hem aan. Maar niet lang. Eenmaal in het bos gekomen, kon hij ze gemakkelijk op een verkeerd spoor brengen. Hij zag kans over de heuvels de weg terug te vinden en stopte alleen maar om het bloed van zijn gezicht te wassen in een beek.

De hele weg terug naar Wolfe's Triumph werd hij gefolterd door de schimpscheuten. Hij bleef zich voorhouden dat hij het hogere doel niet uit het oog moest verliezen. Het was moediger geweest om te vluchten dan om de knechten aan te vallen en ze hun beledigingen te laten inslikken. Zo redeneerde hij in ieder geval, om zijn geweten te sussen.

Toen Marie hem vroeg hoe hij aan die snee boven zijn oog kwam, gaf hij een ontwijkend antwoord. Hij was uitgegleden en languit op de grond gevallen, dat was alles. Het had geen zin haar in kennis te stellen van het nieuwe bewijs van de gevaarlijke situatie waarin zij zich bevonden. Maar hij peinsde er niet over zich door intimidatie van de Amberly-bedienden te laten afschrikken.

Hij wilde en kon zijn dagelijkse wandelingen niet opgeven. De enige uitwerking die de aanval dan ook had, was dat zijn zwerftochten nog stoutmoediger en frequenter werden.

Op een heldere middag maakte hij weer eens een lange wandeling langs de Medway. Na een tijdje ging hij wat rusten aan de rand van een schaduwrijk bosje, op de top van de heuvel die Quarry Hill werd genoemd. Aangezien hij in de verre omtrek niemand had gezien, besloot hij een dutje te doen. Hij geeuwde, leunde achterover en viel in slaap.

Hoefgetrappel wekte hem.

Beneden op het jaagpad hield een ruiter zijn teugels in. Een schitterende zwart-glanzende hengst wees met zijn hoofd naar de helling. Geschrokken scharrelde hij overeind, totdat hij het lichtbruine haar in de zon zag schijnen . . . Het was Alicia Parkhurst.

Zij had hem natuurlijk herkend, zoals hij met zijn hoofd tegen de boom in slaap was gevallen. Phillipe voelde plotseling dat hij transpireerde. Hij liep naar voren, terwijl het meisje van het paard steeg. Ze keek van de heuvel naar beneden en vervolgens speurden haar ogen de horizon af, alsof zij er zeker van wilde zijn dat niemand haar zag. Zij droeg het modieuze rijtenue, dat zij ook aanhad toen Phillipe haar voor het eerst had gezien, en weer viel hem op hoe het haar volle, rijpe borsten accentueerde.

'Goedemorgen, meneer de Fransman,' zei ze terwijl ze een koket knikje met haar hoofd gaf. 'Ik heb je nog nooit eerder op Quarry Hill gezien.'

'Heb je dan wel goed gekeken?' grinnikte hij.

Zij deed alsof zij geërgerd was. 'Je bent niet op je mondje gevallen, hè?'

'Excuses. Rijd je vaak deze kant op?'

'Niet zo vaak als ik wel zou willen. Eens in de zoveel dagen—als ik geluk heb.'

'Ik ben hier inderdaad nog nooit geweest. Maar ik ben zo langzamerhand uitgekeken op Tonbridge, en daarom ben ik de omgeving maar eens gaan verkennen. Mag ik vragen of er nieuws is van mijn vader?'

Alicia Parkhurst schudde haar hoofd. 'De situatie is maar weinig veranderd. Dat monster van een Bleeker dient steeds vaker aderlatingen toe. Maar toch wordt de hertog bijna niet meer wakker. Ze vrezen voor zijn leven.'

Phillipe slikte hevig. 'Bedankt voor het nieuws; ze hebben óns verder niets laten weten.' Hij besloot de poging tot omkoping niet aan te roeren.

'Niettemin,' zei Alicia, 'is Lady Jane zich zeer wel bewust van jullie aanwezigheid.'

'Ja, dat weet ik, zij heeft . . . eh mensen die haar inlichten over ons doen en laten. Drie van hen ben ik een paar dagen geleden op het jaagpad tegengekomen.'

'Maar Roger heb je niet gezien,' zei Alicia, meer als vaststelling van een feit dan als vraag.

'Nee, tot nu toe niet.'

'Dat komt omdat Lady Jane hem tegenhoudt. Hij zou niets liever willen dan naar Tonbridge rijden en jou, om te beginnen, een flink pak slaag geven. Besef je wel hoe gevaarlijk hij kan zijn?'

Phillipe knikte, zijn ogen keken somber. 'Hij is wat je noemt nogal opvliegend, nietwaar?'

'En jij hebt hem goed van de kook gebracht, die eerste dag. Je hebt hem echt tot het uiterste gedreven!'

Hij wou opmerken dat zij daar ook wel de hand in had gehad, maar slikte dat in en zei in plaats daarvan: 'Waarom houdt zijn moeder hem in bedwang? Ik kan me niet voorstellen dat haar bezorgdheid over mijn welzijn daar de reden van is.'

'Zeker niet. Ik geloof dat zij ervan overtuigd is dat jullie uiteindelijk zullen opgeven en weg zullen gaan.'

'Dan heeft ze het bij het verkeerde eind. Ik ben vast van plan mijn vader te ontmoeten.'

'Ik wist vanaf de eerste minuut dat je vastberaden was. En Roger wist dat ook, geloof ik. Misschien dat dat hem aanzette tot die afschuwelijke vertoning in Kentland.'

Weer onthield Phillipe zich van commentaar.

Alicia's blauwe ogen gleden zijdelings over Phillipes gezicht. Haar volgende woorden, die als een verzoek klonken, waren eigenlijk meer een subtiel bevel: 'Ga je met me mee terug onder de bomen? Daar is het koeler. Ik houd er van hard te rijden, maar het arme dier raakt er zo vermoeid van.' Ze streelde de nek van het paard, maar bleef naar Phillipe kijken. 'Ik kan niet al te lang blijven. Eigenlijk mag ik niet zonder escorte door het vrije veld rijden. Maar Kentland is zo vreselijk naargeestig dat ik graag de kritiek van Lady Jane op de koop toe neem voor dat beetje vrijheid.'

Ze liep onder de laaghangende takken door, het paard aan de teugel. Phillipe volgde haar. Toen zij veilig verscholen waren in het hart van het donkere bos leek Alicia te ontspannen.

'Logeer je voor lange tijd bij de familie?' vroeg hij.

'Eén of twee maanden; in ieder geval tot het begin van de zomer.'

'Heb je al plannen gemaakt voor je huwelijk met Roger?'

'Natuurlijk. Wij gaan volgend jaar trouwen. Zo ontstaan de grote landgoederen in Engeland. Als de landgoederen van de Amberly's en mijn vader worden samengevoegd zullen mijn kinderen een nog grotere erfenis krijgen. Mits . . . Mits ik Roger kan leiden—of moet ik zeggen verleiden?—zodat hij zijn plicht doet. De lieve jongen is zo af en toe net zo heetgebakerd als zijn vader. Jij ook trouwens, nietwaar?'

'Niet zoals Roger, hoop ik.'

'Maar ik geloof dat hij ook wel iets van de koelheid van zijn moeder heeft geërfd wat betreft intiemere dingen.'

Ze keek Phillipe niet aan toen zij dat zei, maar boog zich voorover zodat ze met haar hand een stukje smaragdgroen mos aanraakte, dat vlakbij een knoestige wortel groeide. In het woud ruisten de bladeren.

Een ogenblik was Phillipe zowel geschokt als opgewonden, dat aristocratische Engelse jongedames zelfs maar een toespeling durfden te maken op seks. Zijn ontdekking deed hem denken aan de schimpscheuten van Fox over de losse moraal van de Engelse adel. Fox was een aanhanger van de betrekkelijk nieuwe leer van de methodisten. Phillipe besloot om wat nader op zijn ontdekking in te gaan en vervolgde dan ook met: 'Intieme dingen, zei je. Ben je goed op de hoogte van dat soort zaken, juffrouw Parkhurst?' De hemelsblauwe ogen kregen een dromerige uitdrukking. 'Wat denk je?'

Hij bloosde en haalde zijn schouders op. 'Ik weet het niet. Ik ben geen expert op het gebied van Engelse manieren, of Engelse meisjes — wat zij wel of niet doen. Maar' — hij bleef haar strak maar niet helemaal serieus aankijken — 'ik geloof wel, dat je met je ogen en andere gebaren de schijn wilt wekken, dat je heel ervaren bent. Of is dat soms de gewoonte hier?'

'Tjonge, wat ben jij brutaal!' lachte ze. 'Wat een inzicht! Hoe oud ben je eigenlijk, meneertje?'

'Ik word binnenkort achttien.'

'Ik ben negentien.'

'Vandaar dat je er zo ervaren uitziet,' grapte hij. En ernstiger voegde hij er aan toe: 'Hoe oud is Roger?'

'Een jaar jonger dan jij. Er ligt een schitterende loopbaan voor hem in het verschiet — als hij tenminste geen ruzie krijgt met kaarten of over een of andere weddenschap en zo aan zijn eind komt. Lady Jane maakt zich daar voortdurend zorgen over. Zij is erg bemoederend . . .'

'Dat heb ik gemerkt, ja.'

'En dat is de reden, dat zij hem haar wil heeft opgelegd en heeft verboden in Tonbridge achter jou aan te zitten. Tot nu toe is zij daarin geslaagd. Ik geloof dat zij de enige is op de wereld voor wie Roger werkelijk bang is.'

Phillipe trok een grassprietje uit de grond en wreef het tussen zijn vingers. 'Vertel mij nog eens wat meer over jouw toekomst met Roger, juffrouw Parkhurst. Wat voor een leven denk je dat hij tegemoet gaat?'

'O, eerst zal hij wel in het leger gaan, denk ik. Natuurlijk moet hij dan zijn officiersaanstelling kopen, anders kom je nooit snel hogerop. Het leger is een goede aanloop voor een politieke carrière. Daarna zullen wij wel in Londen gaan wonen, neem ik aan. Zonder enige twijfel zal Roger een aanstelling op een ministerie krijgen. Politici hebben veel mogelijkheden om hun bezit te vermeerderen. Hoe nauwer hun contacten met het hof, hoe meer mogelijkheden zij hebben zichzelf te verrijken. Ik denk, dat ik mij kan verheugen op een heerlijk luxueus leventje.'

Phillipe lachte en zij fronste haar voorhoofd.

'Wat vind je daar zo grappig aan?'

'Jij bent kennelijk vergeten dat Roger je vernederd heeft, toen we elkaar ontmoetten. En je zelfs pijn heeft gedaan.'

Ze beet op haar lip. 'Dat ben ik niet vergeten. Maar hogere belangen vereisen dat ik dat niet in het openbaar laat merken.'

'Hogere belangen.' Hij knikte. 'De toekomst en het fortuin van Roger.'

'Precies.'

Het leek of er niets meer te zeggen viel. Maar er verscheen weer een dromerige blik in de ogen van Alicia. Zij vlijde zich tegen een beukeboom aan en streek met een koket gebaartje haar jurk glad. Zij slaakte een zucht, die niet veel weg had van een echte zucht: 'Natuurlijk moet ik, ook als Roger en ik getrouwd zijn, naar andere minnaars uitkijken.'

'Is één man niet genoeg?'

Zij streek een krul glad en lachte met hem mee. 'Arme, onnozele buitenlander,' zei ze plagend en gaf een klopje op de grond.

Het hinderde hem, dat hij zo snel aan haar gebaar gehoor gaf en voor dat hij het wist naast haar was gaan zitten. Ondanks de grote verschillen zag hij ook veel overeenkomsten tussen Alicia en Lady Jane. Zij ging er kennelijk van uit, dat zij, door haar hoge sociale positie, aan elke gril die in haar hoofd opkwam, kon toegeven. Maar hij kon toch ook niet ontkennen dat zij er beeldig uitzag.

Alicia leunde met haar hoofd tegen de boomstam en mijmerde met haar ogen dicht: 'In onze kringen, meneer de Fransman, heeft het huwelijk weinig of niets te maken met andere, plezierige dingen. Behalve dan natuurlijk als er een erfgenaam gemaakt moet worden. Hoewel het niet altijd hoeft op te gaan. Er hangt ook veel van de echtgenoot af.'

Hij schoof iets dichter naar haar toe en vroeg: 'En hoe bevalt Roger, wat dat betreft?'

'Heb ik daar al niet op gezinspeeld? Hij is koud voor een vrouw. Ik moet nog uitvinden hoe hij mij . . . bevalt.'

Er lag iets vulgairs in de manier waarop zij het laatste woord uitsprak. Phillipes bloed klopte sneller dan ooit. Hij werd er zich van bewust hoe bedreven Alicia was in het erotische spel. Hij vroeg: 'Wil je er graag achter komen?'

'Wat een onnozele vraag!' Zij stak haar roze tongetje tussen haar tanden. 'Een wijs mens gaat niet over één nacht ijs, nietwaar?'

Wat zij zei, leek wel erg in tegenspraak met haar eerder uitlatingen over haar gouden toekomst als gade van de volgende Hertog van Kentland.

Phillipe maakte een welsprekend, typisch Frans gebaar: 'Dan zul je toch maar eens moeten onderzoeken wat voor vlees je in de kuip hebt, juffrouw Parkhurst!'

'Lieve hemel, ik heb je toch al gezegd dat hij er zelfs voor terugschrikt mij aan te raken! Bovendien is dat in de praktijk onmogelijk, met dag en nacht ronddolende bedienden om je heen.'

Opnieuw zuchtte zij, op een gemaakt-treurige manier. Zij was een en al gemaaktheid, peinsde hij, het zou wel aangeboren zijn, en tijdens haar opvoeding gecultiveerd. Toch raakte hij door haar gedrag in de war en werd hij er opgewonden van.

'Ik neem aan,' besloot zij, 'dat Roger op zijn best een brute minnaar zal blijken te zijn. Onzeker van zichzelf en daarom grof en bruut. Alleen er op uit zelf zo snel mogelijk bevredigd te worden en nooit oog voor de behoeften van'—zij hield even haar adem in; de hemelsblauwe ogen strak op hem gericht'—een partner. Vertel mij eens, Franse meneer.' Zij boog haar hoofd dichter naar hem toe. 'Zou jij er voor terugschrikken mij aan te raken?'

'Nee,' hij aarzelde even, 'als ik dat zou willen niet.'

'Stouterdje, stouterdje!' lachte zij. Een beetje boos gaf zij een klapje tegen zijn wang.

Het deed hem denken aan de manier waarop Roger met zijn stok tikte.

Hij pakte haar pols vast en duwde haar zachtjes maar beslist van zich af. Zij trok een pruilmondje, en deed alsof hij haar bezeerd had. Hij liet haar los.

'Van jou had ik betere manieren verwacht,' zei zij.

'Er zal wat van mijn vaders geld voor nodig zijn, om de ruwe kantjes bij te schaven.'

'Dus jij en jouw moeder zijn niet van plan op te geven?'

'Nooit.'

'Nou, dan zou je wel eens een hele hoop moeilijkheden kunnen veroorzaken. En ik kan je wel aanraden uit de buurt van Roger te blijven. Mocht Lady Jane even de teugels laten vieren, dan . . .' Zij hield op over haar pols te wrijven, toen zij zag dat Phillipe daar toch geen aandacht aan schonk. Hij keek haar recht in de ogen, opnieuw lachte de elegante hoer plagend.

'Maar wij zijn helemaal van ons onderwerp afgeraakt.'

'Ik geloof dat jij zei, dat ik je teleurstelde.'

'Ja. Jij bent de bastaardzoon van een Lord—en een Fransman op de koop toe. Ik verkeerde in de veronderstelling dat jij heel anders tegenover vrouwen zou zijn dan je broer. Zachter, maar ook hartstochtelijker. Ze zeggen altijd dat Fransen meesters zijn in de liefde.'

Door Alicia's lijfelijke aanwezigheid en het ruisende woud werd hij zich plotseling weer bewust van dat gevoel diep binnen in hem, dat hem inmiddels niet meer onbekend was. De manier waarop het meisje met hem speelde maakte hem razend. Maar haar romantische woordspelletjes wonden hem tegelijkertijd ook op.

Binnen een paar tellen bezweek hij. 'Zou je dat ook aan de praktijk willen toetsen?'

Voor het eerst was ze uit het veld geslagen. Ze bloosde en veranderde meteen van onderwerp. 'Aan de praktijk toetsen. Wat een mooie zin. Je bent verbazend goed in je Engels.'

'Ik heb een bijzondere leraar gehad, omdat ik wist dat ik eens hier naar toe zou moeten komen om mijn erfdeel op te eisen.'

Alicia raakte zijn pols aan. Haar warme vingers wonden hem nog meer op. Ook zij aarzelde niet lang. 'Heb je ook leraren gehad, die je onderwezen in Cupido's kunsten?'

'Een paar.' Hij legde zijn vrije hand op haar hand. Zenuwachtig, maar hoe dan ook, hij kon niet anders.

Zij drukte zijn pols nog iets steviger.

Hij keek in haar opmerkelijk blauwe ogen. 'En jij?'

'O ja—een heleboel.'

Iets zei hem dat ze loog. Maar hij zei alleen maar: 'Juffrouw Parkhurst . . .'

'Ik heet Alicia.'

'Ons gesprek is wel een vreemde weg ingeslagen . . .'

'Zullen we teruggaan . . .?'

Haar blik, haar stem, de aanraking die hem verstijfde, lieten niets te raden over.

'Dat hangt er van af wat de redenen zijn om verder te gaan. Ik wil niet dat jij mij gebruikt om je op Roger te wreken, voor wat hij je in Kentland heeft aangedaan.'

Zij hapte naar adem en hij wist dat hij precies in de roos had geschoten. Boos wou zij haar hand wegtrekken en weglopen. Hij bleef haar vingers vasthouden, voelde hoe zij gloeiden, weigerde haar los te laten: 'Dat is de enige reden.'

Even flitsten haar ogen over zijn schouder heen, uit angst om ontdekt te worden. Toen keek zij hem weer aan. Een ogenblik lang, maar het leek wel een eeuwigheid, waren hun blikken in elkaar verzonken. Ergens aan de rand van het bos zong een leeuwerik.

De hengst stampte met zijn hoeven. Langzaam boog zij haar gezicht naar hem toe. 'Nee,' fluisterde zij, 'dat is niet de enige reden.'

Phillipe kuste haar. Aarzelend in het begin. Hij werd overspoeld door haar warme, zoete adem. Hij sloeg zijn armen om haar heen en trok haar dicht tegen zich aan. Haar lippen gingen vaneen. Haar kus werd gretig, hongerig. Hij dacht dat hij wijn proefde; en herinnerde zich de opmerking die Roger tegen haar had gemaakt over haar voorliefde voor bordeaux. Zij vielen voorover in het gras, kussend, de armen in elkaar gestrengeld. Hun handen maakten een ontdekkingsreis.

In korte tijd had hij ontdekt dat adellijke Engelse jongedames zijden broekjes onder hun onderrokjes droegen. Om nog maar te zwijgen van rode kousebandjes die kunstig met kant waren afgezet.

Na veel gewriemel en gestoei waren de schouders van Alicia ontbloot, toen haar borsten. Hij boog zich voorover en kuste het dal tussen haar borsten. Bewoog zijn hoofd naar links en kuste opnieuw.

Verrast gaf zij een kreet van genot. Was zij dan een en al gemaaktheid en had zij vrijwel geen ervaring?

Het spel van handen en monden werd heviger. Al gauw lag hij boven op haar en staarde naar haar schoonheid te midden van de groene weelde die hen omringde. Zij transpireerde. Haar bovenlip was vochtig geworden. In een wirwar van kleren om haar slanke heupen—het zijden broekje was al uit—zag hij een fijn, gouden plekje boven haar witte kousen en kousebandjes.

Met grote, bijna paniekerige ogen keek zij hem aan. Zij wou iets zeggen. Teder legde hij zijn vinger op haar lippen. 'Zal ik ophouden, Alicia?'

'Wat voor mij goed is, is voor jou ook goed. Alleen—als het je er alleen maar om te doen is om Roger te treffen . . .'

'Ik ben Roger helemaal vergeten,' zei hij, en omhelsde haar zo heftig dat zij met haar hoofd tegen de boomstam stootte.

Zij slaakte een onderdrukte kreet, en een hardere toen hij in haar drong.

De leeuwerik zong. De hengst krabde met zijn hoeven. De groene schemer scheen op te lichten en het woud scheen in vuur en vlam te staan en even heet te worden als Phillipe . . .

Eerst ging het nog wat onhandig; haar lichaam was nog niet op hem voorbereid, hoewel het hem reeds ontvangen had. Hij raakte er steeds meer van overtuigd dat zij nog nooit een minnaar had gehad, hoewel zij dat wel gezegd had. Het wond hem nog meer op. Hij kuste haar oogleden en wangen en streelde haar rug . . .

Hun onhandigheid maakte plaats voor een regelmatig ritme, dat steeds sneller en sneller werd tot zij hem hartstochtelijk omklemde en hem zacht snikkend beduidde dat hij nog dieper in haar moest stoten.

Met beide armen klampte zij zich vast aan zijn nek en drukte zich zo dicht mogelijk tegen hem aan, zodat hun lichamen één werden.

Hij slaakte hijgend een kreet—en als antwoord daarop kermde zij van vreugde. Langzaam werd het geluid overstemd door het lied van de leeuwerik.

6

Alicia had zich aangekleed en was weer voldoende tot zichzelf gekomen om naar huis terug te kunnen rijden. Maar zij keek hem nu met andere ogen aan. Zij probeerde te lachen en weer de rol van courtisane te spelen, maar haar ogen verraadden haar.

Rustig vroeg hij haar of hij haar misschien pijn had gedaan.

'Nee,' mompelde zij. 'O, lieve God, nee . . .' Zij hapte even naar adem en streek een bruine lok naar achteren. ' . . . Ik weet nu ook hoe Fransen zijn. En ik ben er van overtuigd dat de Amberly's eindelijk een waardige tegenstander hebben gevonden.'

'Wat een vreemde manier om je een oordeel te vormen,' plaagde hij.

Ze schudde haar hoofd. 'Eigenlijk niet . . .' Alle spel leek verdwenen, toen zij naar voren boog en hun monden elkaar kort, maar hartstochtelijk raakten. Het was hem vreemd te moede. Hij wist, dat zij vol listen en leugens zat, maar toch had hij niet het hart te vragen of zij wel eens eerder met een man geslapen had.

Een half uur geleden wel. Maar nu niet meer.

Ook kon het hem niet veel schelen of zij zich in het begin tot dit liefdesspel had laten leiden door het verlangen stiekem wraak te nemen op de man, die haar gekwetst had.

'Ik wil je terugzien, Alicia.'

'Ik weet niet . . .'

'Zolang het lente is—en ik hier ben—wil ik je blijven ontmoeten.'

'Het zal zo moeilijk zijn . . .' Zij besteeg het rusteloze paard en kalmeerde het. 'Ik heb je verteld hoe ze mij in de gaten houden.'

'Verdomme, het moet! Tenzij je tegen mij gelogen hebt en je alleen maar wraak wilde nemen . . .'

'Nee,' zei ze met een hese stem.

'Kom dan, wanneer je kan, naar Quarry Hill. Ik kom hier zo vaak mogelijk. Als je het echt wilt, lukt het je wel.'

'Ik neem aan van wel,' zei ze onzeker. Opnieuw ontmoetten hun ogen elkaar. 'Ik bedoel, dat ik het echt zal proberen, Phillipe. Ik wil je echt graag terugzien, hoewel ik geloof, dat het wel eens erg gevaarlijk zou kunnen zijn.'

'Voor wie?'

'Voor ons allebei.'

'Morgen? Zelfde tijd?'

'Ik weet het niet zeker.'

'Ik zal er zijn.'

'Maar misschien is het voor mij onmogelijk uit Kentland weg te komen . . .'

'Dan ben ik er de volgende dag. En de dag erna.' Hij sprak zachtjes. Hij was net zo in de war als zij, want hij voelde dat dit geen vluchtige affaire was, maar dat zij zich in een veel ingewikkelder verhouding stortten . . .

'Goed,' zei ze plotseling. En naar beneden leunend streek zij over zijn wang. 'Zo gauw mogelijk.' Zij wendde de hengst, gaf hem de sporen en reed in razende vaart de heuvel af.

VI Een volmaakt lid van de Plebo-cratie

1

Eind mei onderging het zuiden van Engeland een stroom van veranderingen, evenals Phillipe, die zich bewust werd dat hij niet meer de jongen was die zo aarzelend van de logger in Dover aan land was gestapt. Hij piekerde over de slinkende geldvoorraad, die Marie in het kistje bewaarde. Ondanks de billijke prijzen die Fox berekende, zou spoedig de bodem in zicht zijn. Alsof dat nog niet erg genoeg was, meldde Clarence om de paar dagen dat er weer een bediende uit Kentland geweest was om naar de Franse vrouw en haar zoon te informeren.

Hoewel Phillipe hem de reden voor deze ongebruikelijke belangstelling nog steeds niet had verteld, had hij het vertrouwen van de jongen gewonnen en hem ervan kunnen overtuigen dat het van belang was dat Clarence hem op de hoogte hield van de bezoeken van de bespieders. Dus hield Clarence zijn oren en ogen goed open. Phillipe had gehoopt dat het spioneren afgelopen zou zijn. Blijkbaar was dat niet het geval. Met deze zorgen waren de hoop en het plezier vermengd, die hij elke keer had bij het vooruitzicht dat hij Alicia zou kunnen ontmoeten.

Zoals zij had voorspeld, bleek het moeilijk te zijn afspraken te maken. Maar die lange periodes van wachten versterkten zijn gevoelens alleen maar en versterkten ook de immense bevrediging die hij onderging als zij elkaar ontmoetten.

Na hun eerste stormachtige middag, was hij vier dagen achtereen naar Quarry Hill gegaan, maar van haar was er taal noch teken geweest. De derde en vierde dag waren een marteling voor hem geweest. En op de vijfde dag was hij naar het woud geslopen in de overtuiging dat hij haar nooit meer terug zou zien, behalve dan misschien in Kentland—en toen was zij er. Met tranen in haar ogen hield zij zich aan hem vast en voerde een stroom van lieve, treurige verontschuldigingen aan.

Na het minnekozen vertelde zij hem dat zij nooit vaker dan eens in de drie, vier dagen, alleen uit rijden kon gaan. Maar ze geloofde wel dat zij een manier had gevonden om tenminste het gevaar voor haar—en voor Phillipe, stelde zij hem gauw gerust—zo klein mogelijk te maken. Door nauwkeurig het geroddel van de bedienden in de gaten te houden—nauwkeuriger dan normaal, voegde zij er openhartig aan toe—kon zij te weten komen wat voor plannen er voor de volgende dag gemaakt werden. Zou Roger gaan jagen? Zou Lady Jane, tussen de gebeden door, de bisschop bij zich houden? Als zulke situaties ontstonden, zou Alicia gebruik maken van de diensten van een meisje, Betsy genaamd. Betsy was de enige kamenierster die Alicia van huis had meegebracht. Zij voelde dat zij het meisje kon vertrouwen—zeker als er een paar extra munten van hand tot hand gingen.

Nadat Alicia haar plan had ontvouwd, vonden zij een door de bliksem getroffen eikeboom, vol met rotte plekken in zijn stam. Phillipe holde een van die plekken uit, zodat die zou kunnen dienen voor het overbrengen van boodschappen.

Betsy zou zogenaamd om een boodschap gestuurd worden en dan hier een briefje achterlaten met een paar niet al te goed leesbare woorden erop—*Dinsdag Schemering*—zodat Phillipe beter zou weten, wanneer Alicia zou kunnen komen.

Na hun derde ontmoeting viel het Phillipe op dat zij er gespannen en vermoeid uitzag. Hij vroeg haar of de spanning om twaalf mensen te misleiden, van Lady Jane tot het keukenpersoneel en de stalknechten toe, haar te groot werd.

'Het vergt veel van mij,' antwoordde zij. 'Maar het is het waard, mijn lief. En heb jij mij trouwens niet verteld dat ik erg goed in spelletjes ben?' Zij kuste hem met open lippen. Maar hij had de schaduw in haar ogen gezien, de schaduw die hem zei dat hun ontmoetingen zeer veel van haar zenuwen vergden.

Op een zoele avond had zij een mandfles van haar favoriete rode wijn meegenomen. Nadat zij er twee keer zoveel van gedronken had als Phillipe, peinsde zij hardop dat het best leuk zou zijn om aan Roger te vertellen dat zij er een minnaar op na hield.

Zij zei het met hardvochtige vrolijkheid in haar ogen. Toen zij zag dat Phillipe zijn voorhoofd fronste, streelde zij hem over zijn haar.

'Maar je weet, dat ik dat nooit zou doen. Nooit.'

'Die eerste keer, Alicia . . .'

'Ja?'

'Heb je mij verleid, omdat hij je gekwetst had, nietwaar?'

'Jij kent mij veel te goed, meneer de Fransman!'

'Nietwaar?'

'Gedeeltelijk.' Door de drank sprak zij met een dikke tong. 'Maar alleen gedeeltelijk!' Zij kuste hem.

Die onderdrukte wrede trek in haar was een onderdeel van haar persoonlijkheid waar hij een intense hekel aan had. Maar hij verdween in het niet bij de overweldigende emoties, die zij in zijn geest en lichaam opriep, als hij niet bij haar was en dacht aan hun komend, heimelijk rendez-vous.

Het systeem van de boodschappen-boom werkte redelijk. Maar toch gebeurde het nog steeds dat hij uren na de afgesproken tijd nog zat te wachten en dan onverrichterzake naar Tonbridge terug moest keren. Op een van die eenzame wandelingen voelde hij iets, dat een van de eerste duidelijke tekenen van volwassenheid moest zijn: hij wist nu wat verdriet betekende.

82

Tijdens een van die terugtochten naar Wolfe's Triumph verloor hij bijna het leven.

Toen hij in de vroege avondschemering langs een bosje kreupelhout liep, hoorde hij plotseling de knal van een donderbus. Hij liet zich instinctmatig languit in het hoge gras vallen. Fluitend vlogen verdwaalde kogels langs de toppen van het hoge gras om hem heen. Een slecht schot, stelde hij vast. Uit een wapen met een te korte draagwijdte.

Maar toch . . .

Wie had er geschoten?

Jagers? Ja; terwijl hij voorzichtig op handen en voeten omhoog kroop, hoorde hij ze roepen in het kreupelhout.

Een vlucht door het schot uit het struikgewas opgejaagde roeken vond krijsend zijn weg naar de geelachtige hemel. Phillipe maakte geen beweging en weldra zag hij vier ruiters uit het bos te voorschijn komen en in de richting van Kentland galopperen. Hij zag dat de verdwijnende ruiters de livrei van de Amberly's droegen.

Hij geloofde niet dat het een welbewuste poging was geweest. Hij had niet eerder gezien dat iemand hem gevolgd was, terwijl hij tegenwoordig erg voorzichtig was en altijd naar alle kanten uitkeek. Het was veel waarschijnlijker dat de bedienden hem bij toeval hadden opgemerkt, terwijl zij in het bos op vogels jaagden. Maar het feit alleen al dat zij geschoten hadden, liet niets te raden over wat betreft de gevoelens van Roger Amberly. Wat zou de zoon van de hertog blij geweest zijn bij het vernemen van het toevallige ongeluk!

Phillipe vertelde zijn moeder en Alicia niets over de gebeurtenis. Maar zijn ongerustheid nam toe.

Er had nog een andere verandering in hem plaatsgevonden. Hij had weloverwogen besloten om zijn verhouding voor Marie verborgen te houden. Hij had geen zin om met zijn verovering van de erfgename van Parkhurst te koop te lopen en door alles aan zijn moeder te vertellen haar de gelegenheid te geven dit weer als een duidelijk bewijs te beschouwen van zijn zogenaamde recht bij zijn 'meerderen' te horen.

Als Marie hem uitvroeg over zijn veelvuldige wandelingen gaf hij een ontwijkend antwoord. Uitvluchten zoals: verveling, dat er geen werk te doen was op Wolfe's Triumph.

Dit was eens te meer een teken, dat zijn gevoelens voor Alicia veel serieuzer werden dan ooit zijn bedoeling was geweest. Alles bij elkaar genomen was het een tijd van veranderingen. Donderbuien geselden het Kentse land. Stormwinden joegen de wolken langs de zwarte hemel. De wereld straalde zeker niet. En dat was wel toepasselijk, want hij wist dat de tijd met Alicia maar al te gauw voorbij zou zijn.

2

'Alicia?'

Ze antwoordde met een slaperig gemompel. Zij lagen in een bosje dat zij twee dagen na het begin van juni hadden gevonden. Op het mos. Alicia had haar jurkje van boven losgemaakt en Phillipe lag met zijn hoofd tussen de roze tepeltjes van haar borsten. Grasklokjes knikten in de drukkende hitte. Hogerop begon er een zuchtje wind door de bladeren van de schaduwrijke bomen te spelen en af en toe viel er een regendruppel. In de verte klonk het gerommel van onweer in het noorden.

Hij gaf niet direct antwoord op haar gemompel en zij streek over zijn voorhoofd om zo de aarzeling die zij bij hem voelde weg te nemen. Hij rolde op zijn buik, waardoor hij de koraalrode tepel van haar linkerborst beroerde. Hij zag hoe die omhoog kwam. Tenslotte zei hij: 'Minnaars zouden geen geheimen voor elkaar moeten hebben, vind je niet?'

'Ja.' Zij drukte zijn liefkozende vingers tegen haar lichaam. 'Geheimen zijn voor echtgenoten. Ik ben nog niet eens met Roger getrouwd, en kijk eens hoeveel geheimen ik al voor hem heb.'

Dat was helemaal waar. Er was nu geen enkele vertrouwelijkheid, die Phillipe en Alicia niet hadden uitgewisseld.

'Vooruit. Zeg wat je op je hart hebt,' drong het meisje zachtjes aan.

'Goed dan. Weet je wat ik van je dacht, toen wij elkaar voor het eerst ontmoetten?'

'Vertel maar.'

'Ik dacht, dat je een fijne dame was . . . en een goeie hoer.'

'Wat ben je toch een afschuwelijk eerlijke jongeman, Phillipe! Natuurlijk heb je volkomen gelijk. Dochters van graven krijgen les in het verleiden. Hoe denk je dat ik de instemming van Roger met het huwelijk, dat door onze ouders was afgesproken, had gekregen? Maar is het dan niet goed om de kunst van de liefde te kennen—voor minnaars?'

'Voor minnaars wel, ja. Maar wat gebeurt er als je verliefd wordt?'

Zij ging rechtop zitten. De echo van een donderslag weerkaatste over het rivierdal.

'Zulke dingen moet je niet zeggen, Phillipe.' Het klonk niet als een verwijt, eerder treurig. Zij vermeed zijn blik. Teder draaide hij haar hoofd om en keek haar in de ogen.

'Niet doen,' drong zij aan. 'Wij hebben geen kans samen.'

'En als Lady Amberly uiteindelijk de plechtige belofte van mijn vader zal moeten erkennen?'

'Dat zal nog een hele tijd duren—als het ooit gebeurt. Je ziet hoe vakkundig zij weerstand biedt. Zij laat je maar zitten en zitten, wachten en wachten, opgesloten in het dorp . . .'

'Verdomme wat haat ik haar daarom!' barstte hij uit, terwijl hij opsprong. 'Maar soms heb ik mijn twijfels . . .'

'Twijfels waarover?'

'Dat ik mijn plaats niet weet.'

'Daar zou Lady Jane het wel mee eens zijn,' zei Alicia, zonder dat zij dat hatelijk bedoelde. Zij maakte een beweging dat hij weer bij haar moest gaan zitten. Maar hij ijsbeerde boos heen en weer. Zij liet haar hand weer zakken en begon een ogenblik later haar jurk dicht te knopen. De stemming was bedorven. Zij hadden zich op gevaarlijk terrein begeven.

'Volgens mij, Phillipe. twijfel je alleen maar, omdat je nog steeds bezig bent om uit te zoeken wie en wat je bent. Ik moet toegeven dat ook mijn gevoelens in de war zijn, nu we begonnen zijn met . . . nou, je weet wel wat ik bedoel. Om Roger geef ik niet, hoewel ik dat wel zou moeten doen, aangezien ik met hem ga trouwen. En ik vind het heerlijk om hier met jou te zijn, terwijl ik weet, dat ik dat niet zou moeten doen.'

'Phillipe liep weer naar haar toe, knielde bij haar neer en nam haar handen in de zijne. 'Alicia . . .'

'Wat is er, mijn lief?'

'Vanaf het begin heb ik mij afgevraagd of je zulk soort dingen ook tegen andere minnaars hebt gezegd.'

Zij knipperde geen moment met haar blauwe ogen. 'En heb ik mij afgevraagd wanneer jij mij dat eens zou vragen.'

'Geef je er antwoord op?'

'Ja: nooit. Jij was en bent nog steeds de eerste. Waarom dacht je dat ik zo in de war was? Al die ritten geriskeerd heb, en die blikken en vragen achteraf? Jij weet niet wat jij me hebt aangedaan, Phillipe. Nu zijn er nachten dat ik helemaal niet kan slapen. Dat ik lig te huilen en te dromen dat alles anders was. Dat ik God smeek om mij een schip te geven waarmee ik kan vluchten . . . Misschien helemaal de oceaan over om bij een familie als de Trumbulls te gaan wonen en mij nooit meer door jou te hoeven laten kwellen.'

Hij vroeg haar wie dan wel de Trumbulls waren. Zij legde uit, dat een zuster van haar moeder, tante Sue, na haar huwelijk naar de Amerikaanse koloniën was geëmigreerd. Daar was de echtgenoot van tante Sue, een zekere Trumbull, als eigenaar van de grootste lijnbaan van Philadelphia, uitzonderlijk rijk geworden. Hij woonde in een prachtig huis, steunde de politiek van George III en was een echte rechtsdenkende conservatief. 'Daar zal ik tenminste veilig zijn na alles wat er hier gebeurd is,' besloot zij. 'Ik heb nooit gedacht, dat zoiets kón gebeuren. Want zoals ik je al verteld heb: dit is het enige wat er tussen ons kan zijn. Ik ben niet sterk genoeg om af te wijken van de weg die voor mij is uitgestippeld: trouwen met Roger.'

'Herinner je je wat ik je de eerste keer verteld heb? Je kunt alles doen wat je wilt, als je het maar graag genoeg wilt.'

'Graag genoeg? O ja, dat is het probleem!'

Zij sloeg haar armen om zijn nek en klampte zich huilend aan hem vast. Het ontroerde hem. Het was een facet van haar persoonlijkheid dat hij nog niet eerder had gezien. Het maakte—ja, waarom zou hij het niet toegeven?—dat hij nog meer van haar hield.

De regen begon door de bladeren te druipen. Zij rukte zich los, en maakte zich gereed om naar Kentland terug te rijden.

Dit maakte zijn plotselinge vraag extra dringend: 'Vertel me één ding. Worden wij bedrogen? Is mijn vader werkelijk zo ziek?'

'O ja. De dokter wijkt bijna nooit van zijn zijde, met zijn kom met bloed.'

'In dat geval, als je ook maar iets voor me voelt, help me dan hiermee: doe wat je kunt om Lady Jane tenminste iets toegeeflijker te maken. Mijn moeder is bijna buiten zichzelf. Zij denkt, dat wij bedrogen worden.'

'Niet bedrogen,' zei Alicia, terwijl ze de strik in haar haar recht trok. 'Bestreden. Op een beschaafde manier. Maar desalniettemin bestreden. Lady Jane is vooral bang voor jou. En ik begrijp waarom. Ik vertelde je het een ogenblik geleden: je hebt nog niet besloten wat je wil worden. Een echte bastaard van een edelman. Of een man die spuugt op de adel.'

'Dat heeft er niets mee te maken. Kun je haar er niet toe overhalen, om mijn moeder, al is het maar even, de hertog te laten bezoeken?'

Alicia dacht na. 'Ik kan het proberen. Het moet met tact gebeuren net zoals je een zaadje dat pas geplant is, elke dag water moet geven. Het is geen slechte vrouw. Ze beschermt alleen alles waarvan zij vindt, dat het haar rechtmatig toebehoort.'

'Net als mijn moeder.'

'En het is misschien best mogelijk, dat zij zal buigen voor een voorstel van haar toekomstige schoondochter.'

Alicia's ogen werden somber. 'Maar het zou plaats moeten vinden op een ogenblik, dat Roger weg is. Dat kan echter al heel vlug zijn.'

'Hoezo?'

'De teugel van Lady Jane begint te slijten, dat weet zij. Het grootste gedeelte van de tijd raast Roger als een dolle stier door het huis. En als hij het erover heeft om naar Tonbridge te gaan, is er een geweldige ruzie. Zelfs achter gesloten deuren doen hij en Lady Jane het huis schudden op zijn grondvesten. Ik weet dat zij wanhopig probeert hem over te halen om op vakantie naar Londen te gaan. Weet je, het is waar wat ik je zei: zij is echt bang voor jou. Niet alleen vanwege die eis, maar ook vanwege het letsel dat je haar wettige zoon zou kunnen toebrengen. Ja . . .'—plotseling knikte zij—'wat jij voorstelt is misschien wel mogelijk.'

'Alsjeblieft, doe wat je kan. We hebben bijna geen geld meer.'

Zij hief haar gezicht op in de wind die door de bladeren speelde. De stilte voor de storm was drukkend geworden. 'En de tijd. De tijd is onze vijand, Phillipe. Lieve God, soms wens ik, dat jij hier nooit naar toe was gekomen! En mij nooit gedwongen had een keuze te maken die ik wel wil, maar niet kán maken!' Zij draaide zich om en rende weg.

'Alicia!'

De kreet verstierf. Hij was alleen. De regen stroomde langs de boomkruinen naar beneden.

Een ogenblik lang voelde hij zich verschrikkelijk ongelukkig. Nu eens haar beweegredenen wantrouwend, dan weer het systeem vervloekend, dat haar had opgesloten in een voor haar uitgestippelde toekomst. Maar ondanks de

86

marteling kon hij het niet ontkennen: hij hield van haar.

Vanaf de rand van het bos keek hij naar het figuurtje te paard dat in de zwartbewolkte verte verdween. Hij sjokte weer terug naar Tonbridge en voelde zich volkomen eenzaam.

3

Het duurde drie weken vóórdat het zaadje dat Alicia voor hem geplant had, opgekomen was.

Op een middag vond hij in de boodschappen-boom op Quarry Hill een briefje, waarin stond dat hij die avond naar een andere plek moest komen—een wilgenbosje aan de rivier, tussen Tonbridge en Kentland. Hoewel hij bang was voor een mogelijke valstrik, besloot hij zich toch aan de afspraak te houden, maar hij betrachtte de grootste voorzichtigheid voor hij het bos inging.

Alicia wachtte al op hem. Zij vertelde dat Lady Jane uiteindelijk gewonnen had. Over een paar dagen zou Roger, op absolute aandrang van zijn moeder, naar Londen vertrekken om kleren uit te zoeken voor zijn herfstgarderobe en om de laatste nieuwtjes te horen in de koffiehuizen.

Verder waren er kleine aanwijzingen geweest dat Lady Jane zou zwichten. Maar Alicia zei dat zij slechts heel voorzichtig druk kon uitoefenen. Zij moest vooral zichzelf blijven, en niet te veel belangstelling aan de dag leggen voor hem en zijn moeder.

Zij had de suggestie gedaan, als een mogelijkheid om Marie en haar zoon uit Kentland weg te krijgen. Als de onwelkome gasten de hertog in coma hadden zien liggen, zouden zij zich realiseren dat het hopeloos was nog langer te wachten, zo had Alicia geredeneerd.

Voor zijn moeder had Phillipe hoop gekregen. Voor hemzelf precies het tegenovergestelde. Alicia had min of meer toegegeven dat zij van hem hield. En toch beschermde zij zichzelf met de grootste zorgvuldigheid.

Op een regenachtige zaterdag arriveerde de oude, arrogante koetsier in Wolfe's Triumph. Hij zei dat Lady Jane om hun aanwezigheid in Kentland verzocht.

Zij deed persoonlijk de deur open en geleidde hen de trappen op naar de tweede verdieping. Van Alicia was geen spoor te bekennen. Maar dat zij haar werk goed gedaan had, bleek uit de opmerking die Lady Jane tegen Marie maakte: 'Mijn geweten begon te knagen, ook al was daar geen reden toe. Ik begon mij af te vragen, of u misschien niet was gaan denken dat ik u niet de waarheid had verteld. Dit bezoek zal u in ieder geval op dat punt gerust stellen.'

Marie had rode vlekken op haar wangen. Het leek of zij de trappen op wilde rennen. Phillipe liep achter de twee vrouwen aan en voelde de minachtende blik van de bedienden in zijn rug.

Boven aan de trap stond een dienstmeisje te wachten met een kaars. Zij ging hen voor door een smalle gang waar een onaangename lucht hing. Aan het eind van de gang leek zich een schaduw uit de muur los te maken. Phillipe zag dat het dokter Bleeker was, zoals altijd in het zwart gekleed.

De dokter keek de bezoekers afkeurend aan. Staande voor de dubbele deuren zei hij: 'U mag de kamer niet betreden, u mag alleen van hier af naar hem kijken. Ik heb dat slechts toegestaan op uitdrukkelijk verzoek van Lady Jane. Zelf had ik er niet in toegestemd.'

Marie kneep Phillipes hand toen Bleeker een van de deuren opende. Het enige wat Phillipe aanvankelijk in de verduisterde kamer, waar alle gordijnen gesloten waren, kon zien, waren twee brandende kaarsen aan weerskanten van een groot bed. De lucht, die hier naar buiten walmde stonk nog erger, een mengeling van rook, zweet en de scherpe geur van een of andere balsem.

Marie gaf een zachte kreet en deed een stap naar voren.

Bleekers zwarte arm versperde haar de weg. Maries hand schoot naar haar mond. Lady Jane draaide zich om en staarde naar de door de regen schoongewassen ramen aan het eind van de gang. De kaarsen aan weerskanten flakkerden. Tenslotte kon Phillipe een wit gezicht op een kussen onderscheiden. Hij had naar een oudere versie van zichzelf kunnen kijken.

Toen hoorden zij het geluid: onverstaanbaar gemompel van de man die in de verstikkende kamer lag. Er droop speeksel uit James Amberly's mond; zweet parelde op zijn bleke voorhoofd.

Phillipe wankelde op zijn benen.

Marie greep de arm van dokter Bleeker. 'Laat u mij alstublieft even naar hem toegaan. Even maar!'

'Geen sprake van! U ziet hoe hij er aan toe is. Zelfs als hij bij bewustzijn is, is hij niet meer zichzelf.'

Marie keek nog even de kamer in. Vlak daarop sloot Bleeker de deur. 'Ik vind dat wij ons nu wel genoeg voor u ingespannen hebben, mevrouw.'

Marie hoorde het niet. Zij huilde. Phillipe had zin om de onverdraaglijke dokter een klap te geven. Maar in plaats daarvan ging hij naar zijn moeder toe, om haar zo snel mogelijk uit dit oord van ziekte en verschrikking weg te voeren.

Wij hadden niet moeten komen, dacht hij. Het is voor haar erger om hem zo te zien dan helemaal niet.

Vlug leidde hij Marie naar de trap. Zij trilde nog, maar had haar tranen onder controle gekregen. Hij zou haar nooit durven vertellen, dat hij het bezoek gearrangeerd had. Hij had gehoopt dat zij wat opgewekter zou worden na het zien van James Amberly. Maar precies het tegendeel was gebeurd. En dat was zijn schuld. Hij hielp haar zo snel mogelijk de trap af te lopen en de hal over te steken. Maar zij waren pas halverwege de voordeur toen Lady Jane hen nariep:

'Nu er aan uw wens voldaan is, mevrouw, vertrouw ik erop, dat u ons niet verder lastig zult vallen. Verlaat Engeland. Hoort u wat ik zeg? *Verlaat*

Engeland. Hij kan u geen antwoord geven. Hij kan niet voor uw eis instaan. Ik ben nu de stem van de hertog. En zolang ik leef, zal ik de inhoud van die brief met al mijn kracht blijven bestrijden. U weet heel goed wat de gevoelens van mijn zoon zijn ten opzichte van de eis, én de eiser.' Scherp keek zij Phillipe aan. Hij huiverde. 'Ik kan niet voor altijd de natuurlijke instincten van mijn zoon in bedwang houden. Goedendag.'

Een lakei was vooruit gesneld om de deur open te doen, alsof hij hun vertrek wilde verhaasten. Phillipe voelde een paar spatten in zijn nek toen hij naar Lady Jane omkeek. Hij hoorde het geluid van een koets die de oprijlaan opreed. Nú begreep hij waarom Alicia's zaadje in vruchtbare grond was terechtgekomen.

Lady Jane had hen niet uit vriendelijkheid ontboden, maar omdat haar geweten knaagde. Zij had hen ontboden om hen nog eens extra te intimideren—deze keer met een dreigement dat Roger wel eens onmiddellijk zou kunnen ingrijpen.

Phillipe had het vermoeden dat het dreigement bluf was, maar het zou al te voorbarig zijn dat meteen al helemaal aan te nemen. In ieder geval stonden nu de hulpeloosheid van Amberly, de vastberadenheid van Lady Jane en het wraakzuchtig temperament van Roger in slagorde tegenover hen opgesteld en zouden hen uiteindelijk verslaan.

Dat was de boodschap die het bezoek had moeten brengen. Het hielp Phillipe niet zich eraan te herinneren, dat Alicia en hij verantwoordelijk waren voor het feit dat Lady Jane haar doel bereikt had. Het punt was dat zij veel te gretig op de suggestie was ingegaan.

Juist toen hij zich realiseerde hoe goed haar strategie gewerkt had, struikelde Marie op de trappen naar de oprijlaan. Hij kon haar niet tijdig vastgrijpen. Zij belandde op haar knieën in de modder. Hij hielp haar overeind. Vernederd en vol haatgevoelens.

4

Maries jurk zat onder de modder. Toen Phillipe haar overeind hielp, zag hij een prachtig vierspan aankomen. De koetsier remde en hield de paarden in, zodat er nog meer modderspatten in het rond vlogen.

Verbaasd riep de oudste lakei naar binnen: 'My Lady—onverwachte bezoekers!' Snel vloog hij de trappen af om de postillon in livrei te assisteren, die het vergulde portier opende.

Marie leunde op haar zoon en scheen haar kalmte hervonden te hebben. Wat hem betrof: Phillipe keek gefascineerd naar een plomp heerschap, met pruik, dat uit de koets steeg.

Zijn kleding en uitrusting zagen er prachtig uit: van de gespen op zijn schoenen en de linten die zijn broek bij zijn knieën vasthielden, tot het met robijnen bezaaide heft van zijn zwaard en de ingewikkelde borduursels rond de gouden knopen van zijn jas.

De lakei, de koetsier en de postillon wierpen boze blikken op Phillipe en zijn moeder, omdat zij nog steeds bij het rechtervoorwiel van de koets stonden—onderaan de trappen die naar de deur leidden.

Lady Jane verscheen in de deuropening. 'My Lord, wij hebben al weken naar uw komst uitgekeken. Maar tenslotte hebben wij aangenomen, dat u door staatszaken verhinderd was. Wij zijn niet voorbereid . . .'

'Ik realiseer mij dat ik hier al eerder had moeten zijn,' antwoordde deze, terwijl hij op de treeplank van de koets bleef staan. 'En ik kan niet lang blijven . . . U kunt wel zien, dat ik mijn reis in grote haast heb gemaakt, zonder mijn gebruikelijk, groot gevolg. Maar ik moest het eerste het beste ogenblik dat ik vrij was aangrijpen, omdat ik graag mijn belangstelling wilde komen betuigen en informeren naar de toestand van mijn goede vriend de hertog.'

De koetsier snelde naar Phillipe en Marie. 'Gaat u opzij, alstublieft.'

Phillipes kleren waren door de modder besmeurd en de grimmige scène boven spookte nog door zijn hoofd. Hij wierp een woeste blik op de nieuwkomer. De man bleef op de treeplank van de koets staan en alleen een klein trekje van zijn lip verraadde zijn licht misnoegen.

De bemodderde vrouw en haar zoon versperden op een doeltreffende manier de weg naar de stenen trappen.

'Opzij!' riep de koetsier.

'Waarom?' zei Phillipe.

'My Lord, excuseert u mij voor deze slechtgemanierde buitenlanders,' begon Lady Jane.

De nieuwkomer keek nu lichtelijk geamuseerd. Hij hief een beringde hand omhoog om zijn boze bedienden tegen te houden, stapte voorzichtig in de modder, liep om een plasje heen en ging recht voor Phillipe staan.

Wat de vorm van zijn gezicht en figuur betrof, had deze man een neef van bisschop Francis kunnen zijn. Maar zijn gelaat was in één opzicht verschillend: het droop niet van vroomheid. Het had zelfs een zekere vrolijke charme. Maar de ogen waren niet de ogen van een luchthartig man. Zij keken Phillipe op een directe en tartende manier aan. 'Waarom u opzij moet gaan, meneer? Omdat deze goede lieden geloven dat het gepast is enige eerbied te betonen aan de Eerste Minister van Engeland.'

De lakei greep Phillipe bij zijn arm. 'Jij onwetende kleine vlerk, dit is Lord North!'

Woest schudde Phillipe de hand van zich af. 'En daarom zou ik opzij moeten stappen?'

De op één na machtigste man van het Engelse Rijk keek lichtelijk verwonderd. Maar hij handhaafde een oppervlakkige hartelijkheid. 'Ja meneer, dat is de reden.'

'Mij kan het niet schelen wie u bent,' wierp Phillipe terug, te overspannen om zijn verstand een kalmerende invloed te laten uitoefenen.

Verbijsterd en razend stond Lady Jane in de deuropening. De Eerste

Minister zei tegen haar: 'Ik bespeur iets Frans in zijn accent. Hebben we hier soms te doen met een leerling van de beruchte Rousseau?'

'Ik heb hem gelezen, ja,' zei Phillipe.

'En de verderfelijke Locke ook, neem ik aan?'

'Ja.'

Lord North zuchtte. 'Wel, wij mogen de Almachtige danken dat de eerste ons rijk niet meer met zijn aanwezigheid opluistert, doch samen met zijn krankzinnige ideeën naar het continent is verhuisd, en dat de laatste tenminste voor altijd begraven is. Kon dat ook maar van zijn geschriften worden gezegd!'

'Ik kan in hun geschriften niets slechts ontdekken, my Lord.'

'Hoho!' riep North uit, alsof hij zich opwarmde voor een redevoering. 'Ik neem aan, dat wij vervolgens zullen horen, dat jij ook een correspondent bent van die gehoornde duivel Adams? Dat zal wel zo zijn, aangezien iemand die in één slecht idee gelooft, alleen maar verlokt wordt om in meer en meer slechte ideeën te geloven! Vertel mij eens, jongeman, bent u ook werkelijk iemand die gelooft dat, bijvoorbeeld een boer, dezelfde rechten heeft als een koning? Dat de macht van de eerste even groot is als de macht van de laatste?'

Phillipe raapte al zijn moed bij elkaar en antwoordde: 'Als een koning het volk onderdrukt, moet de boer de koning afzetten. En daar heeft hij het recht toe.'

Lord North begon het minder amusant te vinden. 'Lady Amberly, u heeft inderdaad een volmaakt lid van de plebo-cratie aangetrokken, zoals wij het opstandige janhagel in onze provincie Massachusetts Bay noemen.'

Hij keerde zich weer naar Phillipe, maar ging nu tegen hem te keer: 'Hoewel ik er geen gewoonte van maak mij in de regen met het gewone volk te onderhouden, jonge vriend, moet ik u toch één ding duidelijk maken. De Engelsen genieten de grootste vrijheden van welk volk op aarde dan ook. Maar vrijheid betekent nog niet losbandigheid. En zij, die de natuurlijke inrichting van de maatschappij in twijfel trekken, doen dat op eigen risico. Zoals de leden van die schandelijke plebo-cratie in Boston ervaren! Waar je deze kwalijke ziekte, de valse vrijheidsdrang, ook hebt opgelopen, zuiver je ervan voor er onheil van komt. Als je nu zo vriendelijk wilt zijn uit de weg te gaan, kan ik eindelijk mijn bezoek gaan afleggen.'

Phillipe weigerde nog steeds zich te verroeren.

Lord North kreeg een kleur van boosheid. Maar zijn goede manieren wonnen het uiteindelijk. Hij stapte met zo'n verfijnde verachting om Phillipe heen, dat de bedienden, openlijk lachend, hun instemming betuigden.

Phillipe zag in gedachten Girards gezicht voor zich en riep de brede rug die de trappen besteeg na: 'Wat voor recht heeft de ene mens om zich beter te voelen dan de andere? Of om over de andere te heersen? Koningen regeren omdat de anderen hen laten regeren!'

North draaide zich om en keek nu met openlijke vijandigheid naar beneden. 'Jongeman, ik geloof dat je ziel dodelijk besmet is door de verderfelij-

ke leer van Locke en Rousseau. Het zal slecht met je aflopen.'
En daarmee verdween de Eerste Minister naar binnen. De deur ging dicht terwijl Lady Jane haastig haar verontschuldigingen aanbood. De koetsier zette zijn driekante steek met de versiering van witte Tory-rozen weer op zijn hoofd en riep uit: 'Mijn God, zo'n brutaliteit heb ik nog nooit meegemaakt. Gelukkig voor jou, kereltje, is Lord North een goedgeluimd heer.'
'En een marionet van jullie Duitse koning,' hoonde Phillipe.
Zelfs terwijl hij Marie van de koets weg voerde, was hij er zich van bewust dat de postillon achter hem aan was gelopen.
'Ik heb gehoord wat ze zeggen in de herberg: Koning George houdt de hoepel op en North springt er doorheen.'
'Vertel mij wie dat gezegd heeft en ik zweer, dat hij voor middernacht zijn tong kwijt is,' zei de koetsier. Hij reikte met zijn hand naar de bok en pakte een opgerolde zweep. 'En wie het nazegt is geen zier beter.' Met een klap ontrolde hij de zweep.
Phillipe had er geen bezwaar tegen te gaan vechten. Maar hij wist dat de koetsier en de om hem heen draaiende postillon in de meerderheid waren. Als het tot een moeilijke vechtpartij in de modder zou komen, zou Marie wel eens per ongeluk het slachtoffer kunnen worden. Dus onderdrukte hij zijn woede en leidde haar zo snel mogelijk de oprijlaan op, terwijl de koetsier met zijn zweep knalde en hem smerige verwensingen nariep.
Toen hij de beschimpingen eindelijk niet meer kon horen, vertraagde hij zijn pas. 'Leun maar op mij, mama. Het is moeilijk lopen in de modder.'
Haar gezicht glom van trots. 'Mijn God, Phillipe, in jou brandt het heilige vuur.'
'Alleen als wij als nietswaardige mensen behandeld worden. Ik heb er echt geen behoefte aan om ruzie te zoeken en moeilijkheden te maken. Maar waarom zouden wij minder moeten zijn dan zij?'
'Dat is altijd zo geweest, zoals die man je vertelde. Stel je voor: de Eerste Minister in hoogst eigen persoon! Ik neem je je boosheid niet kwalijk. Maar maak er verstandig gebruik van. Om je doel te bereiken, niet om je leven in gevaar te brengen.'
Zij leek weer bijna de oude, ook al hield zij zich vast aan zijn arm, terwijl zij zich een weg baanden langs het jaagpad, dat in een modderpoel was veranderd. Zij gaf hem nog een advies: 'Denk erom dat jij straks tussen mensen van die stand je plaats moet innemen en dat je ze niet van je moet vervreemden.'
Phillipe haalde zijn schouders op. 'Ik ben kennelijk al ingedeeld bij de—hoe noemde hij het ook al weer?—de plebocratie of zoiets. Maar wie is die gehoornde duivel, Adams? Dat moet ik aan Fox vragen. Hij lijkt mij goed op de hoogte van politiek.'
Terwijl zij door de modder ploeterden, werd hij weer overvallen door een gevoel van moedeloosheid. Hij bracht zich de schoten van de donderbus weer voor de geest en ook de waarschuwing van Lady Jane, dat zij Roger niet veel langer tegen zou kunnen houden. Hij hoorde zichzelf zeggen:

'Misschien is het allemaal nutteloos, mama. Mijn vader kan niet voor mij spreken en zelfs al laten wij er Roger even buiten, dan weten wij allebei dat Lady Jane een heel leger advocaten kan inhuren om de eis te bestrijden. Zullen wij niet teruggaan naar de Auvergne?'

Haar gezicht werd spierwit. 'Nee! Niet zolang ik de brief in mijn bezit heb!'

Modderig en vermoeid liepen zij verder over het jaagpad. Phillipe begon zich af te vragen of zijn moeder hem niet naar een plaats van bestemming leidde—of duwde—waar hij nooit welkom zou zijn en waar hij nooit thuis zou horen.

VII Broer tegen broer

1

'Meneer Fox,' zei Phillipe twee ochtenden later, 'ik moet het met u hebben over de huur van onze kamer. Mijn moeder en ik hebben bijna geen geld meer.'

'Dan spijt het mij wel, jongeheer,' antwoordde de grijzende eigenaar van Wolfe's Triumph, 'maar dan moet ik de kamer aan iemand anders verhuren. Hoe graag ik ook liefdadig wil zijn, dat is mij nou eenmaal onmogelijk.'

De twee stonden op de binnenplaats van de herberg, vlak bij de toegangspoort, waarvandaan een paar minuten geleden de diligence naar Londen was vertrokken. De binnenplaats rook naar verse paardevijgen. Fox liep behoedzaam om een paar van die welriekende hoopjes heen en plofte neer op een bank tegen de muur van de herberg om wat uit te rusten. Binnen konden zij de stem van Clarence horen, die een van de meisjes een uitbrander gaf. De hemel was egaal blauw.

'Mijn moeder en ik móeten hier blijven . . .'

'Dat kan wel zijn. Maar mag ik vragen, is het wel veilig?'

Hoewel Phillipe midden in de zon stond, voelde hij een koude rilling over zich heen gaan. 'Daar kan ik ons besluit niet van laten afhangen.'

Fox keek ontsteld. 'Maar ben jij je er dan niet van bewust dat je het gesprek—en in sommige huizen het schandaal—van de omgeving bent? Vanwege de manier waarop jij de Eerste Minister in hoogst eigen persoon hebt geaffronteerd? Met gevaarlijke liberale opvattingen, als ik het goed begrepen heb? Je mag je gelukkig prijzen dat de Eerste Minister een gelijkmatig humeur heeft, anders had hij je aangeklaagd op grond van God weet wat voor onbekende wet.'

De schrandere ogen van Fox keken hem aan. 'Jullie hebben greep op de Amberly's, nietwaar? Daarom haat de familie jullie, maar moet ze jullie aanwezigheid tolereren. Ik weet, dat je beweerde, dat je familie . . .'

'Dat ben ik.'

'Ik zou wel eens willen weten hoe.'

Phillipe wierp een blik op de gesloten luiken van de kamer, waar Marie nog lag te slapen. De gemoedelijke, rijk van tanden voorziene, herbergier merkte zijn ongerustheid op en legde vriendelijk een hand op zijn arm. 'Toe maar jongen. Ik heb zelf ook geen grote sympathie voor de Amberly's. Wat je zegt, zal ik voor me houden, dat beloof ik.'

De hand van de herbergier op zijn arm stelde Phillipe op zijn gemak. Het

luchtte hem op onder de inmiddels al heet geworden zon vandaan te stappen, zich naast Fox op de bank te laten neervallen en met hem het geheim,
dat zijn leven had beheerst, te delen. Wat er ook van zou komen. 'James
Amberly is mijn vader, hoewel hij nooit met mijn moeder getrouwd is geweest. Voordat zijn ziekte zo erg werd, heeft de hertog ons ontboden. Nu
kan hij met niemand meer spreken. Lady Jane haat mij, omdat de hertog
mij een deel van zijn vermogen heeft beloofd.'
Fox floot tussen zijn tanden. 'Daar zou ik nooit op gekomen zijn. Maar het
verklaart alles waar ik over heb zitten piekeren. Lady Jane die zich verwaardigde hier een bezoek te komen brengen—nota bene aan twee vreemdelingen die niet eens goed Engels spreken. De eindeloze stoet bedienden
die naar jou en je moeder kwamen informeren . . . wel, wel! Bastaardij in
het vaandel van de Amberly's. Stel je voor!'
Toen hij over zijn verbazing heen was, vroeg Fox: 'Hebben jullie iets waarmee je je eis sterk kunt maken?'
'Een brief, die door mijn vader onder getuige is geschreven. Mijn moeder
heeft hem verstopt. Ik denk dat Lady Amberly weet dat de brief echt is. Zij
kan mij wel verachten, maar ik geloof niet dat zij gauw iets tegen mij zal
ondernemen.' Hij hoopte dat dat waar was. Roger was natuurlijk weer iets
heel anders.
'Ik hoop dat je gelijk hebt, in jouw belang.' Fox kraste met een vieze spijker
over zijn vooruitstekende tanden. 'Jullie blijven hopen dat je vader beter
zal worden.'
'Ja, en ons zal ontvangen en zal zeggen dat de eis zal worden ingewilligd.'
'Dat kan ik begrijpen. Maar dat alles heeft niets te maken met het onderwerp waar wij over begonnen zijn.'
'Ik zou voor u kunnen werken,' zei Phillipe. 'Niet alleen maar een beetje
zoals ik nu gedaan heb. Dag en nacht. Laat ons nu niet in de steek, meneer
Fox.'
De oude man trok zijn voorhoofd in rimpels. 'Jullie zouden moeten ver-
huizen naar mijn kleinste kamer.'
'Al was het de stal, als wij maar mogen blijven.'
Het ernstige gezicht van Phillipe beviel Fox. 'Nee, die kleine kamer kan ik
wel missen. Zoals ik je zei, is Lady Jane niet een van mijn favorieten.'
'Ik kan u niet genoeg bedanken, meneer Fox!'
'Dat is niet nodig. Als je hard werkt, krijg ik vanzelf wat mij toekomt.'
Phillipe fronste zijn wenkbrauwen. 'Maar er is één ding.'
'Ja?'
'Loopt u geen risico als wij hier blijven?'
'Lady Jane,' zei hij met nadruk, 'zou niet zo ver durven gaan. Er is heel wat
mis met de wetten in Engeland, op het ogenblik: als een arm kind een taart
steelt kan bijvoorbeeld zijn hand worden afgehakt. Maar over het alge-
meen zijn de wetten rechtvaardig. Zij beschermen de burger. In de tijd dat
Pitt minister was, heeft hij eens gezegd dat zelfs de koning geen huisvrede-
breuk kon plegen, tot wat voor lage stand de eigenaar van het huis ook

behoorde. Godzijdank. Dergelijke stelregels zijn de kracht en de glorie van dit land. Dat is ook de reden waarom onze broeders in de koloniën door Zijne Majesteits ministers gekweld worden,' voegde hij er met een zuur lachje aan toe.

Dat herinnerde Phillipe weer aan de opmerking van Lord North over de 'plebo-cratie'. Hij vroeg er Fox naar, die heel wat van het onderwerp bleek af te weten.

'De kern van de zaak is deze: de kolonisten beschouwen zichzelf als Engelsen, zoals ik. Zij willen dezelfde rechten hebben. Duitse George ziet de zaak anders. Hij is vastbesloten alle macht in handen te houden. De leden van het Huis van Hannover die vóór hem op de troon zaten, waren luie, losbandige lieden. Dus, toen de koning nog een kleine jongen was, stampte zijn moeder hem maar één idee in zijn hoofd: 'Je moet een *échte* koning worden, Georgie! Daardoor heeft hij de ene Eerste Minister na de andere versleten. En is hij altijd blijven zoeken naar iemand die nog gewilliger, nog buigzamer was, iemand die zonder mankeren het beleid van de koning uit zou voeren. North is zo'n man. En North stopt de regering vol met mensen van zijn slag. Ik denk dat George zelfs de rechten van het volk op dit eiland zou willen aantasten, als hij dat kon. Maar hij weet wat daar de gevolgen van zouden kunnen zijn. Engelsen vechten als zij onrecht zien.'

Als voorbeeld noemde Fox de menigte die de hekken van een tolweg in brand gestoken had, als protest tegen de hoge tol, die geheven werd door een edelman, die het recht van tol had gekocht.

'Sommige Amerikanen protesteren op precies dezelfde manier,' ging Fox verder. 'Maar dat staat George niet toe.'

'De Eerste Minister zei dat ik klonk als een leerling van Adams. Wie is dat?'

'De langste en scherpste doorn in het oog van Zijne Majesteit. Ik meen, dat zijn voornaam Samuel is. Hij wordt beschouwd als de meest onverzoenlijke en roekeloze tegenstander van de politiek van de koning, in de Koninklijke Provincie Massachusetts.'

Fox schetste vervolgens enige gebeurtenissen, die de afgelopen jaren hadden geleid tot toenemende vijandigheid tussen George III en zijn onderdanen in de koloniën.

De moeilijkheden waren pas goed begonnen aan het eind van de Zevenjarige Oorlog. De regering zat financieel aan de grond en was tot de logische conclusie gekomen dat het rechtvaardig was, dat de koloniën een deel van de oorlogsschuld zouden betalen, aangezien Britse troepen de veiligheid van de koloniën tijdens de oorlog, die raasde van India tot Canada, hadden gewaarborgd.

Een stoet van buigzame en plooibare ministers had aan de Amerikanen een reeks belastingen opgelegd. Fox noemde een belasting op suiker en een belasting in de vorm van koninklijke zegels, die op verscheidene koloniale documenten moesten worden gestempeld.

Phillipe herinnerde zich dat Girard het over dat laatste had gehad. De belastingen deden de vraag rijzen of de koninklijke regering in Londen die aan de koloniën kon opleggen zonder dat zij daar in toegestemd hadden.

'De grote moeilijkheid van hun klacht is dat zij geen stem hebben in het Parlement. Daarom behouden zij zich het recht voor te beslissen, wat er in hun eigen land wel dan niet belast wordt.'

Door koloniale protesten werd men uiteindelijk gedwongen de zegelbelasting af te schaffen, legde Fox uit. Maar toen dreef de minister van Financiën, Townshend—'Champagne Charley', noemde Fox hem met heilige afkeer—een nieuw belastingprogramma door, waarbij belasting geheven zou worden op al het glas, lood, papier en alle verf en thee, die in Amerika zou worden ingevoerd.

'En weet je wat er toen gebeurde, jongen? De brave Engelsen van overzee kwamen bij elkaar en zeiden: 'Hoepel op met je koopwaar! Wij hebben er geen behoefte aan.' De handel smolt weg als sneeuw voor de zon. Er waren nog andere, fellere protesten. Er wordt verschillend gedacht, begrijp je. Een heleboel Amerikaanse onderdanen van de koning willen alleen maar rechtvaardigheid. Dat men er mee instemt, dat zij zelf hun binnenlandse belastingen controleren. Een goed voorbeeld van die houding biedt een van hun handelsvertegenwoordigers die op dit moment in Londen is. Een geleerde, doctor Franklin. Anderen echter—speciaal de mensen in Massachusetts—haten het hele idee van een koning die hun zegt wat zij moeten doen. Adams heeft de reputatie het ergste heethoofd van Boston te zijn. In achtenzestig veroorzaakte hij zoveel onrust, dat koninklijke troepen in die plaats gelegerd werden.

Wat echter verbazingwekkend is, is dat, nadat de koloniën hun import gestaakt hadden, er aan deze kant van het water het hardst gejammerd werd. Door de kooplieden in Londen en andere grote steden. En aangezien zij grote invloed hebben, wordt er naar hen geluisterd. Dus toen North het vorig jaar benoemd werd, maakte hij een eind aan de belastingen van Charley. Behalve aan de belasting op thee. Dat was louter en alleen maar om te laten zien dat de koning nog steeds de macht heeft belastingen op te leggen, en dat de kolonisten dat maar beter niet kunnen vergeten.

'De dingen leken weer normaal te zullen worden toen Adams en zijn makkers zich opnieuw gingen roeren. Op een winternacht daagde het gepeupel in Boston de Engelse troepen uit. Er ontstonden rellen. Vijf kolonisten lagen dood in de sneeuw. Al met al is het een roerig land. Aan de ene kant trouwe Engelsen, die loyaal zijn aan de koning. In het midden anderen, die ook loyaal zijn, maar willen onderhandelen over een rechtvaardiger behandeling. En voor de rest: radicalen zoals Adams, die zeggen dat zelfs het inwilligen van alle eisen nog niet genoeg is. Die gevaarlijke man wil zelf totale vrijheid, los van het gezag van de Kroon! Natuurlijk krijgt hij die nooit, of hij zou moeten gaan vechten. Want koning George hééft een sterke wil, ondanks het zachte, Hollandse gezicht van hem. Hij zál zijn zin krijgen. Daarom laat hij dat garnizoen in Boston. En daarom zoekt hij een inschikkelijke kerel als North uit als Eerste Minister.

'Het is merkwaardig,' zei meneer Fox, terwijl hij opstond, 'maar reizigers met nieuws uit Londen zeggen, dat het overgrote deel van de kolonisten gelooft dat de koning hun vriend is. Zij geloven dat hun moeilijkheden veroorzaakt worden door het eigenmachtig optreden van de ministers. Maar niet de ministers bepalen het beleid. Dat doet de koning. Om een of andere reden begrijpen de Amerikanen dat niet.'

'Aan welke kant staat u, meneer Fox?'

Fox dacht even na en antwoordde: 'Ik geloof dat het wel billijk zou zijn om de kolonisten enige zeggenschap te geven over de manier waarop zij belast worden. Maar verder ga ik niet. Zelfs Pitt ging niet verder. De koning is de koning. Als hij op een redelijke manier zijn macht uitoefent, moeten de Amerikanen daarvoor buigen, zo niet, dan moeten zij gestraft worden. Maar kom, ik heb al te lang op mijn praatstoel gezeten. Het wordt tijd dat wij aan het werk gaan.' Hij wees naar de paardevijgen. 'Schoonmaken.'

Phillipe ging de rommel opruimen. Hij had genoten van wat Fox hem verteld had. En hij zou het leuk hebben gevonden om met hem te praten over de theorieën die in de boeken van Girard stonden. Speciaal over het contract tussen het volk en de Monarch, het contract, dat verbroken kon worden als de monarch te autocratisch werd.

Phillipe wist werkelijk niet wat hij van een en ander moest denken. Zijn uitbarsting tegen North was meer uit kwaadheid dan uit overtuiging voortgekomen. Hij wilde niet echt een lid van de 'plebo-cratie' worden. Als hij de gevaren, die in de confrontatie met de Amberly's besloten lagen uit de weg kon ruimen, zou hij in het vervolg het liefst goed gekleed, goed gevoed, rijk en beschermd willen zijn. Zo dacht hij er tenminste over op die zonnige ochtend, juni 1771, terwijl hij bezig was de paardevijgen op te vegen.

2

Juni werd juli en juli werd augustus. Het zomerweer werd benauwder. Phillipe en Alicia bleven elkaar in het geheim ontmoeten, al gebeurde het nu minder vaak, want er was veel werk te doen in Wolfe's Triumph. Marie en hij waren naar een kleine, bedompte kamer verhuisd. Marie werkte in de keuken. Het werk leek haar moedeloosheid niet te verminderen. Zij sprak weinig, ook tegen haar zoon. De zomerse hitte en het wachten drukten hem terneer. Alleen als hij zo af en toe naar Quarry Hill weg kon glippen, kon Phillipe wat vrijer ademhalen. Maar ook zijn ontmoetingen met Alicia waren minder bevredigend geworden. Zij had verteld dat de situatie in Kentland onveranderd was gebleven. Maar zij was meer op een afstand en behoedzamer geworden.

Phillipe zag onrustbarende voortekenen, dat zij weer in haar oude doen verviel en diepere gevoelens, die haar toekomst zouden kunnen bedreigen, verborg.

Op een avond lagen zij naast elkaar in het donkere bosje, na een hele tijd hartstochtelijk te hebben gevreeën.

Plotseling voelde hij haar hand hem op een ongevoelige manier strelen. Hij kon haar gezicht niet zien, maar het was duidelijk, dat zij pret had. Zij praate een beetje met een dikke tong en toen hij haar in het begin gezoend had, had hij de lucht van rode wijn geroken.

'Als Roger eens wist hoeveel plezier ik had met dit lieve sterke ding. Ik weet zeker dat het gezicht, dat hij zou trekken onbetaalbaar zou zijn.'

Geschokt duwde Phillipe haar hand weg. Dat was gepraat van een dure hoer. Hij greep haar bij de schouder. 'Je hebt beloofd dat je het hem nooit zou vertellen.'

Vuurvliegjes lichtten op in het donker. Geërgerd antwoordde zij: 'Als je mij tenminste niet, zoals nu, op zo'n onbeschaafde manier behandelt.'

Hij liet haar los en kuste haar om het weer goed te maken. Zij liet het toe. Maar zij liet haar oorspronkelijke idee niet varen: 'Roger denkt, dat de wereld van hem is en dat is alleen maar erger geworden, sinds hij een tijdje in Londen heeft gebanjerd.'

'Is hij dan terug?'

Zij knikte. 'Ik geloof echt dat het leuk zou zijn een wreed eind te maken aan zijn illusies. Maar maak je maar niet ongerust hoor. Wat ik eerder gezegd heb, meen ik nog steeds. Wij houden het geheim. Ik plaagde je alleen maar, lieveling.'

Maar nog dagen zat hij over haar opmerking te piekeren, totdat er plotseling andere gebeurtenissen plaatsvonden, die een verwoestend spoor zouden achterlaten.

Op een avond was Phillipe bezig een schotel schapevlees op te dienen. Hij was verdrietig. Vier dagen achtereen had hij geen briefje in de boodschappen-boom gevonden. Hij veronderstelde dat de aanwezigheid van Roger Alicia's vrijheid nog meer beperkte. Hij hoopte vurig, dat er geen andere reden was voor haar stilzwijgen.

Toevallig hoorde hij een opmerking van een van de landarbeiders, die aan een hoektafel zaten:

' . . . kreeg zijn loon en kon voor de rest van de dag vertrekken. Ik heb zo'n idee, dat Amberly nooit het genoegen zal smaken de tuinen te zien, die wij, naar Capability's ontwerp, aanleggen.'

Phillipe verstijfde. Hij liep naar de tafel toe. 'Is er iets gebeurd in Kentland, meneer?'

'Er hing een zwarte krans aan de deur. Men heeft ons verteld dat de hertog vroeg in de middag is overleden.'

De schotel viel uit Phillipes trillende handen. De jus spatte op de broek van de arbeider. Maar Phillipe lette niet op de vloeken en vloog naar Marie toe, die in de keuken was.

3

Zij snelden door de nacht, langs het vertrouwde jaagpad. De horizon lichtte zo nu en dan op door bliksemflitsen. Marie scheen slechts door één gedachte bezeten, die zij voortdurend hardop herhaalde: 'Zij heeft ons niets laten weten. Zelfs daar waren wij te min voor!'
Zij renden de oprijlaan op. Phillipe zag dat alle ramen verlicht waren zodat het huis wel in rep en roer moest zijn. Er hing inderdaad een zwarte krans aan de voordeur. Marie barstte in tranen uit toen zij het zag. Phillipe bonsde op de deur. De oudste lakei deed open. Hij herkende hen en zei: 'Het huis is in rouw. Buitenstaanders worden niet toegelaten.'
'Ik heb het recht hem te zien!' snikte Marie.
'Houd je mond, ordinaire slons,' snauwde de lakei en wilde de deur dicht doen. Phillipe voelde een enorme woede in zich opkomen. Maar voordat hij iets kon doen schoot Marie langs hem heen en sloeg met haar vuist op de wang van de lakei.
'Ik wil zijn lijk zien! Laat mij door!'
Haar hysterie was nu de enige zorg van Phillipe, want hij wilde haar een nieuwe vernedering besparen. Hij probeerde haar terug te trekken.
'Mama, ik weet wat je voelt. Maar wij moeten eerbied hebben voor de dode. Ga in godsnaam niet zo tekeer. Als je je beter . . .'
'Laat me los! Hij was je vader! Ik heb het recht hem te zien!'
Ineens was de lakei verdwenen. De deur ging helemaal open. Phillipes adem stokte, toen hij Lady Amberly voor zich zag.
De vrouw van de hertog was in het zwart gekleed. Zij stond daar tegen een achtergrond van ontstelde gezichten, de dodelijk geschrokken bedienden.
Toen kwam Roger door de hal aanlopen. Ook hij was in een zwart pak gekleed, dat veel weg had van het kostuum van dokter Bleeker.
De kaarsen in de hal verlichtten zijn toornig gezicht. De vlek bij zijn wenkbrauw was bijna even zwart als zijn kleren.
Hij had zijn glinsterende stok in zijn hand. De reusachtige zilveren knop flikkerde in het kaarslicht. Toen hij Phillipe in het oog kreeg, beefde hij zichtbaar. Maar niet van angst. Lady Jane greep met haar bleke hand de deur vast en zei: 'Mevrouw, u overschrijdt alle grenzen van het fatsoen. Verlaat dit huis ogenblikkelijk! En onthoud dit: mijn echtgenoot was nog even bij bewustzijn voor hij stierf. Hij droeg mij op voor zijn zoon te zorgen. Zijn *wettige* zoon. Hij heeft met geen woord over u en uw zoon gerept. U heeft niets van ons te eisen. De zaak is gesloten.'
Wit licht laaide op aan de horizon. Over de schouder van zijn moeder heen gloeide het gezicht van Roger als een gebrandmerkt doodshoofd. 'Als zij niet vrijwillig weg willen gaan, zal ik ze weg laten kruipen!'
De strenge ogen van Lady Jane en haar opgeheven arm hielden hem tegen. Zij wilde de deur dicht doen.
Phillipe was zo verbijsterd, dat hij, onvoorzichtig genoeg, zijn greep op de arm van Marie verslapte. Te laat zag hij zijn vergissing in. Met een kreet

wierp zij zich op Lady Jane en zou haar neergeslagen hebben als Roger er niet snel tussen was gesprongen en beschermend voor zijn moeder was gaan staan.

'Verlaat dit huis, Frans uitvaagsel!' gilde hij, en sloeg Marie met de zilveren knop in haar zij.

Marie wankelde achteruit.

Roger Amberly droeg die avond geen pruik. Hij had ongeveer dezelfde kleur haar als Phillipe. Het stak af tegen zijn witte gezicht en benadrukte zijn dodelijk bleke wangen. Dat was althans de vage indruk die Phillipe kreeg toen hij de val van zijn moeder probeerde te stuiten. Hij was niet snel genoeg. Marie viel schreeuwend van de pijn op de bovenste trede van de trap. Haar kreet doorboorde Phillipe als een dolkstoot. Hij greep Roger bij de keel en sleurde hem naar buiten. Roger stootte met zijn stok tegen Phillipes kin. Phillipe moest hem loslaten, wankelde naar achteren, miste de bovenste trede, graaide in de lucht en stortte de trap af tot op de oprijlaan.

Duizelig hoorde hij Rogers schoenen op de stenen trap. Twee bedienden renden langs Lady Jane om hun meester te helpen. Zwaaiend met zijn stok die een wazige boog beschreef, draaide Roger zich naar hen toe.

'Blijf staan jullie! Blijf staan zeg ik!'

De bedienden aarzelden en gingen toen weer achter Lady Jane staan. Roger sprong de trappen af en doemde op boven zijn verdoofde halfbroer. Op een haast tedere manier zei hij: 'Niemand behalve ik geeft die bastaard zijn verdiende loon!'

Met wreed leedvermaak schoot Rogers arm omhoog. Als een gek rolde Phillipe opzij. Op een haar na miste de zilveren knop zijn hoofd. Phillipe krabbelde overeind en hoorde de sissende, haast waanzinnige ademhaling van Roger. Lady Jane gilde, dat hij voorzichtig moest zijn en dat hij zich niets mocht laten aandoen door een waardeloze nul.

Maar Roger sloeg geen acht op haar woorden, evenmin als Phillipe. Zij cirkelden om elkaar heen. Een helft van Rogers gezicht werd spookachtig beschenen door het kaarslicht, dat uit het huis naar buiten scheen.

'Omdat je mijn moeder gekweld hebt, vermoord ik je,' zei hij en pakte zijn stok nog steviger vast. En met zachtere stem: 'En ook om Alicia. O ja, ze heeft me alles verteld. Ze heeft reuze over je opgeschept. Ze was zo trots op haar kleine Franse minnaar!'

Naar adem snakkend, probeerde Phillipe te verwerken wat hij zo juist gehoord had. Een van zijn grootste zorgen was werkelijkheid geworden. Alicia had hun verhouding onthuld—maar waarom? Waarom, terwijl ze toch beloofd had . . .?

Zij bleven om elkaar heen springen. Nu en dan deed Roger een uitval met zijn stok. 'Je bent bang voor me, hè?'

Flits!

'Ik kan aan je smoel zien, dat je bang voor me bent, bastaard!'

Flits!

'Maar je hebt er dan ook álle reden voor!'

Plotseling greep hij de stok met twee handen vast en sloeg op Phillipe in. Phillipe probeerde weg te duiken. De zilveren knop schampte af bij zijn slaap. Hij duizelde. Lady Jane gilde opnieuw. Phillipe probeerde Rogers voet te ontwijken, maar toch trof de trap hem in zijn lies. Dubbelgevouwen zakte hij op zijn knieën.

Een suizend geluid waarschuwde hem. Zijn twee handen schoten naar boven en konden nog juist de stokslag, die zijn schedel verbrijzeld zou hebben, tegenhouden. Vier handen grepen nu de stok vast. Slingerend kwam Phillipe overeind. Terwijl zij om de stok worstelden, overlaadde Roger hem met onsamenhangende vloeken. Maar hij was sterk. Phillipe kon de stok niet uit zijn handen wringen. Ze zwaaiden heen en weer. Roger dreef zijn knie in Phillipes onderbuik. Phillipe wankelde en moest de stok loslaten. Roger spoog hem in het gezicht en zwaaide de stok van links naar rechts. Phillipe dook en dook opnieuw toen de stok terug kwam. Het spuug plakte op zijn gezicht. Hij trok zijn rechterschouder omlaag en stootte met al zijn kracht op Roger in. Door de kracht van de kopstoot stortte Roger op de grond. Phillipe zat op zijn nek. Roger krijste en klauwde naar Phillipes ogen. Zijn gezicht was zo paars als zijn litteken geworden. Maar Phillipe kreeg de stok te pakken.

Met een hand greep hij Rogers rechterarm. Toen liet hij met al zijn kracht de zilveren knop op zijn handpalm neerkomen.

Een keer. Twee keer, nog eens en nog eens en bij elke klap ontlaadde zich meer haat en frustratie.

Gillend probeerde Marie hem te waarschuwen. Hij draaide zijn hoofd om en zag bedienden met grote kandelaars de trappen af rennen. Een had een antieke sabel in zijn hand. Maries betraande gelaat glansde als een mummie in het kaarslicht. Bezorgdheid om haar zoon had haar terug tot de werkelijkheid gebracht. Zij sjorde aan hem terwijl Roger op de grond kronkelde en met zijn linkerhand zijn rechterpols vasthield. Schuim op zijn lippen . . .

De huid van zijn handpalm lag open. Zijn bebloede vingers waren vreemd verbogen. Mijn God, dacht Phillipe angstig, wat heb ik gedaan?

Een van de bedienden had hem bijna te pakken. Phillipe scheurde zich los en zette het met Marie op een lopen, de oprijlaan af. Twee bedienden zetten de achtervolging in. Over zijn schouder kijkend, zag Phillipe de antieke sabel opflikkeren.

Toen klonk de stem van Lady Jane: 'Laat ze gaan! Zorg eerst voor mijn zoon, allemaal! Horen jullie mij? Zorg voor mijn zoon!'

Scheldend en tierend bleven de achtervolgers staan. Phillipe en Marie ijlden verder door de duisternis.

Toen zij de kruising met het jaagpad bereikt hadden, keek Phillipe om. Bij de deur zag hij nog op en neer dansend kaarslicht. Hij dacht dat hij kon zien hoe de gebogen en van pijn vertrokken figuur van Roger naar binnen werd geholpen. Hij spoorde Marie aan nog vlugger te lopen, weg van de deur, die nu dichtging en de ingang in het duister achterliet. Angst snoerde hun keel dicht toen zij terug naar Tonbridge vluchtten.

4

'Jullie situatie is hopeloos, mag ik wel zeggen,' sprak Fox met openhartige treurigheid in zijn stem, nadat Phillipe hem met horten en stoten het hele verhaal had verteld.

Bij de aanblik van Marie en haar zoon, die struikelend de herberg binnenkwamen, had Fox hen onmiddellijk naar de keuken geloodst en Clarence en de dienstmeisjes weggestuurd. Nu bracht hij hun ieder een kroes bier en versperde met zijn rug de deur naar de gelagkamer. Phillipe nam een grote slok, maar dat hielp maar weinig om de smaak van angst en verderf weg te spoelen.

'Zei je dat de zoon van Lady Jane eerst sloeg?' vroeg Fox.

'Ja. Hij gaf mijn moeder een verschrikkelijk harde klap met zijn stok.'

'Maar zij hebben getuigen en jullie niet. Zij zijn van adel, jullie niet. Jullie moeten Tonbridge zo snel mogelijk verlaten. In je eigen belang.'

'Naar de kust?'

'Nee, zij verwachten natuurlijk, dat jullie naar Dover zullen gaan. Ga in plaats daarvan naar Londen. Duik een tijdje in de stad onder. Het zal niet gemakkelijk zijn, maar het is beter dan het leven te laten.'

'Hoe komen wij in godsnaam in Londen!' tierde Phillipe, terwijl de kroes in zijn hand schudde.

Fox probeerde kalm te blijven. 'Met de diligence van morgenochtend half negen.'

'Maar wij hebben helemaal geen geld!' riep Marie.

'Ik zal jullie wat geld voorschieten, hoewel ik het slecht kan missen. Laten wij hopen, dat morgen niet te laat is. Misschien niet. Roger is nu verreweg hun eerste zorg. Ik weet zeker dat Lady Jane ervan overtuigd is dat zij jullie op elk moment kan laten grijpen. Anders had zij jullie niet laten gaan.'

'Ik geloof dat ik zijn hand verbrijzeld heb,' zei Phillipe met onvaste stem. 'Dat was niet mijn bedoeling. Maar hij viel me aan. Hij had me vermoord, als hij de kans had gekregen.'

Om Alicia . . . En hij had haar vertrouwd! En in ruil voor dat vertrouwen had zij zitten opscheppen over hun verhouding!

De bedaarde stem van Fox onderbrak zijn verwarde gedachten. 'Ik zal Clarence de wacht laten houden, dan kan hij ons waarschuwen als er onverwacht bezoek komt. Probeer wat te slapen. En als men in Frankrijk gewend is te bidden, dan raad ik jullie aan te bidden dat de verwarring in Kentland en de zorg voor Roger jullie nog twaalf uur respijt geven.'

Maar dat zou niet gebeuren. Om half acht in de morgen arriveerde de koets van de Amberly's.

VIII De val

1

Toen hij de koets in het oog kreeg, rende Fox naar het kleine kamertje om hen te waarschuwen.

Marie schrok van het nieuws. Zij liet bijna het leren kistje vallen, dat zij juist in de koffer wilde leggen. Phillipe hoorde hoefgetrappel van paarden en het dichtslaan van een portier. 'Wie is het?' vroeg hij, terwijl hij naar het ingepakte zwaard van Gil greep.

Beneden klonken stemmen. Fox werd krijtwit van angst. 'Ik heb niet de tijd genomen om te kijken. Leg dat verdomde zwaard neer en ren naar de achtertrap. Als jullie je in de stal verstoppen, kan ik ze er misschien van overtuigen dat jullie weg zijn. Snel, snél!' Hij duwde Marie de kamer uit. Phillipe liet het zwaard achter. Toen hij de kamer uit was, dacht hij er nog even aan terug te gaan om het kistje te verbergen, dat open en bloot op het bed lag. Maar hij zag er van af, omdat Fox zo opgewonden was. Zo vlug ze konden snelden ze langs de gammele trap naar buiten en renden de binnenplaats over. Er viel een lichte regen uit de loodgrijze lucht. Fox stond al heftig gebarend bij de staldeur. Hij deed de krakende deur open en wees naar binnen, waar zij in het schemerduister het gezoem konden horen van groene vliegen boven het stro.

'Ga naar binnen. Maak geen geluid, voor het geval zij gaan zoeken. Niet hoesten, en zachtjes ademhalen tot ik terugkom en de kust veilig is.' Hij sloot de deur en liet hen in het donker achter.

Phillipe vond op de tast de box, waar zij zich moesten schuilhouden. Zij kropen weg achter een versplinterd schot. Zijn aanvankelijke angst begon weg te ebben, en maakte weer plaats voor woede. Hij ging met zijn rug tegen het schot zitten en keek naar het gezicht van Marie, een gezicht dat hij nauwelijks herkende.

Zij zag er verslagen uit. Verdwenen was de kracht, die elke trek van haar gelaat spande toen zij voor het eerst, in Auvergne, het kistje achter het madonnabeeld vandaan haalde. Haar donkere ogen ontweken die van Phillipe. De aderen op haar samengeknepen handen waren opgezwollen. Bad zij?

Maar hij zou niet weten welke God machtig genoeg was om hen te beschermen tegen de toorn van mensen als de Amberly's.

Het was harder gaan regenen. Hij luisterde naar het gekletter van de druppels op het dak en naar de hijgende ademhaling van Marie. Een trieste stem binnen in hem zei: Zij heeft zich overgegeven. Zij kan de ziekte, de spanning, de angst voor het geld, de macht en de positie van de Amberly's niet langer verdragen.

Met een angstaanjagend geknars ging de staldeur open. Phillipe zocht naar een wapen. Een steen. Een stuk hout. Hij zag niets. Snelle voetstappen kwamen in hun richting. Marie kromp zichtbaar ineen. Phillipe legde zich er bij neer, dat hij met zijn handen zou moeten vechten . . .

Maar het was Clarence die aan het eind van het schot verscheen. Zijn ogen puilden uit van verbazing. 'Alleen die dikke geestelijke zat in de koets. Hij wil jullie spreken. In de kamer van mijn vader. Hij zei dat er verder niemand bij mocht zijn. Hij heeft gezegd dat jullie geen kwaad zal geschieden. Vader is enorm opgelucht, maar vraagt of jullie haast willen maken, om hem niet te irriteren.'

Ineens kreeg Phillipe weer wat meer vertrouwen. Hij hielp Marie overeind, leidde haar uit de stal en stak met haar de binnenplaats over door de neerstromende regen. Via de achtertrap kwamen zij in de gerieflijke zitkamer die Fox voor zichzelf hield. Gezeten in een leunstoel naast een fraai bewerkt kaarttafeltje waarop een enkele kaars brandde, wachtte bisschop Francis op hun komst. Hij had zijn varkenshandjes in zijn schoot gevouwen en keek tegelijk vroom en bedroefd. Van Fox was geen spoor te bekennen. Clarence verliet de kamer en sloot de deur achter zich.

De blauwe oogjes van de prelaat namen moeder en zoon een ogenblik op. Toen zei hij met zalvende stem: 'Ik smeek u mee te willen werken om deze samenkomst zo kort mogelijk te houden. Ernstige problemen vereisen mijn aanwezigheid op Kentland. Ik wil onmiddellijk ter zake komen en u de reden van mijn komst mededelen.'

Hij trok een plooi van zijn gewaad recht. 'Rond middernacht werd ik gewekt, en werd mij het smartelijke nieuws bekendgemaakt. De tragische, ontijdige dood van de echtgenoot van Lady Jane. Ik haastte mij naar het landgoed, en zond alvast mijn gebeden vooruit. Bij aankomst begreep ik hoe nodig die waren. Ik trof er omstandigheden aan, die de toch al tragische situatie verergeren. Roger werd behandeld door dokter Bleeker. Zijn verminkte hand zou wel eens nooit meer goed kunnen komen!' Terwijl hij dit zei liet de bisschop zijn ogen even op Phillipe rusten. Meer medelijdend dan veroordelend. Tenzij hij hen beet wilde nemen.

Phillipe was achterdochtig, misschien wel door de vermoeidheid en de spanning.

'Roger kan alleen maar zichzelf verwijten maken over wat er is gebeurd,' zei Phillipe. 'Hij heeft mijn moeder geslagen.'

Bisschop Francis hief zijn hand op. 'Die opmerking is overbodig. Heeft onze Gezegende Heiland niet altijd vergiffenis geschonken, wat ook de zonde of haar oorzaak was? Aangezien ik zijn bevelen opvolg, is het niet aan mij te twisten over wie er schuldig is of niet. Zoals ik, naar ik meen, al bij mijn eerste bezoek heb gezegd, moet de kerk de rol van verzoener spelen. Vredestichter. Heler van wonden. Dat is mijn opdracht; gevoegd bij het opsommen van enkele onaangename, maar helaas relevante feiten.'

Phillipes wantrouwen nam toe. Hij had er geen reden toe; maar het was er, en knaagde aan zijn geest.

'Toen ik aankwam lag de jonge Roger razend en tierend in zijn bed. O, het was een hartverscheurend gezicht! Ondanks zijn pijn maakte hij heel duidelijk wat hij van zins was. Hij wilde u achtervolgen,' zei hij naar Phillipe wijzend. 'Toen dokter Bleeker categorisch verklaarde, dat Rogers wonden dat onmogelijk maakten, en ik opmerkte dat het moreel laakbaar zou zijn, dreigde Roger anderen in zijn plaats te zullen sturen—gewapende knechten—om zijn voornemen uit te voeren en een van Gods eerste geboden te overtreden.'

'Met andere woorden,' onderbrak Phillipe de bisschop, 'hij wil mij doden of laten doden.'

'Treurig, maar waar.'

'Dat is niets nieuws.'

De bisschop schonk geen aandacht aan de bittere opmerking. 'Slechts door bidden en smeken kon ik hem tot andere gedachten brengen.'

Phillipe rilde, toen hij hoorde hoe de zoetgevoooisde kanselstem over moord sprak.

Francis vervolgde: 'Ik zou niet passief zulk bloedvergieten kunnen toestaan! Maar praktisch gesproken—en dat bedroeft mijn ziel—zou Roger natuurlijk geen vergelding te duchten hebben.'

'Wat?' riep Marie. 'Hij zou mijn zoon kunnen doden zonder gestraft te worden?'

'Hij zou zelfs niet aangeklaagd worden of een onderzoek hebben te doorstaan—volgens wereldlijk recht. Gelooft u mij, mevrouw, door u te keren tegen de Amberly's hebt u hoog spel gespeeld. Heel hoog spel. Zo'n familie is vrijwel onkwetsbaar. Niemand in de omgeving—niemand in het hele land, waag ik te zeggen—zou zich druk maken om de dood van uw zoon. Er valt geen mus van het dak, of God ziet het. Maar niet de magistraten.

Niettemin— Francis leunde naar voren terwijl zijn lippen en zijn voorhoofd begonnen te glanzen—'door mijn tussenkomst en mijn gebeden zag Roger Amberly in, en—wat belangrijker is—zag ook zijn moeder in dat wat Roger wilde doen moreel verwerpelijk was. Maar natuurlijk kan ik hen misschien maar tijdelijk weerhouden.'

Phillipe reageerde met een helderheid die de kille woede in zijn hart evenaarde:

'Als ik u goed begrijp, bisschop, vertelt u mij dat Roger mij straffeloos kan laten vermoorden, omdat ik van lagere komaf ben en hij van adel?'

'Ja, zo is het helaas.'

In dat geval, dacht Phillipe, had Girard gelijk. Dan was het zeker hoog tijd dat stormwinden het verrotte bouwsel van de aristocratie zouden omverblazen.

'Nadat Roger mij had verzekerd dat hij niet overijld zou handelen—en hij met een beetje laudanum van dokter Bleeker in slaap was gevallen—heb ik met Lady Jane overleg gepleegd, wat ons te doen stond. Zoals u zult begrij-

pen, is haar situatie een ondraaglijke marteling voor haar geworden.'
'Niet erger dan de onze,' riep Marie uit.
'Zeker, mevrouw, ik begrijp volkomen dat u onder grote druk moet staan,'
sprak hij sussend. 'Maar bedenk toch dat Lady Jane niet alleen haar echtgenoot heeft verloren, maar dat haar zoon misschien wel voor het leven
verminkt is. Zij is niet iemand die dat zo maar aanvaardt. Maar zij is een
christen in haar hart, en daar mogen wij dankbaar voor zijn. Als het er op
aan komt is zij in staat haar natuurlijke instincten te beheersen en naar een
hogere stem te luisteren, een hogere leer te gehoorzamen dan die van
Kain.'
Het was een zoetgevooisde stortvloed van woorden. Hypnotiserend haast.
En toch voelde Phillipe dat dat vrome, dikke gezicht een valstrik verborg.
'Om kort te gaan,' besloot Francis, 'ik wist Lady Jane na lange zielestrijd tot
toegeven te bewegen. Zij is bereid het verleden te vergeten als u, voor eens
en voor altijd, instemt met bepaalde voorwaarden.'
Bijna had Phillipe hardop gelachen. Hij had al eerder vermoed dat zijn
moeder en hij in staat zouden zijn een overwinning af te dwingen. Door de
woorden van de bisschop wist hij het nu zeker. Daarom kreeg hij een schok
toen hij Marie hoorde zeggen: 'Gaat u verder.'
'In mijn koets, mevrouw, ligt een beurs met tweeduizend pond sterling.
Lady Jane is met tegenzin akkoord gegaan met dat bedrag en heeft afgezien
van verdere actie tegen u . . .' De blauwe ogen waren strak op Marie
gericht, '. . . mits u, mits u en uw zoon alle aanspraken op de familie opgeeft
en terugkeert naar Frankrijk. Voorgoed.'
'Tweeduizend?' Marie was zo verbijsterd, dat zij haar zin niet kon afmaken.
'Ik vraag u dringend het aanbod aan te nemen!' Francis kwam met moeite
overeind, als een paarse berg die oprees uit een aardbeving. Hij spreidde
zijn worstvingers in een welsprekend gebaar: 'Het is niet zomaar een schikking, maar—laten we realistisch blijven—een zeer royale schikking. Zeer
royaal! Lady Jane wil niets liever dan een einde maken aan de ruzie en de
opwinding. Sluit u daarbij aan! Ik zie in uw gezicht wat dat twisten allemaal
heeft aangericht, mevrouw; de tol die u ervoor betaald hebt. Waarom uzelf
nog meer te pijnigen? Vertrek en u kunt tot het einde van uw dagen in
redelijke welstand leven! Waarom zou u uw veiligheid en die van uw zoon
nog langer in gevaar brengen? Ik heb zowel uw welzijn als dat van Lady
Jane op het oog. Aanvaard het aanbod!'
'Nee,' zei Phillipe.
Marie wierp een scherpe blik op haar zoon.
Bisschop Francis beet op zijn onderlip. Even drongen zijn tanden diep
door in het vochtige, roze vlees. Toen herstelde hij zich. Zijn droefenis
scheen groter te worden. 'O, bij de wonden van de Heer, staat hier een
tweede Kain tegenover mij? Heb ik er vannacht al niet met een geworsteld?
Heb ik niet uitgelegd wat het alternatief is van de aanvaarding van het
aanbod?'
'Ja, maar toen wij voor het eerst aanklopten bij Kentland waren de feiten

dezelfde. Amberly was mijn vader, de brief is rechtsgeldig en zij weet dat en is blijkbaar tot alles in staat om er voor te zorgen dat Roger de hele erfenis krijgt. Wat gebeurt er als ik nog een paar uur wacht? Gaat de prijs dan omhoog?' zei Phillipe smalend. 'Hij kan niet hoog genoeg zijn, tenzij hij het hele verschuldigde bedrag is. De helft!'

Abrupt wendde Francis zich van hem af en richtte zijn blikken op Marie: 'Mevrouw, u bent mijn laatste hoop. Ik kom hier met de beste bedoelingen, en moet merken dat Satans duivelskinderen hebzucht en dwaling mij voor zijn geweest. Praat met uw zoon, mevrouw. Open zijn ogen!'

Marie, die er afgemat uitzag, zei: 'Wij kunnen althans het aanbod in overweging nemen, Phillipe.'

'Zo is het, mevrouw! Dat is verstandig gezegd. Trouwens'—Francis keerde zich weer naar Phillipe, waarbij de zoom van zijn paarse gewaad opwoei—'als u wacht tot de prijs, zoals u het uitdrukt, hoger wordt, kan niemand u garanderen dat u hem nog levend in ontvangst zult kunnen nemen. Moge de hemel mij vergeven dat ik op zulk een grimmige realiteit moet zinspelen, maar het is niet anders.'

Marie knikte instemmend. Met afgrijzen zag Phillipe dat de bisschop—en de Amberly's—tenslotte haar verzet hadden gebroken.

Hij klemde zijn kaken op elkaar. 'Mama . . .'

'Begrijp je niet wat de bisschop zegt, Phillipe? Ik wil jouw leven niet riskeren!'

'En als u het aanbod aanvaardt zult u uw eigen leven redden en verrijken!' riep de bisschop uit. 'Roger zal beter worden. Lady Jane kan gaan aarzelen. Ik kan niet voortdurend, voortdurend aanwezig zijn, om op zelfbeheersing aan te dringen.' Hij sloeg zijn hand voor zijn ogen, alsof hij door een duizeling werd bevangen. Op het moment dat Phillipe dat overdreven gebaar zag, wist hij dat er een val *moest* zijn.

'Roger kan met zijn dreigementen naar de hel lopen,' riep hij uit. 'Ik ben niet bang voor hem!'

'Maar ik wel,' zei Marie Charboneau vermoeid.

Met neerhangende schouders keek zij naar de bisschop. Philippe wou iets zeggen, maar zij was hem te vlug af.

'Tweeduizend pond gaan lang mee. Wij aanvaarden het aanbod.'

'Mama, luister! Je geeft alles op waarvoor je geleefd hebt, alles wat je . . .'

'Ik wil jouw leven niet opofferen. Wij nemen het aanbod aan.'

De bisschop slaakte een diepe zucht, en zei met plechtige stem: 'Gezegend zij Gods heilige naam. Wijsheid en deugd hebben overwonnen.'

2

Phillipe keek naar het ronde gezicht van de prelaat. Fijne zweetdruppeltjes parelden op de dikke wangen. De woordenstrijd had hem afgemat. Geen enkele macht heeft overwonnen, dacht hij bitter.

De bisschop scheen weer wat bijgekomen en zei: 'Ik ga nu naar mijn koets om het geld te halen. Ik verlang alleen gelegenheid te krijgen de brief, waar alles om draait, te lezen. U zult zich herinneren dat, toen ik hem de vorige keer wilde onderzoeken, ik hem niet eens mocht aanraken.' De blauwe ogen ontweken de blik van Philippe. 'Daarom heb ik alleen kunnen zien dat het handschrift leek op dat van de hertog en dat de brief zoals vereist door getuigen was ondertekend. Ik zou een slecht rentmeester zijn als ik mij niet zou vergewissen van zijn inhoud, voor wij deze zaak tot een gelukkig einde brengen.'

Marie knikte afwezig. 'Ga hem halen, Philippe.'

'Ik zie niet in waarom dat nodig is. Lady Jane kent de inhoud van . . .'

'Haal hem,' zei Marie. Haar stem was hees geworden. Zij was de uitputting nabij.

Hij wilde weigeren, maar deed het niet. Zijn moeder had haar vechtlust verloren. Niets wat hij zou zeggen of doen zou haar angst voor zijn veiligheid kunnen wegnemen.

Hij verliet de kamer. Toen hij even later terugkwam was bisschop Francis bezig een geldbuidel uit te pakken. Hij haalde een dik pak bankbiljetten te voorschijn, terwijl hij zei: 'Op christelijke of op materiële gronden zou ik niet meer verheugd kunnen zijn, mevrouw. Met deze som kunt u echt jaren en jaren in welstand leven.' Voor het eerst verscheen weer die zalvende uitdrukking op zijn gezicht, die Phillipe zich van de eerste keer herinnerde. 'Nog even en de zaak is beklonken. De brief . . .' Hij stak zijn rechterhand uit, met de palm naar boven. Phillipe zag diamanten zweetdruppels glinsteren tussen de vetplooien van de hand. Weer werd hij geplaagd door zijn overtuiging dat er iets fout ging. Hij keek met een snelle blik naar Marie. Probeerde het haar uit te leggen, te smeken, haar te waarschuwen.

Zij zag het niet. Of wel, maar verkoos het te negeren. Zij draaide zich om. Phillipe slikte en opende het kistje. Voorzichtig haalde hij er de brief uit en overhandigde die aan de bisschop.

'Dank je, mijn zoon.'

De bisschop boog zich voorover om het Frans te ontcijferen. Met beide handen hield hij de brief vast. Hij knipperde met zijn ogen, alsof hij moeite had met lezen. Hij bracht de brief op heuphoogte, terwijl hij vol aandacht doorlas. Een zweetdruppel gleed van zijn linkeroor naar beneden. Het leek of een inwendige stem Phillipe wilde waarschuwen. Hem iets toeschreeuwde.

Boos schudde hij zijn hoofd. Wat was er met hem aan de hand? Bisschop Francis las de brief. Verder niets.

De bisschop hield de brief nu nog maar aan een kant vast. Hij draaide zijn dikke lijf naar het kaarttafeltje toe, alsof hij meer licht wilde hebben . . .

De rechterhand van de bisschop bleef naar voren komen.

Naar het licht toe.

Naar de kaars!

'Mama,' gilde Phillipe.

In dat ene, verloren, moment, stak Francis een hoekje van de brief in de kaarsvlam. Hij lachte nog altijd. In zijn ogen was iets triomfantelijks gekomen.

Een folterende seconde lang was Phillipe te verbijsterd om te reageren. Hij werd gebiologeerd door die boosaardige glimlach. Door de rook die opkringelde. Door het zachte geknetter. Toen liet hij het kistje vallen en sprong naar voren.

Maar Marie, met ogen die fonkelden als die van een heks, was hem voor. Zij was nog woester dan hij: zij was volledig in de val gelopen. Met beide handen greep zij de rechterpols van de bisschop, en trok zijn vette arm naar zich toe. De randen van de brief schroeiden al. Met verbazingwekkende snelheid schoot de on-christelijke linkervuist van Francis uit en raakte het hoofd van Marie, die op de grond viel.

Met vertrokken gezicht begon Francis haar te schoppen. Phillipe besprong hem van achteren en zette zijn nagels in de vette nek van de bisschop.

Francis gilde als een keukenmeid. Hij opende zijn rechterhand en de brief dwarrelde brandend op de vloer.

Marie had nog genoeg tegenwoordigheid van geest om, op handen en knieen, naar het document te kruipen en het vuur te doven, hoewel dat haar een kreet van pijn ontlokte.

'Stinkende, schijnheilige etterbuil,' brulde Phillipe, terwijl hij de bisschop ruw omdraaide en zijn vuist in diens dooraderde neus plantte.

De dikzak wankelde achteruit, waardoor hij de leunstoel en het tafeltje met de kaars omver stootte. De kaars ging uit.

In het sombere licht dat door de luiken naar binnen scheen, werd het gezicht van de bisschop asgrauw als rottend vlees. Onhandig wankelde hij langs de muur, terwijl hij de ene na de andere smerige verwensing slaakte. Buiten hoorde Phillipe koetsiers roepen, wielen kraken en het geluid van paardenhoeven wegsterven.

Francis wreef met zijn mouw over zijn neus, waar het bloed uit stroomde. Verdwenen was elke vrome schijn. De blauwe ogen fonkelden als die van een slang. 'Goddeloze hoerenzoon,' schuimbekte hij. 'Je zult branden in de hel, omdat je de hand geslagen hebt aan een man Gods!'

'Daar brand jij allang,' riep Phillipe. 'Zij heeft je hierheen gestuurd, nietwaar? Voor heel iets anders dan je zei. Je moest met je smoesjes en je gevlei de brief in handen zien te krijgen en vernietigen. Een bisschop zouden wij immers nooit van zoiets verdenken. Het was je de eerste keer al bijna gelukt, daarom heeft zij je teruggestuurd — verdwijn voor ik je verdomde nek breek!'

Het gezicht van de bisschop was verwrongen. Hij begreep eensklaps hoe razend Philippe was. Een dodelijk verschrikte blik verscheen op zijn gelaat. Hij rende naar de deur.

Phillipe greep de beurs en gooide hem de wegvluchtende bisschop na.

Snuivend graaide de bisschop de beurs van de grond. Zijn kleed zat onder het bloed en het slijm.

Even later was hij al de trap af en hoorden Marie en haar zoon een tweede koets wegrijden. Zij vouwde het gehavende document open. De onderkant en de laatste letters van een van de handtekeningen van de getuigen waren verkoold. De as viel op de grond. Ook een stukje van de bovenrand was verbrand. Maar het belangrijkste deel van de brief was niet beschadigd.

Er klonk gestommel op de trap. Fox kwam binnenstormen. 'Jonge gek, die je bent. Wat heb je met de bisschop gedaan?'

'Ik heb hem een klap gegeven,' snauwde Phillipe. Hij zette de leunstoel overeind en liet zich er in vallen. Hij drukte zijn vingers tegen zijn slapen.

'Maar waarom in godsnaam, jongen?'

'Hij kwam alleen maar om ons te bedriegen. Hij deed of hij een schikking wilde treffen, net als de eerste keer. Hij zei dat hij mij wilde beschermen tegen de wraak van Roger. Maar het enige wat hij wilde, was de brief. Hij probeerde hem te verbranden, zoals u kunt zien.'

Fox huiverde. 'Dan moeten de Amberly's inderdaad wel wanhopig zijn.'

'Hij bood ons geld aan,' tierde Phillipe. 'Tweeduizend pond, als wij wilden vertrekken!'

'En ik heb toegegeven. Ik heb toegegeven! Het zou nooit bij mij zijn opgekomen dat ze een geestelijke zouden kunnen omkopen.'

Verdrietig schudde Fox zijn hoofd. 'Mevrouw, ik heb geprobeerd jullie een idee te geven van de macht van die familie. Er is niets dat zij niet kunnen bevelen of laten gebeuren. Nu zullen zij mijn huis wel tot de grond toe afbranden, omdat ik jullie onderdak verschaft heb,' voegde hij er in een zeldzaam ogenblik van zelfmedelijden aan toe. Hij liep naar het raam en opende de luiken. Grijze regen plensde neer op de daken van Tonbridge.

Phillipe snelde naar hem toe. 'Meneer Fox, u bent alleen maar goed voor ons geweest. Wij vertrekken meteen.'

'Gemakkelijker gezegd dan gedaan,' antwoordde Fox, terwijl hij mistroostig naar buiten keek. 'Hebben jullie die tweede koets niet horen vertrekken? Dat was de diligence naar Londen, die precies op tijd weg ging. De volgende gaat pas morgen, om diezelfde tijd.' Hij wreef in zijn ogen, en keek verstoord. 'Het spijt me dat ik zo tegen je uitviel, jongen. Ik ga mij niet druk maken om het verlies van mijn herberg voor het zover is. Wij moeten ons druk maken over jullie veiligheid. Durven jullie hier op de volgende diligence te wachten?'

In de stilte die volgde hoorden zij de late zomerregen tegen het raam kletteren. Buiten op straat hoorden zij klokgelui en het roepen van een bakkersjongen, die met broodjes ventte.

Tenslotte zei Phillipe: 'Nee. Ik geloof dat wij maar het beste direct weg kunnen gaan.'

'Waarheen?'

'Het land in. Dan kunnen we ons in de bossen verschuilen. En u kunt zeggen dat wij vertrokken zijn, als zij ons hier komen zoeken.'

'Phillipe heeft gelijk, meneer Fox. Wij willen niet dat u moet boeten voor uw edelmoedigheid.'

Fox streek met zijn tong over zijn vooruit stekende tanden. Toen kwam er weer een vastberaden trek om zijn mond. 'Dat waardeer ik, mevrouw. Maar is het juist dat een stuk onroerend goed voorrang krijgt boven mensenlevens? Met mijn lafheid kan ik het nog wel een dag op een akkoordje gooien. Liever dan dat ik mij een schijnheilige moet voelen bij de methodisten.' Hij probeerde weer wat opgewekter te kijken, om hun een hart onder de riem te steken. Phillipe besefte, hoeveel moeite hem dat moest kosten. 'Als jullie het erop willen wagen,' zei Fox, 'dan zal ik jullie weer het plezierige onderkomen bieden, waar je al van hebt kunnen genieten. Ik bedoel de stal. Als er iemand komt informeren, zeg ik dat jullie vanmorgen de herberg hebben verlaten, wat waar is. Dan kunnen jullie morgen om half negen in de diligence glippen. Mijn aanbod de reis te betalen blijft van kracht.'

Marie Charboneau sloeg haar armen om de hals van Fox en overlaadde hem wenend met kussen en dankbetuigingen in het Frans.

De herbergier wist met zijn figuur geen raad.

Phillipe zei: Ik geloof dat het het beste is, als wij meteen de koffer gaan pakken en naar de stal brengen.'

3

Een uur later bracht Clarence hen twee kommen koude brij en twee kruiken bier. Philipe was al zover, dat hij wenste dat zij niet gebleven waren. Het werd benauwd in de stal, waar het rook naar schimmelig stro en paardenmest. Hij keek naar een spin, die zijn web weefde in een hoek van de stal. Hij dacht aan Jane Amberly, hertogin van Kentland, en vroeg zich af of het lot van de armen en machtelozen in de wereld altijd in handen lag van de hoger geplaatsten.

Was er dan geen andere weg?

Opnieuw moest hij denken aan Girard, en wat die had verteld over de storm die de wereld schoonveegde. In Kent was er nog geen briesje van te voelen. Waar mochten die winden dan wel waaien, en het kwaad wegvagen van hen die andere mensen gebruikten voor hun eigen gewin?

Een geluid uit de mond van Marie onderbrak zijn gedachten.

Zij zag er lijkbleek uit, zoals zij daar tegen de stalmuur zat met gesloten ogen. Zij had de brij niet aangeraakt, en geen slok van het bier gedronken. 'Het spijt me, Phillipe. Mijn eerzucht voor jou heeft ons een spel doen spelen dat wij nooit konden winnen.'

Hij pakte haar hand vast. 'Misschien dat wij in Londen nog een uitweg kunnen vinden.' Hij probeerde optimistisch te klinken, maar in zijn binnenste was hij alles behalve optimistisch. 'Misschien kunnen wij een barmhartige, fatsoenlijke advocaat vinden, die voor ons op wil komen. Wij zouden hem een deel van de uiteindelijke opbrengst kunnen beloven.'

Marie keek hem een paar seconden aan. 'Ik ben blij dat jij nog enige hoop koestert. Mijn hoop is haast vernietigd.'

Hij klemde haar koude hand vaster in de zijne. 'Ik heb het je gezworen, dat weet je toch?'

Met gesloten ogen knikte zij even, verbitterd. De regendruppels kletterden zonder ophouden op het dak.

Phillipe voelde de verwarring weer in zich opkomen. Toen hij Marie met valse woorden gerust had willen stellen, was weer die oude, niet te beantwoorden vraag bij hem opgerezen. Wilde hij wel worden als de Amberly's? Wilde hij het écht?

Verkild en slaperig door de vochtige lucht in de stal, worstelde hij nog met het probleem toen hij de deur hoorde kraken. Hij schrok op. Het was de herbergier.

'Een jongen heeft een boodschap overgebracht.'

'Ongetwijfeld om mij in een hinderlaag te lokken.'

'Dat is goed mogelijk,' stemde Fox in.

'Hoe luidt de boodschap?'

'Er wacht een dame op je, een kilometer verderop langs de rivier in een wilgenbosje. Haar naam is niet gezegd. Maar zij wil je absoluut zien. Het is erg dringend.'

'Wie heeft de jongen laten komen. De dame?'

'Nee, een dienstmeisje van Kentland. Zij zag hem, toen hij aan de rand van het dorp melk bezorgde, en . . .'

Phillipe krabbelde overeind en pakte Fox bij zijn arm. 'Heeft de jongen misschien ook de naam van het meisje gezegd?'

'Ik geloof . . . Betsy. Het was Betsy.'

'En wat hebt u tegen de jongen gezegd?'

'Precies wat wij hebben afgesproken. Dat jullie de herberg verlaten hebben. Het kon hem trouwens niets schelen. Hij had zijn fooi al gehad en is vlug naar zijn melkemmers teruggerend. Hé. Je gaat er toch niet naar toe?'

'Jawel, ik moet er naar toe.'

Phillipe draaide zich om om met Marie te spreken, maar zag dat zij in slaap was gevallen.

Toen hij naar de staldeur liep, waarschuwde Fox hem: 'Zoals je zelf zegt, zou het wel eens een valstrik kunnen zijn.'

'Dat weet ik. Ik zal voorzichtig zijn. Als mijn moeder wakker wordt, zeg haar dan dat ik gauw terug ben.'

'Ga door het bos langs de rivier,' riep Fox hem na. 'Blijf in godsnaam van het jaagpad weg!'

Zijn woorden verstierven, terwijl Phillipe het op een lopen zette. Door de grijze morgen. Naar de Medway en naar haar, die hij daar aan hoopte te treffen.

IX De vlucht

1

Hij wist precies waar het bosje was, aangezien hij Alicia daar al een keer eerder ontmoet had. Hij volgde het advies van Fox op en vermeed het jaagpad. In plaats daarvan rende hij tussen de bomen door langs de rivier. Telkens moest hij over kleine inhammetjes springen. Hij liep zo hard, dat hij steken in zijn borst voelde, maar tegelijkertijd hield hij het jaagpad in de gaten, voor het geval er een koets aan mocht komen, of bedienden uit Kentland, die er op uit gestuurd waren om hen op te sporen.

De soepele wilgetakken zwiepten over zijn hoofd.

Recht voor hem uit ontwaarde hij het bosje. Vlakbij boog het jaagpad van de rivier af en kronkelde om het groene heuveltje heen, waar hij voor het eerst het landgoed van zijn vader had gezien.

In het bos stonden de wilgen dicht op elkaar. Maar toch meende hij achter de groene muur van wilgetakken het silhouet van een zwart paard te zien. Dat stelde hem ietwat gerust, hoewel hij op zijn hoede bleef voor een onverhoedse aanval. Hij sprong over een laatste greppel en duwde het levende, groene gordijn van bladeren van zich af.

'Alicia?'

'Hier.'

Hij dook in het schemerige, groene hart van het bos.

Het was weer gaan regenen, maar de hoge wilgen vormden een goede beschutting.

Plotseling stond hij voor haar. Ze stond naast de schitterende hengst. Zij had het vertrouwd rijkostuum aan. Maar haar bruine haar zat in de war en haar strik was half losgegaan. Zij had een blos op haar wangen. Op haar linkerwang had zij een grote blauwe plek.

Zij zag dat hij daar meteen naar keek en lachte afwezig.

'Een klein souveniertje van mijn aanstaande. Niks belangrijks. Phillipe, ik kan maar even blijven. Deze keer heb ik echt als een dief het huis uit moeten sluipen, nadat ik eerst Betsy vooruit gezonden had. Het is mij alleen gelukt, omdat alle aandacht op de bisschop gevestigd was en—' plotseling flikkerde er angst op in haar ogen— ... 'op plannen om jou ...' Met tranen in haar ogen keek zij hem aan.

'O Phillipe, wat heeft je bezield om Francis aan te vallen?'

'De vrome schoft probeerde ons in de val te laten lopen. In opdracht van Lady Jane, neem ik aan. Hij heeft geprobeerd de brief van mijn vader te verbranden.'

114

'Hij was buiten zichzelf van woede toen hij met de koets in Kentland aankwam. Zijn hele gezicht zat onder het bloed; en de taal die uit zijn mond kwam! Smerig genoeg om een visboer te laten blozen. Je moet Tonbridge verlaten, en snel. Daarom moest ik je zien, om je te waarschuwen.'

Hij keek bitter. 'En zo je geweten te sussen. Ik weet dat je alles aan Roger verteld hebt.'

Zij verbleekte. 'Hoe ben je dat te weten gekomen?'

'Toen hij mij gisteren aanviel, heeft hij het mij gezegd.'

'Dat zul je mij wel niet gauw vergeven, neem ik aan.'

'Nee.'

'Het gebeurde per ongeluk. Tijdens het avondeten. Ik had te veel wijn op.'

'Dat schijnt nogal eens voor te komen,' zei hij bitter. Maar had meteen weer spijt van zijn opmerking. Hij begreep wel een beetje waarom zij zo vaak haar geest moest verdoven.

Alicia had snel een antwoord klaar: 'Hij tartte mij tot het uiterste, Philippe! Het gebeurde toen hij net uit Londen terug was. Hij begon op te scheppen over een meisje waar hij mee gevreeën had, een sinaasappelverkoopstertje in een theater.'

'Dus kon jij op jouw beurt niet achterblijven relaas te doen van je eigen pleziertjes. Ik twijfel er sterk aan of je dat niet van het begin af van plan was.'

Zij knikte vermoeid. 'Misschien wel. Misschien . . . Ondanks mijn belofte aan jou. In ieder geval heb ik mijn verdiende loon gehad,' zei ze, en streek over de blauwe plek. 'Daar heeft Roger wel voor gezorgd, onder vier ogen.'

'En met zo'n monster ga je trouwen?'

'Ja,' fluisterde zij. 'Elke overeenkomst heeft zijn nadelen.'

'Goeie hemel! Dat is geen overeenkomst. Dat is jezelf veroordelen tot . . .'

'Hou op Phillipe! Het is lang geleden afgesproken. Lang voordat Quarry Hill . . .'

Zij aaide hem over zijn wang. Haar hand was warm. En in staat herinneringen en gevoelens op te wekken, die zijn woede enigszins tot bedaren brachten.

'Pleziertjes,' fluisterde zij. 'Bestaat er tussen ons dan niets meer dan dat? Begrijp je dat dan nog steeds niet? Dacht je, dat ik het risico zou nemen hier naartoe te komen om je van de plannen van Roger te vertellen, als jij niets voor mij betekende? Roger is weer uit bed en is van plan zich van jou te ontdoen. Zijn hand is helemaal in watten verpakt, als een handschoen. God, ik heb hem nog nooit zo woedend gezien, als een krankzinnige! Op het ogenblik roept hij een aantal bedienden bij elkaar, die hij achter jou en je moeder aan wil sturen. Zij zullen je op zijn minst proberen te overmeesteren om de brief te bemachtigen en in het ergste geval vermoorden zij je nog ook. Hij heeft volkomen zijn hoofd verloren, zeg ik je! Jij hebt zijn hand voorgoed kapot gemaakt, zelfs Bleeker moest dat toegeven. Ik . . .' Zij aarzelde en draaide zich om.

Nog nooit had hij een spoor van schaamte op haar gezicht gezien. Nu zag hij het.

'. . . weet, dat ik gedeeltelijk verantwoordelijk ben voor wat er gebeurd is. Ik had te veel gedronken en kon zijn opschepperij niet langer verdragen.'

Nog steeds betwijfelde Phillipe of haar spijt wel echt gemeend was. Alicia had geen vrolijke ogen, maar hij kon zich levendig voorstellen met hoeveel plezier zij de waarheid over haar verhouding aan haar aanstaande echtgenoot had verteld. Hij gaf om haar. Heel veel. Maar hij moest bedroefd vaststellen, dat zijn oorspronkelijke indruk van haar voor een deel juist was geweest. Zij hád iets weg van een hoer. Natuurlijk, de hoer was elegant gekleed en had warme ogen. Maar van binnen was zij berekenend. En zij had een aangeboren opvliegend karakter.

Hij wreef over de glimmende flank van het zwarte paard, dat zijn hoofd omdraaide en wilde bijten. Phillipe aaide over zijn neus om het te kalmeren. Hij zei: 'Goed dan. Laten wij er over ophouden. Het is duidelijk, dat ik mij beter met het heden kan bezig houden. Mijn moeder en ik zijn van plan morgenochtend uit Tonbridge te vertrekken. Met de Londense diligence.'

'Zo lang mag je niet wachten! Geloof me! Verlaat het dorp. Verberg je ergens in het bos. Bij de rivier aan de andere kant van Tonbridge. Waar dan ook, maar verberg je.'

Vol walging schudde hij zijn hoofd heen en weer. 'Zij willen mij doden, terwijl zij zich zouden moeten bezig houden met de begrafenis van mijn vader. Wat een verachtelijk stelletje!'

'Je hebt ze te ver gedreven. En wat de voorbereidingen voor de begrafenis betreft . . .' haar gezicht bevroor; weer draaide zij zich om en keek door de bladeren heen naar de Medway, die bespikkeld werd door kringetjes van regendruppels.'—die kunnen wel even wachten. Totdat het belangrijkste achter de rug is.'

Hij piekerde over de verandering in haar gezicht. Hij wist zo langzamerhand wel hoe zij keek, wanneer zij iets te verbergen had. Maar zijn gevoelens waren nu te sterk om daar aan te denken. Bijna tegen zijn wil greep hij haar middel en streelde haar rug. Hij trok haar dicht tegen zich aan om haar warmte te voelen; en de geurige adem, die hij zo goed kende, te ruiken. Heel zachtjes zei hij: 'Ik wou dat je met mij mee kon gaan, Alicia.'

'Ondanks, dat ik je verdriet heb gedaan door het aan Roger te vertellen?'
'God, ja.'

Zij had tranen in haar ogen, en drukte haar hoofd tegen zijn schouder. Hij streelde haar.

'Ik . . . ik zou het ook wel willen. Maar ik heb je gezegd dat ik daar niet sterk genoeg voor ben. Ik ben geworden waar ik voor geboren ben en wat mij geleerd is. De Alicia die te veel drinkt en geheimen verklapt. Volgend jaar ben ik Rogers vrouw.'

116

Hij klonk weer bitter: 'Ik weet dat ik veel minder te bieden heb. Geen andere erfenis heb dan een stukje perkament, dat zij willen vernietigen. Geen stoet van bedienden, die ik kan bevelen moorden te plegen.'
'Alsjeblieft!'
Wanhopig rukte zij zich los.
'Je hebt van het begin af aan geweten wie ik was, Phillipe. Weet je wel hoe lang ik er over nagedacht heb alles in de steek te laten om maar bij jou te kunnen blijven? Hoe ik daar zelfs nu nog aan denk? Dat ik er zelfs zo sterk aan denk dat ik er bang van word? Dat heb jij allemaal op je geweten. Door jou ben ik de kluts kwijt geraakt en ben ik totaal veranderd.'
'Maar niet genoeg.'
Nu zijn woede weer over was drukte hij haar dicht tegen zich aan. 'Je bent niet genoeg veranderd.'
Ook in zijn ogen welden tranen op. Hij probeerde ze te onderdrukken. Hij keek haar lang in de ogen en kuste haar.
Alicia omhelsde hem met al haar kracht, zodat het zelfs pijn deed. Eén gelukzalig ogenblik lang was hij de realiteit—het gevaar van Roger Amberly, het zacht ruisen van de wilgebladeren in de regen, zijn moeder die in het dorp op hem wachtte—vergeten.
Maar na een tijdje begonnen deze zorgen weer aan hem te knagen. Hij maakte zich liefdevol los uit haar omhelzing.
'Ik hield van je, Alicia. Niets kan die waarheid te niet doen.'
'Hield?' Weer probeerde zij door haar tranen heen te lachen. Deze keer lukte het haar bijna. Ze trok haar schouders op, maar haar luchthartigheid was onecht en gemaakt. 'Kunnen we daar niet de tegenwoordige tijd van maken? Denk je dat een vrouw—zelfs een vrouw zoals ik—ooit de eerste man kan vergeten, van wie zij gehouden heeft? Ik hou van jou en ik zal altijd van je blijven houden. Ik zweer, dat ik je mijn hele leven lang dicht bij me zal voelen. Zelfs als ik met een andere man ben. Al zou ik nooit eerder de waarheid gesproken hebben, ik zweer bij de almachtige God, dat ik het nu wel doe. Wees dankbaar voor deze zomer. En ga nu, vóór ik besluit met je mee te gaan.'
Met een ruk draaide zij zich om en sprong op haar paard. Ze trok zo hard aan de teugels, dat het paard hinnikte van de pijn. Toen dook zij onder de takken door, mende haar paard de helling op naar het jaagpad en verdween.
Philllipe streek over zijn gezicht, dat nat was van de tranen en de regen, die nu door de bladeren heen kwam. Toen hij het bos uit liep bedacht hij, dat hij weer een grief tegen de Amberly's op de wereld had. Zij konden bieden wat hij niet bezat: de rijkdom en de stand, waardoor hij tenslotte de vrouw verloren had met wie hij zijn leven had willen delen.
Want ondanks haar zwakheden hield hij onweerstaanbaar veel van haar.

2

Binnen een uur nadat Phillipe Charboneau naar het dorp terug was geslopen, hadden zijn moeder en hij Tonbridge voorgoed verlaten. Zij liepen door de klavervelden, die nog nat waren van de regen. Ze waren van plan naar het noorden te trekken, naar het gehucht Ide Hill. Aan Phillipes riem hing een zakdoek waarin hij vijf shilling en wat brood bijeen had geknoopt: dat hadden zij van de herbergier gekregen voor hun vlucht. Fox had zich verontschuldigd voor de kleine gift en ze daarna gewaarschuwd voor de gevaren, waar zij voor op hun hoede moesten zijn. Struikrovers op de doorgaande wegen. De tol die betaald moest worden als zij via de tolhekken gingen of die ontdoken, als zij de tolhekken vermeden. Argwanende boeren, die zouden zien dat zij buitenlanders waren, die zeer waarschijnlijk ergens voor op de vlucht waren.

Fox had hun aangeraden appels uit de boomgaarden te gappen en kreken met zoet, drinkbaar water te zoeken. Zij konden beter niet in de dorpen van enige omvang komen, tot zij na ongeveer een week lopen in de buurt van Londen waren gekomen. Omdat het noodzakelijk was snel te reizen lieten zij de zware koffer achter in de herberg. Phillipe had het zwaard van Gil meegenomen en Marie het leren kistje. Dat was het enige wat zij bij zich hadden. Toen zij Quarry Hill naderden, zag Marie er al vermoeid uit. Ondanks de martelende herinneringen die Phillipe aan de heuvel had, besloot hij daar de nacht af te wachten. Zowel in het belang van Marie als voor hun veiligheid.

De lucht was aan het eind van de middag vredig blauw geworden. Krekels tsjirpten in de velden.

'Wij moeten vlugger lopen tot wij de heuvels hebben bereikt,' zei hij. Hij wist, dat zij op het vlakke land erg in het oog liepen.

Marie antwoordde met een tegenvraag: 'Wie was de vrouw die jou een boodschap gestuurd heeft?'

Phillipe vertrok geen spier. 'Ik wist niet, dat Fox je verteld had . . .'

'Zeker. Wie was zij?'

Hij verzon een ingewikkelde leugen. Het was een keukenmeid uit Kentland. Zij was een vriendin van een van de dienstmeisjes van de herberg. Hij had haar ontmoet toen zij een bezoek aan de herberg bracht. Om de leugen mooier te maken, verzon hij erbij dat hij in de zomer ook wel eens een paar uur had gewandeld met de jongedame. Omdat zij zo'n aardig meisje was, had zij hem op eigen risico gewaarschuwd voor de plannen die Roger beraamde.

Marie accepteerde de uitleg als vanzelfsprekend. Zij zag bleek en haar ogen waren afwezig. Ze zei met doffe stem: 'Er was nog een meisje. Een beeldschoon meisje. Wij hebben haar gezien toen wij voor het eerst in Kentland waren, weet je nog wel?'

Hij bleef onbewogen kijken, terwijl hij in het afnemend licht de horizon aftuurde. Hij zag een stipje in de verte over de heuvel gaan. Even later kon hij opgelucht vaststellen dat het een boerenwagen was.

Marie vervolgde haar toonloze dagdroom: 'Dat was het soort waar je mee had moeten trouwen. Rijk, mooi en van goede familie. Ik had zo gehoopt op een goed huwelijk.'

Om haar op te vrolijken lachte hij: 'Zo zal ik heus nog wel eens trouwen, mama. Mijn aanspraken zijn nog steeds van kracht.' Hij gaf een klapje op het kistje dat zij beschermend onder haar arm droeg.

Tegen zonsondergang bereikten zij Quarry Hill. Phillipe ging op de vochtige grond tegen een boom zitten en verdeelde het brood, dat Fox hun gegeven had. Hij gaf het grootste stuk aan Marie. Zij rilde. Zij had alleen maar een dunne wollen jas over haar nu al modderige kleren aan. Hij hoorde haar klappertanden toen zij probeerde een hap van het brood te nemen. Plotseling voelde hij dat de rollen op een vreemde manier omgekeerd waren. Zonder dat hij dat in de gaten had gehad. Nu was zij het kind en hij de volwassene, haar beschermer.

Hij hielp haar hand hand stil te houden toen zij het stuk brood naar haar mond bracht. Zij kauwde er langzaam op, als een oude vrouw.

In de verte hoorde hij paarden galopperen.

Hij liet haar achter en liep naar de rand van de heuvel. Beneden in het rode licht van de augustusavond, zag hij een half dozijn mannen in de richting van Tonbridge rijden. Hij herkende de livreien. De voorste ruiter droeg een donderbus. Zijn maag kromp ineen toen hij ze zag passeren. Toen zij uit het gezicht waren verdwenen, kroop hij terug naar Marie, die in slaap gevallen was. Hij raakte haar voorhoofd aan. Warm.

Het grootste gedeelte van de nacht waakte hij. Onder de fonkelende sterrenhemel voelde hij zich een heel klein stipje, niets eigenlijk.

Maar als hij niets was, waarom was hij dan zo bang? En waarom voelde hij zo'n haat?

DEEL TWEE

Sholto en Zonen

I De bedelaars van de St. Paul's

1

Londen! Wat een stank! Wat een gebeier van klokken! Wat een schitterende stad!

In het zachte licht van begin september keek Phillipe Charboneau zijn ogen uit: nog nooit had hij zoiets prachtigs en ontzagwekkends gezien! Zij waren de stad vanuit het zuiden genaderd en waren in het rumoerige Southwark beland. Daar waren zij dank zij Phillipes redelijke kennis van het Engels te weten gekomen dat zij de Theems moesten oversteken om in de oude stad te komen. Nu stonden zij, tegen het vallen van de avond, bij de Westminster Brug. Zij stonden midden in het gedrang van de mensenmassa. Rijtuigen met ijzeren wielen ratelden voorbij. Van beneden steeg de lucht op van de rivier, die bezaaid was met bootjes vol schreeuwende zeelui. Die lucht vermengde zich weer met de nog sterkere lucht van de voorbijgangers op de brug.

Marie liep lusteloos. Haar ogen waren half gesloten. Phillipe droeg zowel het kistje als het zwaard. Hun geld was al lang op. Zij hadden het zorgvuldig besteed aan het kopen van zure cider en suikerbroodjes in kleine, armzalige herbergjes, waar zij pas na het donker naar binnen durfden. Maar de herinnering aan die lange, slopende voettocht begon te vervagen bij het zien van het indrukwekkende schouwspel, dat zich voor Phillipes verbaasde ogen ontvouwde.

Londen! Zo'n twee à drie mijl ver, stroomop- en stroomafwaarts grensde een stoet van de meest uiteenlopende houten en stenen huisjes aan de rivier. Blinkende kerkkoepels verspreidden een gouden licht, ondanks de rook die opkringelde uit de duizenden schoorstenen.

De ene koepel, bij de bocht van de Theems, fonkelde nog magnifieker dan de andere.

Phillipe hield twee jongens staande. Zij hadden allebei korte bezems bij zich, die net zo zwart waren als hun wangen en hun haveloze kleren. Hij vroeg hun wat die imposante koepel in de verte was.

'Boerenkinkel, dat je niet eens de grootste kerk van Meester Wren kent,' spotte een van de jongens terwijl hij zijn kameraad een knipoog gaf. 'St. Paul's, let maar op dat ze je geen stukje van de rivier verkopen.'

Plotseling onttrok een draagstoel de straatvegers aan het gezicht en werden Phillipe en zijn moeder door de dragers in livrei opzij geduwd. Binnen in de draagstoel streek een heer met een pruik over de in brocaat gehulde borsten van een lachende vrouw, die hem een speels tikje op zijn pols gaf met haar stokje, waarop een domino met lovertjes was vastgemaakt.

'Mama . . .' Phillipe was gedwongen hard te praten vanwege het oorverdovende lawaai, waarin de kerkklokken overheersten. Overal vandaan klonk hun gebeier langs de roodgekleurde avondhemel. 'Wij moeten weer onderdak vinden voor vanavond. Verderop is een grote kerk. Als wij daarheen gaan kunnen wij misschien iets vinden.'

Even bewoog Marie haar lippen, ten teken dat zij hem gehoord had. Spoedig bereikten zij de overkant van de brug. Phillipe merkte dat het plotseling onmogelijk was bij de kerk te komen. Zij werden voortgestuwd in straten vol onverwachte bochten. De gebouwen reikten tot aan de hemel en onttrokken de kerk aan het gezicht.

Knarsende smeedijzeren uithangborden zorgden er op doeltreffende wijze voor, dat het resterende daglicht werd geweerd.

Bovendien waren de hobbelige straatjes gevaarlijk smal. In de meeste lag een riool in het midden. Na een paar minuten kreeg Phillipe in de gaten hoe het voetgangersverkeer functioneerde.

Wie netjes gekleed ging of sterk was en zich had gewapend met een stok of een zwaard, liep zo ver mogelijk aan de kant. De haveloze of minder stoere voetgangers baanden zich een weg door het midden, door en om de vuiligheid van de goot, die vol lag met schillen, menselijke uitwerpselen, pis en zelfs af en toe het rottend karkas van een kat.

Maar men had zowel zijn voeten als zijn ogen nodig en moest oppassen om tijdig weg te kunnen springen of duiken als er een bot of een hoop afval zonder enige voorafgaande waarschuwing naar beneden kwam. Van alle sensaties die in een groot schitterend waas op hem afkwamen, was het aanhoudende lawaai misschien nog wel de grootste.

Koetsen en karren ratelden knarsend door straten. Jonge jongens venttten met kranten en schreeuwden door blikken toeters om hun waar aan te prijzen. Voddenrapers en papierophalers lieten hun handbel rinkelen om hun aanwezigheid bekend te maken. Fakkeldragers, die hun fakkels, wegens de opkomende duisternis, al hadden aangestoken, schreeuwden dat men ruim baan moest maken. Als dat gebeurde moesten Phillipe en Marie vechten om een plaatsje tegen de muur te krijgen. Zij botsten tegen een kapper, die deftig voortstapte met een doos pruiken in zijn armen, tegen een tandeloos appelvrouwtje, dat hun overjarig fruit toeschoof en smeekte wat van haar te kopen.

De fakkeldragers liepen door en werden gevolgd door een draagstoel. Weer zo'n voorname, goedgeklede heer keek door het raampje naar buiten, zich veilig wetend voor het rumoer en de viezigheid.

Een jongeman die er uitzag als een lijk, met een geelachtige huid en smerige adem schoof een bundel bedrukte papieren onder Phillipes neus en schreeuwde: 'Nieuwe liedjes te koop! De nieuwste balladen en deuntjes!'

Toen Phillipe een stap naar achteren probeerde te doen, klampte de jongen zich aan hem vast. Phillipe ging over op het Frans en probeerde met gebaren duidelijk te maken, dat hij hem niet begreep. De verkoper wierp hem een verwensing toe, draaide zich om en klampte—de glimlach was al weer terug op zijn gezicht—een volgende potentiële koper aan.

Phillipe en Marie liepen moeizaam verder. Hij was bang dat zij de verkeerde kant op gingen, en liep op twee vrouwen af, die op een hoek stonden. Ze stonden met hun rug naar hem toe toen hij vroeg: 'Neemt u mij niet kwalijk, maar is dit de weg naar de St. Paul's?'

Hij verwachtte jonge gezichten te zien. Maar tot zijn afschuw waren het oude, die onder het blanketsel en de rouge zaten. Een van de vrouwen greep hem in zijn kruis en begon schaamteloos zo hard aan zijn penis te rukken, dat hij een erectie kreeg. De slet met het draderige haar fluisterde: 'Daar krijg je geen goeie beurt, jongeheer, maar als je een eindje meeloopt, zullen we zorgen, dat je aan je trekken komt. We zullen zorgen dat je tantetje ook het vak leert, als je soms om geld verlegen zit.'

Weer zocht Phillipe zijn toevlucht in Frans en hulpeloze gebaren als verdedigingswapens. Die tactiek wekte nog woestere vloeken op dan die van de liedjesverkoper. Iets verderop zag hij een glimp van twee logge mannen, die in de schaduw stonden te wachten. Hij vermoedde dat degene die zo gek was op de uitnodiging van de twee straatmadams in te gaan, wel iets meer wachtte dan een 'goeie beurt'. Zijn moeder en hij haastten zich verder. De avond viel en de kooplui begonnen hun winkels te sluiten. Nu gingen achter andere ramen de lichten aan. Koffiehuizen, kroegen en eetgelegenheden. Men vertelde hem dat zij nu in de oude stad waren, die dateerde uit de tijd van de Romeinen.

Het werd minder druk. Phillipe kreeg een angstig gevoel, hij begon zich verloren te voelen.

Zij staken een plein over met elegante, stenen huizen en kwamen via nog een paar straatjes bij een grote, brede weg. Hier ratelden reusachtige marktwagens uit het platteland binnen, volgeladen met geurige meloenen, kool en appelen. De vonken spatten van onder hun ijzeren wielen. Een wagen vol met geslachte koeien wemelde van de vliegen.

Phillipe kon nergens boven de daken ook maar een glimp van de grote koepel ontwaren en besloot, toen zij weer op een plein waren aangeland, een oude man aan te klampen, die op een ladder bij een lantaarnpaal stond.

'Welke kant is het op naar de St. Paul's?' vroeg hij, terwijl hij de knetterende druppels hete olie, die van de pas aangestoken pit in het kastje naar beneden kwamen, probeerde te ontwijken.

'Die kant op,' gebaarde de man en kwam verstoord naar beneden toen hij zag, dat Phillipe verward reageerde op zijn algemene aanwijzing. *Die kant* bestond uit een dozijn of nog veel meer straatjes; wie zou het kunnen zeggen in dit gigantisch web van straten en straatjes?

'Steeds maar rechtuit!' blafte de lantaarnopsteker. 'Je bent er zodra je schunnige liederen hoort en bedelaars ziet. Ik zou 's nachts nog liever de hel bezoeken.'

Mopperend sleepte hij zijn ladder naar de volgende lantaarn. Phillipe

125

merkte op, dat zulke straatverlichting alleen maar in de wijk voorkwam waar hij nu was: pleinen met veel bomen, omringd door luxueuze huizen; zodra men weer in de smalle straten en steegjes belandde was het licht verdwenen. Behalve dan het schijnsel van de alomtegenwoordige fakkeldragers, die voor hun, in een draagstoel gezeten, meesters uitliepen. Phillipe liep snel door, naar het oosten, als hij de richting tenminste goed schatte, nu de zon uit het gezicht verdwenen was.

Hij was zo vuil, dat hij stonk en hij voelde zich duizelig van de koorts, van het gebrek aan eten of van allebei. Marie was niet meer dan een woordeloos gewicht dat aan zijn arm hing. Maar toch wond het hem op. Het lawaai van de wagens, dat alleen nog maar toegenomen was sinds het donker was geworden. Het geschreeuw en het schunnige gelach, dat uit de kroegen en koffiehuizen kwam en de kreten, die hij zo af en toe hoorde en die kreten van plezier konden zijn, maar ook van pijn. Hij had zelfs in de verte het geluid van twee pistoolschoten gehoord.

Hoelang zijn moeder en hij nu al ronddwaalden, wist hij niet.

Hij hoorde grote klokken elf slaan toen zij tenslotte een hoek omsloegen, en een weidse geplaveide ruimte voor zich zagen. Aan de overzijde verhief zich de majestueuze kerk die hij al even vanaf de brug had gezien. Dit was ongetwijfeld het St. Paul's plein. Op de straat bij de talrijke gesloten stalletjes, tentjes en winkels, die de open ruimte omgaven, lag een grote menigte kreupelen en half-invaliden. Sommigen stonden op en gingen met uitgestoken handen om hem heen staan: 'Een aalmoes alstublieft, meneer. Gedenk de armen en bewaar hen voor de vloek van de gevangenis!'

Phillipe baande zich een weg door een aantal van die opvallend behendige wrakken van alle leeftijden en graden van vervuiling. Hij stapte tussen Marie en een schunnige, slijmerige hand die naar hen probeerde te grijpen.

Hij maakte een dreigend gebaar. De bedelaars weken terug terwijl ze naar zijn voeten spuwden en hem uitvloekten. Hij hielp Marie de grote stenen trappen naar de ingang opklimmen en trok aan een van de kloppers. De kerk was voor de nacht gesloten.

Hij draaide zich om en liet zijn blik over het plein gaan. Onder het zwakke schijnsel van een lantaarn zaten een paar straatzangers. Zij lieten de ginfles rondgaan onder het zingen van de meest godslasterlijke en vunzige coupletten, die Phillipe ooit gehoord had.

Het was kil geworden. Het rumoer van Londen was afgenomen. Hij bedacht hoe vriendelijk dat achtergrondlawaai was gaan klinken, toen zij door het labyrint van straten liepen. Slechts af en toe klonk in de verte nog het knarsen van karrewielen of geroep. Op de lantarens van de bedelaars na, was er haast geen licht. Even zag hij in de verte, als een vuurvliegje, het flakkeren van een fakkel, toen was het weer verdwenen. Op een donker deel van het plein hoorde hij het geluid van schuifelende voeten. Hij spitste de oren.

Hij hielp Marie tegen een pilaar van het voorportaal te gaan zitten. Ze

mompelde een paar onverstaanbare woorden. Phillipe wreef over haar
voorhoofd. Het gloeide. Maar zijn voorhoofd was niet veel koeler. Hij had
weer pijn in zijn buik, hoewel zijn maag toch al aardig gekrompen was.
Zijn mond was kurkdroog. De stank van zijn eigen lichaam stond hem
tegen. Hij was blij dat Marie direct in slaap gevallen was. Haar versleten
wollen jas was haar enige bescherming tegen de avondkou. Weer hoorde hij
het *schuifel-schuifel* van in lompen gehulde voeten; en sissende stemmen.
De bedelaars.
Hij rook ze al voordat hij ze zag. Langzaam kwamen zij de trappen op in
het donker. Stinkende schimmen, in lompen gehuld. Hij hoorde beverige
oude stemmen. Maar ook jongere. *Sjff-Sjff* deden de naderende voeten.
Plotseling werd een stem hoorbaar: '. . . klein kistje. Konden wel eens
juweeltjes in zitten. En ook een lang pak. Zou wel eens een zwaard kunnen
zijn, Generaal.'
'En de arme heeft dat soort spul meer nodig dan vreemdelingen, wat zeg
jij?'
'Da's een waar woord, Generaal, da's een waar woord.'
Phillipe hoorde een raspende lach.
De straatzangers hadden hun lantaarn uitgedaan en waren in slaap gevallen. Het was stil geworden op het St. Paul's plein.
In de kerk hadden zij misschien een schuilplaats kunnen vinden. Hier buiten waren er alleen roofdieren in mensengedaante, die grinnikend de ste-
nen trappen op kwamen schuifelen.
Net nog niet te laat haalde Phillipe Gils zwaard uit het pak.

2

Hij telde er acht of negen, die in een halve cirkel om hem heen kwamen
staan. Zij zagen er haveloos uit in hun versleten kleren. Het licht van de
sterren, boven de daken, maakte niet veel meer dan de omtrekken van hun
gestalten zichtbaar. Maar hier en daar kon hij een detail onderscheiden.
Een etterende wond op een wang; de vale revers van het oude uniform, dat
gedragen werd door degene die zichzelf voor Generaal uitgaf. Phillipe kon
diens gelaatstrekken niet onderscheiden. Maar hij was behoorlijk lang. Op
zijn hoofd glansde iets zilverigs, een vuile pruik. Waarschijnlijk gestolen.
De pruik hing tot over zijn linkeroor, zodat het hoofd van de Generaal een
merkwaardige scheve aanblik vertoonde. Iets van metaal glinsterde in zijn
rechterhand. Een zwaard? Maar zo kort . . . Toen zag Phillipe dat het lemmet halverwege het heft afgebroken was. Een gemeen wapen.
Zijn adem floot tussen zijn tanden, terwijl hij de schede van zijn eigen
zwaard tussen zijn voeten liet vallen. Hij schopte het naar achteren en
wachtte af hoe het spel gespeeld zou worden. Een van de bedelaars wees
met een bevende hand in zijn richting.

127

'Da's inderdaad een echt zwaard dattie heeft, Generaal. Daar geeft de heler een mooi sommetje voor.'

'Luister eens meneer!' kondigde de Generaal aan terwijl hij een trede hoger klom en met zijn gebroken zwaard zwaaide. 'Wilt u dat als beloning aan m'n armenleger overdragen? We zijn nog maar een paar stappen verwijderd van de gijzelingsgevangenis, de Fleet, begrijpt u wel? Als ik die kostbaarheden kan versjacheren, zijn mijn troepen hier tot Kerstmis of langer onder de pannen.'

'Ga weg,' waarschuwde Phillipe en ging een stap dichter bij de pilaar staan waar zijn moeder ingedut was. Marie mompelde iets. Phillipe was bang, dat zij te veel in het oog liep. Maar hij was dankbaar dat de realiteit van de situatie door de koorts aan haar voorbij ging. Hij herhaalde zijn waarschuwing: 'Scheer je weg!'

'Wat een gek geluid maakt-ie-als-ie-praat, vinnu niet, Generaal?' vroeg een van de anderen. 'Hebbe we soms een Franse rat gevangen, die het kanaal is overgestoken?'

'Destemeer reden om zich over te geven aan de sjoldate van Sjijne Majesteit,' zei de Generaal instemmend en klom nog een trede naar boven. Hij was nu twee treden van Phillipe af. 'Geef ons die dingetjes maar, dan kom er geen militaire represjaille tegen dat oue mensj daar.' Twee haveloze spoken aan de rechterkant van de cirkel—Phillipes linkerkant—renden plotseling de trappen op. Hun handen schoten uit naar het kistje in Maries schoot.

Phillipe had geen tijd om zich ook maar de eerste beginselen die Gil hem met de stok had geleerd te herinneren. Hij had alleen maar tijd om zich om te draaien en een houw met zijn zwaard te geven.

Het lemmet kliefde tot op het bot. Een van de twee gilde en viel met half afgehouwen pols op zijn knieën.

'Dan geen pardon!' riep de Generaal haast verheugd. 'Ten aanval, mannen—ten aanval!'

Het bevel was totaal overbodig. Terwijl de gewonde bedelaar de trappen afrende onder het jammeren van verwensingen, kwam de rest van de troep als één man op hem af. De cirkel sloot zich om hem heen, met de Generaal in het midden. Hij stond zo dicht bij Phillipe, dat deze zijn verpeste adem kon ruiken. Phillipes zwaard schoot omhoog om een slag van de Generaal te pareren.

De zwaarden kletterden. Vonken spatten in het rond.

Handen grepen Phillipe bij zijn enkels en benen, waardoor hij zijn evenwicht verloor. Hij viel op de trappen, zijn hoofd sloeg tegen een steen. Een bedelaar stampte op zijn buik. De Generaal maakte met zijn afgebroken zwaard een beweging naar zijn ogen.

Ondanks de pijn in zijn middel wist Phillipe nog net zijn hoofd opzij te draaien, zodat het zwaard van de Generaal vonken van de trap deed opspatten. Phillipe gaf een stoot met zijn rechterarm en merkte tot zijn genoegen dat het zwaard van Gil door vodden heen in een dij sneed. Weer een bedelaar die jankend en strompelend de aftocht moest blazen. Maar de rest zat bovenop hem, op zijn benen en op zijn onderbuik. De Generaal knielde bij zijn hoofd. Een klauwachtige hand greep hem bij zijn haar, trok zijn hoofd naar voren en liet het met een klap op de trap neerkomen. De andere bedelaars spreidden zijn armen en benen uit, grepen zijn rechterarm en begonnen aan zijn pols te krabben en te klauwen. Phillipe moest zijn hand openen. Hij verloor het zwaard. De scheve pruik van de Generaal doemde onheilspellend voor hem op. De omtrekken van zijn gezicht werden helder verlicht door een plotseling opgekomen roodachtig schijnsel achter hem.

'Snijd ze allebei de gore nek af!' hijgde hij, en stootte met zijn zwaard naar Phillipes nek.

Tegelijkertijd riep een andere stem onder aan de trappen: 'Laat toch Ezau! Het zijn onze zaken niet!'

Weer draaide Phillipe met alle kracht zijn hoofd opzij. Het zwaard van de Generaal verwondde zijn keel aan de linkerkant. Een heftige pijnscheut schoot door hem heen. Op hetzelfde moment hoorde hij een harde, flinke klap.

De Generaal werd van achteren neergeslagen en viel bovenop Phillipe. Een gerafelde epaulet kietelde Phillipes neus, terwijl hij probeerde zich onder de last vandaan te worstelen.

De Generaal rolde zich van hem af en wankelde op handen en voeten, terwijl hij zijn voorover hangend hoofd heen en weer schudde. Zijn pruik hing nu nog schever, over zijn linkerwenkbrauw.

'Bij de godvergeten kloten van de martelaren, wie heeft me geslagen?' kreunde hij. Nog meer gewicht werd van Phillipes armen en benen afgehaald. De bedelaars sprongen op en renden naar het plein terug.

Door een waas zag Phillipe twee stevige figuren. Een stond op de trap en zwiepte met een zware stok in het rond, hier een hoofd, daar een scheen rakend. De andere, op het plein, deed niet mee. Hij vormde een onbeweeglijk silhouet tegen de bron van het roodachtig schijnsel, de toorts van een fakkeldrager.

De aanvaller sloeg en mepte op de bedelaars in en brulde: 'Addergebroed! Jullie zouden zelfs de lendendoek van Christus aan het kruis stelen!'

Eentje die niet vlug genoeg weg kon komen kreeg een enorme klap tegen zijn slaap. De man zakte als een pudding in elkaar.

Phillipe ging overeind zitten. Zijn hoofd begon iets helderder te worden. Plotseling werd door een geluid zijn aandacht naar Marie getrokken. De Generaal had zijn gebroken zwaard weten te behouden en nam het nu in zijn linkerhand terwijl hij naar het kistje kroop. Phillipe zag dat zijn eigen zwaard door een bedelaar werd weggedragen, wiens lompen onder het rennen opwoeien. Phillipe lette niet op de warme, kleverige massa die langs zijn nek in zijn boord sijpelde. Hij vloog achter de dief aan. Op het plein kreeg hij hem te pakken en greep hem om zijn middel. Beiden vielen ze om en rolden worstelend naar de voet van de trappen. Phillipe ranselde met zijn vuist op het achterhoofd van de man en hoorde het kraken van tanden op het plaveisel. Toen stond hij weer overeind met het zwaard van Gil veilig in zijn bezwete hand.

De grote vreemdeling had weer twee andere ongelukkige bedelaars te pakken en roste ze om de beurt af. Het waren nog maar jongens, zag Phillipe in het licht van de druipende fakkel. Maar hij voelde geen medelijden, en had daar trouwens de tijd niet voor.

De Generaal snelde met in de ene hand zijn zwaard en in de andere het kistje van Marie de trappen af op weg naar het veilige duister achter de fakkel.

Phillipe zette het op een lopen, haalde de man in en doodde hem met een steek in de rug. De Generaal viel plat voorover, met de zijkant van zijn gezicht tegen het plaveisel. Zijn mond viel open en de inhoud van zijn maag kwam naar buiten met een geweldige stank.

De grote onbekende op de trappen hield even op om te kijken of hij nog meer vijanden kon vinden; hij zag er geen. Hij liep naar Phillipe terwijl hij met zijn stok tegen zijn nauwe broek sloeg. Ondertussen naderde zijn metgezel met de fakkeljongen en boog zich over de Generaal. Phillipe pakte het kistje op. Tot zijn opluchting zag hij dat het nog heel was.

De man die niet had meegevochten zei met een dikke tong tegen de andere: 'Nu is er een moord gepleegd, Ezau. Aan wie moeten we dat uitleggen?'

'Aan niemand, Hosea. Want niemand kan het iets schelen. Ongedierte verdelgd, dat is alles. Ze zijn toch al de pest voor de buurt. De brave geestelijken die veilig achter slot en grendel in de kerk zitten, kunnen morgen beslissen wat ze met het lijk zullen doen. Laten ze dankbaar zijn dat fatsoenlijke burgers hun heiligdom beschermen.'

'Maar de jongen . . .'

'Onze fakkeldrager heeft niets gezien. Niets gehoord!' De forse jongeman, die zijn haar in een knot droeg, draaide zich naar de haveloze fakkeldrager: 'Niet waar?'

'Zeker, meneer Sholto. Uw geld in mijn zak zorgt daar wel voor.'

'Laten we dan maar naar huis gaan,' mompelde de tweede nog steeds met een beetje dikke tong. Hij vertoonde een sterke gelijkenis met zijn metgezel met de stok. Hij had dezelfde brede schouders en dezelfde zware, vierkante kaak, hoewel hij iets jonger leek. Een- of tweeëntwintig misschien. Enigszins gemelijk voegde hij er aan toe: 'Als het aan jou ligt, zouden wij alle arme lui in Londen wel kunnen gaan redden.'

'Alleen degenen die onrechtvaardig worden behandeld, Hosea.'

De jongeman met de stok liep naar Phillipe. Hij had een stompe kaak, een brede neus, dikke wenkbrauwen—en plotseling een vriendelijke grijns op zijn gezicht. 'Ik hoorde het rumoer toen wij de hoek omkwamen, meneer. Ik zag, dat u zich dapper weerde, in aanmerking genomen dat zij in de meerderheid waren. Ik ben Ezau Sholto. Deze enigszins aangeschoten jongeman is mijn broer, Hosea. Het is een goeie jongen, maar geen partij voor straatvechters.'

130

'Ik ben u beiden zeer dankbaar,' zei Phillipe. 'Ik denk dat zij ons gedood zouden hebben.' Hij boog zich voorover en veegde Gils zwaard af aan de gevlekte rug van het smerige uniform van de Generaal.

Even keek hij naar de afgrijselijke wond die zijn zwaard had achtergelaten. Misschien kwam het door de koorts of door de uitputting, maar hij voelde niets. Hij was heel wat veranderd sinds hij in het bos Gils zogenaamde ontvoerder had gedood. Niks aan te doen. Het was kennelijk de prijs die men moest betalen om te overleven.

Met het zwaard en het kistje in zijn armen geklemd zag hij hoe Ezau Sholto een spatje van zijn kanten kraag veegde, terwijl hij zei: 'Ja, meneer, zij zouden u gedood hebben. Daarom blijven verstandige mensen 's nachts veilig achter de gesloten luiken zitten. Behalve als de ene broer de andere moet vergezellen om er op toe te zien dat deze het familiekapitaal niet vergokt aan de nieuwe kaarttafel in White's pub. Wilde u bij die pilaar blijven slapen?'

Phillipe knikte. 'We zijn vanmiddag in de stad gekomen. Een kerk leek een goede plaats.'

'Nee, geen enkele straat of kerk in Londen is veilig als het donker is. Maar die les heeft u nu wel geleerd, nietwaar? U spreekt geen gewoon Engels. Komt u uit Frankrijk?'

Phillipe wist dat hij voorzichtig moest zijn. 'Oorspronkelijk, een paar maanden geleden. Vorige week hebben we besloten hierheen te reizen uit'—hij aarzelde even —'het zuiden.' Het draaide voor zijn ogen. Hij zag een dubbel hoofd op Ezau Sholto's stoere schouders.

Hij knipperde met zijn ogen om het waanidee kwijt te raken, toen Hosea tussenbeiden kwam. 'Lieve God, Ezau, wil je dat wij hier de hele nacht boven op een vers lijk blijven staan kletsen? Zelfs die gore zangers die daar aan het slapen waren, hebben meer verstand dan jij. Ze zijn er vandoor gegaan.'

Ezau legde een hand op de schouder van zijn broer. 'Ik durf te wedden dat we helemaal geen problemen hadden gehad als het mijn avond was geweest.'

Hosea snoof. 'Lente! De Vauxhall Tuinen zijn open. Een uur lang afschuwelijke orkestmuziek, en dan naar huis, naar bed, vroeg en verveeld.'

'Hosea, je bent een benepen jongmens, je denkt aan niets anders dan aan gokken en rokken. Als je mijn broer niet was zou ik je een door en door verfoeilijke kerel vinden. Zoals de zaken nu liggen vind ik je maar half verfoeilijk. Komen de zondagse preken dan nooit verder dan je oren?'

'Aangezien ik meestal een dutje doe . . .'

'Hoe vaak heeft vader ons het verhaal van de Barmhartige Samaritaan niet voorgelezen?'

'Duizenden keren,' zuchtte Hosea Sholto. 'Om te genieten van het prachtige Engels.'

'En om een paar lessen in je dikke schedel te beuken. Hij heeft jammerlijk gefaald.'

131

Even stond Hosea met zijn mond vol tanden.

Ezau vroeg aan Philippe: 'Heeft u werk in de stad?'

'Nee, meneer. Maar ik neem aan dat ik wel iets kan vinden. U bent erg behulpzaam geweest, doet u verder geen moeite.'

'Dank u wel, maar ik doe net zolang moeite als ik dat wil! Sta mij toe dat ik u in de gauwigheid nog een advies geef. Slaap vannacht ergens anders. Hier ver vandaan. De bedelaars van de St. Paul's vormen een merkwaardige broederschap. Zij onthouden gezichten. Zelfs stemmen. Wat hun aangedaan is vergeten ze nóóit. Zo zijn geruïneerde, drankzuchtige armen. Als je er weer een paar tegenkomt zul je het niet makkelijk hebben. Net zo min als de vrouw die je wilde beschermen. Wie is dat?'

'Mijn moeder.'

'Nog steeds in slaap,' zei Ezau met verbazing in zijn stem.

'Het gaat niet goed met haar.'

Hosea sloeg zijn blik naar de sterren terwijl Ezau met zijn dikke vingers in zijn vestzakje frommelde. 'Ik kan wel iets missen, zodat jullie morgenavond onder dak kunnen komen. Ik ken geen respectabele herbergier die jullie nu zo laat nog binnenlaat. Ik raad jullie aan om terug naar het westen te lopen, naar Mayfair. Daar zwerven zelden bedelaars rond.'

Plotseling weergalmde op het St. Paul's plein het gebeier van de grote klokken. Hosea stampvoette. 'Verdomme, Ezau, het is al twaalf uur.'

'Goed, goed, ik kom er aan!'

Ezau gaf twee koperen munten aan Phillipe. 'Hier en dat het lot je welgezind moge zijn. Laten we hopen dat Londen je op andere nachten gastvrijer zal ontvangen. Er is werk genoeg voor ijverige jongens.'

Met een toegeeflijk lachje liet Ezau Sholto de munten in Phillipes hand vallen. Maar vreemd genoeg kon deze zijn hand niet sluiten. Ineens klappertandde hij. Golven van vermoeidheid en daarna misselijkheid overspoelden hem en ontnamen hem alle kracht. Hij viel voorover tegen Ezau Sholto aan. Het geld, het kistje en het zwaard vielen uit zijn handen. De munten rolden over het plaveisel terwijl hij op zijn knieën ineenzeeg aan de voeten van Ezau.

'Wat nu?' riep de jongeman. 'Zijn moeder is blijkbaar niet de enige die er slecht aan toe is.' Phillipe voelde een eeltige handpalm tegen zijn wang. 'Allemachtig, zijn hoofd is zo heet als de bodem van een ketel op het vuur.'

Phillipe prevelde excuses, en probeerde op te staan, maar dat lukte niet.

Ezaus stem echode van heel ver weg: 'En die jaap in zijn nek moet nodig verzorgd worden.'

'Wel verdraaid, ik neem aan dat je de duurste dokter van Londen wilt ontbieden!' klaagde Hosea.

Phillipes hoofd bonsde en suisde. Hij zag alleen een wazige gloed, alsof de fakkel in de mist was verdwenen. Hij grabbelde blind om zich heen totdat zijn hand op Maries kistje stuitte.

'En waarom niet?' wierp Ezau terug. 'Voor de afwisseling heb jij eens gewonnen met kaarten. Wij hebben kamers genoeg. Neem die vrouw mee, gierige ellendeling. En snel, anders geef ik je net zo'n pak slaag als die bedelaars!'

Hosea's stem week terug: 'Lieve God, wat zou ik zijn als jij niet mijn geweten was?'

'Een zuiplap, altijd blut, en besmet door de syfilis—onnoemelijk verachtelijk.'

Grote handen steunden Phillipe onder zijn armen. Het misselijke gevoel maakte plaats voor bewusteloosheid.

3

Een zoldering met balken, donker van de ouderdom. Onder zijn hoofd een verbazingwekkend zacht veren kussen.

En nog andere sensaties. Tegen zijn benen kriebelde een wollen kledingstuk. Een nachthemd? Een dikke pleister op zijn nek, waar het zwaard van de Generaal hem verwond had.

Het bed was ongelooflijk warm en behaaglijk, dank zij het veren dekbed. Maar zo af en toe trilde het bed door zwaar gedreun, dat van beneden kwam. Hij rook iets heets en geurigs en richtte zijn blik op een aardewerken kopje in de kleine hand van een vrouw met een kapmuts op, wier gezicht een wirwar van rimpeltjes vertoonde.

'Kun je dit drinken?' vroeg de vrouw. 'Ezau zei dat je Engels spreekt hoewel je een Fransman bent. Versta je mij?'

Hij knikte, verbaasd dat hij zich in zulke luxueuze omstandigheden bevond.

'Ik heb zo'n idee dat je een tijd niets gegeten hebt,' zei zij.

Phillipe knikte.

'Daarom zullen wij voorzichtig beginnen, met een beetje zwarte Bohea.'

Met een hand ondersteunde zij zijn hoofd en met de andere hand hield zij het kopje aan zijn lippen. Hij nam een grote slok en moest proesten. De vrouw lachte. 'Langzaam, langzaam!'

Zo maakte Phillipe kennis met de drank, die later het symbool zou worden van het toevluchtsoord dat hij gevonden had. Hoe dat er precies uitzag kon hij nu nog niet weten.

Hij dronk nog meer sterke thee, bedankte de vrouw en zei daarna: 'Mijn moeder was bij me . . .'

'Zij slaapt. Aan de andere kant van die muur. Als ze rust houdt zal ze wel opknappen, denk ik. Ik heb meneer Sholto vijf kinderen gegeven, maar alleen de twee zonen zijn in leven gebleven. De drie meisjes zijn vroeg overleden. Aangezien wij dit huis voor een groot gezin hebben gekocht, hebben wij nu aan ruimte geen gebrek.' De kleine vrouw zei dit allemaal zonder een spoor van zelfmedelijden.

Voor zij wegging zei zij nog: 'Mijn zoon Ezau heeft het gezonde verstand van zijn vader. Hosea is ook een goeie jongen, maar hij drinkt te veel. Meneer Sholto heeft hem zes slagen met het rietje gegeven omdat hij gisteravond met zoveel tegenzin heeft geholpen. Hosea heeft toen zijn excuses gemaakt. Probeer nu wat te slapen als je kunt.'

Met deze woorden verliet zij de kamer en sloot de deur achter zich. Phillipe voelde zich weer doezelig worden. Hij nestelde zich behaaglijk tegen het kussen en vond het nog steeds verwonderlijk dat hij zich zo veilig voelde. Vooral vond hij het een wonder, dat kennelijk niet de hele wereld werd bevolkt door Amberly's. Zo af en toe dreunde het nog beneden. Terwijl hij zich afvroeg waardoor dat toch veroorzaakt werd, viel hij—eindelijk eens niet bedreigd door de buitenwereld—in slaap.

4

Drie dagen lang moest hij van mevrouw Emma Sholto in bed blijven. Hij mocht alleen opstaan om de po te gebruiken.

Een paar keer kwam de breedgeschouderde Ezau kijken. Zijn broek en zijn wambuis, dat hij over een hemd met lange mouwen droeg, zaten onder de zwarte smeer. Hosea kwam ook een keer, nogal schaapachtig, kijken. Ook hij zat onder de zwarte vlekken en het smeer. Hosea zei dat hij hoopte dat de gasten goed verzorgd werden en op krachten kwamen. En met een lachje voegde hij er aan toe: 'Ezau zegt altijd dat ik niet tegen port kan. Je begrijpt toch wel dat ik een beetje dronken was op het kerkplein.'

'Het was echt niet duidelijk aan je te merken,' lachte Phillipe terug.

Hosea keek gekweld. 'Sommige mensen vallen, anderen braken, maar ik blijf gewoon doorlopen, zonder enige aandacht voor iemand anders dan mezelf. Meneer Sholto heeft me vaak met het rietje op mijn billen gegeven, bij wijze van tuchtiging.'

'Dat zei je moeder, ja.'

'Ik heb ook extra avondwerk gekregen. Misschien wel goed voor mij. Dan kan ik tenminste niet zoveel van wat ik verdien in de clubs verspillen. En kunnen onze nieuwe edities sneller uitkomen. Maar ik ben er niet helemaal zeker van of meneer Sholto me voor straf meer uren liet maken of om meer te verdienen.'

Phillipe ging wat rechter overeind zitten in bed. De pleister jeukte. 'Edities? Bedoel je boeken?'

'Wat anders? Herken je deze helse zwarte pasta niet?' Hij liet zijn besmeurde handen zien. 'Je doet er uren over om het onder je nagels vandaan te schrobben. Ik dacht dat je ook wel het gedreun van de drukpers zou hebben gehoord.'

'Jawel, maar ik kon het geluid niet thuisbrengen.'

'We werken beneden en wonen boven. Dit is Sholto en Zonen, Drukkerij

en Papierwinkel in Sweet's Lane. Een paar stappen van waar wij je gevonden hebben. Nou, ze hebben mij gezegd je niet te vermoeien. Ik wou me alleen verontschuldigen voor die avond.'
Phillipe lachte. 'Da's niet nodig.'
Met een grijns op zijn gezicht stak Hosea zijn hand op en vertrok. Phillipe overdacht zijn nieuwe situatie en viel weer in een diepe, ontspannende slaap.

5

Op de avond van de vierde dag van Phillipes verblijf in het huis van de Sholto's kwam de heer des huizes zelf voor de eerste keer kijken. Als hij tenminste niet eerder was komen kijken zonder dat Phillipe dat had gemerkt. Om de waarheid te zeggen, zou hij het niet eens hebben gemerkt als er een diligence door de kamer was gedenderd. Zó had hij zich overgegeven aan slaap en geborgenheid.
Meneer Sholto was een kleine man zonder de brede schouders van zijn zoons. Beiden kwamen achter hun vader aan en gingen achter hem staan terwijl hij op de enige stoel in de eenvoudig ingerichte slaapkamer ging zitten. Meneer Sholto viel vooral op door zijn buitensporig dikke buik, die in geen enkele verhouding stond tot de rest van zijn lichaam, door zijn strenge bruine ogen en door de geur van inkt die hij met zich mee droeg. De drukker onderwierp Phillipe aan een lange onderzoekende blik, alsof hij indrukken van hem wou verzamelen alvorens met een gesprek te beginnen. Zijn kleine, gerimpelde vrouw verscheen met een dienblad. Schapepastei met een knapperige korst, en geroosterde appel en een kopje onvermijdelijke Bohea.
'Welnu, meneer, ik ben Solomon Sholto,' zei de man met het grijze haar tenslotte, terwijl Phillipe gretig op de pastei aanviel.
'U bent Fransman, heb ik begrepen. Uw moeder ligt in de slaapkamer hiernaast en u bent beiden aangevallen door die goddeloze schooiers, die in het donker bij de St. Paul's rondhangen. Dat is zo ongeveer wat ik weet. Voelt u zich goed genoeg om mij meer te vertellen?'
'Allereerst, meneer Sholto, dat wij voor altijd bij u in de schuld staan voor uw vriendelijkheid. Ik wou dat wij iets terug konden doen.'
'Wie heeft daarom gevraagd? Wij vervullen onze plichten ten opzichte van onze medemensen, volgens de regels van de Schrift.' Even keken de bruine ogen Hosea aan, die op het uiterste eindje van het bed was gaan zitten totdat zijn vader zijn richting uitkeek, waarop hij onmiddellijk opstond, en zijn handen, die onder de inkt zaten, in elkaar sloeg, eerst vóór zich en toen achter zijn rug. De grote Ezau, die tegen de muur leunde, verborg met zijn grote zwarte hand de grijns op zijn gezicht.
'Uw moeder is een of twee keer wakker geweest,' zei meneer Sholto. 'Maar

de koorts heeft haar nog steeds in zijn macht. En tot nu toe weten wij nog niet eens hoe u heet.'

'Ik heet Phillipe Charboneau, meneer. Ik kom uit de Auvergne.'

'Dat is een eind weg van Londen,' merkte de oude Sholto op. 'Waarom bent u hierheen gekomen?'

Phillipe aarzelde, het theekopje aan zijn lippen. Hij was de vreemde, sterke drank al lekker gaan vinden.

'Vooruit meneer,' zei meneer Sholto op berispende toon. 'Vertelt u eens! Tenzij u een ontsnapte moordenaar bent die de strop om zijn nek dient te krijgen in de Tyburn Road, heeft u niets te vrezen.'

Phillipe dacht even na en zei toen voorzichtig: 'We zijn naar Engeland gekomen vanwege een erfenis.'

'Die verband houdt met dat kistje waar je zo goed op lette?' wou Ezau weten.

'Ja, het . . . Waar is het kistje?' vroeg hij plotseling.

'Veilig in de kast in de slaapkamer van je moeder,' zei Emma Sholto.

'Samen met het zwaard,' voegde Hosea er aan toe. 'Ik zou er heel wat voor geven dat elegante steekwapen aan mijn heup te kunnen hangen de volgende keer, dat ik naar White's ga.'

'Jij zult voorlopig een hernieuwde kennismaking met de vleespotten van St. James Street moeten uitstellen,' mopperde Solomon Sholto. 'Ik wou, bij God, dat die duivelse kroegen al hun vertrekken voor de koopmansstand gesloten hielden en niet alleen de vertrekken voor de clubleden. Maar wat extra werk in de drukkerij zal voorlopig dezelfde uitwerking hebben. En je tijd gunnen na te denken over de zonden van de dronkenschap en de ijdelheid.'

Hosea kromp ineen. Ezau keek opnieuw geamuseerd, maar nu kon hij zijn vrolijkheid niet voor zich houden en proestte het uit.

Solomon Sholto legde hem het zwijgen op met precies dezelfde strenge blik als hij Hosea had toegeworpen. Vervolgens zei hij tegen Phillipe: 'Wij snuffelen niet in de bezittingen van onze gasten, daar kunt u van overtuigd zijn. Dus u bent de enige die weet wat er in dat leren kistje zit.'

Maar toen hij, met een hand vol inktvlekken op zijn knie, voorover leunde, was aan zijn eerlijke gezicht duidelijk te zien, dat hij het ook heel graag zou weten.

Phillipe keek hen beurtelings aan. Ezau, Hosea. De kleine sterke vrouw. En tenslotte de heer des huizes met de dikke buik.

Gevaar scheen ver weg. Om te zien of dat waar was zei hij: 'Mijn moeder en ik zijn uit een dorp in Kent gevlucht omdat wij ons de toorn van een beroemde familie op de hals hebben gehaald. Mijn leven werd bedreigd. Wij dachten dat wij veiliger zouden zijn tussen de mensenmenigte in de stad.'

Meneer Sholto zei niets en bleef hem alleen maar aankijken. Verwarmd door het eten en door deze eenvoudige, open gezichten, voelde Phillipe zijn achterdocht wegsmelten. Het was een opluchting voor hem erover te kun-

136

nen praten. Hij vertelde hun het meeste en liet alleen de voornaamste reden voor het fatale gevecht met Roger weg—Alicia.

Toen hij uitgesproken was leunde hij weer achterover tegen het kussen, met zijn handen om het theekopje, dat nog steeds warm was, en wachtte op een reactie.

'Amberly!' riep meneer Sholto plotseling vol vuur uit en sprong van zijn stoel op. Over de planken vloer ijsberend zei hij: 'Geen wonder dat jullie voor dat aanmatigende, conservatieve Tory-volk gevlucht zijn. Wij volgen een andere richting. Wij zijn aanhangers van de Whig-partij, die het niet eens is met de antidemocratische politiek van de koning en zijn marionetten-ministers—de kleine kliek van Vrienden van de Koning. Voor zover ik iets van Whitehall-geroddel weet, zou jouw vader met open armen door de kliek van de koning binnengehaald zijn, als hij niet zo jong gestorven was.'

'Mijn moeder spreekt niets dan goeds van James Amberly,' protesteerde Phillipe. 'Net zoals de herbergier en andere mensen in Tonbridge.'

'Ja, nou ja, van de doden niets dan goeds. Waarom zouden wij over hun politieke voorkeur ruzie maken? Ik moet zeggen dat ik jouw vermetelheid om zo'n familie te tarten bewonder. Maar ik heb het gevoel dat je zelf ontdekt hebt wat ik je ook had kunnen vertellen, omdat ik de reputatie van de hertogin ken. Van het begin af aan heb je een verloren strijd geleverd. Voor elke handige advocaat die jij kunt betalen, hebben zij er dertien in een dozijn, plus rechters, magistraten, en moordenaars van elk slag, als dat nodig mocht zijn. Als een vrouw als de hertogin je aanspraken niet wil honoreren dan gebéurt dat ook niet, met eerlijke of oneerlijke middelen. Baby's die aan de verkeerde kant van adellijke lakens zijn geboren, kun je in elke Londense straat vinden. Slechts een enkele heeft geluk. Weet zijn zaak tot een succesvol einde te brengen. Maar de meesten lukt het niet. Voor je eigen veiligheid en gemoedsrust—en die van je moeder—raad ik je aan je pogingen op te geven, een manier te vinden om genoeg geld te verdienen voor de overtocht en terug te keren naar Frankrijk. Vergeet de hele zaak. Dan zul je wel nooit rijk worden, maar je zult langer leven.'

Emma Sholto legde haar kleine hand op de schouder van haar man. 'Hij is moe, Solomon.'

'Nonsens, het is een flinke jongen.'

'Toch sta ik erop dat wij hem nu laten slapen.'

Mopperend zette Solomon Sholto de stoel weer op zijn plaats. Hij gebaarde zijn zoons naar de deur. Beiden keken met nog grotere waardering naar Phillipe.

Nadat de vrouw van de drukker weg was gegaan, bleven Ezau en Hosea in de gang dralen, terwijl hun vader in de deuropening bleef staan. 'Als je besluit mijn raad op te volgen, jongeman en met eerlijk werk het geld voor de overtocht wilt sparen, dan zouden wij je hier wel aan werk kunnen helpen.'

'Ik wil geen speciale gunsten aannemen, meneer Sholto.'

'Die krijg je ook niet, meneer. Ik geef je de garantie dat je hard zult moeten werken.'

'Hebben vaklieden in Londen dan geen leerjongens in dienst die hen helpen?'

'Zeker, ik heb er twee gehad. Ze zijn allebei weggelopen. Ik ben weliswaar veeleisend, maar ik ben niet wreed. De jongens vonden dat echter wel. Ik kon niet toelaten dat tienjarige jongens gin dronken. Ik gaf er de voorkeur aan niet te weten hoe zij er aan kwamen. Gestolen? Hadden zij er een moord voor gepleegd?' Treurig haalde hij zijn schouders op. 'Zij waren al zo hard geworden voor ik hen aannam, dat zij mij eerder aan oude dwergen deden denken dan aan kinderen die graag een vak wilden leren.'

'Schorremorrie allebei,' stemde Ezau in.

Phillipe onderbrak hen en vertelde dat de methodistische herbergier van Wolfe's Triumph het had gehad over het drankmisbruik onder de lagere standen.

'Dan is dat iets waarin ik het als lid van de High Church eens kan zijn met jouw vriend, die tot een afwijkende sekte behoort. Maar het is geen wonder dat zulke jongens aan de drank moeten gaan om te overleven. Vanaf hun zevende jaar worden ze als dieren behandeld. Elke dag moeten ze uren achtereen het werk van volwassen mannen doen. Worden ze misbruikt door onmenselijke bazen. Ik kan het een jongen die zo behandeld wordt niet kwalijk nemen dat hij, zodra hij kan lopen, gaat drinken. Dat is ook de reden waarom ik de twee weglopers niet heb laten opsporen. Weet je dat er strenge straffen staan op dat misdrijf? Ze kunnen er vingers of tenen voor afhakken. Die twee jongens die kort na elkaar zijn weggelopen worden nog genoeg gestraft voor zij, veel te vroeg, doodgaan. Maar ik blijf maar kletsen. Straks wordt mevrouw Emma nog echt boos. Je weet nu, dat er hier een mogelijkheid voor je is. Ezau zou je de eerste beginselen van het vak kunnen leren, neem ik aan.'

'Vlug genoeg,' grinnikte Ezau.

'En het is een edel vak, want het vermenigvuldigt dat wat koningen en legers niet kunnen onderdrukken. Het vrije verkeer van de ideeën van de menselijke geest.'

Beneden in de hal klonk een protesterende vrouwenstem.

'Ja, ja, Emma, ja—Nog een seconde!' Hij keek Phillipe aan. 'Om kort te gaan: we zouden blij zijn met je hulp. Het aanbod is open.'

De drie verdwenen achter de dichtslaande deur.

6

De volgende dag ging Phillipe naar de kamer van Marie. Hij vertelde haar van het aanbod van de drukker en besloot: 'Ik geloof dat ik er het beste aan doe het aanbod van meneer Sholto aan te nemen.'

Marie protesteerde meteen: 'Nee! Ik wil niet dat je je aanspraken opgeeft!'
'Alleen voor een tijdje,' zei hij rustig en met gezag.
In zijn binnenste zei een spottende stem: *Of bedoel je voor altijd?* Marie wou
nog meer tegenwerpingen maken, maar keek toen naar het gezicht van haar
zoon. Het leek ouder geworden en van de harde lessen geleerd te hebben.
Ze ging weer achterover liggen en draaide zich om.
Phillipe verliet de kamer met een treurig gevoel. Toch was hij ook opgewonden dat hij een nieuw doel had. Een doel dat was geboren uit eenvoudige, huiselijke hartelijkheid, uit zwarte thee—en uit de nieuwe wereld van
drukpersen en boeken die beneden op hem wachtte.

II Het zwarte wonder

1

De zaak van Solomon Sholto bestond uit twee afdelingen. De kleinste nam de voorkant van de benedenverdieping in beslag en kwam uit op de drukke Sweet's Lane. Dit was de papierwinkel, waar mevrouw Emma de leiding had over de verkoop van een assortiment tekenboeken en agenda's, goede Amsterdamse zwarte schrijfinkt, ganzepennen, zegellak en zand.

In de loop van het voorgaande jaar had meneer Sholto een nieuwe afdeling aan de winkel toegevoegd—een uitleenbibliotheek. Gedurende de afgelopen jaren waren dergelijke bibliotheken populair geworden omdat, zoals Sholto uitlegde, alleen de rijken zonder bezwaar twee guinea's konden neertellen om in het bezit te komen van een boek uit de wereldliteratuur, zoals *De Dramatische Werken van William Shakespeare, Gecorrigeerd en Geïllustreerd door Samuel Johnson,*—acht geannoteerde delen, in luxe Turks leer gebonden.

Meneer Sholto klaagde over de populariteit van frivole romans zoals *Moll Flanders* van Defoe, *Tom Jones* van Fielding of de moraliserende fabel van Defoe, *Rasselas.* Maar hij zag wel gauw in dat die boeken commercieel aantrekkelijk waren. Dit had tot resultaat, dat zijn uitleenbibliotheek twee wanden van de kleine winkel in beslag was gaan nemen en dat de planken vol stonden met allerlei soorten romans en andere boeken. Phillipe werd vooral geboeid door geheimzinnige titels als: *Tedere Smarten. Het getrouwde slachtoffer. De avonturen van een Actrice.*

Maar hij had weinig tijd om te lezen. Meneer Sholto was, zoals beloofd, een veeleisende baas. Hij hield Phillipe aan het werk in het lawaaierigste gedeelte van de zaak, achterin. Hier stonden twee hoge houten drukpersen op verhogingen aan weerskanten van de centrale werkplaats. Daar werkten meneer Sholto en zijn zonen voor hun klanten: boekhandelaren in de Strand, Ludgate Street en Paternoster Row. Meneer Sholto had met iedere boekhandelaar een apart contract voor de uitgaven die hij drukte. Sholto en zijn zonen hadden het werk verdeeld naar gelang hun capaciteiten. Ezau die wegens zijn omvang het minst elegante postuur van de drie had, bleek verbazingwekkend snel en secuur met zijn handen te zijn. Hij pikte een voor een de lettervormen op en sloot ze in een groot vormraam. Het vormraam bevatte een vorm van vier pagina's. Sholto had in tamelijk grote drukpersen geïnvesteerd om in staat te zijn vier pagina's tegelijk te drukken.

De vader en zijn minder alerte zoon hadden tot taak de twee persen te bedienen. Sholto was sneller en kundiger, maar ook Hosea wist hoe het moest. Als Phillipe een van de ontzaglijk zware vormramen naar hem toe had gesleept, tilde Hosea het gevaarte op alsof het niets woog. Hosea zette dan het vormraam in de drukpers, die op de rails van het onderstel stond. Hij plaatste een vochtig gemaakt vel papier tussen het drukraam en het frisket, dat aan de kar bevestigd was en knipte dan met zijn vingers, dat Phillipe aan de slag kon gaan.

De nieuwe bediende viel de taak toe twee leren ballen te inkten. De ballen werden gebruikt om inkt aan te brengen op het zetsel. Hoewel zij van hand-vatten voorzien waren, was het een vies karweitje. Zijn leren schort, zijn gezicht, zijn armen en zijn handen zaten voortdurend onder de plakkerige inkt. De eerst paar keer drukte Phillipe niet hard genoeg zodat er verschil-lende regels zonder inkt bleven. Maar alle drie de Sholto's waren geduldig. Zij voelden aan dat Phillipe het vak graag wou leren. Binnen een paar weken had hij de slag te pakken en kon hij een vorm netjes en moeiteloos inkten. Zodra Phillipe met de ene pers klaar was, moest hij in veel gevallen naar de andere rennen om daar hetzelfde werk te verrichten. Intussen zette Hosea het vel vast tussen drukraam en frisket en sloot die zo op elkaar, dat het papier in vier uitgesneden delen van pagina-grootte door het frisket heen kwam. Zo kon het papier in aanraking komen met het geïnkte zetsel. Daarna liet Hosea de kar onder het massieve hoofd van de pers glijden. Door aan een hendel te draaien kwam dan een blok hout van een decimeter dikte naar beneden op de gesloten kar. Die kracht was voldoende om de dikke degelpers met zo'n kracht op het papier te laten neerkomen, dat er een afdruk achterbleef. Tenslotte werd de pers weer omhoog gedraaid, de kar weer langs de rails teruggetrokken en werden de vier pagina's die klaar waren als een enkel vel verwijderd en te drogen gelegd. Een nieuw vel werd opgelegd en het proces kon van voren af aan beginnen—indien noodzake-lijk werd er weer geïnkt—totdat het gewenste aantal vellen bereikt was.

Doordat hij aan beide persen werkte, die kraakten en stampten dat het een lust was, moest Phillipe vrijwel de hele dag heen en weer rennen. Maar als hij even niets te doen had behoorde het ook tot zijn taak de inkt af te wassen van de drukvormen, waar Hosea en meneer Sholto mee klaar waren. Daar-voor gebruikte Philippe een smerig riekende alkali-oplossing, die niet alleen de inkt van het zetsel—en zijn handen—verwijderde, maar er ook de oorzaak van was, dat aan het eind van de dag zijn handen helemaal rauw waren. Elke dag, behalve zondags, werd er in de drukkerij van voor zonsop-gang tot na zonsondergang gewerkt. Toen de winter van 1771 naderde, was Phillipe het vak al aardig meester. Hij kon snel en kundig met de leren ballen omgaan. Door het sjouwen met de grote stapels gedroogde, aan bei-de kanten bedrukte vellen was hij sterk in zijn armen geworden. De vellen werden opgehaald door een leerjongen die voor de boekbinder van meneer Sholto werkte. Sholto had lang geleden besloten, dat hij sneller kon produ-ceren als hij het snijden van de vellen, het inbinden en het verzorgen van de leren banden zou uitbesteden.

Gedurende de vermoeiende en verwarrende weken putte Phillipe zijn energie uit zijn interesse en bewondering voor het drukproces, waarvan hij nu een kleine schakel vormde. Hij vond het gewoon verbazingwekkend, dat de ratelende persen zoveel zwart bedrukte vellen, die allemaal precies gelijk waren, in zo'n hoog tempo konden produceren.

Op een middag viel het de oude Sholto op dat Phillipe zelfs onder het eten van een sinaasappel, die onder de inkt zat, gefascineerd naar een stapel vellen, die naar de binder moesten, bleef kijken. Sholto stapte van de verhoging waar de pers op stond naar beneden en wees naar de stapel: 'Gut, Phillipe, je kijkt alsof je in de kerk bent! Dat is alleen maar een herdruk van *Wild*, zeker niet het beste wat Fielding geschreven heeft.'

'Maar het is echt een wonder—te zien hoe woorden zo gemakkelijk vermenigvuldigd kunnen worden. Als je in de Auvergne een stoel wou hebben, werd die door de meubelmaker gezaagd en gelijmd, één tegelijk.'

'Machines hebben de toekomst. In Engeland spinnen zij kleren, maar spugen ook ijzeren staven uit. De tijd van het handwerk is voorbij.'

Sholto veegde zijn handen aan zijn schort af en accepteerde het partje van de sinaasappel dat Phillipe hem aanbood. 'Ondanks het feit dat ik altijd klaag dat er zoveel rommel in de boeken staat, houd ik veel van het vak. Door te lezen kan ook iemand van de laagste komaf zich uit zijn staat van onwetendheid omhoog werken. Je ziet hoe populair mijn kleine uitleenbibliotheek is geworden. De massa hongert naar woorden. Of de woorden nu voor ontspanning bedoeld zijn of om de geest te verrijken, het drukken is een vak waar een mens terecht trots op kan zijn, maar dat heb ik je al eerder gezegd.'

Philippe stopte een stukje sinaasappel in zijn mond en kon het alleen maar met hem eens zijn. Het vermenigvuldigen van ideeën, zodat iedereen er kennis van kon nemen, was zonder enige twijfel ook een van die stormwinden die de aarde schoonveegden. En hij vond het heerlijk om midden in die storm te staan.

2

Gedurende de eerste paar weken van haar verblijf in het huis van de Sholto's leek Maries gezondheid vooruit te gaan. Haar wangen kregen weer kleur en ze toonde zelfs enig enthousiasme wanneer Hosea en Ezau aan het avondeten de gebeurtenissen in de stad bespraken.

Maar ze sprak niet over de Amberly's, zelfs niet tegen haar zoon. Phillipe kon het niet schelen. Hij had het veel te druk met het opwindende, vermoeiende werk beneden om zelfs maar aan het kistje en de brief te denken. Hosea was de eerste die het onderwerp weer ter sprake bracht. De familie zat bijeen in de zitkamer boven, het was acht uur, over een uur was het bedtijd. Mr. Sholto las de *Gazette*, een goedkope krant, die onder andere het laatste slechte nieuws bevatte over de grote Oost-Indische Handelsmaatschappij. Door slecht beheer waren de aandelen van de maatschappij op een alarmerend dieptepunt gekomen, vertelde hij.

Hij was blij dat hij er geen aandelen in bezat. In het huishouden werden geen spullen gebruikt, die door die firma werden ingevoerd. Mevrouw Emma serveerde goedkopere thee, die uit Holland werd gesmokkeld en overal te koop was.

De vrouw van de drukker zat te borduren, terwijl Phillipe al gaapte en aan de voeten van zijn moeder zat te luisteren naar Ezau, die met grote vaardigheid een paar danswijsjes op zijn fluit speelde.

Hosea die zich geëxcuseerd had, omdat hij naar het gemak moest, kwam weer binnen en zei: 'Phillipe, ik heb eens geïnformeerd in de koffie- en chocoladetehuizen . . .'

'Naar de gokhuizen die het gemakkelijkst krediet geven?' vroeg zijn vader.

Hosea bloosde. 'Nee, vader. Naar de man die er verantwoordelijk voor is dat onze enthousiaste medewerker naar Engeland is gekomen.'

Ezau nam zijn fluit uit zijn mond. Emma Sholto fronste haar wenkbrauwen. Solomon Sholto vouwde de krant in zijn schoot. Alleen Marie reageerde niet. Zij bleef in de verte staren alsof zij in trance was van de muziek.

Hosea voelde de spanning die door zijn opmerking veroorzaakt was en verdedigde zich gauw: 'Ik dacht dat wat er gezegd zou worden over het overlijden van de hertog misschien wel iets interessants kon opleveren.'

Marie hief haar hoofd op. Phillipe zag de niet vergeten krenking in haar ogen.

Vlug pratende vervolgde Hosea: 'Het merkwaardige is: er wordt helemaal niet over gepraat.'

'Wat?' riep meneer Sholto uit.

'Echt waar. Voor zover ik kan ontdekken, wordt er in de stad met geen woord over gesproken.'

'Je verkeert niet bepaald in kringen, waar men het eerst op de hoogte is,' merkte Ezau op.

'Ja, maar in de cafés wordt er altijd veel geroddeld over de hoge adel. Niemand heeft het er met een woord over gehad. Ik . . . vond dat vreemd,' eindigde hij zwakjes.

Emma Sholto zei: 'Misschien nemen de Amberly's een lange periode van familierouw in acht. Misschien geven zij er de voorkeur aan de buitenwereld niets over de dood mede te delen totdat die periode voorbij is. Het verlies van een beminde kan maandenlang invloed hebben op een huishouden, weet je.'

Meneer Sholto hield een hand voor zijn ogen. Dacht hij aan zijn drie vroeggestorven dochtertjes? vroeg Phillipe zich een beetje droevig af. Als antwoord op de klaarblijkelijke verlegenheid van Hosea zei Marie: 'Je moet er niet over in zitten, zijn naam in mijn nabijheid te noemen. De goedheid die

Phillipe en ik in dit huis hebben ondervonden heeft de wonden van het verleden geheeld.'

Phillipe was blij dat zij dat zei. Of zijn moeder het nu wel of niet meende, de manier waarop zij het zei, kwam welgemeend over.

Marie vervolgde: 'De aanwezigheid van mij en mijn zoon stelde Lady Jane buitengewoon op de proef. Misschien heeft de dood van haar man haar geestvermogens inderdaad wel aangetast. Tijdens zijn ijlkoortsen hadden zij de hertog in een bedompt, smerig vertrek opgesloten. Het zou mij niet verbazen als zij voor zichzelf eenzelfde soort eenzaamheid hebben verkozen. Het zijn vreemde, abnormale mensen.'

Phillipe was niet helemaal tevreden met die uitleg, maar kon zelf ook geen betere bedenken. Gapend hield hij zijn hand voor zijn mond en wou zo snel mogelijk gaan slapen.

Hij dacht dat de zaak hiermee afgedaan was, toen hij Marie zachtjes hoorde zeggen: 'Maar als je in de stad iets hoort, Hosea, zou ik het ook graag willen weten.' Geërgerd staarde Phillipe naar zijn handen, die rood waren van de loogzoutoplossing. Het verleden was het verleden. Waarom kon zij het niet loslaten?

Ezau zag hem staren en begon meteen een ander danswijsje te spelen. Marie was al spoedig weer opgegaan in haar eigen dromen. Wat zag zij? vroeg Phillipe zich mokkend af. Hem? Nog steeds als de kleine lord? Hij had nu in ieder geval andere ideeën. Hij was al plannen voor de toekomst aan het ontwerpen. Een toekomst die veel reëler moest zijn dan de toekomst die hen naar Engeland had gesleept—en naar hun ongeluk.

3

Eind oktober viel er al wat natte sneeuw op de grote stad met zijn vele klokketorens. Maar kort daarna werd het plotseling weer mooi weer en maakten Phillipe en zijn moeder van de gelegenheid gebruik om samen met de familie de stad te bezichtigen. Op een zondagmiddag gingen zij in het St. James Park wandelen, waar de herfstzon de goudkleurige bladeren in lichterlaaie scheen te zetten.

Een andere zondag, toen het ook ongewoon warm was, besloten zij, nadat de drukker en zijn vrouw in de St. Paul's de dienst hadden bijgewoond, een tochtje op de Theems te maken. Ze bezichtigden de Tower, waarvan meneer Sholto hun tot in bloederige details de geschiedenis kon vertellen. Toen ze weer terugvoeren, bleven op een gegeven moment twee oudere dames en hun mannelijke begeleider bij Hosea staan, die slaapdronken over de reling tuurde. Plotseling wezen de twee dames verontwaardigd naar een plek in het water, tussen de boot en de statige Parlementsgebouwen op de noordelijke oever.

'Wie het ook is, hij zou vervolgd moeten worden omdat hij, door zich zo in

144

te spannen, de zondagsheiliging met voeten treedt,' zei een van de dames.

Terwijl Hosea probeerde te ontdekken waar die dunlippige dames zo beschuldigend naar wezen, riep de andere dame verbijsterd: 'Ik geloof, dat zijn schouders helemaal bloot zijn.'

De heer keek ook naar de plek en zei: 'Misschien de rest ook wel.'

'Schandalig!' zei de eerste dame.

Hosea glimlachte lusteloos: 'Hij reist in het water en wij op het water, wat maakt dat nou uit?'

'Als u dat niet weet, bent u kennelijk een ongelovig mens,' zei de eerste vrouw kortaf.

Hosea keek of hij het in Keulen had horen donderen. Samen met een aantal andere passagiers gingen meneer Sholto en zijn gezelschap om het verontwaardigde drietal staan. Phillipe keek langs mener Sholto heen en zag een allermerkwaardigst tafereel: iets wat op een kleine witte walvis leek zwom stroomafwaarts in de rivier. Pas toen hij zijn hand boven zijn ogen hield nam het merkwaardige waterfenomeen definitieve vormen aan. Het was een man—en geen jonge man—die zich met krachtige slagen voortbewoog. Op de kade liep een stelletje vrolijke kwajongens al fluitend en schunnige aanmoedigingen roepend met hem mee.

'Het zou zijn verdiende loon zijn als hij verdronk,' zei de eerste vrouw.

'Heb erbarmen, tante Eunice, heb erbarmen!' zei de heer. 'Misschien is hij wel niet helemaal goed bij zijn verstand. Er is niets zo zielig als een man van middelbare leeftijd die zich vruchteloos probeert te gedragen als een jongeling. Lach er niet om. Heb er medelijden mee.'

Hier moest meneer Sholto om glimlachen. 'U hebt het mis, meneer. Die heer is juist zeer goed bij zijn verstand. Hij is een eersteklas wetenschapsman en diplomaat. Buitengewoon intelligent. En hij zwemt vaak in de Theems.'

'Ja, verdomme!' riep Hosea uit terwijl hij met zijn vingers knipte. 'Ik dacht al dat ik hem herkende.' Hij sloeg er geen acht op, dat een van de dames bijna flauwviel bij het horen van zijn vloek.

'Maar . . . de vent lijkt wel zestig,' sputterde de mannelijke begeleider tegen.

'Bijna,' knikte Sholto. 'Maar hij heeft een ijzeren gestel. Hij maakte een schelp van zijn handen en riep: 'Ahoi, doctor Franklin. Ahoi!'

Maar zijn geroep werd overstemd door het lawaai dat de jeugdige supporters op de kade maakten. Dr. Franklin vervolgde zijn route stroomafwaarts terwijl hij met zijn armen en benen het water om hem heen deed opspatten.

Een van de dunlippige dames draaide zich als door een adder gebeten om naar Sholto. 'Bedoelt u, dat hij dé doctor Franklin is? De goddeloze tovenaar uit de koloniën?'

'Ik geloof niet dat uw adjectieven helemaal juist zijn, mevrouw. Goddeloos? Misschien. Hij houdt zich zeker niet zo strikt aan de zondagsheiliging als sommigen van ons. Maar een tovenaar,' zei Sholto met nadruk, 'is hij bepaald niet. Noem hem liever een genie. Met een wereldwijde reputatie.'

'U schijnt hem goed te kennen,' snoof de dame. En het was duidelijk dat zij dat niet als een compliment bedoelde.

'Ja, als mijn dagindeling het mij toelaat drinken wij soms samen een kopje koffie. En zo af en toe bezoekt hij mijn boekhandel—tenminste als zijn verplichtingen, want hij is zakelijk agent van de kolonie Massachusetts, hem niet dwingen van het ene ministerie naar het andere te draven.'

'Wel of geen genie, ik heb ergens gelezen dat hij de mysteriën van de natuur overhoop haalt,' zei de dame snibbig. 'Ik geloof dat zij hem in sommige kringen de moderne Prometheus noemen, niet?'

'Zo heeft de filosoof Kant hem inderdaad genoemd.'

'Ik blijf volhouden dat iemand die met het hemelvuur speelt door Satan bezeten moet zijn!'

Geërgerd antwoordde Sholto: 'In dat geval geeft u alleen maar blijk van uw onwetendheid, mijn beste mevrouw. Van alle moderne geleerden was het nu precies doctor Franklin,' hij stak zijn arm uit naar de boeg en wees op het verdwijnend schuimspoor dat de zwemmer had achtergelaten, 'die de studie van de elektriciteit uit de wereld van het bijgeloof heeft gehaald en aanzien heeft gegeven. Verder . . .'

Mevrouw Sholto gaf haar man een tikje op zijn elleboog: 'Solomon, alsjeblieft.'

'Nee!' riep de drukker uit. 'Ik duld niet dat de naam van mijn vriend door het slijk wordt gehaald. Beseft u wel, dames, dat Franklin de beroemdste Amerikaan is in de beschaafde wereld? Weet u dan niet dat onze eigen Royal Society hem voor zijn *Elektriciteit: observaties en experimenten* in tweeënvijftig de hoogste onderscheiding heeft toegekend, de Copleymedaille? Hij heeft bewezen dat de bliksem elektrische krachten bezit zoals die al eerder in de laboratoria van de universiteit van Leiden en elders waren aangetoond.'

Maar de drie verontwaardigde puriteinen hadden hem hun rug al toegekeerd. Sholto keek eerst woedend. Maar toen zijn vrouw hem nog een paar keer op zijn arm had geklopt, berustte hij zuchtend. Hij wenkte Phillipe, Marie en zijn familie naar een ander deel van het dek, teneinde verdere wrijvingen te voorkomen.

Phillipe ging op zijn tenen staan om nog een laatste glimp van de zwemmer op te vangen. Hij staarde geboeid naar het kleine verdwijnende stipje, dat een spoor van schuim achterliet in de grote rivier.

'Dat was niet erg beleefd, Solomon,' zei mevrouw Sholto nijdig.

'Dat weet ik wel, maar ik kan domheid niet uitstaan. Franklin mag geen hoge dunk hebben van welke religie dan ook, hij is net zo min een duivel als ik! En jij houdt je opmerkingen voor je!' zei hij tegen Hosea, die zijn lachen moest onderdrukken.

Marie liep naar de reling zonder de conversatie te volgen.

146

Phillipe was nog steeds nieuwsgierig. 'Zei u dat hij een Amerikaan is?'
'Jazeker. En ik heb niet overdreven wat betreft zijn reputatie. Zelfs aan het keizerlijke hof van Rusland is hij bekend. En weet je hoe hij zijn loopbaan is begonnen? Als drukker!' Sholto was daar zichtbaar trots op. Hij liep warm voor het onderwerp en vervolgde: 'Toen zijn zoon en hij hun experimenten hadden voltooid en de resultaten ervan hadden gepubliceerd, werd hij meteen beroemd en in de hele wereld als een vooraanstaand geleerde erkend. Maar eigenlijk heeft hij op elk gebied van het menselijk denken verbeteringen uitgevonden. Toen hij niet de juiste bril voor zijn ogen kon krijgen, maakte hij er zelf een. Hij was zo ontevreden over de straatverlichting in zijn geboortestad, dat hij een betere bedacht. Toen het hem te koud werd in zijn appartementen, vervaardigde hij de beroemde Pennsylvania-kachel. Als onderdirecteur van de koloniale posterijen vernieuwde hij het hele systeem. Een brief van Pennsylvania naar Boston deed er voortaan maar twee of drie weken over, en geen zes of acht. Verbaast het je nog, dat ik er trots op ben een kennis van hem te zijn?'
Peinzend staarde Phillipe over de achtersteven. 'Ik weet niets van al die geleerde dingen. Maar ik kan wel begrijpen waarom u hem bewondert. Het is duidelijk dat hij een onafhankelijke geest heeft. Ik zou graag zo'n man ontmoeten. Iemand die niet door anderen over zich heen laat lopen.'
Sholto stak een waarschuwende hand omhoog. 'Begrijp me niet verkeerd. Doctor Franklin is een loyale Engelsman. Zijn natuurlijke zoon William . . .'
'Is het nou nodig dat je zulke minder delicate onderwerpen op zondag ter sprake brengt?' zuchtte mevrouw Emma.
'Maar Franklin maakte er geen geheim van dat zijn eerste zoon een bastaard is. Van een vrouw over wie ik hem nooit heb horen spreken.' Iets te laat zag Sholto dat zijn vrouw naar Phillipe keek en hij voegde er haastig aan toe: 'Maar daarom houdt hij niet minder van zijn zoon. Hij houdt integendeel meer van hem! William Franklin is de koninklijke gouverneur van de kolonie New Jersey, Phillipe. Denk dus niet, dat zijn vader een vijand van de Kroon is. Hij is een vastberaden voorvechter van de rechten van de koloniën, maar binnen de wet.'
Opnieuw bedacht Phillipe dat hij zo'n vrijdenker graag eens in levende lijve zou ontmoeten. Hij wou net vragen of dat misschien mogelijk zou zijn, toen een van de bemanningsleden riep dat zij de pier naderden. In het rumoer dat daarop volgde omdat iedereen zich naar de uitgang repte, had Phillipe geen gelegenheid meer op het onderwerp door te gaan. Maar gedurende de dagen die volgden dacht hij veel aan de beroemde Amerikaan.
In de uitleenbibliotheek vond hij een exemplaar van Franklins studie over de elektriciteit, waarin ook het beroemde 'Philadelphia experiment' stond beschreven. Van het grootste gedeelte van het boek begreep Phillipe niets, aangezien hij niets van de theorie of van de terminologie afwist. Maar hij kreeg wel een indruk van het gevaar, dat de doctor en zijn onechte zoon hadden gelopen toen zij tijdens hevig onweer hun vlieger oplieten en op het

'hemelvuur' wachtten, dat langs de draad naar een metalen sleutel moest stromen.

Sholto bevestigde dat het gevaarlijk was geweest. De kracht van bliksemstralen was volgens dr. Franklin zo hevig, dat hij tijdens het experiment gemakkelijk de dood had kunnen vinden. Gelukkig voelde hij alleen maar een herhaalde tinteling in zijn hand en zijn arm, toen hij op het kritieke moment de sleutel aanraakte—de 'Elektrische vonk', die hem beroemd maakte in plaats van hem een oneervolle dood te bezorgen.

Omdat er zoveel te leren viel, was Londen een voortdurende bron van nieuwe wonderen en genietingen voor Phillipe. Op een vrije middag liep hij met Ezau helemaal naar het westelijk deel van de stad.

Waar eens de grote meifeesten werden gehouden, onder Tyburn Road, begonnen nu grote herenhuizen van de adel te verrijzen. Ezau vertelde over de Georgian-stijl waarin die gebouwd werden en die hij erg bewonderde. Op een doordeweekse avond mocht Hosea Phillipe en zijn moeder meenemen naar het theater in Drury Lane, ondanks het feit dat meneer Sholto mopperde dat het allemaal maar kinderachtige onzin was. Zij zagen daar de voorstelling van de vrolijke klucht 'Hoge Hoeden in het Souterrain'.

Marie lachte en klapte in haar handen dat het een lust was en Phillipe hoopte dat zij zich nu voorgoed van het verleden zou kunnen bevrijden. Later zei Hosea, dat het hem speet, dat hij een stuk had uitgekozen, waarin de grote Garrick alleen maar op het toneel verscheen om de proloog uit te spreken in plaats van een hoofdrol te spelen. Maar Marie was alleen al opgewonden over het feit dat zij de acteur, die in de tijd dat zij in Parijs optrad al beroemd was, gezien had.

Met Kerstmis zaten zij allemaal aan een feestelijk diner, dat bestond uit geroosterd schapevlees en nog een heleboel andere gangen die echter allemaal werden overtroffen door de plumpudding.

Meneer Sholto bood zonder er ophef over te maken aan zijn kostgangers een geschenk aan. Phillipe kreeg een nieuw wollen hemd en Marie een paar schildpadkammen. Zij liet aan tafel haar tranen de vrije loop en werd later overgehaald tot een vrolijk dansje in de zitkamer terwijl Ezau op zijn fluit speelde.

Buiten sneeuwde het in Sweet's Lane. Terwijl het al donkerder en donkerder werd, beierden de klokken van de St. Paul's dat het een lust was. Phillipe voelde zich voldaan, behaaglijk en tevreden. Maar hij besefte wel dat het zo langzamerhand tijd werd ernstig aan de toekomst te gaan denken. De shillingen die hij van Sholto voor zijn werk kreeg uitbetaald begonnen zich op te hopen in een zakdoek onder zijn hoofdkussen. Hij moest een keer de terugreis naar de Auvergne ter sprake brengen. Hij hoopte Marie ervan te kunnen overtuigen dat het geen zin had naar een vervallen herberg terug te keren.

Hij had een beter plan. Of zou hij het beter een droom kunnen noemen? Hoe dan ook, hij lag er nachten wakker van. Opdat hij er nog beter over zou kunnen nadenken, vroeg hij, toen het Nieuwjaar was geweest, aan Hosea of hij nog iets over de dood van Amberly had gehoord.

'Nee,' antwoordde Hosea en eigenlijk voelde Phillipe zich opgelucht. Natuurlijk moesten zij opnieuw beginnen. Maar waarom dan automatisch in Frankrijk? Waarom niet ergens anders in de wereld?

Al die tijd had hij in de winkel, waar Marie zo nu en dan Emma behulpzaam was, boeken geleend. 's Avonds laat was hij begonnen te lezen. Over de Amerikaanse koloniën.

4

Begin februari werd Londen overvallen door bittere koude. Meneer Sholto lag ziek te bed, eerst met een afschuwelijke hoest, daarna met koorts. Nu zij met zijn drieën het werk in de drukkerij moesten doen, maakte Phillipe nog langere uren.

Ezau deed nog steeds het zetwerk, omdat hij daar zo handig in was. Maar Phillipe kreeg er naast het inkten, het wassen van het zetsel en het verslepen van de vellen die klaar waren, een andere taak bij.

Onder leiding van Hosea begon hij te leren hoe hij de tweede pers moest bedienen. Net zoals met de inktballen, was hij in het begin nog onhandig. Hij legde vellen niet goed recht tussen het drukraam en het frisket. Hij liet de pers niet genoeg naar beneden zakken, zodat er niet voldoende druk ontstond voor een goede afdruk. Maar hij herstelde zijn fouten gauw. En ondanks het feit, dat Sholto voortdurend betoogde dat Hosea veel te lichtgeraakt was, bleek hij een goede en geduldige leraar te zijn. Het stampen van de pers deed Phillipes bloed sneller kloppen.

Ding, rol de kar onder de pers. *Dang*, laat het gewicht op het zetsel drukken. *Dong*, draai het weer naar boven. *Ding*, trek de kar terug en trek het geïnkte vel er snel uit. En doe het de volgende keer nog sneller.

Hij dacht al lang niet meer aan de brief in het kistje. Hij dacht alleen zo af en toe aan Alicia Parkhurst. Hoewel hij haar nooit helemaal zou kunnen vergeten, leek de herinnering aan hun liefdesaffaire hem in de realiteit van zijn nieuwe leven een droom. Destijds had hij zoete en wrange momenten gekend. Nu was alles onwerkelijk geworden.

Het ritme van de houten pers had nieuwe tekening aan zijn leven gegeven, nieuwe hoop. Eind februari, op een schemerige namiddag verwoordde hij die hoop.

'Nee, Solomon! Ik verbied het je!' riep mevrouw Emma, terwijl zij achter haar echtgenoot aan de trap afsnelde. De oude Solomon was in nachthemd in de drukkerij verschenen. Hij hoestte en zag abnormaal bleek. 'Je bent nog lang niet beter!'

'Ga weg, vrouw! Ik wil brood op de plank, ik moet er voor zorgen dat de zaak goed loopt!' Met een klap gooide hij de deur naar de trap dicht. Het dodelijk ongeruste gezicht van mevrouw Emma was weer verdwenen.

Sholto trok zijn wenkbrauwen op toen hij Phillipe in het oog kreeg, die van zijn hoofd tot zijn middel onder het smeer zat en bij een van de persen stond.

'Zozo! Als ik mij niet vergis hebben wij er een hulp bij voor de pers!'

'En hij is een hele snelle aan het worden,' zei Ezau, die bij de letterkasten stond en wiens handen snel hun werk bleven doen, ongeacht wat er verder gebeurde.

'Welk boek is het?' informeerde Sholto, terwijl hij op de verhoging stapte en bij Phillipe kwam staan, die net een nieuw vochtig vel op zijn plaats legde.

'Een herdruk voor Bemis van de Strand,' riep Hosea aan de andere kant van de drukkerij.

'Het ziet er interessant uit,' zei Phillipe. 'Geschreven door een zekere Dickinson uit de kolonie Pennsylvania.'

Sholto knikte. 'Het is een heel heldere uiteenzetting over de houding van de kolonisten tegenover de belastingen. Een houding die door heel wat vooraanstaande Amerikanen wordt gedeeld, ook door doctor Franklin.'

'Dat had ik kunnen raden, al weet ik maar weinig van hem af,' zei Phillipe.

'Het boek van Dickinson is al vier jaar oud. Maar het blijft goed verkopen. Hij is overigens advocaat. En opgeleid hier in de Inns of Court. Hij heeft de juiste toon getroffen voor zijn argumenten. Veel leden van het Hogerhuis en het Lagerhuis hebben ingestemd met zijn gevoelens en zijn redeneringen.'

'Dan moet ik eens lezen wat hij te zeggen heeft, als ik tijd heb.'

'Phillipe schrokt de hele bibliotheek op. Alles wat er voorradig is over de koloniën,' zei Hosea. 'Of het nou goed is of slecht.'

'Daar is niets op tegen,' zei Sholto tegen Phillipe, 'zolang je maar goed begrijpt dat velen die de veer hebben opgepakt om over de koloniën te schrijven, nooit ten westen van Charing Cross zijn geweest.'

Phillipe zei: 'Het is mij opgevallen dat sommige van die boeken over dat onderwerp wel vijftig tot zestig jaar oud zijn.'

'En de meeste spiegelen de flinke vent, die daar voet aan wal zet, een vals en fantastisch toekomstbeeld van onmiddellijke rijkdom voor. Hier en daar is dat soms het geval. Maar het hangt zowel van de man als van het land af. Als je een beeld van Amerika wil krijgen, dat heel wat beter met de feiten overeenkomt, zou je er goed aan doen Franklin te lezen, want die heeft daar in de jaren vijftig een verhandeling over geschreven, die hem hier in Europa evenveel erkenning heeft gebracht als zijn werk over elektriciteit. Door zijn kennis van de wiskunde te combineren met een scherp inzicht in het maatschappelijk gebeuren heeft hij een werkelijk briljant boek geschreven over het aanwezige groeipotentieel in Amerika.'

'Hoe heet dat boek?'

'*Beschouwingen inzake de bevolkingsgroei.*' Sholto keek zijn oudste zoon aan. 'Moeten er niet nog twee exemplaren in de winkel liggen?'

'Die waren er wel,' antwoordde Ezau, 'maar ze zijn allebei weg. Een is helemaal uit elkaar gevallen en het andere is uitgeleend en nooit meer teruggebracht. Het boek was nog niet binnen of het was alweer weg,' voegde hij er tegen Phillipe aan toe.

'Misschien kunnen wij ergens nog wel een exemplaar bemachtigen. In elk geval, Phillipe, denk ik dat dit een realistisch beeld van de koloniën is. Ik denk, dat daar een nieuw soort mens ontstaat. Taaier. En heel wat onafhankelijker dan de achterblijvers. En het ís een overvloedig land. In het zuiden heb je de rijke landbouwkoloniën en in het noorden de rijke handelskoloniën. Je weet, dat de kooplieden druk hebben uitgeoefend op het Parlement om de lastige belastingen waar Dickinson over heeft geschreven af te schaffen?'

Phillipe knikte.

'Toen de handel met de koloniën wegviel had heel Engeland daar onder te lijden. Dat is al een bewijs dat het de Amerikanen goed gaat. Ze zijn economisch belangrijk voor ons geworden. Voorlopig is alles daar nog tamelijk rustig. Als dat zo blijft weet ik zeker, dat men daar een goed en zelfs rijk bestaan kan opbouwen, al gaat dat natuurlijk niet zonder hard werken.' De drukker bedwong een hoestaanval en wierp een veelbetekenende blik op Phillipe. 'Waarom interesseer je je zo voor dit onderwerp?'

'Ik heb er aan zitten denken dat mijn moeder en ik misschien best in een van die koloniën zouden kunnen gaan wonen.'

'Zozo,' lachte Sholto, 'ik had het dus goed geraden. Maar wat voor vak zou je kiezen?'

'Natuurlijk het vak, dat ik zo goed van u en uw zonen heb geleerd. U heeft me verteld dat de doctor goed kon rondkomen als drukker.'

'Dat is nauwelijks het goeie woord ervoor. Hij is er rijk van geworden. Eerst was hij eigenaar van een veelgelezen krant. En toen hij zag dat de jaarlijkse almanakken een commercieel succes waren, is hij er zelf mee begonnen. Omdat hij niemand kon vinden die hij goed genoeg vond om zijn almanakken te schrijven, bedacht hij een zekere Richard Saunders—en schreef vervolgens onder die naam alle weersvoorspellingen, wijze raadgevingen en aforismen. Zo prees hij ook nog alle andere, concurrerende almanakken uit de markt, want de aforismen van Arme Richard worden over de hele wereld geciteerd.'

Hosea zei: 'Mijn favoriete is "Zodra zij gaan onderhandelen bieden vesting noch meisje lang weerstand meer".'

'Ik had van jou niets anders verwacht,' zei Sholto, 'het komt je maar al te zeer in je kraam te pas de karaktervormende spreuken te vergeten.'

Opgewekt zei Ezau: 'De school der ervaring is duur, maar dwazen kunnen nergens anders leren.'

Hosea liep rood aan en Sholto glimlachte.

Phillipe zei: 'Bedoelt u dat er veel drukkerijen in de koloniën zijn?'

'Nou en of! En het gaat ze allemaal voor de wind. En er wordt ook druk in boeken gehandeld. Die Bemis, waar wij de herdruk van Dickinson voor verzorgen, voorziet verscheidene Amerikaanse handelaren van de nieuwste uitgaven. Franklin zegt dat New York, Philadelphia en dat lastige Boston in het bijzonder, goeie afzetgebieden zijn. Ik heb ook begrepen, dat er heel wat kranten en tijdschriften zijn. Sommige zijn op de hand van de Kroon, andere steunen de radicalen. Nee, voor een jongeman, die handig is met de drukpers is er geen gebrek aan werk.'

De deur ging open en mevrouw Emma verscheen met een kopje thee. Met een bezorgde blik gaf zij het aan haar man, maar onthield zich verder van goede raad of protesten.

Toen zijn vrouw naar beneden naar de winkel was gegaan, nam Sholto een slokje thee en merkte op: 'Laat een goede vrouw nooit merken hoe afhankelijk je van haar bent. Dat zou haar te veel verwennen en haar te veel gezag geven. Maar waar waren we? O ja, de werkgelegenheid in de koloniën. Heb je je idee met je moeder besproken?'

'Nog niet.'

'Heb je het gevoel dat ze ertegen is?'

'Ja. Min of meer, dat hangt van haar stemming af. Het kost mij de laatste tijd veel moeite haar stemming te peilen.'

'Mijn vrouw en mij ook. Je moeder is het toppunt van beleefdheid. En ze werkt hard in de winkel. Maar hoewel ze nooit praat over de oorspronkelijke reden waarom jullie hier gekomen zijn, heb ik het gevoel dat zij er zelf veel over tobt.'

Met een ruk trok Phillipe met zijn geharde en vereelte handen aan de hendel. 'Dat is nu juist wat mij dwarszit. Ik hoop niet dat zij nog steeds vasthoudt aan de droom van die erfenis. Ik richt mijn aandacht liever op een bereikbaar doel. En hoe vreemd het ook moge klinken, ik denk dat wij beter af zullen zijn door de lange reis naar de koloniën te ondernemen, dan door terug te keren naar Frankrijk, waar wij niets anders kunnen doen dan een valse hoop koesteren. Daar kun je niet van eten.'

'Akkoord. Dat klinkt mij verstandig in de oren. Als die verdraaide ziekte voorbij is, kan ik je misschien helpen, door je aan een paar Amerikanen voor te stellen. Ze komen zo af en toe in de winkel.'

'Ik zou dolgraag uw vriend de doctor willen ontmoeten.'

'Prima idee. Maar hij is hier al heel wat maanden niet meer geweest, zoals ik je al eerder heb verteld. Hij heeft het vermoedelijk veel te druk met zijn werk als afgevaardigde. Als ik jou niet aan hem kan voorstellen, proberen wij iemand anders. Dan kun je tenminste beoordelen of jouw karakter bij dat van de Amerikanen past. En ook of je bereid bent de extra risico's te lopen die daar op je wachten.'

Phillipe trok zijn voorhoofd in rimpels: 'Welke extra risico's, meneer Sholto?'

'Het probleem waar Dickinson over heeft geschreven is nog lang niet uit de weg geruimd. Het is alleen voorlopig van de baan. Eens zal het opgelost worden. Goedschiks of kwaadschiks. Lees die opstellen maar,' besloot hij, naar de drukpers wijzend.

Hij liep naar de overkant van het vertrek om het werk van Hosea te controleren en voegde er aan toe: 'Dickinson en Franklin zijn redelijke mensen. Vaak betuigen zij in het openbaar hun trouw aan Zijne Majesteit. Maar het zijn ook principiële mensen. Ik twijfel eraan of zij zich ooit aan iets wat zij als tirannie beschouwen zullen onderwerpen. Denk daar over na—en over de mogelijke gevolgen—voordat je een besluit neemt.'

5

Dus vervolgde Phillipe, terwijl de drukpersen gedurende die grijze winterdagen volop draaiden, zijn onderzoek naar het karakter van de Amerikanen. Hij bestudeerde een bundel opstellen, die voor het eerst in 1768 onder de titel *Brieven van een boer in Pennsylvania aan de inwoners van de Britse koloniën* was uitgegeven.

De rechtschapen, aristocratische landeigenaar uit Pennsylvania had kloek maar redelijk gereageerd op de belastingen van Townshend. Dickinson had erkend, dat het Parlement bevoegd was de Amerikaanse handel met het buitenland te regelen. Maar hij had krachtig tegengesproken dat het Parlement het recht had belastingen te heffen in de dertien koloniën alleen maar om de zakken van de Kroon te spekken. Hij beschouwde de belastingen van Townshend—waarvan alleen nog maar die op de thee was overgebleven—als onwettig. Hij zinspeelde er op dat er nog een andere reden was om zulke belastingen niet toe te laten. Zij zouden precedenten kunnen scheppen voor een grote menigte andere belastingen, regels en verplichtingen van het buitenlands gezag.

Het beeld dat Phillipe van Dickinson kreeg was dat van een loyale onderdaan van Koning George. Eén passage luidde als volgt: 'Laten wij ons gedragen als plichtsgetrouwe kinderen, die van een geliefde ouder onverdiende klappen hebben gekregen. Laten wij daar bij onze ouder over klagen; maar laten we onze klachten tegelijkertijd de taal van smart en eerbied spreken.'

Maar aan de andere kant had Sholto gezegd dat Dickinson koppig aan zijn ideeën over rechtvaardigheid vast bleef houden. Hoe zulke mensen zouden reageren indien hun geweten opnieuw zou botsen met de wetten van de koning, maakten de opstellen niet duidelijk.

Dank zij het feit dat zijn kennis van het Engels gedurende zijn werk bij Sholto aanzienlijk groter was geworden, kon Phillipe de opstellen gemakkelijk lezen. Nadat hij er over nagedacht had, besloot hij dat hij een fervente aanhanger was van de advocaat Dickinson en zijn Amerikaanse broeders, al was het alleen maar om het feit dat zij gekant leken tegen het hooghartige gedrag dat zijn bezoek aan Kentland zo tragisch had doen aflopen.

Als Dickinson de gemiddelde Amerikaan vertegenwoordigde, zo kon Phillipe met stijgende opwinding alleen maar vaststellen, dan zou hij daar misschien wel thuishoren.

6

Begin maart was meneer Sholto weer hersteld. Er kon nu weer ouderwets plezierig gewerkt worden in de drukkerij. Phillipe had hoe langer hoe minder last van zijn haatgevoelens voor de Amberly's. De koloniën waren bijna geen ogenblik uit zijn gedachten. Hij was er nu van overtuigd, dat zijn moeder en hij moesten emigreren.

Hij moest nu alleen Marie nog zien te overtuigen. Iets weerhield hem er echter van het onderwerp ter sprake te brengen. Misschien omdat hij bang was dat zij zou weigeren, moest hij zelf toegeven.

Maar op een zonnige dag in april 1772, terwijl een zacht windje de laatste sneeuw deed smelten, namen twee onverwachte bezoekers aan Sweet's Lane hem het probleem hoe Marie te benaderen uit handen.

III Edmund Burke en doctor Benjamin Franklin

1

'Veeg die zwarte smeerboel van je handen af en kom meteen naar de winkel, jongen!'

Phillipe schrok zo, dat hij bijna de leren inktbal liet vallen. Het gebeurde maar zelden, dat een werkdag plotseling onderbroken werd. Sholto had ijver hoog in zijn vaandel staan. Maar daar stond hij ineens in de deuropening naar de winkel en gebaarde, dat Phillipe op moest schieten. Phillipe keek naar Hosea, maar die haalde ook verbaasd zijn schouders op. Phillipe greep een doek en maakte zo goed en zo kwaad als dat ging zijn handen schoon.

Toen liep hij gauw naar Sholto, die hem vertelde wat er aan de hand was: 'Ik heb je toch beloofd, dat ik je zou voorstellen aan iemand uit de koloniën, nietwaar? En nu is Franklin plotseling uit het niets komen opdagen! In gezelschap van een van mijn andere goede vrienden. Vlug, vlug! We kunnen de pers niet al te lang stil laten staan.'

Phillipe volgde de drukker naar de winkel. Twee eenvoudig geklede heren stonden daar te praten met mevrouw Emma. Marie, die druk bezig was de boekenplanken schoon te maken, keek haar zoon verbaasd aan toen deze binnenkwam. Phillipe had geen tijd haar uitleg te geven.

De jongste van de twee bezoekers, een blozende man van begin veertig, sprak met de vrouw van de drukker in een zangerig soort Engels, dat—zo zou Phillipe later ontdekken—karakteristiek was voor iemand uit Dublin: '. . .wij hebben uw goede echtgenoot al een tijd niet meer in de Turks' Head gezien. Onder het drinken van kopjes koffie komt de Whig-partij weer tot leven.' Toen hij bemerkte dat Sholto teruggekeerd was, keerde hij zich naar hem toe. 'Zelfs die lichtgeraakte Johnson, die denkt dat de eerste Whig de duivel in eigen persoon was, heeft naar je geïnformeerd, Solomon.'

'Ziekte en werk hebben me verhinderd,' zei Sholto. 'Als je gezond bent en de winst is bestendig, dán is er tijd voor koffiedrinken met vrienden.'

Maar het was vooral de andere bezoeker waar Phillipe met ontzag naar keek. De goddeloze tovenaar; het internationaal vermaarde genie, de vrolijke zwemmer in de Theems . . .

Dr. Franklin was een gezette man, ongeveer twintig jaar ouder dan zijn metgezel. Hij had hangwangen, terugwijkend grijs haar, een dikke buik en scherpe ogen. Zijn bril vergrootte nog zijn wijze uitstraling. Meteen merkte Phillipe op dat er iets merkwaardigs aan de brilleglazen was. De onderste helft scheen dikker te zijn dan de bovenste. Zou die bril de uitvinding zijn waar Sholto over had gesproken?

Franklin zei tegen de drukker: 'Wat het werk betreft ben ik het met je eens, Solomon. Honderden en honderden keren ben ik het daar mee eens geweest!' Hij lachte. 'Arme Richard heeft dat ook eindeloos herhaald, wanneer ik niet in staat was om hem geestige dingen te laten zeggen. Lang geleden ben ik tot de conclusie gekomen dat ik meer dan genoeg over zuinigheid en werklust geschreven heb. Ik word verondersteld het toppunt van een saaie, gierige werkezel te zijn. En, ach jee, wat blijft zo'n reputatie je lang achtervolgen. Als ik ook maar één grapje tegen de Britten maak, trekt men z'n wenkbrauwen zo hoog op, dat ze haast de hemel raken. Maar je weet, mijn waarde, dat ik net zo van de vrouwtjes en van madera geniet als wie dan ook.'

'Meer dan wie dan ook,' glimlachte Sholto.

'Bewaar mijn geheim, Solomon. En laat ik ondertussen Edmund nazeggen dat jij veel te lang niet op onze bijeenkomsten bent geweest.'

'En jij in Sweet's Lane, Benjamin.'

'Dank je. Zo voel ik het ook.'

'Er zijn nog andere attracties in de Turk's Head dan gesprekken over politiek,' zei de Ier met een twinkeling in zijn ogen.

'Precies,' stemde Franklin in. 'Doctor Goldsmith heeft ons het genoegen gedaan uit zijn nieuwe komedie voor te lezen. Hij hoopt, dat jij de drukopdracht zult krijgen, nadat Garrick het stuk heeft uitgebracht. Ik voorspel je dat het zeker een succes zal worden. Ook in de theaters aan onze kant van de Atlantische Oceaan.'

Sholto maakte een eind aan de kwinkslagen door zijn keel te schrapen en naar Phillipe te kijken.

Beide mannen richtten hun aandacht op de jongste aanwezige. Phillipe was er zich ook van bewust dat Marie nauwlettend naar hem keek. Hij vond het akelig dat zij zijn ideeën over Amerika op zo'n manier moest leren kennen. Maar hij kon er weinig aan doen.

Een mosselverkoper die zijn kar voortduwde kwam langs het raam en prees luid zijn waren aan terwijl Sholto zei: 'Deze jongeman verblijft als gast in mijn huis. Als een soort officiële leerjongen. Zijn naam is Phillipe Charboneau. Zijn moeder, mevrouw Charboneau, staat daar achter jullie.'

De twee heren groetten haar hartelijk. Marie, die klaarblijkelijk nog steeds in verwarring verkeerde, maakte een houterige revérence. Phillipe zag heel goed, dat de oudste bezoeker zijn bril recht op zijn neus zette en zonder gêne naar het goede figuur van Marie keek.

Sholto zei tegen Phillipe: 'Meneer Burke is een buitengewoon goed spreker en schrijver. Hij is ook lid van het Lagerhuis, als afgevaardigde van het kleine district Wendover. Over doctor Franklin heb ik je al verteld. Phillipe heeft aanleg voor het drukkersvak, Benjamin. Hij zou heel graag met je willen praten, en jouw *Beschouwingen inzake de Bevolkingsgroei* willen lezen. Onze twee exemplaren zijn helaas verdwenen.'

'Kom dan naar mijn kamers in Craven Street nr. zeven, jongeman, liefst 's avonds, dan zullen wij dat in orde maken. Maar mag ik je vragen waarom je zo geïnteresseerd bent in mijn werk over de bevolking van Amerika?' Phillipe, die zag dat Marie naar hem keek, aarzelde even.

Sholto antwoordde in zijn plaats: 'Om verschillende redenen denkt Phillipe er over daar naartoe te gaan in plaats van terug te keren naar Frankrijk.'

Marie hield plotseling haar adem in. Het was duidelijk hoorbaar. Phillipe hoefde haar niet lang aan te kijken om de boosheid in haar donkere ogen te zien. De krachtige stem van Franklin overviel hem: 'Je kunt niets beters doen! De mogelijkheden zijn daar in feite onuitputtelijk. Speciaal voor een eerzuchtige jonge vent die een drukpers kan bedienen. Toen ik mijn huidige eminente positie nog niet bereikt had'—aan de twinkeling in de ogen van Franklin was te merken dat hij dat niet ernstig meende—'was ik zelf drukker. In Philadelphia.'

Phillipe knikte. 'Dat heeft meneer Sholto mij verteld.'

'Eigenlijk heb ik het vak in Boston geleerd, als leerjongen. En ik heb er ook nooit spijt van gehad. Op mijn zestiende kwam ik in Philadelphia met niets anders in mijn zak dan één Hollandse gulden, een paar koperen penny's, en een heleboel verwachtingen. Dank zij het drukken had ik na een paar jaar al een goed bestaan, en had ik al een bescheiden succes in de wereld.'

'Op mijn erewoord! Bescheiden!' grinnikte Burke. 'De doctor is een veelzijdig mens, meneer Charboneau. Uitvinder. Wetenschapsman. Stichter van ziekenhuizen. De organisator van een vereniging die tot doel heeft de afschuwelijke slavenhandel af te schaffen.'

'Hij is niet in mij geïnteresseerd, Edmund,' zei Franklin. 'Hij wil iets leren over de koloniën. Heb ik gelijk jongeman?'

'Ja, meneer. En ik houd u aan uw aanbod dat ik u in Craven Street mag komen opzoeken.'

'Uitstekend. Maar ik waarschuw je dat ik je wel eens zou kunnen vervelen met het ophalen van herinneringen. Vaak verlang ik naar huis terug te kunnen keren in plaats van hier rond te moeten dwalen in het onvoorstelbare web van de Britse politiek. Vroeger vertegenwoordigde ik de handelsbelangen van Pennsylvania. Nu van Massachusetts Bay, maar het is allemaal hetzelfde gekrakeel. En ik heb mijn lieve vrouw Deborah moeten achterlaten, want zij heeft een vreselijke afschuw van zeereizen. Het is soms een eenzaam leven,' besloot hij, terwijl hij weer naar Marie keek.

De verzuchting van Franklin was niet in overeenstemming met zijn blik, maar Marie was niet geïnteresseerd.

'Hoeveel heb je de jongen al over Amerika verteld, Solomon?' vroeg Franklin tenslotte.

'Het beetje, dat jij mij verteld hebt. Dat er bijna geen straathoek is, waar niet iemand staat te venten met een pamflet of een krantje.'

'Heb je hem ook verteld dat veel publikaties schunnig en radicaal zijn?' vroeg Burke op scherpe toon.

157

'En wie is daar de schuld van, Edmund?' vroeg Franklin. 'Hoe langer Zijne Majesteit er mee doorgaat onrechtvaardige belastingen aan Engelsen op te leggen, des te vaker zullen radicalen als Adams en zijn vriend Revere, de graveur, hun vlammende opruiende geschriften in elkaar flansen. De fout ligt aan jullie kant van de zee, niet aan de onze.'

Edmund Burke knikte somber. 'Je weet dat ik het daar niet mee eens ben. Ben ik niet vaak opgestaan in het Huis om te pleiten voor controle op de buitensporigheden van de ministers? Ik ben voor verzoening. De regering kan eenvoudig niet doorgaan met zich te gedragen als een wrede vader die zijn kind straft.'

Franklin stak glimlachend zijn hand op. 'Je hoeft op mij geen indruk te maken met je Ierse redenaarstalent, Edmund. Ik ken je goede bedoelingen. Ik weet ook dat je in de minderheid bent, een steeds slinkende groep, die niet eens meer kan rekenen op de steun van Pitt.'

'Het was een dubbele tragedie, dat wij hem eerst aan het Hogerhuis moesten verliezen en toen aan zijn geestesziekte.'

'En nu,' repliceerde Franklin, 'hebben de koning en zijn aanhangers zowel in het Hogerhuis als in het Lagerhuis genoeg stemmen om precies te doen wat zij willen, mits zij er voor zorgen dat de Britse kooplieden tevreden en welvarend blijven. Al wordt er nu tijdelijk enige terughoudendheid betracht, ik ben erg bang dat de regering straks weer koppig dezelfde koers gaat varen die tot de slachting heeft geleid waar Adams zo veel munt uit heeft geslagen.'

'Het is alleen maar een slachting geworden omdat het gepeupel de troepen provoceerde!' zei Burke.

'Verdraaid nog aan toe, laten wij niet redetwisten alsof wij vijanden zijn, Edmund! Wij zijn het tenslotte in principe met elkaar eens. En wij kennen beiden één belangrijk feit waarvan de meeste van mijn landgenoten niet op de hoogte zijn. Dat in feite de koning als eerste verantwoordelijk is, en niet de hielenlikkende ministers, voor de ellendige belastingen die de oorzaak van alle onrust vormen.'

'Wat nu, Benjamin!' zei Sholto, onthutst. 'Is me dat even een verandering in je denken!'

Franklin glimlachte zuur. 'Als je in de wandelgangen van Whitehall maar goed je oren te luisteren legt en voorzichtig manoeuvreert kan er veel veranderen. Met de dag raak je er steeds minder bekoord van Zijne Majesteit.'

'Jullie zouden wel eens opnieuw last kunnen krijgen van de belastingen waar je het over had,' waarschuwde Burke. 'Heb je al het laatste nieuws over de Oost-Indische Compagnie gehoord?'

'Nee.'

'Het gerucht doet de ronde dat, omdat het kapitaal zo geslonken is, zij er een wet proberen door te krijgen die hun het monopolie op de theehandel overzee geeft.'

'Dat doen ze dan op eigen risico.' De slimme ogen achter de brilleglazen

158

vertoonden een woestheid, die Phillipe verbaasde van zo'n vreedzame persoonlijkheid. Ineens richtte Franklin zijn aandacht van Burke op Phillipe. 'Er wordt van mij verwacht, dat ik u een optimistisch beeld schets, meneer Charboneau. En nu ben ik bezig u een somber beeld te schilderen. Maar er schijnt ook wel zonlicht tussen de onweerswolken. Kom langs in Craven Street, dan zal ik het u laten zien.'

'Daar verheug ik me op, doctor.'

'De koloniën hebben er geen enkele behoefte aan problemen te scheppen, begrijp je. De toekomstige rust van Amerika ligt enkel en alleen in de handen van koning George.'

'Nonsens!' protesteerde Burke. 'Je vriend Adams, om er een te noemen, is er op uit onrust te veroorzaken. Hij staat te trappelen om het gepeupel weer op te zetten en zo zijn persoonlijke ambities te realiseren.'

'Adams gaat zo af en toe te ver,' gaf Franklin toe. 'Maar al gebruiken wij niet dezelfde middelen, wij hebben wel dezelfde principes. Wij hebben alles over voor vrede en harmonie, behalve één ding.' Even pauzeerde hij. 'Onze rechten als Engelsen. Ik zou willen, dat die waarschuwing uit de Turk's Head in het moestuintje van jouw boerenkoning herhaald werd. Maar ik ben bang dat niemand ernaar zal luisteren, behalve een paar goede mensen zoals jij, Edmund.'

Burke keek somber.

Phillipe merkte dat Marie over Burkes schouder naar hem keek en en wendde haastig zijn ogen af. Hij wist dat het, voor de dag ten einde was, tot een confrontatie zou komen.

Franklin werd weer wat vrolijker en haalde een zilveren horloge aan een ketting uit zijn vestzak. Hij liet Burke de beschilderde wijzerplaat zien en zei: 'Ik heb dadelijk een afspraak met de staatssecretaris van het Departement van Amerika. Ik moet mij verontschuldigen.'

'Ik moet ook eens opstappen,' zei Burke. 'Wij hebben het belangrijkste gedaan en weten weer hoe het staat met de gezondheid van Solomon.' Terwijl de twee bezoekers naar de deur liepen, voegde de Ier er aan toe: 'Of er nou haastwerk ligt te wachten of niet, Solomon, binnen veertien dagen verwachten jouw vrienden je bij de Turk's Head voor koffie of chocola. Almaar werken verzuurt de mens.'

'En verrijkt de drukkers,' grinnikte Franklin. 'Vergeet niet mij een bezoek te brengen, meneer Charboneau.'

'Zeker niet. Nog hartelijk dank.'

De twee mannen gingen naar buiten en liepen Sweet's Lane op, ogenblikkelijk gevolgd door een stoet kwajongens die hen lastig vielen om geld voor gin.

Toen de mannen en de lawaaierige kinderen nog niet uit het gezicht verdwenen waren, keek Marie haar zoon al toornig aan. 'Wat is dat voor een plan, dat je met vreemden bespreekt, zonder er ook maar met een woord met mij over gepraat te hebben?'

Phillipe bleef haar recht in de ogen kijken. 'Ik was van plan om er binnen-

kort met je over te praten, mama.'
Solomon Sholto zei: 'Uw zoon wou het idee eerst eens nader onderzoeken, mevrouw Charboneau.'
Marie balde haar vuisten. 'Om als een volkomen niemendal in een vreemd land, dat in de grootste beroering verkeert te gaan werken, is dát jouw voorstel?'
In een poging Phillipe te redden ging Sholto tussen moeder en zoon staan. 'Mevrouw, ik moet u er aan herinneren dat wij midden in een werkdag zijn. Ik begrijp best dat u en uw zoon belangrijke zaken te bespreken hebben. Maar doet u dat alstublieft later, niet wanneer het mij geld kost.'
Met moeite kon Marie een weerwoord onderdrukken. De deurbel klingelde. Twee dames met een hoedje op kwamen binnen.
Mevrouw Emma kwam gauw naar voren gelopen en zei op veel te luide toon: 'Goedendag, mevrouw Ghillworth! Komt u voor de nieuwste boeken? Madame Charboneau zal u wel even helpen . . .'
Even vreesde Phillipe dat zijn moeder in woede zou uitbarsten. Maar dat gebeurde gelukkig niet. Een paar seconden gingen voorbij. Sholto schraapte zijn keel. Met een laatste blik naar Phillipe, die een gesprek later op de dag beloofde, draaide Marie zich om en ging de klanten helpen.
Een andere welkome afleiding, al was het er een die mevrouw Emma een luide kreet deed slaken, was een plotseling gekraak dat van achteren kwam. Hosea brulde: 'Verdomme nog an toe!'
Phillipe en Sholto renden de drukkerij in en troffen Hosea aan die verwoed tegen een poot van de pers aan het schoppen was. De dikke, allerbelangrijkste plaat was doormidden gebroken.
Bij zijn vormraam meesmuilde Ezau: 'Je hebt iets te hard aan de handel gedraaid, beste broer. Waar waren je gedachten? Bij de rokken van een of andere lellebel?'
'Het kost ons de hele dag om dat te repareren,' zei Sholto woedend.
Maar terwijl Phillipe achter de eigenaar de trap opliep en Hosea vloekend aan zijn teen wreef, besefte hij dat geen enkel oponthoud de onvermijdelijke — en onvermijdelijk onplezierige — confrontatie met Marie zou kunnen verhinderen.

2

Sholto had helemaal naar de andere kant van de Theems, naar Southwark, een boodschap gestuurd voor een nieuwe plaat. Het onderdeel kwam pas aan toen het al lang donker was. Het duurde twee uur om het te installeren. De gebruikelijke avondmaaltijd van acht uur moest worden uitgesteld. Phillipe was moe en geprikkeld toen hij eindelijk met Sholto en zijn zonen naar boven ging. De klok van de St. Paul's sloeg tien uur. Marie stond op hem te wachten.

'Wij gaan niet aan tafel voordat ik met je gesproken heb, Phillipe.'

Met veel moeite hield hij zijn slechte humeur in bedwang. 'Goed. Maar laten wij dan tenminste de familie niet lastig vallen. Laten wij maar een eindje gaan lopen.'

'Wees voorzichtig op straat om deze tijd,' waarschuwde Sholto en liep naar de keuken, waaruit de heerlijke geuren van dampende thee en vers brood opstegen.

Phillipe knikte verstrooid.

Marie haalde een sjaal uit haar kamer. Buiten liepen zij het trappetje af, de duisternis in. Het was hevig gaan misten zodat de duisternis nog ondoordringbaarder was geworden. Hun voetstappen klonken hol op de keien. Phillipe besefte nauwelijks waar zij heen liepen. Zijn moeder bleef zwijgen. De spanning steeg. Plotseling gleed Marie uit in de modder van een goot. Hij probeerde haar arm te grijpen, maar boos schudde zij zijn hand van zich af.

Toen kwam de uitbarsting: 'Je geest is aangetast! Je bent geschikt voor het gekkengesticht, voor Bedlam! Hoe kan je er zelfs maar aan denken naar een ander land te gaan, terwijl er in dit land rijkdom, aanzien en macht op je liggen te wachten?'

Hij was niet meer in staat met tact over dat onderwerp te praten. 'Mama, dat is een waandenkbeeld! Ben je dan al die toestanden in Kentland vergeten? Er is geen enkele kans dat wij met succes onze aanspraken waar kunnen maken.'

Marie was ziedend, hij hoorde haar hijgende ademhaling. 'Wie heeft van jou een lafaard gemaakt, Phillipe?'

'Niemand!' beet hij haar toe,

'Ik probeer de toekomst als een volwassen man onder ogen te zien, niet als een blind kind!'

'Ik wens niet te luisteren naar . . .'

'Je zult luisteren! Ben je van plan ons voor altijd afhankelijk te laten zijn van liefdadigheid? Je vasthoudend aan de hoop dat er eens een wonder zal gebeuren? De hertogin van Kentland laat geen wonderen gebeuren! En wat hebben wij nog te zoeken in de Auvergne?'

'En daarom . . .' Hij had haar nooit met zoveel bitterheid horen praten. 'En daarom ben je van plan je hele leven te verdoen als drukkersknecht? Jij die een eed hebt gezworen, dat je jezelf nooit zou laten wegdrukken in vergetelheid?'

Innerlijk was Phillipe door haar woorden diep geschokt. Even voelde hij schuld als een zware last op zijn schouders. Marie was een meesteres in het treffen van de gevoeligste plek in zijn verdediging. Hij trachtte het gesprek in andere banen te leiden. 'Ik had nog niet definitief besloten je voor te stellen naar Amerika te gaan, het leek mij alleen maar de moeite waard erover na te denken, dat is alles. Het drukkersvak is een waardig beroep.'

'Een koopman zou wáárdig zijn? Bah!'

'Doctor Franklin heeft het er ver in geschopt. Door zijn geschriften was hij

161

meer dan welkom bij de adel.'

'O ja, ik herinner mij het gesprek op de boot nog. 'Een genie!' En glashard voegde zij er aan toe: 'Ben jij een genie, mijn zoon?'

'Nee, nee, natuurlijk niet. Ik . . .'

'Maar je bént van adel,' zei zij, terwijl zij klikklakkend dieper en dieper de mist inliepen, die hun wangen koud en klam maakte.

'Zelfs jouw Amerikaans genie kan zich daar niet op voor laten staan! Als het er op neer komt, dat jij weigert voor je aanspraken te vechten, Phillipe, dan heb ik voor niets geleefd.'

Phillipe zette zijn stekels op.

Ze sprak nu niet meer met heilige overtuiging, maar sloeg hysterische bombast uit: 'Wil je mij dat aandoen, Phillipe? Wil jij mij vernietigen, nadat ik mijn leven voor jou vernietigd heb?'

'Mama, je weet dat ik jou nooit pijn zou willen doen. Daarvoor houd ik veel te veel van jou. Maar je moet realistisch zijn.'

'Precies. Precíes! Waarom denk je dat ik elke shilling die ik bij Sholto verdien opgespaard heb? Om de overtocht over het kanaal te betalen?' Haar harde lach bracht hem nog meer van zijn stuk. 'O nee! Ik heb ook mijn geheime plannetjes gemaakt, Phillipe. Als wij genoeg geld hebben zoeken wij in Londen een advocaat, die ons kan helpen met de brief.'

Phillipe zei geërgerd: 'Toch ben ik van plan Franklins uitnodiging aan te nemen. Ik wil met hem praten. Praten kan nooit kwaad.' Hij besefte, dat Marie geen woord gehoord had van wat hij gezegd had. Zij was helemaal in de ban van haar eigen, wilde monoloog: ' . . . omdat ik niet van plan ben naar een land te varen waar alleen maar handelaars en boeren wonen en die . . . die afschuwelijke rode Indianen waar iedereen over kletst. Ik ben niet van plan Engeland te verlaten voor jij je gehele, rechtmatige aandeel van . . .'

'In godsnaam, mens, dat idee wordt nog eens je dood!'

Dood dood dood weerkaatste de echo in de langzaam opwaaiende mist. Het was niet zijn bedoeling geweest te schreeuwen. Of haar bij een andere naam te noemen dan die met welke hij haar sinds zijn jeugd gewend was aan te spreken. Maar hij had het beide gedaan. Op een griezelige manier die hun zei dat er iets nieuws in hun relatie was gekomen.

Zijn uitval had haar een beetje ontnuchterd. Zij sprak iets minder heftig: 'Phillipe, wat is er met je gebeurd? Wil je niet langer worden zoals je vader?'

Hij dacht even aan Lady Jane, aan Alicia en met haat aan Roger. 'Alleen zo af en toe,' was het eerlijkste antwoord, dat hij kon geven. Toen begon Marie Charboneau te huilen. Korte krampachtige snikken, die Phillipes hart verscheurden. Ellendig en zowel boos op haar als op zichzelf voelde hij zich. Plotseling richtte hij zijn hoofd op. Hij had nog een ander geluid gehoord. En hij hoorde het weer, als begeleiding van haar gesnik.

Sjfff-sjfff-sjfff . . .

Het geluid deed zijn haren recht overeind staan en zijn handen ijskoud worden. Het kwam van links, maar door de mist was de bron onzichtbaar. Toen klonken er weer voetstappen. Van rechts ditmaal. Zij moesten in de buurt van de St. Pauls' terecht zijn gekomen, realiseerde Phillipe zich. Hij had het gevoel dat zij in een open ruimte liepen: het Plein! Hoog boven zich kon hij het flauwe schijnsel zien van de verlichte ramen onder de koepel. Hij tastte naar Maries arm. 'Mama, ik denk, dat wij het beste terug kunnen gaan—'

Plotseling weerklonk een onbekende stem: 'Ik zeg je dat 't 'm is! Ik wist het meteen, toen ik 'm hoorde schreeuwen!' De stem kwam van links, waar het geschuifel naderbij kwam. Een andere stem antwoordde van rechts: 'Dus dan was die ouwe Jemmy wel goed bij z'n kop toen ie zei dat ie dacht dat ie 'm gezien had in Sweet's Lane. Laten we voor de zekerheid gaan kijken.'

Het luikje van een lantaarn klapte open. Dichtbij lichtte een zwavelkleurige vlam in de mist op. Ontsteld sprong Phillipe terug. In het lantaarnlicht zag hij een man met een grijze baard, bruin tandvlees en een dicht oog. De verschijning riep: 't Is 'm inderdaad!'

Phillipe herkende het afzichtelijke gezicht niet, maar hij zou niet één gezicht herkend hebben van zijn belagers van die eerste avond op de kerktrappen. Met een hand hield de bedelaar de lantaarn hoger en met de andere vieze hand pakte hij Phillipes arm. Zijn ogen fonkelden. Een tweede, in lompen gehuld creatuur kwam achter hem tevoorschijn. Een vrouw: een oud wijf. Haar ingezakte borsten waren voor een deel zichtbaar door haar smerige gescheurde blouse. Net zo min als de man had de vrouw tanden in haar mond. Haar ogen fonkelden begerig terwijl zij haar hand uitstak en met haar vingers een veelbetekenend gebaar maakte. 'Een penny voor een bloemetje voor het graf van de Generaal?'

Phillipe ging voor de doodsbange Marie staan en probeerde de hand van de man van zich af te schudden, terwijl de oude vrouw met schrille stem zei: 'Een penny maar. Da's niet veel voor een jongen die in een mooie boekhandel werkt. Ouwe Jemmy heeft goed uit zijn ogen gekeken. Hij heeft je herkend!'

'Laat me gaan, loop naar de hel jullie!' Phillipe probeerde nog verwoeder zich los te rukken van de vuile hand die hem vasthield.

Plotseling liet de man zijn lantaarn vallen en greep Phillipe bliksemsnel met beide handen bij de keel. 'Kan je nog niet eens een bloemetje voor het graf van een brave man kopen?' schreeuwde hij. 'Je bent het hem schuldig. Je hebt hem vermoord!'

Woest dreef Phillipe zijn vuist in de buik van de man. Eén klap was genoeg. De gebroken nagels lieten zijn nek los. Hij greep Marie bij haar middel zodat hij haar bijna optilde en sleurde haar mee.

De eenoog en de oude vrouw zetten het samen op een krijsen: 'Moordenaar! Moordenaar!'

Hun schuifelende voeten volgden Phillipe en Marie nog even naar Sweet's Lane en verdwenen toen.

Buiten adem bereikten zij de veilige trap die naar de tweede etage van

163

Sholto's huis voerde. Zo snel mogelijk klommen zij naar boven. Pas toen zij de deur achter zich dicht hadden gedaan kwam Phillipes bonzende hart wat tot bedaren.

De bedelaars waren niet echt gevaarlijk geweest. Maar hij was zich doodgeschrokken. De rillingen liepen nog over zijn rug. En hij meende dat hij nog ver weg in de mist die stemmen hoorde krijsen: *'Moordenaar . . .'*

Zonder iets te zeggen ging Marie naar haar kamer.

3

Phillipe sliep slecht die nacht. De volgende morgen vertelde hij aan Ezau wat er gebeurd was. De breedgeschouderde jongeman haalde zijn schouders erover op.

'Dat was alleen maar een poging om jullie aan het schrikken te maken zodat jullie hun drinkgeld zouden geven. Denk je werkelijk dat het ze iets kan schelen als een van hen dood gaat? De man die jij neergestoken hebt—de Generaal—is waarschijnlijk vijf minuten nadat Hosea en ik jullie naar huis hadden gebracht, uitgekleed en naakt achtergelaten om weg te rotten.'

Toch zat iets hem nog dwars. De bedelaars wisten waar hij woonde. Wat zou er gebeuren als iemand anders naar hem zou gaan zoeken? En de bedelaars naar een 'Franse jongen' zou vragen?

Natuurlijk was er nog geen sprake van enig bericht over een eventuele achtervolging geweest, sinds zij Tonbridge hadden verlaten. Maar hij kon die nieuwe ongerustheid niet van zich afschudden.

Ezau lachte hem uit. 'Hé, trek niet zo'n gezicht! Ga de platen van Hosea inkten, anders wordt het middernacht voor ik mijn fluit kan oppakken!'

Phillipe knikte en begon met zijn werk. Maar toch bleef de bezorgdheid de hele dag aan hem knagen. Hij vertelde er niets over aan Marie. Hij vermeed haar trouwens. Hij wilde niet opnieuw met de discussie—de ruzie—beginnen. Hij wou ermee wachten tot hij een manier had gevonden, die haar ervan zou overtuigen dat een tweede confrontatie met de Amberly's het risico niet waard was en nutteloos zou zijn. De volgende dag, een warme, maar winderige voorloper van de lente, had hij iets van zijn ongerustheid van zich afgeworpen. Hoewel de grijze wolken met onweer dreigden, besloot hij die avond naar Craven Street te gaan. Hij hoopte, dat hij Franklin thuis zou treffen. Marie ging vroeg naar bed. Daarom hoefde hij haar niet te vertellen waar hij heen ging. Hij vertelde het echter wel aan de Sholto's. Eens te meer waarschuwden zij hem voor de onveilige straten. Toen zijn vader even niet keek, stopte Hosea Phillipe een goedkope dolk toe. 'Vraag me niet waar ik dat verdomde ding vandaan heb of hoe ik het gebruik. Neem het gewoon maar mee.' Phillipe bedankte hem en ging op weg.

Toen hij langs de Strand liep, rommelde het in de verte. Hij keek dikwijls achterom, maar zag niemand die hem volgde. Hij vond Craven Street, een straat die op de Theems uitkwam, zonder ongelukken. Hij liep de trappen van nr. zeven op en zette zijn ongerustheid over de bedelaars als belachelijk van zich af. Aan het eind van de week zou hij ontdekken dat dat een ernstige vergissing was geweest. Maar nu de nachtelijke hemel wit gekleurd werd door de bliksem, de eerste donderslag weerklonk en grote regendruppels begonnen te vallen, had hij daar nog geen weet van.

IV De tovenaar van Craven Street

1

Toen Phillipe de klopper tegen de deur liet vallen, bliksemde het weer. De koppen op de golven van de kolkende Theems, een paar stappen verwijderd van het stenen huis, laaiden op in een witte gloed. Plotseling was de wind kouder geworden. De regen kletterde op de keien. Hij drukte zich dicht tegen het huis aan.

Een vrouw deed open. Van middelbare leeftijd, maar nog steeds aantrekkelijk. Ze hield een kandelaar met een brandende kaars omhoog en keek Phillipe wantrouwig aan. 'Ja?'

'Goedenavond. Is dit het huis van doctor Franklin?'

'Nee, het is het huis van de weduwe Stevenson. Maar hij huurt kamers bij mij.' De vrouw keek langs Phillipe heen naar de donkere portieken aan de overkant van de door regenvlagen geteisterde straat. Nog steeds wantrouwig vroeg zij: 'Bent u een vriend?'

'Een kennis. Doctor Franklin heeft mij toestemming gegeven hem een bezoek te brengen. Mijn naam is Phillipe Charboneau. Als de doctor thuis is, zou u mij een genoegen doen door mij aan te kondigen.'

Het wantrouwen van mevrouw Stevenson scheen af te nemen. Zij deed een stap naar achteren en wenkte hem binnen te komen. 'Goed. Maar ik ben bang dat u de doctor in zijn luchtbad zult storen.'

'Zijn wat?'

Phillipes woorden werden onverstaanbaar gemaakt door een nieuwe donderslag, zodat mevrouw Stevenson ze niet hoorde. Ze liep naar de open deur aan het eind van de hal en zei: 'Normaal begint hij de dag met zijn luchtbad. Maar vandaag is hij daar door vroege afspraken niet aan toe gekomen.' Bij de ingang van een rijk gemeubileerde, vrolijk verlichte salon riep zij: 'Polly, Polly, liefje . . .'

Een ogenblik later verscheen een knap meisje, ongeveer even oud als Phillipe.

'Er is bezoek voor Benjamin,' zei de vrouw tegen het meisje.

'Meneer?'

'Charboneau,' zei Phillipe.

'Mijn dochter brengt u wel naar boven.'

Phillipe bedankte haar en ging opzij om het meisje met haar kandelaar voor te laten gaan. De donderslagen stierven weg toen zij op de zachte traploper naar boven gingen. In de stilte hoorde Phillipe boven iemand zingen. Hij herkende de stem van Franklin, maar de muziek die hem begeleidde had hij nog nooit gehoord. Een trillende, bijna griezelige klank. De melodie zelf klonk klagend; de woorden ook:

Over Cloë en Phyllis zingen poëten,
Maar ik zing van Sjaantje alleen.

'O!' riep het meisje. 'Hij is aan het spelen!'
'Het lijkt mij dat hij aan het zingen is.'
'Ja natuurlijk, dat ook. Wat een domme opmerking.'
'Neem me niet kwalijk,' zei Phillipe bits. 'Men heeft mij verteld dat hij een luchtbad of zoiets aan het nemen is.'

Al is zij gewoon maar Sjaantje geheten
Zoals zij bestaat er niet een
Lieve vrienden, zoals zij bestaat er niet een.

Zij is al twaalf jaar de vreugd van mijn leven
Ja, zij is de vrouw naar mijn zin
Zij heeft mij eenmaal haar jawoord gegeven
en geen dag dat ik haar niet bemin

Lieve Vrienden
Geen dag, dat ik haar niet bemin.

'Doctor Franklin kan alle drie tegelijk!' antwoordde het meisje opgetogen. 'En hij kan ook goed viool spelen, en harp en harmonica.'
Phillipe maakte uit haar gebaar op, dat hij nu op dat laatste onbekende instrument aan het spelen was.
'Hij heeft de harmonica in dit huis uitgevonden. Soms zit ik uren naar hem te luisteren in zijn kamer.' De jonge Polly scheen dolverliefd te zijn.
Naarmate zij hoger kwamen, klonk de onaardse zoete muziek luider. Franklin zong met vuur maar ook met gevoel:

Eenieder heeft fouten, ook Sjaantje misschien,
Maar ik ben er gewend aan geraakt,
Want de fouten van Sjaantje zijn haast niet te zien:
Kleine foutjes die iedereen maakt.
Lieve vrienden,
Kleine foutjes die iedereen maakt!

'Jaren geleden heeft hij dat liedje voor zijn vrouw in Philadelphia ge-maakt,' verklaarde Polly toen zij op de overloop waren gekomen. 'Het is het enige dat ik niet mooi vind.'
Phillipe begreep meteen waarom. In de ogen van het meisje had adoratie plaats gemaakt voor jaloezie. Zij klopte op de deur.

De krachtige stem schalde verder:

Kwam er de mooiste prinses op mijn pad
Die mij een miljoen geven zou,
'k Zou haar nooit ruilen voor mijn liefste schat
Waar ik voor altijd van hou.
Lieve Vrienden
Waar ik voor altijd van hou!

Polly klopte nog harder op de deur. 'Doctor Franklin, alstublieft!'
De laatste tonen stierven weg.
'Ben jij dat Polly liefje?'
'Ja, er is bezoek voor u.'
'Mannelijk of vrouwelijk?'
'Het eerste. Een jongeman. Hij zegt, dat hij u kent.'
'Dan mag hij meteen binnenkomen. Maar jij blijft buiten. Ik ben nog aan het baden.'
Polly giechelde. Ze liet Phillipe binnengaan. Toen hij de kamer inging stond Polly op haar tenen achter hem en stak haar nek naar voren om iets van de bewoner van de kamer op te vangen. Phillipe betrapte haar toen hij zich omdraaide om de deur dicht te doen. Ze kreeg een hoogrode kleur. Hij begreep gauw waarom, toen hij de bulderende begroeting van zijn gastheer—'Charboneau! Een goede avond!'—wilde beantwoorden en zich daartoe weer omdraaide. Nooit van zijn levensdagen had Phillipe zoveel merkwaardige dingen gezien als in deze kamer, waar de kaarsen door lampeglazen werden beschermd. Wat niet overbodig was, want de drie ramen die op Craven Street uitzagen stonden wijd open. De gordijnen waaiden omhoog en de regen vloog naar binnen. De wind ook, zodat het er buitengewoon koud was. De bladzijden van een boek dat op de leestafel lag, klapperden in de kleine orkaan.
Maar Benjamin Franklin leek zich buitengewoon op zijn gemak te voelen. Hij zat op een bank bij de muur aan de andere kant van het vertrek en voor hem stond een volkomen onbegrijpelijk instrument. Daar moest de muziek uitgekomen zijn, vermoedde Phillipe.
Franklin lachte vrolijk. 'Pak een stoel. Neem een glas madera. Nog even en ik ben klaar met mijn luchtbad.' Hij bleef zelfverzekerd lachen ondanks het feit dat hij, op zijn bril na, geheel naakt was.
Nu kreeg Phillipe een kleur, net als Polly, maar om een andere reden. Hij liep naar de drankkast en schonk zichzelf een glaasje in uit de karaf. Hij nam haastig een slokje toen Franklin opstond en een paar flinke passen op en neer door de kamer deed.
'Ik ben blij, dat u uw belofte bent nagekomen, meneer Charboneau. Excuseert u mijn uiterlijk. Ik ben altijd van mening geweest dat frisse lucht een heilzame werking heeft op de gezondheid en op de levensduur van een mens. Zomer en winter doe ik de ramen open en snuif op deze manier een

uur per dag de frisse lucht op. Nou, nou! Je hoeft geen kleur te krijgen. Heren hoeven toch geen valse schaamte voor elkaar te hebben?'

'Eh . . .eh . . .' Phillipe slikte de madera door die plotseling een warme scheut in zijn maag teweeg bracht. Hij kon haast geen woord uitbrengen. 'Nee. Nee. Maar ik heb nog nooit zoiets als dat daar gezien . . .' Enigszins onhandig wees hij langs Franklins blote buik naar het merkwaardige instrument tegen de muur.

'Mijn harmonica? Ik heb ontdekt dat uitvoeringen op zingende glazen hier een rage zijn. Ik heb alleen de primitieve methode die hierbij gebruikt werd verbeterd. Ik zal je een demonstratie geven.' Een klok op de schoorsteen-mantel sloeg het halve uur. 'Maar wacht even, want de tijd is voorbij. Ik ben zo terug . . .' Hij verdween in een donkere aangrenzende kamer om even later terug te komen, gekleed in een versleten kamerjas en oude pan-toffels van lamswol. Een voor een deed hij de ramen dicht en vergrendelde ze. Toen liep hij naar zijn harmonica, terwijl Phillipe, nu minder zenuw-achtig, zichzelf nog een scheutje madera inschonk.

Hij liep naar de bank waar Franklin op was gaan zitten. Allengs waren ook andere bijzonderheden in de kamer hem opgevallen. Overal lagen boeken en mappen met papieren; op de schoorsteenmantel stonden drie minia-tuurtjes in dure gouden lijstjes. De middelste was het portret van een vrouw met een gewoon, zelfs alledaags gezicht. Aan weerskanten van haar de portretten van een jongen met heldere ogen en van een lieftallig meisje. De kinderen van Franklin? Phillipe vroeg zich af of de jongen de bastaard en huidige gouverneur William was.

Maar toen trok Franklin zijn aandacht weer, wiens vingers over de harmo-nica speelden. De hoge, trillende noten verstierven terwijl door de spleten in de luiken het licht van de bliksem te zien was. Het onweer deed het huis schudden.

Phillipe boog zich voorover terwijl Franklin uitlegde: 'Tot de komst van mijn kleine schepping moesten de glasspelers steeds als de wiedeweerga het goede glas te pakken zien te krijgen, dat vaak niet makkelijk binnen bereik was. Ik heb het probleem wat meer wetenschappelijk benaderd, dat is alles.'

Hij wees naar de glazen schalen die dicht op elkaar waren geplaatst en elk een verschillende hoeveelheid water bevatten. Elke schaal leek op een wijn-glas, maar met een gat aan de onderkant in plaats van een steel. Elk gat paste op een staaf die op een as stond. Die as kon heen en weer draaien en voor en achteruit als doctor Franklin op een trappedaal drukte. Zo konden sommige glazen dichter bij de speler gebracht worden of weer verder van hem af. De glazen waren zo nauwkeurig geplaatst, dat er geen druppeltje water werd gemorst, als de as van positie veranderde.

'Het zijn zevenendertig handgeblazen glazen, variërend van zeveneneen-halve tot tweeëndertig centimeter—zodoende drie octaven omvat-tend—en oorspronkelijk gestemd met behulp van een harpsichord. Met een diamant heb ik de noten er in gekrast.'

169

De oude man bevochtigde zijn vingers in een bak water die op een krukje naast de bank stond. Toen streek hij, terwijl hij het pedaal gebruikte, langs de randen van de glazen. Er weerklonk een verrassend mooi wijsje, met eenvoudige akkoorden die harder of zachter klonken naar de mate waarmee Franklin met zijn vingers op de randen drukte.

Halverwege begon hij te lachen en keerde zich om naar de verbaasde Phillipe. 'Zo, dat is genoeg muziekleer voor vanavond, denk ik. Je bent meer geïnteresseerd in Amerika. Ga weer zitten en laten we nog een glaasje madera drinken.'

Door de twee glazen die hij op had voelde Phillipe al een zacht gesuis in zijn hoofd en waren zijn ogen al een beetje wazig geworden. Maar hij nam het volle glas dat Franklin hem inschonk aan en ging op de stoel zitten die hem werd aangeboden.

Franklin koos voor zichzelf een nog grotere bokaal uit, die hij tot de rand toe vulde, en ging vervolgens gemakkelijk zitten in de tweede stoel, bij de boekenkast, recht tegenover zijn gast. 'Ik herinner me dat ik je een exemplaar van mijn verhandeling over de bevolkingsgroei moet geven voor je weggaat. Maar vertel mij eens, waar kom je vandaan? Aan je accent te oordelen zou ik zeggen uit Frankrijk.'

'Inderdaad, mijnheer. Mijn moeder en ik zijn uit de Auvergne naar Engeland gekomen.'

'Voor zaken? Om familie te bezoeken?'

Phillipe stond op het punt te zeggen dat hij de zoon van een edelman was. Maar hij onderdrukte die aandrang. Franklin zou wel eens niet zo op de Engelse adel gesteld kunnen zijn, en zeker niet op die Vrienden van de Koning, waartoe zijn overleden vader werd gerekend. Bovendien was hij er niet op gebrand dat het verhaal van zijn afkomst te veel bekendheid zou krijgen, zeker niet gezien die verontrustende affaire met de bedelaars. Dus hij antwoordde: 'Zaken, zo zou u het kunnen noemen, geloof ik. Mijn moeder is nooit getrouwd met mijn vader, die een Engelsman van goeden huize was.'

Hij zag dat Franklin een snelle blik wierp op het portretje van zijn zoon; zijn ogen straalden genegenheid uit, die hij openlijk toonde. Toen keerde zijn aandacht weer terug naar de bokaal, die hij in zijn handen warmde.

Phillipe vervolgde: 'Toen mijn vader stierf was het de bedoeling, dat ik een erfenis zou krijgen, maar . . . laten we zeggen dat er moeilijkheden rezen.'

'Een stel schelmachtige familieleden heeft je zeker de voet dwarsgezet?'

'U bent gauw tot de kern van de zaak gekomen.'

Franklin wuifde het compliment weg. 'Dat is het oude liedje bij de zogenaamde verfijnde hogere standen. Dus nu denk je erover de zee over te steken naar het westen . . .'

'Ja, meneer. Mijn moeder is er natuurlijk tegen.'

'Knappe vrouw. Verduiveld knap! Kun je haar overhalen, denk je?'

'Ik denk van wel.' 'Vooral als daar een zekerder toekomst voor ons is dan in Frankrijk.'

'Je had geen betere leermeesters in het drukkersvak kunnen treffen dan de oude Solomon en zijn zonen. En het is waar dat er elk jaar nieuwe drukkerijen bij komen in de koloniën. De handel breidt zich uit. Dat betekent meer pamfletten, meer advertentiebladen. De literatuur begint op te komen. Er is een gulzige honger ontstaan naar kennis en nieuws. Bovendien hebben wij daar een relatief open samenleving.'

Phillipe schudde zijn hoofd, ten teken dat hij het niet begreep. Weer kwam een fel licht door de luiken gevolgd door een geweldige donderslag.

Franklin schonk zichzelf nog een vol glas madera in en vervolgde: 'In Amerika is iedereen vrij zo hoog te klimmen en zo ver te komen als zijn verstand en zijn ijver het toelaten. In Amerika zijn wij voor het grootste deel gespaard gebleven voor de beperkingen van het oude Europese stelsel van adel en geprivilegieerde standen waar jij kennelijk over kan meepraten.'

De schrandere ogen achter de brilleglazen keken hem doordringend aan. Het was duidelijk, dat dat laatste bedoeld was om hem uit zijn tent te lokken, maar Phillipe zei niets en knikte alleen maar. Zonder er bij na te denken, had hij zichzelf nog een glas ingeschonken. Hij had nu werkelijk last van het gesuis in zijn oren. Ook al zou hij het willen, hij was er niet zeker van dat hij een samenhangend geheel zou kunnen maken van het verhaal over de Amberly's.

Hij voelde zich duizelig worden, van de wijn en van het feit dat hij hier zo genoeglijk zat in aanwezigheid van deze bijna goddelijke man, die even gewoon aandeed als zijn oude lamswollen pantoffels.

Toen hij zag, dat hij geen antwoord kreeg, ging Franklin verder met zijn betoog. 'Ja, je kunt het ver schoppen in Amerika, hoe laag je ook begint. Dat zal ook wel zo blijven, tenzij, wat God verhoede, de Kroon het besluit neemt zijn politiek ten aanzien van koloniale zaken te wijzigen.'

'Met Burke heeft u tamelijk uitvoerig over die netelige affaire gesproken.'

'Omdat ik er bijna voortdurend aan moet denken. De toekomstige relatie tussen de koloniën en het moederland hangen geheel—gehéél—af van wat Zijne Majesteit doet.'

'Kunt u een voorspelling doen voor bijvoorbeeld het komende jaar? Zullen de omstandigheden daar dan zo onzeker zijn, dat het waanzin zou zijn erover te denken daar heen te gaan in de hoop op een veilige toekomst?'

Met een bijna stuurse blik tuurde Franklin in zijn bokaal. Somber zei hij: 'Ik hoop van niet. Net zoals de meesten van mijn landgenoten, van het stroomgebied van Virginia tot de kreeftenbank van Maine. Door daar te gaan wonen hebben zij hún toekomst al in de waagschaal gesteld. Ik wou dat ik wat duidelijker kon zijn, maar helaas . . .' Even verscheen er een berouwvol trekje om zijn mond. 'Als profeet is Arme Richard Saunders maar een schijnheilige bedrieger. Wel weet ik dat je Engelsen nooit op de knieën kunt krijgen. Als ik eerlijk wil zijn, moet ik zeggen dat Amerika in de naaste toekomst een unieke combinatie vormt van mogelijkheden en risico's. De mogelijkheden heb ik je geschetst in een paar woorden: de atmosfeer is daar minder verstikkend.

171

Aan de andere kant begrijpen Duitse George—en veel van zijn ministers, die toch verondersteld worden Engelsen te zijn!—eenvoudigweg het Amerikaanse karakter niet. Zoals je mij aan Edmund hebt horen vertellen, willen wij rechtvaardigheid, geen vijandschap. Maar als zij de zaak willen forceren met hun duivelse belastingen en bevelen . . . Dat schandelijke plan voor de thee bijvoorbeeld! Ik heb het gerucht dat Edmund had vernomen nagegaan: het plan staat inderdaad op stapel. Indien die aanmatigende ministers er toe mochten besluiten een wet door te drijven die een Amerikaans monopolie verleent aan een half geruïneerde Oost-Indische Compagnie; indien de regering op onze kosten koninklijke troepen bij ons gelegerd houdt en ons blijft lastig vallen met allerlei soorten ergernissen en ondraaglijke irritaties—kleine 'vernieuwingen', worden die door de grappenmakers in het Parlement genoemd—dan zul je zien dat dertien koloniën een front zullen vormen, wat ze nog nooit eerder gedaan hebben.'

Er viel een stilte. De klok op de schoorsteenmantel tikte met de regen mee. Plotseling stak Franklin zijn onderlip uit. 'Nu heb ik je ongetwijfeld neerslachtig gemaakt. Ik heb zeker mijzelf neerslachtig gemaakt. Nog een madera!'

Voor Phillipe besefte wat er gebeurde, waren beide glazen weer gevuld. Hij zei: 'Nee, ik ben niet neer-eh-neerslachtig. Ik heb juist moed gevat. U bent eerlijk geweest. Ik denk dat ik graag de vrije lucht van Amerika zal opsnuiven. Wat in de toekomst de gevaren ook zullen zijn.'

'Goed zo! Bedenk dat ik de situatie misschien te zwart heb voorgesteld. Zolang er geen nieuwe aanslagen op onze vrijheden plaatsvinden, zou alles in betrekkelijke rust kunnen voortgaan . . .'

Franklin was nog niet uitgesproken of een felle bliksemflits doorkliefde de lucht, en het luide, door merg en been gaande *dong-dong-dong* van een bel weerklonk, zodat de halfdronken Phillipe uit zijn stoel opsprong.

'Verdraaid,' riep Franklin, 'ik heb vergeten de draad van de staaf los te maken!' Hij rende naar de deur waar hij al eerder door was verdwenen. Ditmaal echter werd de donkere kamer erachter verlicht door een spookachtig schijnsel, dat Phillipe de haren recht overeind deed rijzen.

Franklin zag dat zijn gast wit om de neus was geworden en grinnikte. 'Je hoeft je niet ongerust te maken. Door het onweer staat het huis gewoon onder stroom. Kom maar kijken.'

Dong-dong-dong, het ging dwars door je trommelvliezen heen, als een alarmklok voor het laatste oordeel. Phillipe slikte, liep wankelend tot aan de deuropening, keek naar binnen en zag het silhouet van Franklin tegen een vreemd wit aura, dat rond een plek op de muur gloeide. *Dong-dong-dong-dong . . .*

'Door de natuurlijke kracht van de elektrische stroom gaan ze rinkelen,' riep de geleerde boven het lawaai uit.

Hij leek wel een witte hellegeest toen hij op een klein koperen balletje wees, dat in het midden van dat vreemde vuur heen en weer danste. Het balletje—en de witte gloed zelf—bleken heen en weer te bewegen tussen twee

172

bellen, die hoog aan de wand waren opgehangen. *Dong-dong-dong-dong* . . .

'Normaal is de staaf op het dak verbonden met de aarde, zodat de lading zonder schade aan te richten in de aarde verdwijnt. Maar zo af en toe verbind ik de staaf met de bellen om bezoekers te amuseren.'

'Staaf?' herhaalde Phillipe wezenloos.

'De staaf, die ik uitgevonden heb om te verhinderen dat de bliksem in huizen inslaat. Zie je dat daar een metalen draad naar beneden komt en dat het balletje er door een zijden draad mee verbonden is?'

Door het halfduister strompelde Phillipe naar voren, langs een tafel die propvol stond met laboratorium-gereedschap en tinnen potten. De witte gloed begon af te nemen. Het balletje ging minder snel heen en weer. Vol ontzag stak Phillipe zijn hand uit naar het balletje.

'Raak het in godsnaam niet aan!' riep Franklin terwijl hij zijn pols greep. 'als je dat doet, zou je levend kunnen verbranden.'

Dronken en bijna buiten zichzelf van angst, deinsde Phillipe achteruit. Hij probeerde flauw te glimlachen. 'Dat . . . dat is werkelijk heel amusant.'

Nu raakte het balletje de bellen nauwelijks meer. De witte gloed was bijna verdwenen. Franklin sloeg zijn arm om Phillipes schouder en leidde hem weer terug naar de salon.

'Ik neem aan dat je liever geamuseerd wilt worden door het boek, dat ik je beloofd heb.' Hij zette zijn bril recht, zocht de boekenkast af en haalde er een dun boek uit, waarbij een aantal andere boeken op de grond viel. Phillipe voelde zich opgelucht dat hij niet de enige was, die onder invloed van de wijn verkeerde.

Franklin gaf het boek aan zijn gast. 'Haal er zoveel mogelijk feiten uit en geef het dan, met mijn complimenten, ten geschenke aan mijn vriend Solomon, aangezien hij geen exemplaar meer heeft.'

'Doctor Franklin, ik dank u heel, heel hartelijk dat u uw tijd ter beschikking heeft willen stellen, dat u zo vriendelijk bent geweest, dat u . . .'

'Zo'n vurige uiteenzetting heeft gegeven?'

Beiden lachten.

'Houd mij op de hoogte van je plannen. Laat je niet ontmoedigen of afschrikken door wat zou kúnnen gebeuren. Amerika is een nieuw en moedig land, en zijn vrije lucht maakt de risico's die aan emigratie verbonden zijn meer dan goed.'

'Ik dank u nogmaals voor uw goede raad.'

'Geen dank! Wie weet bewijs ik de koloniën een goede dienst door je te sturen. Om eerlijk te zijn, zou ik je meer daadwerkelijke hulp willen bieden. Mocht je tot een besluit komen, laat het me dan weten. Ik bezorg je dan een lijst met de namen van goede drukkerijen in de grote steden. En ik geef je dan ook een aanbevelingsbrief mee.'

'Meneer, dat is heel vriendelijk van u. Maar ik wil u niet lastig vallen.'

'Lastig vallen? Het is toch het minste wat ik kan doen voor een dappere kerel?'

173

Phillipe wist niet wat hij hoorde. 'Dapper?'
Franklin liep naar het raam, deed het luik open en wees met zijn vinger naar buiten. 'Een bezoek aan Craven Street maakt je verdacht,' zei hij, 'bij de volgende bliksemflits moet je maar eens naar buiten kijken.'
Ze wachtten even. Toen lichtte de hemel op en werd een man zichtbaar die zich in een steegje had verscholen. Hij was gekleed als een matroos. In het witte licht was de flikkering van een ringetje in zijn oor zichtbaar. Met een nors gezicht smeet Franklin het luik weer dicht. 'Ik laat je er aan de achterkant uit. In je eigen belang.'
'Wordt u bespioneerd, doctor?'
'Bijna voortdurend. Bepaalde lieden uit het Parlement hebben zelfs verkondigd, dat ik opgehangen moet worden. En dan te bedenken dat ik in vergelijking met Adams en de rest van die lieden in Boston heel gematigd ben ten opzichte van de koning! Wil je nu nog steeds Amerikaan worden, Phillipe?'
Halfdronken van de wijn en de opwinding antwoordde Phillipe: 'Ja, ik denk van wel.'
'Ik had dat idee al bij onze eerste ontmoeting. Je bent uit het goeie hout gesneden, jongeman. Het goeie hout, ja.'
Het compliment en een tweede klap op zijn schouder brachten Phillipe in een staat van euforie. Met het kostbare boek onder zijn kleren liep hij fluitend en neuriënd terug naar Sweet's Lane. Pas toen hij thuisgekomen was, merkte hij dat hij door en door nat was geworden, maar wat kon hem dat schelen na zo'n belevenis?

2

In de halfdonkere keuken trof hij Hosea aan die een pot bier zat te drinken. Op een paar gloeiende sintels na was de haard uitgegaan. Ezau zat met zijn kin op zijn borst in een stoel te slapen. Zijn fluit lag naast zijn voeten.
'Nee maar!' Hosea stond zwaaiend op uit zijn stoel en grinnikte. 'Daar heb je de stormgeest! Niet beroofd deze keer?'
Phillipe schudde zijn hoofd en trok zijn doorweekte hemd uit.
'Niet aangevallen door de hoeren?'
'Nee.'
'God, wat een saaie avond.'
'De opwindendste van mijn leven, Hosea. Die man is . . . hij is een reus!'
Hosea haalde zijn schouders op en greep zwaaiend Phillipes arm. 'Luister. De ouwe ligt in bed. Ik heb bier uit de kelder gesmokkeld. Eigen voorraad. Doe mee . . .'
'Nee, ik wil lezen.'
'Lezen in plaats van drinken?' Knipperend met zijn ogen boog Hosea zich naar hem over. 'Dan moet je dronken zijn.' Hij snoof. 'Je bent dronken. In

de olie van de madera van de doctor. Okee, wees dan maar ongezellig als je daar plezier in hebt!'

Het was niet zozeer dat hij ongezellig wou zijn, als wel dat hij verteerd werd door het verlangen zich in het boek te storten. Phillipe stak een nachtkaars naast zijn bed aan, trok zijn laatste natte kleren uit, kroop onder de dekens en sloeg de eerste bladzij om. Binnen een paar minuten begonnen de regels van Franklin zijn geest net zo te verlichten als de elektriciteit de kamer in Craven Street.

Zorgvuldig geformuleerd en met volmaakte logica bewees Franklin de toekomstige grootheid van de koloniën. In de tijd, dat hij dit schreef—had iemand niet gezegd dat het in de jaren vijftig was?—waren er ruim een miljoen Engelsen in Amerika. Toch waren er maar tachtigduizend geëmigreerd sinds men met de kolonisatie begonnen was.

Dat feit alleen al maakte dat er een essentieel verschil was tussen de Oude Wereld en de Nieuwe. In Europa en de Britse Eilanden was de bevolking min of meer constant. Maar Amerika met zijn, praktisch gesproken, onbegrensde hoeveelheid land—land dat over de bergen aan de oostkust lag, land dat tot nu toe niet geëxploreerd was, behalve door soldaten en de meest geharde pioniers—gaf aan families de ruimte om zich uit te breiden. Het land verschafte hun ook de mogelijkheid in hun onderhoud te voorzien. Het was zelfs zo, dat het geestverrijkende geschrift voorspelde dat de bevolking van Amerika zich elke twintig tot vijfentwintig jaar zou verdubbelen . . . In de verre toekomst 'zullen de meeste Engelsen aan *deze* kant van de zee wonen.'

Bij het ochtendgloren lag Phillipe nog steeds te lezen, dronken van de woorden en de beloften die zij inhielden, bedwelmd door de afgelopen nacht en door de kracht en de visie van de man, die zo geduldig met hem had gesproken.

De kerkklokken brachten hem met een schok terug tot de werkelijkheid. Hij had pijn in zijn hoofd. En ook zijn ogen deden pijn. Hij zou zo moeten opstaan om te gaan werken, de hele dag.

Maar dat deed er niets toe. Belangrijk was alleen dat ene klankrijke woord, dat in zijn hoofd galmde en galmde, nog duizendmaal luider en majesteitelijker dan de elektrische bellen van Franklin: Amerika.

Amerika.

Hij blies de kaars uit en viel in slaap, terwijl zijn lippen die wonderbaarlijke naam prevelden.

V De man met één oog

1

De eerste aanwijzing dat Phillipe en zijn moeder in gevaar verkeerden, kwam toevallig, tijdens een gesprek aan het avondmaal, drie dagen na het bezoek aan Franklin. Hij zat druk het laatste restje van de verrukkelijke linzensoep van mevrouw Emma uit zijn bord te lepelen. Die avond was het gesprek aan tafel geanimeerd. Maar zoals altijd hield Marie zich er buiten. Phillipe wist nooit zeker of dat nu kwam omdat zij zich heimelijk superieur voelde aan de Sholto's, of omdat zij zich nog steeds niet op haar gemak voelde tussen Engelse mensen.

Toen mevrouw Emma de tafel rondging om de drie jonge mannen, die aan hun werk in de drukkerij hun gebruikelijke enorme eetlust hadden overgehouden, een extra portie soep te geven, zei zij: 'Vanmiddag kwam er toch zo'n vreemd iemand in de winkel. Net toen jij hierheen was gegaan om het haardvuur voor de thee aan te steken, Marie.'

Marie knikte flauwtjes. Even keek zij Phillipe aan en wendde toen haar ogen weer af. Nadat zij door de bedelaars in de mist waren lastig gevallen, hadden zij niet meer over hun verschil van mening gesproken. Hij wou haar graag over zijn bijzondere bezoek aan Craven Street vertellen, maar had daartoe nog geen gelegenheid gehad. Of had hij er de moed niet voor? Zij waren verschillende keren alleen geweest. Maar Maries gemelijkheid had zijn enthousiasme elke keer weer getemperd.

Hij maakte zich opnieuw ongerust over haar gezondheid. Zij zag er ziekelijk uit en was de hele dag veel te zwijgzaam. Hij wist dat zij zich waarschijnlijk ongerust maakte over de toekomst, waarover zij uiteindelijk toch een besluit moesten nemen. Maar zij leek in zichzelf te keren, alsof zo het onderwerp voor goed onbesproken kon blijven.

Hij hoorde Ezau vragen: 'Wat was er zo vreemd aan die klant, moeder?'

'Om te beginnen: hij zag er angstwekkend uit. Vooral zijn ogen. Ik moet eigenlijk zeggen: oog. Een van zijn ogen was bedekt door een viezig leren lapje. Maar het andere keek bepaald boosaardig. Het was een lange vent. Imponerend, hoewel ik nog nooit zulke pokdalige wangen heb gezien. Hij bleef voortdurend om zich heen kijken. Alsof hij zich slecht op zijn gemak voelde in de boekwinkel.'

'Hoe was hij gekleed? Was het een heer?' wilde Ezau weten.

'Een heer zou je het niet kunnen noemen. Slecht bij elkaar passende kleren. Een oude gestopte broek. Laarzen. En een afschuwelijk smerige jas, die eens oranje moest zijn geweest.'

'Oranje was tien jaar geleden de kleur van de modieuze adel, de macaroni,' zei Hosea. 'Vandaag de dag kleedt een heer zich in meer gedekte tinten.'

Ezau grinnikte en pakte zijn bierpul. 'Dat heb je toch niet uit persoonlijke ondervinding, hè?'

Hosea keek boos.

Mevrouw Emma nam geen notitie van de grappenmakerij, ging weer naast haar echtgenoot zitten en vervolgde: 'Ik heb geen enkel idee van de deftige mode. Maar één ding was duidelijk, deze man wilde er uitzien als een heer, maar slaagde daar niet in. Zijn zwaard had een prachtig Frans gevest, maar hij zag er niet naar uit dat hij het nieuw had gekocht.'

'Uit je beschrijving,' zei Sholto, 'zou je opmaken dat hij het op een postweg heeft gekocht. Met het pistool in de aanslag.'

Zijn vrouw antwoordde: 'Dat is nou precies de indruk die hij op mij maakte, Solomon. Een dief in gestolen mooie kleren.'

'Misschien heeft een van zijn slachtoffers hem wel boeken gegeven in plaats van gouden ringen en heeft hij de smaak van literatuur te pakken gekregen,' zei Hosea tussen twee happen door. 'Ik begrijp niet goed waarom wij aan zo'n kerel zoveel woorden vuil moeten maken.'

Mevrouw Emma maakte een hulpeloos gebaar. 'Hij boezemde mij angst in, dat is alles. Zijn hypnotiserende blik, de manier waarop hij naar elke kier en gesloten deur keek!'

'Was hij onbeleefd?' informeerde Ezau.

'Nee. Nee, maar . . .'

'Dan ben ik het voor een keer met Hosea eens. Waar maakt u zich zo druk over?'

'De gedachte kwam bij mij op dat onze winkel werd geïnspecteerd voor een mogelijke inbraak!' riep mevrouw Emma. 'Die man hoorde hier niet thuis!'

Sholto vroeg: 'Hoe lang is hij gebleven?'

'Tien minuten misschien. De meeste tijd bracht hij door bij de boekenkast. Hij nam er een boek uit en bleef het een tijd bestuderen. Uiteindelijk heb ik genoeg moed bij elkaar geschraapt om hem een tweede keer aan te spreken. Natuurlijk had ik hem goeiendag gezegd toen hij binnenkwam. Als antwoord kreeg ik een stekende blik uit zijn ene oog en amper een knikje. De tweede keer klapte hij het boek dicht en zei dat hij op zoek was naar een ontspannende roman. Maar dat boek was helemaal geen ontspannende roman. Daarna is hij weggegaan.'

Het was een van de zeldzame gelegenheden, dat Solomon Sholto hardop lachte. 'Emma, Emma, je bent een lief, zenuwachtig goudhaantje. Een of andere snoeshaan uit de goot bladert in een roman en jij bent al in alle staten.'

'Maar je begrijpt me nog steeds niet. Het boek waar hij zoveel aandacht aan besteedde was de *Cyclopaedia Brittanica* van Chambers. Ik ben er zeker van dat die vent niet kon lezen! Waarom bleef hij dan in de winkel rondhangen?'

Phillipe legde zijn lepel in zijn bord en bleef stokstijf zitten. Aan niets was aan hem te zien dat hij een mogelijk antwoord wist.

Sholto liet een bescheiden boertje en overwoog de woorden van zijn vrouw. 'Misschien heb je dan wel gelijk. Misschien keek hij wel of er viel in te breken. Dat is dan vreemd, want een mooie meneer, die aan de grond is geraakt moet wel erg laag zijn gevallen wil hij er over denken een boekhandel te beroven. Het zou veel lucratiever zijn een van de nieuwe herenhuizen in Mayfair te plunderen. Maar natuurlijk weet je nooit wat voor een merkwaardige mensen er in Londen rond lopen. Elke stad trekt vreemde snoeshanen aan. Wij zullen alles goed afsluiten. Hosea, jij legt je matras voor een paar nachten in de drukkerij, voor alle zekerkheid.'

Hosea mopperde, dat hij deze week van plan was een paar avonden laat uit te gaan.

Zijn vader antwoordde minzaam: 'Dat is de reden waarom jij je matras een paar nachten in de drukkerij moet leggen. Wachtdienst zal je van je onsmakelijke uitstapjes afhouden en je misschien voor de slechte gevolgen ervan behoeden. Ik zou mijn boeken liever niet willen kwijtraken aan een of andere idiote roverhoofdman die tijdelijk de postweg heeft moeten verlaten.'

Maar toen Hosea vier nachten beneden had geslapen en er geen poging tot diefstal had plaatsgevonden, en ook de vreemdeling niet was teruggekeerd, ontspande men weer en werd het incident door iedereen vergeten.

Behalve door Phillipe.

2

Op de laatste dag van april was mevrouw Emma jarig. De avond daarvoor kwam Sholto met een verrassing. De volgende dag zou hij de zaak om drie uur sluiten. Met een gehuurde sjees zou hij hen allemaal mee uit rijden nemen naar de Vauxhall Tuinen, die net geopend waren voor het seizoen. In het park zouden zij 's avonds picknicken en van de muziek genieten. Zij zouden natuurlijk, zoals hij het formuleerde 'de wellustige genoegens vermijden, die, naar ik gehoord heb, plaatsvinden in de priëlen en langs de donkere muren.'

Mevrouw Emma omhelsde hem. Ezau keek opgetogen. Zelfs Marie leek een beetje opgewonden bij het vooruitzicht van een uitje. Sholto had haar en haar zoon uitdrukkelijk uitgenodigd.

Dus kreeg Phillipe de volgende avond weer iets te zien van de wereld die hij probeerde te vergeten.

De lenteavond geurde naar de ontdooide aarde en naar de parfums van de elegant geklede elite, die in de verlichte paviljoenen, her en der in het park, dineerde. Dames in robes van brocaat en heren in pakken met paarlemoeren knoppen vulden de avondschemering met gelach en luide gesprekken.

De toegang tot het park had Sholto een shilling per persoon gekost. Daarom had mevrouw Emma er op gestaan dat zij haar eigen verjaardagsmaal zou klaarmaken.

Sholto verklapte aan zijn zoons en Phillipe dat dat ook zijn bedoeling was geweest, aangezien vrijgevigheid zijn grenzen heeft. Dus namen zij geen notitie van het voedsel en de dranken die in het park te koop waren en vlijden zich neer op een open gazon waar zij de muziekuitvoering konden horen. Zoals vele anderen om hen heen spreidden zij lakens uit en genoten van een verrukkelijke maaltijd: kippepastei en twee flessen rode wijn waren er de hoofdbestanddelen van. Uit het verst gelegen deel van het park kwamen de zangerige klanken van een strijkorkest. Toen het helemaal donker was geworden werd het drukker op de paden. Men hoorde de snelle voetstappen van jongemannen en meisjes, om nog maar te zwijgen van zwoelere geluiden hier en daar. Het enige licht kwam van de paviljoenen en van de sporadische lantaarns die aan de bomen hingen.

Spoedig vertoonde Hosea tekenen van ongeduld. 'Mag ik een beetje rondlopen, vader? Ik heb niet zo'n goed oor voor de muziek van Händel als Ezau.'

'Ja, dat is wel goed. Maar blijf niet langer weg dan een half uur. Ik heb gehoord, dat het na het concert gevaarlijk is op de donkere paden.'

Even later sprong Phillipe op en zei dat hij ook wou gaan wandelen. De lentegeuren, de lieflijke muziek en het onderdrukte gelach van verliefde stelletjes die op de paden liepen hadden verontrustende herinneringen aan Alicia Parkhurst bij hem opgeroepen. Hij hoopte die door een beetje beweging kwijt te raken.

Hij liep eerst over het glooiende gazon naar beneden in de richting van Hosea.

Zijn moeder, die bezig was mevrouw Emma te helpen met het inpakken van de manden, liet haar werk in de steek en haalde hem in. 'Kijk goed naar de paviljoenen waar de hogere standen de avond doorbrengen, Phillipe.' Zij sprak zachtjes maar met dezelfde intensiteit die hij zich van de Auvergne herinnerde. 'Daar hoor je thuis. En dat is wat je weggooit als je over die idiote droom om naar Amerika te gaan blijft nadenken. Ik beloof je één ding: zolang ik nog kan ademhalen, zal het niet gebeuren.' Zij draaide zich om en liet hem achter met die zacht uitgesproken staalharde woorden.

Zij had hem nu het antwoord gegeven waarover hij sinds hun eerste twistgesprek had lopen piekeren. Het slagveld was nu bekend. Zij had alleen het juiste moment afgewacht om het eerste salvo af te vuren. Verdrietig liep Phillipe snel de heuvel af om Hosea in te halen.

Samen liepen ze om een groot paviljoen heen. Onder de lantaarns braakte een jonge macaroni naar hartelust over de japon van zijn metgezellin. Andere dames en heren gilden op een overdreven geshockeerde manier. Maar sommigen klapten dronken in hun handen.

Phillipe liep snel door en wenste dat Marie die gore vertoning had kunnen zien. Was dát de wereld die zij voor hem wenste?

179

Toegegeven, het had zijn aantrekkelijkheden. Maar, goeiegod, hoe kon zij de schaduwkanten ervan zo gemakkelijk over het hoofd zien? Die mensen gingen van het idee uit dat hun gedrag, hoe grof ook, geëxcuseerd en zelfs gewaardeerd werd, omdat zij rijkdom en aanzien hadden. Prefereerde zij werkelijk die maatstaven boven het gewone fatsoen van de Sholto's?

Natuurlijk besefte hij dat hij overhaast oordeelde en dat dientengevolge sommige van zijn meningen onrechtvaardig waren. Had Fox hem niet verzekerd dat zijn vader niet in dat patroon paste?

Maar toch had Phillipe een haat opgevat tegen alle edellieden en hun opgedirkte, frivole vrouwen. Hij wist dat dat voor een deel kwam doordat hij voor de ene niet goed genoeg was geweest en een andere bedreigd had, totdat de moeder via haar zoon revanche genomen had.

Maar terwijl Hosea en hij voortkuierden, maakte het weinig uit of hij de redenen voor zijn haat probeerde te verklaren. De haat bleef.

Korte tijd later had Hosea genoeg van het kuieren en sprong van de ene voet op de andere, opgewonden door iets wat hij achter zich gezien had. 'Winkelmeisjes,' siste hij. 'Twee liefst. En het zijn nog lekkere stukken ook, ze kijken zo brutaal als wat. Vooruit, later we achter ze aan gaan.'

Phillipe grinnikte. 'Ik had al het idee, dat je niet weg was gegaan om de botanische tuin te bezichtigen.'

'Houd op met dat gekakel, anders zijn we ze kwijt, Phillipe!'

Hoewel in de verleiding gebracht, schudde Phillipe tenslotte toch van nee. 'Ga jij maar als je wilt. We spreken af op de plaats waar wij die mooie jongen over zijn meisje zagen braken. Dan zal je vader niet denken dat je iets anders gedaan hebt dan gewandeld.'

Hosea had geen verdere aanmoedigingen nodig. Hij rende op een drafje achter de twee flirtende meiden aan, die om een van de vele bochten van het pad verdwenen waren.

Phillipe slenterde verder. Hij ademde de avondlucht in, keek naar de sterren en luisterde naar het lied van de nachtegaal, dat de violen, cello's en Franse hoorns begeleidde. Herinneringen aan Alicia vulden zijn hoofd, hoe hij er ook weerstand aan probeerde te bieden.

In gedachten verzonken, het hoofd omlaag, liep hij steeds dieper het onverlichte deel van het park in. Hij had de voetstappen niet gehoord tot zij vlakbij gekomen waren. Plotseling kriebelde het achter in zijn nek. Hij wist dat een eenzame wandelaar hem met ongewone snelheid achterna kwam. Hij draaide zich om.

Boven de heggen scheen nog een glimpje licht. In dat licht zag hij het silhouet van een lange man. Meer kon hij niet onderscheiden. Met drie grote stappen was de man bij hem. 'Ik heb een cadeautje voor u, meneer,' zei de schaduw en frommelde met zijn hand in zijn zak. 'Degene die u een mismaakte hand hebt bezorgd geeft u dit in ruil . . .'

In het flauwe licht was de loop van een pistool zichtbaar.

Phillipe had nog net de tijd zich op de grond te laten vallen toen het pistool vuur spuwde. Hij kon de zoom van de jas zien, die de moordenaar aanhad.

180

Eens moest hij een vrolijke kleur gehad hebben. Oranje . . . De kogel floot door de bladeren, precies waar Phillipe een moment geleden had gestaan. Op zijn knieën greep hij de laarzen van de man. Hij kende de identiteit van zijn belager, die dit keer geen zwaard droeg.

De man vloekte, trok zijn voet terug en plaatste een kniestoot die Phillipe nog maar net kon ontwijken, terwijl hij tegelijkertijd de laars vastpakte en omhoog trok.

De man verloor zijn evenwicht en liet het pistool vallen. Met zijn linkerhand graaide hij in zijn zak om een tweede te pakken.

Onhandig, maar met kracht, viel Phillipe de man aan. Hij sprong op zijn buik en gaf hem twee kniestoten. Tegelijkertijd probeerde hij zijn gezicht te raken.

De man ontweek de klap. Phillipe voelde iets van leer. Een ooglap. Aan de andere kant van de heg hoorde hij angstige vrouwenkreten. De hand van de moordenaar kwam omhoog. Een moment lang verlichtte een flauw schijnsel de loop van het tweede pistool dat op zijn voorhoofd gericht was. Een honderdste seconde voordat het schot afging had Phillipe de pols van de man beet. De hamer ging over; het kruit ontbrandde, het pistool spoot vuur. Phillipe viel opzij en voelde een scherpe pijn toen de kogel zijn slaap schampte. Alleen aan het feit dat hij de pols had kunnen grijpen, zodat de kogel van baan was veranderd, had hij zijn leven te danken.

De moordenaar sloeg op Phillipes slaap met het lege wapen. Hij duizelde. Nog een slag, vergezeld van godslasterlijke vloeken.

Phillipe schoof achteruit en wist overeind te krabbelen. Hij probeerde de moordenaar op zijn keel te springen.

Maar toen werd er overal in de buurt geroepen. Hij hoorde het geluid van laarzen op de paden . . .

'Hé daar, wie heeft er geschoten?'

'Deze kant op!'

'Nee, naar links!'

De moordenaar sprong op en gaf Phillipe een trap tegen zijn schenen. Pijn schoot door hem heen. Uit zijn evenwicht gebracht viel hij in de heg. Zijn linkerslaap droop van het bloed. Hij was er zeker van dat de moordenaar hem nog een keer zou aanvallen.

In plaats daarvan aarzelde deze en luisterde naar de mensen die kwamen aanrennen. Toen zette hij het op een lopen. In zes stappen was hij om de bocht uit het gezicht verdwenen. Zijn vieze, met oranje zij afgezette jas verdween achter de heggen.

3

Paniek overviel Phillipe toen twee mannen kwamen aanrennen uit de tegenovergestelde richting. 'Hier was de schietpartij, Amos!' riep de ene en raapte iets van de grond op. 'Of wat er van over is. Een pistool. En het slachtoffer—of misschien wel de dader.' Hij liep op Phillipe toe. 'Wie bent u, meneer? Wat is hier gebeurd?'

Phillipe wou antwoord geven, maar zijn paniek kreeg de overhand. Hij griste het pistool uit de hand van de stomverbaasde man en zette het op een lopen in de richting die de eenogige moordenaar gegaan was.

'Hela! Stop! De wachter moet er bij komen! U moet een verklaring afleggen!'

Een buitenlander die moet uitleggen dat een bandiet in dienst van de Amberly's hem heeft willen vermoorden? Daar moest hij niets van hebben!

Blindelings wegrennend, voelde hij zich precies zoals toen hij met zijn moeder uit Tonbridge moest vluchten. Weer welde een wilde haat in hem op, omdat hij door de Amberly's werd beschouwd als iemand die ze naar eigen goeddunken uit de weg konden ruimen. Hoelang waren zij op zoek naar hem geweest, terwijl hij zo dom was zich bij de Sholto's veilig te wanen?

Een jong stelletje versperde hem de weg. 'Pas op voor zijn pistool!' riep de jongeman angstig, terwijl Phillipe voorbij snelde, waarbij hij per ongeluk het meisje aanstootte. Zij begon te gillen. 'Bloed! Hij heeft mij met bloed besmeurd!'

Haar gegil werd steeds hoger. Hysterisch. Bloed stroomde in Phillipes oog. Hij rende rechtsaf een pad in en toen weer rechts, trachtend zijn weg te vinden in de wirwar van heggen en paden, en lettend op het roepen van mensen die naar de oorzaak van de beroering zochten. Tenslotte kwam hij op een open stuk. Links van hem meende hij het paviljoen te herkennen, bij het gazon waar zij gesoupeerd hadden. Even later vond hij de Sholto's en Marie. Zij stonden allemaal overeind, zich afvragend wat er wel aan de hand mocht zijn. Marie gaf een luide gil toen zij zijn bebloede gezicht zag. Sholto riep: 'Wij hebben twee pistoolschoten gehoord.'

'Allebei op mij gericht,' hijgde Phillipe. 'Door die eenogige bandiet. Hij is in dienst van de Amberly's.'

Marie viel bijna in zwijm en moest door mevrouw Emma worden ondersteund. Phillipe wierp zijn jas op de grond, terwijl Sholto wou weten wat er van Hosea was geworden.

Phillipe trok zijn hemd uit en gebruikte het om het bloed van zijn gezicht te vegen. Hij zei tegen Sholto dat Hosea alleen op stap was gegaan. Toen gooide hij het hemd weg. Sholto zei: 'Ga hem zoeken, Ezau. En laten we dit verbergen.'

Phillipe zag dat het pistool in zijn riem stak. Hij had het er op de vlucht in gestoken. Hij was het totaal vergeten.

'Breng Hosea zo snel mogelijk naar de sjees!' riep Sholto zijn zoon na. Toen verborg hij het pistool in de mand van zijn vrouw. Daarna pakte hij Phillipes jas op en sloeg die om de schouders van de jongeman. 'Iedereen naar het rijtuig, en snel. Als we aangehouden worden, zeggen we dat de jongen te veel gedronken heeft, gevallen is en zich daarbij verwond heeft. Vooruit, linksaf. Om die mensen bij het pad heen!'

Zij liepen snel, in een groepje, Phillipe in het midden. Sholto keek voortdurend naar alle kanten teneinde de situatie te overzien.

Overal was het een drukte van belang. Bij de heggen waaruit Phillipe ontsnapt was dansten de lichten van fakkels en lantaarns. Het was duidelijk te merken dat Sholto zenuwachtig was, want hij praatte onafgebroken: 'De duivel die op je geschoten heeft, ligt misschien nog ergens op de loer; laten we doorlopen. Gelukkig is het vol in het park. En diefstal is hier heel gewoon, één per avond zo ongeveer. We hebben een kans om weg te komen, als we maar niet ondervraagd worden.'

Phillipe had een waas voor zijn ogen. De lantaarns van een paviljoen vlakbij zweefden in een mist. 'Nee,' kon hij nog net uitbrengen, 'want ik kan niemand de waarheid vertellen.'

'Weet je zeker dat die man door de Amberly's op je afgestuurd was?' vroeg Sholto.

'Roger Amberly. Zijn naam is niet genoemd. Maar de man zei dat zijn geschenk afkomstig was van degene wiens hand ik heb verbrijzeld.' Hij kon de laatste woorden amper uitbrengen. Phillipes hoofd deed geweldig pijn. Hij voelde dat de wond weer bloedde en dat het bloed de jas, die Sholto om zijn schouders had geslagen, bevlekte.

De drukker waarschuwde hem fluisterend: 'De wachter bij het hek staat naar ons te kijken.' Luidop zei hij: 'Weer een slachtoffer van de gevaarlijke ginflels, meneer. De jonge onverlaat is gevallen en heeft een wond aan zijn hoofd opgelopen. Wij moeten met hem naar de stad, naar een dokter, en dan maar zien dat wij hem weer nuchter krijgen.' Sholto glimlachte zwakjes, zenuwachtig als hij was.

Maar de bewaker scheen meer geïnteresseerd in iets anders. 'Wat hebben al die lichten en dat geroep te betekenen?'

'Ik geloof, dat er iemand is beroofd.'

'Dat is iets nieuws,' zei de bewaker met een zuur lachje. 'Gaat u verder.'

Phillipe kon amper lopen. Hij hoorde Sholto zeggen: 'De koets staat hier vlakbij.' Echt zien kon hij hem niet. Hij was er zich alleen maar vagelijk van bewust dat hij naar binnen klom.

Het leek uren te duren voordat hij de stemmen van de broers hoorde. Sholto legde de zweep over het gehuurde tweespan. De koets ratelde weg van de lichten en de drukte in de Vauxhall Tuinen.

'Godzijdank, we zijn gered!' riep mevrouw Emma.

Nauwelijks bij bewustzijn en misselijk besefte Phillipe tot zijn wanhoop, dat die veiligheid maar schijn was.

Ergens onder de sterren, die Phillipe nauwelijks kon zien, was de eenogige nog steeds in leven.

4

De St. Paul's sloeg één uur in de morgen. Onder de lamp van de keukentafel lag het gedemonteerde pistool te glimmen. Een pistool van een type waarvan er veel in de handel waren. Het aan de buitenkant bevestigde slot en de afschroefbare loop lagen afzonderlijk op tafel. Solomon Sholto had de derde verjaardagsfles rode wijn laten aanrukken, die hij thuis had achtergelaten. Phillipe dronk wat wijn en begon zich iets beter te voelen. Mevrouw Emma had zijn hoofd verbonden met een schoon linnen verband. Het schampschot was niet diep. Nadat mevrouw Emma de wond had schoongemaakt, was het bloed al gauw gaan stollen.

Hosea pookte het vuur in de keukenhaard op. Hij hing de pook weer op, waarbij deze een schel geluid tegen de muur maakte.

Ezau keek ongewoon boos.

'Ben je er zeker van, dat de man het alleen op jou gemunt had?' vroeg Sholto.

Phillipe knikte, zuchtend. 'Er is maar één man op de wereld die mij er van kan beschuldigen dat ik zijn hand heb verbrijzeld. Roger, of zijn moeder, of beiden hebben die eenogige vent gehuurd. Waarschijnlijk heeft hij lang in Londen moeten zoeken voor hij wist waar ik woonde. Hij is mijn adres ongetwijfeld te weten gekomen via de bedelaars bij de kerk.' Phillipe bedekte zijn ogen. 'Ik heb zo verdomd onhandig gevochten. Als ik hem gedood had, zou het misschien voorgoed afgelopen zijn geweest.'

Ezau snoof. 'Dat moet je niet zeggen. Wij zijn gewone mensen, geen soldaten. Mannen zoals die bandiet zijn geoefend in de kunst van het moorden. Om hun eigen laffe hachje te redden slaan zij toe bij verrassing. Je zei immers dat hij er vandoor ging toen hij merkte dat er een kans was, dat hij aangehouden zou worden.'

Marie zette haar glas neer. Iets van het oude vuur scheen in haar donkere ogen. 'Het feit alleen al dat zij ons gezocht hebben, Phillipe, is het bewijs dat zij jouw aanspraken vrezen.'

Omdat hij er ziek van werd steeds maar weer over die aanspraken lastig gevallen te worden, schudde hij boos zijn hoofd. De grimmigheid van zijn gezicht, dat nauwelijks meer het gezicht van een jongen was, deed haar de adem inhouden.

'Door met de wet te knoeien kunnen zij altijd die aanspraken tegenhouden, mama. Roger wou mij hebben, als wraak voor wat ik hem heb aangedaan. En het heeft geen zin de politie er bij te halen om die eenogige bandiet te pakken. Als hij opgesloten zou worden, zouden de Amberly's gewoon weer een ander huren zoals hij, en daarna weer een andere, totdat het karwei geklaard is.'

Ontsteld vroeg mevrouw Emma: 'Wat stel je dan voor te doen, Phillipe?'

'Hier vertrekken. En snel. Wij zijn nu evenmin veilig in Londen, als wij in Kent waren. Het was stom van mij om dat niet te beseffen.'

'Maar wij kunnen toch niet weer op de vlucht gaan!' zei Marie.

184

'Dat kunnen we en dat zullen we,' zei hij. En om het haar nog eens goed duidelijk te maken, voegde hij eraan toe: 'De eenoog of zijn opvolger kunnen straks ook onze gastheer en zijn familie aanpakken. Ik wil de vriendelijkheid van de Sholto's niet vergoeden door hen aan zulke gevaren bloot te stellen. Dat wij dat met meneer Fox gedaan hebben was al erg genoeg.'

Solomon Sholto krabde zijn kin, waar al een lichte baard op was verschenen. 'Het is inderdaad waarschijnlijk het verstandigste zo snel mogelijk te vertrekken. Ik heb nu meer jullie belang op het oog dan het onze, Phillipe, hoewel ik je consideratie hogelijk waardeer. Laten wij aannemen dat de Amberly's en hun spion voorzien dat jullie de stad uit zullen vluchten. Waarheen denken zij dan dat jullie zullen gaan?'

'Waar zij ons waarschijnlijk al eerder hadden verwacht. En niet hebben gevonden. Naar een van de Kanaal-havens.'

'Die zij in de gaten hebben kunnen houden,' zei Ezau.

'Precies. Als Roger inderdaad zo belust is op wraak, zoals het er nu naar uitziet, zal hij wel meer dan één paar ogen hebben gehuurd. Dus'— hij aarzelde nog geen seconde; zijn besluit was gevallen, en was onvermijdelijk—'zullen wij de andere kant op gaan. En op goed geluk proberen een overtocht naar de koloniën te bemachtigen.'

Weer zag hij de razernij in Maries ogen lichten. Voordat zij iets kon zeggen, sloeg hij met zijn vuist op tafel zodat de onderdelen van het pistool opsprongen.

'Mama, er is geen andere weg. De reis naar de Auvergne is te gevaarlijk. En wat hebben wij daar trouwens nog, behalve een vervallen herberg? Je moet nu naar me luisteren. Zij willen mij van het leven beroven. En het is mijn recht te proberen mijn leven te redden zo goed ik kan!'

Hij had er spijt van dat hij op zo'n toon tegen haar moest spreken. Maar hij wist, dat dat de enige manier was. Elk moment dat zij in Londen bleven, bevonden zij zich in gevaar.

Ezau knikte dat hij het eens was met Phillipes besluit. 'De beste diligence-dienst van Engeland gaat naar het westen, naar de havenstad Bristol. Jullie kunnen al morgenochtend vertrekken, vanaf de One Bell in de Strand.'

'Ik heb er geen flauw idee van wat de overtocht kost,' zei Phillipe. 'Misschien, dat ik er voor kan werken. En zo de overtocht voor ons beiden verdienen. Ik heb waarschijnlijk genoeg gespaard om de diligence te kunnen betalen. Maar voor ons vertrek moet ik nog naar doctor Franklin.'

'Het lijkt mij nauwelijks het moment voor een visite . . .' begon Hosea.

'Dat is ook niet de bedoeling. De eerste keer dat ik hem bezocht . . .'

'Heb je die Amerikaan opgezocht?' kwam Marie tussenbeide. 'Wanneer?'

'Een paar dagen geleden. Op een avond. Jij sliep al.'

'Je hebt er niets van verteld. Niets.'

'Dat was ik wel van plan. Maar elke keer dat ik op het punt stond, ben ik weer opgehouden, omdat ik aannam dat je niet eens zou luisteren naar wat hij mij verteld heeft.'

'Over die barbaarse koloniën. Je hebt gelijk.'

'Er zijn grote, groeiende steden in Amerika, mama! En doctor Franklin heeft beloofd, dat hij een lijst zou maken van de drukkerijen waar ik werk zou kunnen vinden. Hij zou mij ook een aanbevelingsbrief meegeven.'

Smalend stond Marie op het punt iets terug te zeggen toen Ezau zei: 'Da's verdraaid schappelijk van hem.'

Solomon Sholto schudde zijn hoofd. 'Nee, gewoon typerend voor zijn edelmoedige natuur. Phillipe, jij zult het druk genoeg hebben met het inpakken van je spullen. Ezau, in plaats van Phillipe gaan Hosea en jij naar Craven Street. Maak de doctor wakker en leg hem de situatie uit.'

'Maar zeg alsjeblieft niets over de Amberly's,' maande Phillipe. 'Ik heb tegenover Franklin wel op het probleem gezinspeeld, maar ik ben niet in details getreden.'

Ezau knikte en zijn vader zei: 'Kom zo snel mogelijk terug en ga nu onmiddellijk weg.'

Terwijl de broers zich in hun jassen hesen, kreeg Phillipe een nieuwe schok. Marie staarde hem aan. Een ogenblik leek het of haar ogen vervuld waren van echte haat. Maar toen verdween de emotie—als hij er geweest was—en verscheen een uitdrukking van doffe berusting op haar gezicht. Haar lippen en wangen waren doodsbleek. Zij wendde haar hoofd af, en streek met een afwezig, bijna pathetisch gebaar een loszittende haarlok recht. Hij kon het nauwelijks opbrengen naar haar te kijken. Hij wist hoezeer zij moest lijden nu zij de enige droom die zij ooit had gekoesterd voorgoed vernietigd zag.

Nu ja, hij had dat ook meegemaakt. Hij had Alicia verloren en had het overleefd. Zij moest ook in staat zijn te leven met haar niet vervulde dromen. Hun leven stond immers op het spel. Op een dag zou zij misschien begrijpen dat het besluit dat hij nu gedwongen was te nemen, in hun beider belang was geweest. Op een dag zou zij het misschien aanvaarden; en hem vergeven.

Merkwaardig kalm besefte hij, dat hij nu ook de rest kon afhandelen. 'Terwijl Hosea en Ezau weg zijn, zou ik graag een ganzeveer willen lenen als dat kan. Ik wil een brief schrijven aan Girard.'

'Girard?' herhaalde mevrouw Emma.

'De man die voor onze herberg zorgt. De herberg wordt zijn eigendom. Hij mag hem houden of verkopen, wat hij wil. Het zal lang duren voordat wij naar de Auvergne terugkeren. Als wij ooit terugkeren.'

Marie weigerde hem aan te kijken.

'Ik pak het schrijfgerei wel even,' zei Sholto. Hij draaide zich om naar zijn zoons. 'Op weg jullie, vooruit! En neem je stokken mee. Kijk of er iemand is die zich verborgen houdt. Wij moeten vandaag geen aanval meer hebben van die gruwelijke eenoog. Je moeder heeft al genoeg opwinding meegemaakt op haar verjaardag.'

'Genoeg voor alle verjaardagen in mijn leven,' zei zijn vrouw.

5

Hoewel hij ongelooflijk uitgeput was, kreeg Phillipe het toch voor elkaar de brief af te maken, er zand over te strooien en hem dicht te lakken. Meneer Sholto beloofde, dat hij hem zou posten. Phillipe leunde achterover en sloeg zijn handen voor zijn vermoeide ogen. Hij bedacht dat de ironie van het lot wilde dat zij voor de zoveelste keer op reis gingen met niet meer dan de kleren aan hun lijf, het kistje van Marie, het zorgvuldig ingepakte zwaard van Gil en de ene droom van fortuin ingewisseld voor de andere.

Mevrouw Sholto maakte een klein mandje met voedsel voor ze klaar, terwijl Phillipe zich vlak voor het ochtendgloren aankleedde. De oude Sholto stuurde zijn zonen, die uit Craven Street waren teruggekomen, er weer op uit. Dit keer om op de binnenplaats van de One Bell te gaan kijken. Er was een kans, hoe klein ook, dat de eenoog in de buurt gesignaleerd was. De One Bell was een belangrijk vertrekpunt van diligences. Maar slechts een van de vele. Men kon niet verwachten dat de eenoog ze allemaal tegelijk in het oog kon houden, zelfs al had hij het vermoeden dat Phillipe en zijn moeder overhaast zouden vluchten. Maar toch vond Sholto de voorzorgsmaatregel verstandig.

Toen de zonen terugkwamen met de dienstregeling van de diligence naar Bristol—de eerste vertrok om zeven uur—berichtten zij dat ze geen echt verdachte figuren bij de herberg hadden gezien. Maar Ezau herinnerde Phillipe aan zijn eigen woorden dat men niet kon zeggen hoeveel helpers de spion van de Amberly's in dienst had genomen en ook niet hoe zij eruitzagen.

De klokken hadden net zes uur geslagen toen de hele familie op weg ging. Mevrouw Emma had er op gestaan hen uitgeleide te doen en had gezegd dat zij zich nergens door liet afschrikken.

De nauwe, bochtige straten waren nog bijna leeg.

Ezau drukte Phillipe een tasje in zijn hand. 'De doctor prijst je besluit. Hij hoopt dat de lijst en de brief je zullen helpen tenminste een baan als leerling-drukker bij een goede uitgeverij te vinden.'

'Het spijt mij dat jullie hem wakker moesten maken,' zei Phillipe.

Hosea grijnsde. 'O, we hebben hem niet wakker gemaakt.'

Ezau schraapte zijn keel. 'Doctor Franklin had eh . . . eh . . . bezoek.'

'Hij had een verdomd leuk stuk op bezoek, Polly geheten, de dochter van de hospita,' zei Hosea. 'Het was echt een fraaie vertoning. Franklin in zijn kamerjas, en dat grietje in zo'n dun nachtponnetje, dat onze lieve moeder er zeker aanstoot aan zou hebben genomen. De doctor was kennelijk bezig het meisje te vermaken met wijsjes op een soort viool. Maar er was volop madera in huis en het zou mij niets verbazen dat die oude snoeper op een heel andere viool aan het spelen was . . .'

'Doe niet zo jaloers,' zei Ezau. Doctor Franklins relaties met andere vrouwen zijn uitsluitend platonisch.'

'Dat beweert hij tenminste in het openbaar,' antwoordde Hosea met een veelbetekenend lachje.

Geërgerd veranderde Ezau van onderwerp: 'Heb je enig idee wat je uiteindelijke bestemming zal zijn, Phillipe?'

'De bestemming van het eerste het beste schip dat ons wil meenemen.' Hij wees naar een kleine beurs die Ezau uit zijn zak gehaald had en keek hem vragend aan. 'Wat is dat?'

'Zoals je gevraagd had, heb ik de werkelijke reden van je plotselinge besluit niet onthuld. En ook heb ik de naam niet genoemd, die je geheim wou houden. Maar ik heb er wel op gezinspeeld dat je werd bedreigd. Franklin heeft mij toen meteen vijf pond voor jullie overtocht gegeven, terwijl hij vloekte dat het een aard was.'

Verbaasd vroeg Phillipe: 'Waarom?'

'Je hebt zelf gezegd dat je hebt laten doorschemeren dat je last hebt gehad met mensen van hoge komaf. Mensen tegen wie jij je niet kon verdedigen. Daar heeft hij een afschuw van. Bovendien geeft hij hoog op over jou, en is hij ervan overtuigd dat je goed zult passen in het land waar je naar toe gaat. Ja, hij was heel erg over je te spreken. Hij zei dat hij vond dat je sterk was, vastbesloten, intelligent, en in staat tot snel handelen als de omstandigheden dat vereisen.'

Gil zei dat ik een geboren soldaat was. Mama hamerde er op dat ik een kleine lord was.

Voor Franklin ben ik een drukkers-leerling met een vastbesloten karakter. Wat moet het dan wel worden, verdomme?

Toen bedacht Phillipe met ontnuchterende zelfkennis, dat de waarheid hier op neer kwam: pas naderhand zou hij weten wie hij was. Als hij gezien had hoe het allemaal afgelopen was.

'Tussen haakjes,' zei Ezau, terwijl zij doorstapten, 'Franklin heeft je die gift niet voor altijd gegeven. Hij heeft mij speciaal op het hart gedrukt je te zeggen dat hij verwacht dat je de lening eens terug zult betalen. Uit de winst van je eigen drukkerij. Eens zal hij naar Amerika terugkeren en het geld terug willen hebben. Hij lachte toen hij het zei. Maar hij maakte geen grapje. Ik zou het maar als een compliment beschouwen.'

'Franklins schatting van mijn bekwaamheden en van de mogelijkheden in Amerika zou best eens te hoog kunnen zijn. Hij geeft zelf toe dat het niet bepaald een vredig land is, op het ogenblik.'

'Vrediger dan Londen; tenminste voor jou,' zei Hosea. 'Kijk uit, we zijn bijna bij de Strand.' Hij rende vooruit, en sprong over twee hoeren, die stomdronken tegen een muur lagen te snurken. Op de hoek keek hij naar links en naar rechts. Toen wenkte hij de anderen hem te volgen.

Phillipe begon zich een beetje opgewonden te voelen. De zon kwam op boven de rommelige buurt. De lentelucht was heerlijk koel. De geur van de rivier en van de rook uit de schoorstenen vermengde zich ermee. Met iets meer vertrouwen in de toekomst, stopte hij de beurs van doctor Franklin in zijn zak. En stak de tas met papieren tussen zijn riem.

Hosea kwam langs de winkeltjes van de Strand terugrennen en meldde: 'De passagiers zijn al ingestapt. Het is een diligence met vier paarden. Hij is

188

stampvol. Jullie hebben geluk als jullie nog een plaatsje bovenop vinden. Je kunt beter voortmaken.'

Ze versnelden hun pas en zelfs Marie deed haar best hen bij te blijven. Op de lawaaierige binnenplaats van de One Bell hielp Sholto Phillipe bij het kopen van de kaartjes. Hosea en Ezau hielden de menigte in de gaten en hielpen Marie naar boven te klimmen, waar zij een ongemakkelijke plaats vond op het platte dak. Er was alleen een stang waar zij zich aan kon vasthouden.

Phillipe zag dat het binnen inderdaad vol zat: een grote familie; twee personen in het zwart. Hij maakte zich gereed de spaken van het wiel op te klimmen voor alle ruimte zou zijn ingenomen door een brede passagier, een dikke neger, gekleed in een jas en broek van satijn. Kennelijk was de neger de bediende van de deftige meneer, die zich op grove wijze de koets indrong, ondanks het protest van de andere passagiers.

Mevrouw Emma gaf Phillipe een korte maar krachtige zoen. Zij huilde en kon geen woord uitbrengen. De zonen en de ernstig kijkende Sholto namen afscheid van Phillipe met een stevige handdruk.

'Ik bid dat de Almachtige jullie zal beschermen en jullie een hartelijker welkom in het nieuwe land zal bereiden dan jullie hier ten deel is gevallen,' zei de drukker.

Zonder om te kijken klom Phillipe via het wiel naar het dak van de diligence.

VI De diligence naar Bristol

1

De koetsier schreeuwde en de conducteur blies op zijn koperen hoorn als waarschuwing dat de diligence dadelijk zou vertrekken. De conducteur hing de hoorn vervolgens weer aan een koord om zijn schouder en hees zich met zijn donderbus op zijn plaats.

Phillipe ging met gekruiste benen op het dak van de diligence zitten. Hij stopte het zwaard onder zijn dijen en legde het kostbare kistje tussen zijn benen. De neger, wiens driekante steek vreemd afstak tegen zijn kleding en de grote gouden ring, die aan zijn oor bungelde, schoof een beetje opzij om wat meer plaats te maken. Phillipe bedankte hem met een beleefd hoofdknikje.

Op het gezicht van de neger verscheen een brede grijns waardoor een grote rij gave witte tanden zichtbaar werd. Hij klopte met een enorme vuist op zijn borst. 'Ikke Lucas, meneer,' zei hij met een merkwaardige tongval. 'Wij lange weg voor de boeg naar zeestad, dus wij ons goed vasthouden, ja?'

'Ik geloof, dat u gelijk heeft,' antwoordde Phillipe vriendelijk, alsof hij zo'n neger de gewoonste zaak van de wereld vond. 'De wegen zijn waarschijnlijk allesbehalve vlak. Mama, houd je aan de stang vast!'

Marie zat met haar knieën tegen haar kin. Haar handen had ze om haar benen geslagen. Ze zagen er bleek uit. Haar lippen bewogen.

Phillipes gezicht verstrakte. Hij boog zich voorover en raakte haar hand aan. Zij bewoog zich niet. Ze praatte op een monotone manier in het Frans tegen zichzelf. Haar ogen staarden langs hem heen in de lucht zonder iets te zien. Toen ving hij een paar woorden op. . . . 'en als deze koets bij hun deur komt, zeg ik: "Dit is de kleine lord. Wees dus beleefd tegen hem. Dat is zijn geboorterecht." '

Ontsteld schudde Phillipe Maries arm en zei in het Frans: 'Mama, wij gaan niet naar Kentland. Dit is de diligence naar Bristol. Kijk me aan, in godsnaam!'

Langzaam, alsof zij moeizaam terugkeerde van een reis naar een afgelegen land in haar geest, leek zij weer notitie te nemen van haar omgeving. Haar gezicht was lijkbleek.

'Je moet je aan de stang vasthouden, anders val je er af,' waarschuwde hij. Hij zag dat de Sholto's ook de vreemde uitdrukking op het gezicht van zijn moeder gezien hadden en bezorgd toekeken.

Een tanige man met vettig haar, dat in de zon glansde, wierp Phillipe ook

190

een vorsende blik toe toen hij zijn paard de binnenplaats van de One Bell uit mende en de Strand op reed.

'Alsjeblieft?' smeekte Phillipe en probeerde haar handen uit elkaar te krijgen. 'Je moet je vasthouden!'

Haar ogen richtten zich op zijn gezicht. Zij zei in het Frans: 'Wat voor verschil maakt dat nu nog uit?'

De koetsier ontrolde zijn korte zweep en pakte de leidsels van de vier ongeduldige paarden bij elkaar.

Phillipe boog zich naar de man toe en greep hem bij z'n schouders: 'Conducteur! Ik moet voor mijn moeder beneden een plaatsje vinden.'

De koetsier mopperde: 'Wij moeten ons aan de vertrektijd houden. Wij zijn al tien minuten te laat. Er is trouwens geen plaats meer vrij beneden.'

'Ik zorg wel, dat er een plaatsje vrij komt,' zei Phillipe en klom snel langs de spaken van het wiel naar beneden. Hij gooide het portier van de diligence open en keek recht in het gezicht van een van de kinderen van het gezin, een klein meisje met een hoedje op, dat op haar vaders knie zat en met een lachend gezichtje haar hoepeltje aanbood aan de welgedane heer tegenover haar. Die heer gaf van zijn kant pompeus en geërgerd blijk van zijn afkeer van kinderen in het algemeen en van dit kind in het bijzonder.

Phillipe zei: 'Neemt u mij niet kwalijk, dames en heren. Mijn moeder voelt zich niet goed. Is hier misschien nog een plaatsje vrij, uit de wind?'

'Nee,' zei een van de dominees in de diligence. 'Maar wij zullen een plaatsje vrij maken. Blijf maar zitten, Andrew,' zei hij tegen zijn metgezel. 'Wij zullen om de beurt boven gaan zitten.' Hij opende het portier aan zijn kant en stapte uit.

Terwijl de koetsier maar bleef mopperen, hielp Phillipe zijn moeder weer naar beneden. Hij liet haar op de plaats van de dominee zitten en zette het kistje op haar schoot. Zij klemde het beschermend vast. Toen begon zij weer in het Frans te mompelen.

Phillipe hoorde de woorden *kleine lord* toen hij het portier dicht deed. Hij klauterde naar boven en nam zijn plaats weer in naast de neger en de dominee, die een platte hoed op had met een brede aan weerszijden opstaande rand. Hij hield met een hand zijn hoed vast en met de andere de bijbel.

De koetsier wierp Phillipe een niet mis te verstane blik toe en mopperde: 'Verdomde brutale buitenlander.' Hij ontrolde zijn zweep en liet hem over de hoofden van de paarden kletsen. Met een schok zette de diligence zich in beweging. De dominee liet zijn bijbel vallen en greep net bijtijds de stang vast, anders was hij van de koets gevallen.

De diligence ratelde weg van de One Bell. Phillipe wuifde naar de Sholto's die hoe langer hoe kleiner werden totdat zij geheel uit het gezicht verdwenen waren. Hij kon aan niets anders denken dan aan zijn moeder. Had het besluit naar Bristol en vandaar naar de koloniën te gaan haar tenslotte gebroken? Hij was zich er niet van bewust dat hij de stang vastgreep en de Amberly's en zichzelf inwendig vervloekte. De zwarte man keek verbaasd toe. Phillipe lette niet op hem. Waarom kon zijn moeder niet inzien dat zij naar een land toe gingen dat hun veiligheid en een nieuw leven kon bieden? Hij wist het antwoord. Het was niet omdat er iets mis was met hun uiteindelijke bestemming. Hij vermoedde dat zij precies zo gereageerd zou hebben als zij naar Trois Chèvres teruggekeerd zouden zijn. Zij had haar droom te lang gekoesterd, ten koste van alle andere dromen. De vernietiging van de droom had nu ook haar vernietigd.

Door de wind moest hij zijn ogen half dichtknijpen, om de wirwar van straten en huizen te kunnen onderscheiden. Maar hij zag alleen Marie: haar lippen bewogen; haar ogen waren leeg; haar handen grepen als klauwen het kistje vast.

Hij was doodsbang dat zij haar verstand zou verliezen.

2

Toen zij meer naar het westen kwamen, maakten de drukke straten en pleinen plaats voor verspreide huisjes met tuinen. Daarna kwamen zij in het open veld. De diligence nam de postweg naar Bristol.

De zon brandde op Phillipes rug, zodat hij hevig zweette. Maar de concentratie die vereist was om op de zwaaiende, hobbelende diligence in evenwicht te blijven, zorgde er in ieder geval voor dat hij de zorgen om zijn moeder tijdelijk vergat.

Lucas, de neger, was ingedut, kennelijk geheel vertrouwd met deze riskante manier van reizen.De dominee had zijn hoed bijna tot over zijn oren getrokken en gebruikte nu zijn vrijgekomen hand om de bijbel vast te houden, die hij bijna onder zijn neus hield. Phillipe kon zich niet voorstellen hoe de dominee in staat was te lezen. De diligence hobbelde dat het een aard had. De wielen ratelden oorverdovend, de paarden briesten en de koetsier knalde met de zweep, maar toch bleef hij doorlezen, al was zijn boordje al zwart geworden van het opvliegende stof.

Binnen een uur was Phillipe echter aan het gehobbel gewend geraakt en kon hij zich zelfs een beetje ontspannen. De zon vrolijkte hem op, evenals de vriendelijke groet van boeren, die op de hooivelden aan het werken waren of hun karren aan de rand van de weg stilhielden om de snelle diligence voorrang te verlenen.

Het zonnige land waar zij doorheen rolden gaf Phillipe een gevoel van vrijheid, veiligheid dat hij sinds de ontmoeting in de Vauxhall Tuinen niet meer gekend had. Hij zou overal pijn hebben als zij morgen in Bristol aankwamen. Maar als dat het ergste was, kon hij dankbaar zijn.

Hij zag dat Lucas wakker geworden was zonder dat hij het gemerkt had. Lucas keek naar de weg achter hem. De rimpels op zijn voorhoofd maakten duidelijk dat hij iets ongewoons zag.

'Man op paard, meneer,' zei Lucas. 'Was daar niet een tijdje geleden.'

De neger klopte de koetsier op zijn rug en Phillipe draaide zich om, zijn adem stokte. De ruiter reed ongeveer een kwart mijl achter hen, Phillipe kon door het stof dat de diligence opjoeg alleen de hoofdzaken onderscheiden. Het was een tanige man op een krachtig paard. Phillipe herinnerde zich dat hij zo'n man de binnenplaats van de One Bell had zien uitrijden, kort voor het vertrek van de diligence.

'Zou natuurlijk gewoon een meneer kunnen zijn die gaat uit rijden!' riep Lucas tegen zijn metgezellen. 'Of roverhoofdman.'

De koetsier gaf er de voorkeur aan geen risico's te nemen en spoorde de paarden aan. 'In het laatste geval,' riep de dominee, 'zal ik voor een keer dankbaar zijn dat dominees arm zijn. Bij mij valt niets te halen.'

Lucas liet zijn ogen over het landschap aan beide zijden van de weg dwalen. Alleen maar lage heuvels en struikgewas. Geen spoor van een boerderij. Geen andere ruiters of koetsen voor zover het oog reikte. Hij mopperde: 'Keer eerder beroofd op Oxford-diligence. Soms zij niet alleen rijden. Iedereen is arm daarna.'

Ongerust dacht Phillipe aan wat hij in Londen had gehoord over struikrovers. Degenen die gevangen genomen werden, werden zonder pardon opgehangen in Tyburn. Maar dat scheen het enthousiasme voor het vak niet te schaden. Het waren niets ontziende, wanhopige bendes. Phillipe draaide zich weer om. De ruiter bleef op afstand van de diligence. Hij stak zijn hand omhoog. Plotseling weerklonk een schot, dat het geratel van de wielen nog overstemde.

Uit een beukenbosje langs de weg, juist voor de diligence, kwamen twee andere ruiters te voorschijn die naar het midden van de weg galoppeerden om de doorgang van de diligence te blokkeren. Nu was het geen kwestie meer harder te willen rijden dan één ruiter.

De ruiter achter hen had het waarschuwingsschot gelost. De beide mannen voor de koets reden zonder hun teugels te gebruiken. In beide hand hadden zij een pistool met een lange loop.

De conducteur bracht zijn donderbus in de aanslag, maar liet hem weer zakken omdat de koetsier de rem al aantrok en de paarden inhield. Het was hem te veel van het goede het tegen drie man op te nemen.

Phillipes ogen dwaalden af naar de man die links uit het struikgewas was gekomen. Hij zat hoog in het zadel, het zilverwerk aan de zijkant van zijn pistool en op de kolf flonkerde in het zonlicht. Ondanks de stofwolken kon Phillipe zien dat de struikrover een leren lap over een oog had, laarzen droeg en een vuile jas, die eens fel oranje moest zijn geweest.

3

Uit de diligence kwamen opgewonden kreten en vragen. De conducteur boog zich over de rand en riep: 'Stilte allemaal! Overhandig al uw kostbaarheden, dan kunnen we veilig doorreizen, als we geluk hebben.'

Het zweet liep Phillipe langs zijn voorhoofd. Hij was ervan overtuigd dat de eenoog hem op het dak had zien zitten. Toen de diligence stil hield, leidden de twee struikrovers hun paarden er naar toe en voegde het derde bendelid zich bij hen. Deze sprong van zijn zadel en trok de deur open. Phillipe bleef onbeweeglijk zitten. Hij wist, dat dit geen toevallige samenloop van omstandigheden was. Misschien waren er inderdaad spionnen geweest bij elke herberg van betekenis van waaruit diligences vertrokken. Zijn handen waren even bezweet als zijn voorhoofd. Eens temeer besefte hij hoe Roger Amberly hem moest haten.

De eenogige ruiter wierp de koetsier een nietszeggende glimlach toe en loste een waarschuwingsschot. Van dichtbij was nu goed te zien hoe pokdalig zijn gezicht was.

'Kapitein Plummer, tot uw dienst meneer. Wij zullen uw passagiers vragen de kostbaarheden die zij bij zich hebben af te geven. Dan kunt u uw weg vervolgen.'

'Iedereen naar buiten,' beval de tanige man bij het portier van de diligence, terwijl hij zijn twee pistolen in zijn riem stak. De vier pistolen van de andere twee hielden nog altijd de koetsier, de conducteur en de passagiers onder schot; meer dan genoeg vuurkracht om hun onderneming van succes te verzekeren.

Eerst stapte de familie uit, terwijl de moeder het dochtertje probeerde gerust te stellen. Vervolgens de verbolgen dikke heer en toen de dominee. Van Marie geen spoor.

Maar Phillipe maakte zich meer zorgen over wat kapitein Plummer van plan was. Deze leidde zijn paard, vals lachend, naar de diligence.

'Dames en heren, als u allemaal de bevelen van mijn helpers goed opvolgt kunnen er geen ongelukken gebeuren.' Zijn ene oog viel op Phillipe en zijn lach verstarde. Phillipe wist maar al te goed wat er zou gaan gebeuren. Op zijn minst één 'ongeluk'.

Toen kapitein Plummer zag dat Phillipe begreep wat hij van plan was, lachte hij voluit. Hij gebaarde met zijn pistool: 'Als de passagiers op het dak ook willen afstappen, alstublieft?'

De dominee begon langs de spaken van het wiel naar beneden te klimmen.

'Er zit er nog eentje, kapitein,' zei de magere man. 'Een vrouw.'

Plummer knikte. 'Ja, ik vroeg me al af.'

Phillipes wangen gloeiden. Zijn hart bonsde onder zijn natte kleren. Hij wist dat hij geen gelegenheid had Gils zwaard te pakken. En dat was zijn enige wapen. Maar als hij zich niet verdedigde, zou hij sterven als een snel vergeten slachtoffer van de zoveelste overval.

Lucas' glimmende gezicht keek woest toen hij naar beneden klom. Hij zou hem misschien kunnen helpen, dacht Phillipe terwijl hij na hem op de weg sprong.

'Help onze weigerachtige passagier,' beval Plummer zijn magere helper.

194

De man liet de zak die hij van zijn paard had gehaald zakken en boog zich naar binnen. Een ogenblik lang stond hij met zijn lichaam en zijn uitgestrekte hand tussen Plummer en Phillipe in. Phillipe maakte er gebruik van omdat het misschien zijn laatste kans was. Met twee vuisten sloeg hij in op de onbeschermde buik van de man.

4

De man sloeg dubbel onder het uiten van vreselijke vloeken. Hij greep naar zijn tweede geladen pistool. Phillipe hoorde de moeder en het kleine dochtertje gillen en hij hoorde ook wat anders: het plotselinge hinniken van het paard van Plummer, die positie koos om te vuren.

Met een ruk greep Phillipe de verdoofde man bij zijn schouder en draaide hem voor zich. Het pistool in kapitein Plummers rechterhand ging af met een knal en een rookpluim. Het bloed spatte Phillipe om de oren, want de kogel had een gat in de nek van de man geboord. Deze slaakte een gesmoorde kreet en zeeg ineen, zodat hij Phillipe nu niet meer als schild kon dienen.

Phillipe liet de dode man los en sprong weg, terwijl de passagiers gilden en naar alle kanten wegvluchtten. Plummer trok heftig aan zijn zenuwachtige paard om het stil te houden en richtte zijn tweede pistool op het hoofd van Phillipe.

Tegen de zijkant van de diligence was Phillipe een prachtig doelwit. Hij kon nergens meer naar toe. Het donkere oog van de loop volgde hem toen hij zich op de grond liet vallen.

Kapitein Plummer was een beroepsschutter. Hij liet zich niet tot een haastig schot verleiden. Voor een goed gericht schot zou hij ongetwijfeld royaal betaald worden. Phillipe wachtte in het stof de knal van de kogel af, die zich in zijn lichaam zou boren. Maar er gebeurde niets. Met een geweldige klap ging de donderbus af. Kapitein Plummer begon te vloeken en zijn vloeken waren vermengd met kreten van inspanning. Als een gek rolde Phillipe onder de koets door naar de andere kant. Vlak voor de paarden tuimelde de derde struikrover uit het zadel. Hij had een rode wond in zijn maagstreek. Hij was dus het doelwit geweest van de donderbus. Phillipe rende naar hem toe. Over de ruggen van de paarden heen, zag hij wat hem gered had. Lucas hield met twee handen de linkerarm van Plummer vast en bleef die stevig vasthouden, ook al probeerde Plummer met al zijn kracht, achteruit leunend in het zadel zijn geladen pistool naar zijn andere hand te brengen.

Maar de sterke neger hield de linkerarm van de struikrover omlaag en naar achteren. Plummer schold en tierde dat het een aard had, schuim op zijn lippen en zweet op zijn pokdalige gezicht. Met zijn rechterhand graaide hij naar Lucas' ogen om ze liefst uit zijn oogkassen te krabben. Lucas gooide zijn hoofd naar achteren en bulderde van het lachen. Een gelach dat plotseling verstomde toen het Plummer lukte een duim in zijn oogholte te steken.

Lucas' greep op de linkerarm van de struikrover verslapte. Plummer worstelde zich los en mikte op het dichtstbijzijnde doel: de neger bij zijn stijgbeugel.

Phillipe had de gevallen man bereikt, die kreunde van de pijn. Hij greep een van diens pistolen en vuurde langs de hoofden van de voorste paarden.

Met een schreeuw rechtte Plummer zijn rug. Phillipe had op het beste en grootste doelwit gemikt, zijn borst. De vieze oranje jas kleurde rood links boven Plummers ribben.

Lucas greep het pistool uit Plummers slappe handen, trok de haan naar achteren en vuurde.

De leren lap voor Plummers oog spoot weg in een golf van bloed. Bij de aanblik van Plummers gezicht begonnen de moeder en het dochtertje opnieuw hysterisch te gillen. Lucas stuurde het paard met een klap tegen zijn flank het struikgewas in. Het steigerde en wierp door de plotselinge schok Plummer af die in de sloot belandde, zodat zijn aan stukken geschoten hoofd gelukkig niet meer te zien was. De neger veegde het zweet en het stof van zijn gezicht en grijnsde. 'Schot goed, meneer.'

Phillipe zwaaide zwakjes met zijn hand en gooide het hete pistool in de modder. Hij hoorde de dankbetuigingen en felicitaties van de koetsier en de conducteur. Met een verrassend gebrek aan christelijke naastenliefde voor de dode struikrovers, betuigden ook de dominees hun blijdschap over de gelukkige afloop.

Phillipe liep naar het rechterportier om te zien hoe het met zijn moeder was. Hij wou iets zeggen, maar de woorden bleven in zijn mond steken. Marie zat ineengekrompen in een hoekje. Haar vingers trommelden zenuwachtig op het oude leer van het kistje. Haar lippen bewogen geluidloos. Haar ogen staarden in het oneindige. Indien zij de schoten en het geschreeuw al gehoord had, liet zij er niets van merken.

Phillipe riep haar naam.

Stilte.

Langzaam deed hij de deur dicht en liep struikelend naar de sloot. Daar boog hij zich voorover en braakte hevig.

5

Spoedig werd de reis hervat. Phillipe zat weer op zijn plaatsje op het dak, samen met zijn reisgenoten, die ook onder de modder zaten.

Lucas neuriede een wijsje terwijl hij met zijn hand op zijn knie de maat sloeg. Snel reed de diligence onder de overhangende takken door, die grillige schaduwen op de grond wierpen.

Phillipe had nog een keer geprobeerd Marie wakker te krijgen voordat de diligence vertrok. Het enige resultaat dat hij bereikte was een soort gemompel, dat misschien beduidde dat zij hem herkende. Maar dat was dan ook alles. In zekere zin was hij blij dat zij niets van het treffen had gemerkt. Maar haar toestand bleef hem zorgen baren.

Hij voelde zich volkomen alleen. Hij was de enige die wist waarom kapitein Plummer en zijn rovers juist deze diligence hadden uitgezocht om te plunderen. Plummer had een dubbele beloning willen hebben. De buit van de passagiers en het bedrag dat de halfbroer van Phillipe hem al betaald had. Phillipe probeerde te bedenken hoe erg Rogers hand beschadigd was door het gevecht met de stok. Kennelijk heel erg, gezien de vergeldingsmaatregelen.

Roger had—Phillipe was intussen vertrouwd geraakt met die bittere les—zijn plannen kunnen beramen zonder erg bevreesd te hoeven zijn er ooit voor gestraft te zullen worden. Phillipe hoopte maar dat hij niet meer lastig gevallen zou worden voordat ze de haven van Bristol verlaten hadden.

Met niemand kon hij zijn zorgen delen. Met de koetsier niet, die nu de hartelijkheid zelve was; met de dominees niet; met niemand. Zijn geheimen en zijn haat zaten binnen in hem gevangen. Terwijl de diligence voorttratelde, bedacht hij dat hij zijn negentiende verjaardag naderde. Hij had de helft van de gemiddelde levensduur van een man al achter de rug. In de Auvergne had hij praktisch niets van het leven geweten. Maar de afgelopen twaalf maanden had hij genoeg geleerd om dat ruimschoots goed te maken. Hij hoopte maar dat hij zijn ervaringen ooit nog ten nutte zou kunnen maken.

Het zat hem erg dwars, dat hij nu al verantwoordelijk was voor de dood van drie mensen, vier als hij de magere vent die hij als schild voor Plummers kogel had gebruikt meetelde.

Weliswaar had hij geen van hen met opzet gedood. Het was altijd zelfverdediging geweest. En stiekem was hij elke keer een beetje trots geweest op zijn prestatie, ook al wist hij dat het misplaatste trots was en zelfs Plummers dood bleef aan zijn geweten knagen. Terwijl hij zich aan de stang vasthield en overal pijn begon te krijgen van het hotsen en botsen, hoopte hij vurig dat hij het gevoel voor de waarde van een menselijk leven nooit zou verliezen.

Als dat ooit zou gebeuren, zou hij precies zo worden als Roger Amberly.

6

Ongeveer een uur na het incident met kapitein Plummer en zijn mannen, schudde Phillipe de gruwel van de overval van zich af en begon aan meer praktische dingen te denken.

197

Als zij in Bristol op een schip konden komen, betekende dat niet alleen een vrijplaats waar zij veilig waren, maar ook hoop voor de toekomst. Hij kon dan ook iets bijschrijven op zijn creditrekening. Hij dacht aan het geld dat Franklin hem gegeven had en zocht naar de beurs om er zeker van te zijn dat hij die niet verloren had. Hij had hem gelukkig nog.

Maar de tas met de lijst van drukkerijen en de introductiebrief zat niet meer onder zijn riem. Snel tikte hij de koetsier op zijn schouder. 'Meneer, ik heb tijdens de overval mijn papieren verloren.'

'Het spijt me, jongen,' schreeuwde de koetsier, 'maar ik kan niet meer omdraaien. Ik kan alleen nog maar stoppen om van paarden te verwisselen; ik krijg een boete als ik mij niet aan de dienstregeling houd. Zelfs al is een struikrover daar de oorzaak van.'

'Maar het zijn waardevolle papieren. Daar waar ik naartoe ga heb ik ze nodig.'

'Dan moet je maar een diligence terug nemen,' was het antwoord.

Een onmogelijk antwoord, wist Phillipe. Zij hadden toch al te weinig geld. En hij durfde Marie in haar toestand niet alleen te laten. Hij had er spijt van dat hij zo dom was geweest niet de tijd te nemen om de lijst even door te kijken. Al had hij zich maar een paar namen herinnerd . . . dat zou al geholpen hebben wanneer zij in Amerika zouden zijn aangekomen. Het zou nu veel moeilijker worden om connecties te krijgen in een vreemde stad.

Hij lachte bitter. Zelfs nu zij gefaald hadden, zaten de helpers van Roger hem nog dwars.

Maar toen realiseerde hij zich weer dat hij niet meer de Phillipe Charboneau uit Auvergne was. Hij was iemand anders geworden. Misschien iemand die harder was. En dus dacht hij: Laat ze allemaal naar de hel lopen. Ik zal er niet meer onder door gaan.

7

Die avond stopte de diligence bij een rustige, landelijke herberg. Phillipe hielp zijn moeder bij het uitstappen en was opgelucht dat ze zich bewust was waar zij waren en hem herkende. Toen de koetsier eerder op de dag was gestopt om van paarden te wisselen, had Phillipe een praatje gemaakt met de passagiers.

Marie zat toen nog onbeweeglijk in de diligence. Hij zei tegen de passagiers dat zijn moeder de laatste tijd zoveel had meegemaakt, dat zij niet zichzelf was. Hij liet ook doorschemeren dat het geen zin had haar later te verontrusten met het verhaal van de overval. Aangezien Phillipe en Lucas dank zij hun doeltreffend optreden en gelukkige hand van schieten tot helden waren verheven, gingen de passagiers hier meteen mee akkoord.

Zelfs de welgedane, enigszins pompeuze meester van Lucas was iets vriendelijker geworden en nodigde Phillipe uit die avond in de herberg aan zijn tafel te komen zitten. De naam van de deftige heer was Hoskins. Hij woonde in Bristol. Hij vertelde al gauw dat Lucas geen echte slaaf van hem was, zoals in sommige koloniën nog het geval was. De neger was een vrije bediende.

'Dan kan hij dus bij ons aan tafel komen,' zei Phillipe, terwijl de conducteur op zijn hoorn blies ten teken dat zij verder gingen.

'O nee,' zei Hoskins met afschuw in zijn stem. 'Hij moet natuurlijk wel in de keuken eten.'

Phillipe klom het wiel weer op en dacht aan wat de Ier, Burke, over doctor Franklin gezegd had, dat hij een vereniging had georganiseerd die tegen de slavernij gekant was. Maar hij kon zich niet herinneren dat er iets over slavernij stond in de boeken die hij had verslonden. Misschien had hij er overheen gelezen; of misschien dat de propagandisten van de koloniën het onderwerp wilden verdoezelen. In ieder geval temperde het feit dat er in Amerika een slavenmarkt bestond voor hem het enthousiasme voor de geschriften van Franklin.

's Avonds zaten Phillipe en Marie tegenover Hoskins. De familie was direct na de maaltijd naar bed gegaan. De dominees hadden zich aan een aparte tafel teruggetrokken om zich waarschijnlijk over een of ander subtiel theologisch probleem te buigen. De koetsier en de conducteur hadden hun maaltijd verorberd bij het vrolijke haardvuur. Zij waren al dronken en zaten voortdurend met hun handen aan het dikke achterwerk van het dienstmeisje.

'Kennen uw moeder en u iemand in Bristol?' vroeg Hoskins na een tijdje.

'Nee meneer, niemand.' Phillipe keek naar zijn moeder. Het haardvuur zorgde voor een schittering in haar donkere ogen en verspreidde vreemde schaduwen over haar gezicht. Zij staarde naar haar bier, dat warm was gemaakt met een pook. Tijdens de maaltijd had zij een paar keer ja en nee kunnen uitbrengen, maar meer niet. Phillipe maakte zich dodelijk ongerust over haar stille wanhoop.

Met moeite probeerde hij zijn korte antwoord te verduidelijken: 'Wij willen zo gauw mogelijk een schip naar Amerika zien te krijgen.'

Hoskins nam een grote slok bier. Het was al zijn derde of vierde kroes.

'O, dan heeft u zeker connecties in de koloniën?'

Weer schudde Phillipe zijn hoofd. 'Wij zijn van plan naar een van de koloniale havensteden te gaan, waar ik werk wil zoeken als drukker.'

'Naar welke havenstad wilt u?'

'Waar het eerste het beste schip heen gaat, waarschijnlijk. Weet u hoeveel de overtocht kost, meneer? Ik heb vijf pond bij me.'

Hoskins nam nog een slok. 'Lang niet genoeg, maar'—hij veegde zijn natte lippen af met zijn mouw—'aangezien u ons zo goed verdedigd heeft en u mij een goed mens toeschijnt, zij het van nederige komaf, kan ik u wel een geheim toevertrouwen. Ik heb heel veel geld bij me. Heel veel,' benadrukte hij terwijl hij op zijn embonpoint wees.

Phillipe had gedacht dat Hoskins een dikke buik had. Het was natuurlijk niet in zijn hoofd opgekomen dat het om een stapel bankbiljetten ging.

'Ik ben een fabrikant van ijzerwaren. Hoskins' ketels en toiletpotten zijn een begrip in de duurste restaurants en hotels in Londen. En ook in de beste bordelen. O! Neemt u mij niet kwalijk, mevrouw! Tijdens deze reis heb ik aardig wat verkocht. Maar ik lever ook aan de koloniën. Veel zelfs. En hoewel ik een trouwe Tory ben en een aanhanger van Zijne Majesteit, geef ik er de voorkeur aan dat wij tot elke prijs goede relaties met Amerika blijven houden. Maar wij moeten er natuurlijk geen rebellie toestaan. Ik ben blij dat de ministers van de koning een paar van die verdomde belastingen hebben afgeschaft. Misschien waren zij wel noodzakelijk, maar zij waren de pest voor de handel. De pest! Ik heb zelf op afschaffing aangedrongen. Samen met veel andere belangrijke kooplieden en fabrikanten. Wij hebben die dikke Duitser de duimschroeven aangedraaid.' Hoskins boerde luid.

Phillipe zag dat hij aangeschoten was.

'Neemt u mij niet kwalijk, Majesteit. Waar was ik gebleven? O ja. De koloniale handel. Nou, als ik weer in Bristol ben, ga ik vlug naar de haven om te kijken of er Amerikaanse schepen zijn aangekomen. Want hiermee'—weer gaf hij een klap op zijn buik waar hij vermoedelijk zijn geldgordel had zitten—'kan ik een hele scheepslading met Hoskins' fijnste waren financieren. Allemaal voor onze Amerikaanse broeders. Jaja. Een hele scheepslading.'

Weer een boer.

Phillipe zei niks en liet de dikke man maar leuteren.

'Nu kkom ik wwaar ik wwezen moet, jongeman. Ik ken heel wat kapiteins die Bristol aandoen. Uit Philadelphia. Uit New York en uit die godslasterlijke verzetshaarden . . .'—een dubbele boer en een kolossale geeuw. 'Eh . . . Boston, bedoel ik. Dus als je zin hebt met mij mee te gaan als ik de kapiteins met een bezoek vereer, kan ik misschien mijn invloed aanwenden om een hut voor je te vinden, waar je dan natuurlijk wel voor zult moeten werken. Het enige alternatief is, dat je je voor zeven jaar aan een kapitein verkoopt in de hoop dat hij het verzegelde contract aan een fatsoenlijk iemand aan de andere kant kan doorverkopen.

Laat me's kijken'—een harde scheet—'Nneem me niet kwalijk, mevrouw. We zullen zien of ik je dat onprettige vooruitzicht kan besparen. Ik heb nogal wat invloed. Ik verzend grote ladingen. Grote! Jij hebt mij heel wat geld bespaard. Ddank je wel. 'k Zal een goed woordje voor je doen bij de kkapiteins. Ze raken altijd scheepsjongens kwijt. Die verkwisten hun geld in de achterbuurten. Rommelen wat aan met hoe . . . prostituées. Liggen ergens dronken te slapen als het schip vertrekt. Nnee, ddat kkan nniet mmoeilijk zijn. Als we een beetje geluk hebben en als Hoskins er mmaar voor zorgt. Alle kapiteins kennen Hoskins. De succesvolle koning-koopman. De beste ijzerwwaren . . .' Hoskins gaapte, leunde achterover en begon te snurken.

Phillipe had al besloten de uitnodiging aan te nemen. Ja, hij zou Hoskins als een hond volgen, wanneer hij zijn ronde ging doen om contracten af te sluiten voor zijn ladingen. Met nieuwe moed gleed Phillipe van de bank af, boog zich over Marie en sloeg zijn arm over haar gebogen schouders.

'Mama?' zei hij zachtjes.

'Wat?'

'Ben je niet moe? Wil je niet naar boven om te slapen?'

Zij gaf geen antwoord en bleef maar naar de kroes warm bier staren.

Er ging een minuut voorbij. Nog een minuut.

Verdrietig maakte Phillipe haar vingers één voor één los. Hij hielp haar bij het opstaan, terwijl hij zachtjes tegen haar bleef spreken en haar suste als een kind. Zij schuifelde vooruit en accepteerde gewillig zijn leiding. De dominees keken toe. Zelfs de koetsier en de conducteur stopten hun ruwe gelach en staarden, plotseling ontnuchterd, naar Marie.

VII Naar een onbekende kust

1

Vanaf het kanaal van Bristol stroomopwaarts langs de rivier de Avon, lagen de drukke, lawaaierige kaden. Phillipe merkte snel dat Hoskins zich aan zijn in dronkenschap gegeven woord hield. Hij moest zich een weg banen tussen een groepje forse havenarbeiders, bezig met het laden en lossen van schepen, en had moeite de fabrikant bij te houden op de kade.

Het was een heldere meimorgen. Tegen de blauwe hemel tekende zich een woud van scheepsmasten af. De grote scheepsrompen kraakten in hun voegen, kabels knarsten en piepten over de katrollen. Zij passeerden mannen die gebogen gingen onder de last van grote balen geurige Afrikaanse cacaobonen. Phillipe zag een vertegenwoordiger van een makelaar een juten baal opensnijden en een bundel lichtbruine bladeren ter grootte van olifantsoren inspecteren. Hoskins vertelde hem dat dat verse tabak was, aangevoerd uit de plantages aan de kust van de zuidelijke koloniën van Amerika.

Hoskins groette een hem bekende commissionair en kreeg een kromme, gele vrucht aangeboden van een grote stapel die op de kade lag. Hij gaf de zoet geurende vrucht aan Phillipe met de woorden: 'Proef maar eens, ze zijn bijzonder lekker.'

Phillipe liet het zich geen twee keer zeggen en wilde er onverwijld in happen. Hoskins gebaarde geschokt: 'Hé, wacht even, je moet hem eerst pellen! Heb je dan nog nooit een Westindische banaan gezien?'

'Nee, ik heb zelfs nog nooit van de naam gehoord!'

'Nou, dan laat Hoskins je tenminste eens wat zien van de wereldhandel. Verdomd als het niet waar is.'

Phillipe kon er alleen maar mee instemmen, al was het hem onmogelijk elk detail van het drukke bedrijf op de kade in zich op te nemen.

Terwijl zij verder liepen, stak Hoskins bij een aantal klerken en matrozen zijn licht op. Velen schenen hem goed te kennen. Na een tijdje zei hij tegen Phillipe: 'Wij hebben geluk. Twee dagen geleden is een heel betrouwbare kapitein binnengevaren. Will Caleb uit Boston. Hij heeft al vaker vracht voor mij vervoerd. Hij is een godvrezend man. Je kunt er bij hem van op aan, dat hij niet dronken op de brug zal staan tijdens een zware storm. Mijn winst is mij veel te kostbaar, dan dat ik mijn waren aan een dronkelap zou toevertrouwen. Kom op, mijn waarde, een beetje enthousiasme! Daar ligt het schip van Caleb. Het op één na laatste. Laat eens zien of we met hem tot zaken kunnen komen.'

Onverwacht snel voor zijn postuur repte Hoskins zich voort. Onder aan de loopplank bleef hij staan. Het schip was een driemaster, ongeveer vijfentwintig meter lang en zes meter breed. Met gouden letters was de naam *Eclipse* op de boeg geschilderd.

Aan de reling stond een man met een scherp gesneden gezicht en witte haren. Hij zag er op toe hoe een rij dokwerkers grote theekisten inlaadde. In zijn door de zon bruin verbrande gezicht vielen de dunne lippen op.

'Goeiemorgen, kapitein Caleb,' riep Hoskins hem toe. 'Gaat u weer terug naar Boston?'

'Goeiemorgen Hoskins,' antwoordde de kapitein, terwijl hij zijn lippen samenkneep tot iets wat een glimlach moest voorstellen. 'Inderdaad, als het ruim vol zit.'

'Wat voor vracht heeft u, kapitein?'

Caleb zei dat hij tot nu toe een vracht van vijftig kisten Hyson-thee had aangenomen en bombazijn van verschillende kleuren uit Lancashire. 'Maar ik heb nog ruimte over,' zei hij.

'Misschien kunnen wij dan zaken doen.'

De kapitein van de *Eclipse* gebaarde Hoskins dat hij aan boord moest komen, en wierp tegelijkertijd een nieuwsgierige blik op Phillipe. 'Laat meneer Hoskins erdoor,' riep hij naar de dokwerkers. 'En wie een kist laat vallen, zal gauw merken dat ook een vredelievend kapitein niet verleerd is de zweep te gebruiken!'

Hoskins wenkte Phillipe dat hij hem moest volgen. Deze zag dat kapitein Caleb verbaasd zijn wenkbrauwen optrok.

De kapitein schudde de gezette fabrikant de hand toen deze op het dek stapte. 'Bent u, sinds de laatste keer dat ik u heb gezien, Lucas kwijtgeraakt en hebt u hem vervangen door deze jongen?'

Hoskins schudde van nee. 'Lucas zit in de Flagon bij de moeder van deze jongeman. Zij voelde zich niet goed genoeg om met ons de kade op te gaan.'

Phillipe vroeg zich af hoe Marie het zou maken tijdens het wachten in de herberg. Bij aankomst in Bristol had zij zich weliswaar lusteloos, maar toch iets beter gevoeld.

'Op onze reis van Londen naar Bristol heeft meneer Charboneau, deze jongeman, zich bijzonder verdienstelijk gemaakt, evenals Lucas, door mij en de andere passagiers te verdedigen tegen drie duivelse struikrovers,' vervolgde Hoskins.

'Aangezien Charboneau slechts over een kleine beurs beschikt, maar een groot verlangen koestert in Amerika een nieuw leven te beginnen, heb ik hem meegenomen in de hoop een hut voor hem te vinden.'

Bij de ooghoeken van de kapitein verschenen kleine rimpels toen hij Phillipe nog eens scherp aankeek. 'Het toeval wil dat mijn zeuntje door de griep geveld is. Ik zou hem eigenlijk hier achter moeten laten—maar dat doe ik niet, omdat ik weet hoe zijn moeder in Marblehead, die net weduwe geworden is, er aan toe is. Misschien kan de jongen al gauw weer zijn bed uit, misschien ook niet.' Hij keek Phillipe nog scherper aan. 'Maar ik neem niemand mee, die voor het gerecht op de loop is of voor zijn schuldeisers.'

'Voor zoiets ben ik helemaal niet op de loop, kapitein,' zei Phillipe, terwijl Caleb zijn lengte en zijn eventuele kracht taxeerde.

De omstandigheden maakten het Phillipe niet moeilijk slechts de halve waarheid te vertellen: 'Ik heb een bepaald . . . doel aan de overkant.'

Caleb drukte met zijn duim tegen zijn kin. 'Je spreekt geen zuiver Engels. Wat ben je, een Fransman?'

Phillipe wou antwoorden dat de kapitein ook geen zuiver Engels sprak, maar eerder een vreemde, nasale versie daarvan. Zouden ze in Boston zo spreken? Voorzichtigheidshalve knikte hij alleen maar bevestigend.

'Hoeveel kun je betalen?' vroeg Caleb.

'Ik heb vijf pond.'

'Voor hem én zijn moeder,' zei Hoskins met nadruk. 'Zoals ik al zei zorgt Lucas op het ogenblik voor haar. Ze is een beetje in de war. Ze tobt met haar gezondheid.'

Kapitein Caleb keek nog sceptischer. 'Ik ben er niet erg voor met een zieke vrouw naar Boston te moeten varen. Het wordt misschien een zware oversteek. Zes tot acht weken, dat hangt van de stormen af en van de windrichting.'

'Zij slaat zich er wel doorheen, kapitein,' zei Phillipe. 'Zij wil net zo graag weg uit Engeland als ik.'

'Vijf pond is natuurlijk nooit genoeg, zelfs niet als ik je in de kombuis laat werken, als hulp van de Hollandse duivel Gropius met zijn zogenaamde kookkunst.'

Gewichtig schraapte Hoskins zijn keel. 'Kapitein Caleb, ik heb er al op gewezen dat meneer Charboneau door zijn moedig optreden mij een aanzienlijk verlies heeft bespaard. Als u gekant bent tegen passagiers als hij en zijn moeder, moet ik misschien maar eens verderop, om te zien of er een ander schip is voor mijn vracht.'

Op het zachtjes heen en weer deinende dek, waar de schaduwen van lawaaierige meeuwen door de wirwar van rondhouten en touwen vielen, voelde Phillipe hoe Hoskins' bluf hem de keel dichtsnoerde. Hij wilde zijn kans niet verspelen, hoewel hij erg onder de indruk was van het onbekende dat hem wachtte ten westen van de flonkerende Avon.

'Ik was van plan een hele partij potten en ketels te verschepen,' zuchtte Hoskins. 'Jawel, een hele partij. Maar als onderdeel van de transactie wil ik de jongen helpen.' Hij draaide zich om naar Phillipe. 'Wij kunnen maar beter eens ergens anders informeren.'

'Hoho, niet zo haastig!' riep Caleb en greep Hoskins bij zijn arm.

Geen van beiden lachte, maar hun ogen fonkelden bij het vooruitzicht van hard marchanderen. Caleb zei tegen Phillipe: 'Ga jij maar zolang naar het achterdek, jongen.' Toen de nieuweling op zee hem niet-begrijpend aankeek, wees Caleb hem de weg. 'Dan loop je die dokratten tenminste niet voor de voeten. Hoskins en ik gaan naar mijn hut, waar ik voor speciale gasten altijd een beetje rum uit Providence heb klaar staan.'Hij legde zijn arm om de schouder van Hoskins en voerde hem mee, mompelend: 'Vertelt u om te beginnen eens, om hoeveel vracht het gaat . . .'

Ze verdwenen in het vooronder. Ruim een uur lang liep Phillipe zenuwachtig te ijsberen.

Toen de twee mannen weer aan dek kwamen, was Hoskins in een uitstekend humeur. 'U en uw moeder mogen aan boord, meneer Charboneau. Maar ik ben bang dat u maar een klein, bedompt hutje krijgt. Aan zo'n koppige Yankee als Caleb kon ik geen twee hutten ontfutselen. Maar ik heb er voor gezorgd dat zijn ruimen vol komen. Wij gaan vanavond laden, en morgen bij vloed brengt een loods de *Eclipse* naar open zee. Zullen wij uw moeder gaan ophalen?'

'Ja, natuurlijk, meneer. Hoe kan ik u ooit genoeg bedanken?'

'Ik ben degene die een schuld af moet lossen,' antwoordde Hoskins terwijl zij de loopplank afliepen. 'Dank zij u ben ik minder arm dan ik had kunnen zijn. Het enige belangrijke in het leven is dat men op de centen let. Maak dat tot uw stelregel in de koloniën. En onthoud vooral dat u, als u zich maar tot de handel beperkt en de politiek mijdt, rijk kunt eindigen in plaats van aan de galg.'

Zo bleef Hoskins volharden in zijn onverschillige houding ten opzichte van zijn medemens, hoewel zijn handelwijze van die ochtend daarmee in tegenspraak was. Hij liep de kade op en ging er blijkbaar van uit dat Phillipe hem wel zou volgen, want hij keek niet achterom. Phillipe lachte en volgde hem op de voet.

2

Dreigende wolken pakten zich samen toen de honderdvijftig ton metende schoener de Engelse westkust achter zich liet en met vol zeil het water doorkliefde. Het zeuntje lag nog met griep aan zijn bed gekluisterd. Phillipe moest meteen aan de slag. Nog geen twee uur nadat het schip het kanaal van Bristol had verlaten, had Phillipe al zes stokslagen van de krombenige scheepskok te pakken.

De Hollander, Gropius geheten, sprak maar een paar woorden Engels en de meeste daarvan waren nog schuttingwoorden ook. Maar zijn vocabulaire en zijn stok voldeden om Phillipe aan het verstand te brengen, dat hij zijn eerste fout had begaan. Gropius had hem een ketel stamppot gegeven, die hij naar het verblijf van de bemanning moest brengen. Phillipe merkte hardop op dat bij de stamppot kennelijk ook vers gekookte witte slakken waren inbegrepen. Daarop was de kok aan het razen en tieren geslagen en had zijn stok gegrepen.

Bij de eerste slag was in Phillipe een enorme woede opgeweld, maar hij verdroeg zijn straf omdat hij wist dat hij zich gelukkig mocht prijzen, al zo snel een schip naar de koloniën te hebben gevonden. Hij sjouwde zonder morren de ketel naar het bemanningsverblijf, wreef op de terugweg over zijn pijnlijke achterste en besloot dat hij voortaan zijn mond zou houden over ongedierte in scheepsbeschuit en aardappelen.

Hij had trouwens al zijn aandacht nodig voor het leren lopen over de deinende dekken en gangen zonder met de inhoud van de gamellen te morsen, of de glaasjes rum die de bemanning 's avonds kreeg. De eerste dag op zee werd Phillipe zeeziek van het rollen en stampen van het schip, van het kraken van de tuigage en de klapperende zeilen; van de mannen die tot duizelingwekkende hoogten in het want klommen alsof zij ervoor in de wieg waren gelegd. Hij kwam tot de overtuiging dat hij nooit een groot zeeman zou worden. En dan te bedenken dat deze beproeving nog acht weken zou duren!

Ook maakte hij zich weer zorgen om zijn moeder, wat zijn problemen alleen maar groter maakte. Toen hij haar aan boord had gebracht, had hij geprobeerd geen aandacht te schenken aan de lusteloze manier waarop zij liep of aan het feit dat zij alleen met éénlettergrepige woorden sprak en haar blik naar de top van de mast liet dwalen zonder die echt te zien.

In de loop van de tweede en derde dag op zee werd het weer steeds slechter. Phillipe moest herhaaldelijk naar de reling, tot luid vermaak van de bemanning. Maar hij kwam er telkens weer tamelijk snel bovenop. Marie, daarentegen, kwam niet uit haar kooi, het enige bed in hun piepkleine hut op het tussendek.

De hut lag aan bakboordzijde van het huttendek en was nog onaangenamer dan Hoskins had voorspeld. Het was er lawaaierig; de hutten van de bootsman, de timmerman en de schrijver lagen vlakbij aan de spaarzaam verlichte langsscheepse gang. Ook stonk het er naar pek, naar het water in het ruim en naar andere dingen, waar Phillipe zich maar niet in verdiepte. Ook was het er donker. De enige lichtbron was een kaars in een smeedijzeren houder die met een haak in de kooi was vastgezet. De hele derde dag ging Phillipe zo vaak mogelijk naar Marie kijken. Zij lag vrijwel steeds in dezelfde houding in de kooi. Zij klampte het leren kistje tegen haar maag en had haar knieën opgetrokken tegen de nu waardeloos geworden schat. Steeds opnieuw drong Phillipe er bij haar op aan toch iets van de stamppot te eten, die Gropius met tegenzin afstond. Maar elke keer weigerde zij. Het werd hoe langer hoe duidelijker, dat haar zorgwekkende geestesgesteldheid en de woelige zee een dubbele aanslag pleegden op haar geslonken krachten.

Twee dagen later was Phillipe haast buiten zichzelf van angst. Toen de avond was gevallen, raapte hij al zijn moed bij elkaar en ging naar de hut van de kapitein op het achterdek. Hij klopte en hoorde boven het geluid van de golven en het stampen van de boeg de stem van de kapitein die hem zei binnen te komen.

De hut van Caleb was amper drie keer zo groot als die van Phillipe. Hij was spaarzaam gemeubileerd: een ingebouwde kooi, een kast en een bureautje dat vastzat aan het waterdicht schot. Een kleine ronde eiken tafel en twee stoelen, vastgeschroefd aan de vloer, completeerden het meubilair.

Een lantaarn zwaaide heen en weer boven de tafel.

Caleb keek op uit het boek dat hij zat te lezen. Met enige verbazing zag Phillipe dat het de bijbel was.

Caleb wees naar de tweede stoel, en toen naar een schaal scheepsbeschuit. De zwaaiende lantaarn wierp grillige schaduwen op het gezicht van de man uit Nieuw Engeland.

Met een diepe zucht zonk Phillipe in de stoel en sloeg het eten af.

'Moeilijkheden, jongen?' vroeg de kapitein.

'Mijn moeder, kapitein. Zij is er slecht aan toe. Is er iemand aan boord, die iets van geneeskunst afweet?'

'De eerste stuurman, Soaper, heeft er wel wat aan gedaan. Maar de *Eclipse* is een vrachtvaarder. Wij hebben vrijwel nooit passagiers aan boord. Dus kunnen wij ons de luxe van een dokter niet veroorloven.'

Phillipes gezicht betrok. Caleb leunde achterover en keek hem strak aan. 'Ik had al begrepen dat je moeder last had van het slechte weer, omdat zij nooit aan tafel is verschenen. Daarom spijt het mij dat je mijn waarschuwing dat het een ruwe oversteek zou worden, niet serieuzer hebt genomen.'

'Het was van het grootste belang dat wij Engeland zo snel mogelijk verlieten.'

'Omdat jullie in moeilijkheden waren gekomen,' zei Caleb zo zachtjes dat zijn stem nauwelijks was te verstaan boven het geluid van de Atlantische Oceaan, die tegen de romp beukte. 'Het stond op je gezicht te lezen toen Hoskins je aan boord bracht. Toen je mij verzekerde dat het niet zo was, heb ik je woord maar voor lief genomen, omdat ik de vracht van Hoskins niet aan mijn neus voorbij wilde laten gaan.'

Phillipe stond op het punt het hele verhaal er uit te gooien. Maar hij zag er van af. Hij was bang dat zijn verhaal over de achtervolging door de Amberly's op het raaskallen van een gek zou lijken. Caleb was een door de wol geverfde, praktische, onafhankelijke zeeman; een verward verhaal over een vrouw, die ervan had gedroomd dat haar zoon een edelman zou worden, kon hem nauwelijks interesseren.

Trouwens, die periode uit zijn leven was voorbij. Zijn zorgen golden het heden.

'Ik was van mening dat mijn moeder en ik beter af zouden zijn, wanneer wij een nieuw leven in de koloniën zouden beginnen,' zei hij. 'Mag ik het daar bij laten, kapitein?'

'Aangezien wij de Britse Eilanden al ver achter ons hebben: ja.'

'Het lijkt er op, dat ik de verkeerde keus heb gemaakt.'

Caleb raakte de bladzijde van de bijbel die voor hem lag aan, zonder er naar te kijken. 'Welk mens doet dat niet, elk uur van de dag. Kun jij mij zeggen wat je moeder scheelt?'

Phillipe schudde van nee. 'Niet precies. Ik ben bang dat de gedachte dat wij

naar een land gaan dat ons onbekend is—waar wij weer vreemden zullen zijn—haar geest heeft aangetast. Zij wil geen hap eten.'
'Heb je het geprobeerd?'
'Keer op keer. Zij blijft maar in haar kooi liggen. Ik weet niet meer hoe ik haar zou kunnen helpen.'
'Bid tot de Almachtige God,' antwoordde Caleb ernstig. 'Ik kan onmogelijk naar Engeland terugkeren.'

3

Na een week op de Atlantische Oceaan, besefte Phillipe dat Marie waarschijnlijk stervende was.
Toen die gedachte zich aan hem opdrong werd hij aanvankelijk overmand door nieuwe gevoelens van zelfverwijt. Daarna welde de razernij weer op tegen allen die hij aansprakelijk achtte. Lady Jane, Roger. En, in mindere mate, Alicia. Maar het schuldgevoel was het sterkst. Als een vraatzuchtig monster knaagde het aan zijn geest.
De eerste stuurman, Soaper, omderzocht Marie in haar hut, waar nu de zure lucht van koortszweet hing. Hij verklaarde dat zij zou sterven, tenzij Phillipe haar zou kunnen dwingen voedsel tot zich te nemen. Toen hij nog eens probeerde een beetje soep tussen haar opeen geklemde tanden te gieten, mislukte dat.
'Misschien wil zij wel dood,' was Soapers korte en sombere conclusie.
Phillipe bleef zoveel zijn werk dat toestond in de hut. Hij verloor elk gevoel van tijd, laat staan dat hij wist welke dag het was. Het weer bleef stormachtig en de zee ruw. Maar daar was Phillipe tenminste aan gewend geraakt, ook al wist hij dat hij het nooit prettig zou vinden. Hij sliep slechts korte perioden, gezeten tussen de kooi en de wand van de hut, met de harde planken als kussen. Zelfs als hij sliep was hij nog halfwakker, gespitst op onregelmatigheden in de zwakke ademhaling van zijn moeder. Tijdens hun tiende nacht op zee werd hij wakker, omdat zijn moeder zijn naam riep.
'Wacht even, mama,' zei hij, terwijl hij overeind kroop in de donkere stinkende hut. 'Laat mij even de kaars aansteken.'
'Niet doen! Ik weet hoe ik eruitzie. Ik kan het vuil op mijn lichaam voelen. Kom dicht bij me.'
Op zijn knieën kroop hij naar de kooi. Hij vond haar hand. Hij voelde haast geen botten meer. Wel een koortsachtig gloeien.
'Phillipe, luister naar me. Ik zal dat Amerika van jou nooit zien.'
Hij wou dat hij zonder zich te schamen zijn tranen de vrije loop kon laten gaan. Maar hij kon het niet. Zo was hij de laatste twee jaar veranderd. In plaats daarvan streelde hij haar hand, en probeerde haar gerust te stellen:
'Natuurlijk wel. Als je maar eet. Je moet jezelf er bovenop houden!'

'Waartoe? Je vader is dood. Alle hoop die ik voor jou had is vervlogen. Maar ik weet dat je de beste keus hebt gemaakt—het nieuwe land. Ik heb al mijn krachten verzameld om je dat te kunnen zeggen, voor het te laat is.' De slappe, koortsige vingers zochten over zijn gezicht naar zijn mond om hem het spreken te beletten. Zij fluisterde: 'Ik heb het verschrikkelijk gevonden wat ons is overkomen, Phillipe. Dat het door die vervloekte familie allemaal verkeerd is gelopen. En het ergste van alles was, dat ik . . . dat ik jou een tijdlang heb gehaat, omdat je weigerde tegen hen te blijven vechten. Maar je eigen vlees en bloed haten, dat is zondig. Dat is een doodzonde. Pas voor kort, op dit ellendige schip, heb ik begrepen dat jij gelijk had en ik ongelijk. Wij konden niet van hen winnen. Ik had dat van het begin af'—een heftige hoestaanval belette haar te spreken—'moeten inzien. Vanaf het moment dat wij de eerste keer hun huis binnengingen. Maar de schuld ligt bij hen, niet bij jou. Dat . . . wou ik je zeggen. Dat ik je vergiffenis schenk, voor een misdaad die je niet hebt begaan.'

'Mama, wat is dat nu: een misdaad? Wij hebben gedaan wat moest gebeuren.'

'Omdat ik erop heb aangedrongen naar Engeland te gaan, waar wij niet thuishoorden.'

'In Amerika zijn gewone mensen niet zo hulpeloos. Daar zijn geen adellijke erfgenamen die hen onderdrukken.'

'En daarom heb jij gelijk dat je helemaal opnieuw begint. Jij bent jong, je hebt er het jonge hart voor. Ik niet. Ik heb een valse hoop gekoesterd. En ik heb die in rook zien opgaan. Voor mij is er niets meer over van . . .'

'Wel waar, mama! Het leven! In godsnaam, luister naar mij! Wij kunnen weer gelukkig worden. Als je je maar wilde verzetten tegen die afschuwelijke moedeloosheid, die zich van je meester heeft gemaakt.'

'Daarvoor ontbreekt mij de kracht, én de wil. Ik kan zelfs nu nauwelijks mijn tong bewegen, ook al moet ik het blijven proberen. Ik heb je een eed laten afleggen. Een verdorven, hopeloze eed, dat weet ik nu. Je moet die vergeten. Ik smeek je alleen dat je mij één ding belooft.'

'Alles, mama, als je maar probeert jezelf te helpen.'

Hij zag dat zij niet luisterde. Haar stem werd zachter, de woorden onduidelijker. Zij kwamen al haast niet meer uit boven het geklapper van een door de wind gegeseld zeil, ergens ver boven hen.

' . . . De grootste misdaad, Phillipe, is nog steeds die waarover ik met je in de Auvergne heb gesproken. Als je dus door hun toedoen je rechtmatige plaats in Engeland niet kunt innemen, beloof mij dan dat je tenminste—tenminste—er naar zult streven in het nieuwe land een aanzienlijk en rijk man te worden. Misschien kun je dan op een dag naar Engeland terugkeren en het hun betaald zetten.' Zij gaf een schreeuw die door merg en been ging: 'Zet het hun betaald, God vervloeke hun arrogante ziel!'

Haar laatste woord ging verloren in een felle kreet van pijn.

'Mama.' Phillipe boog zich voorover en streelde haar koortsige wang. Een treurig en verloren gevoel in hem zei: Lieve Heer, heb medelijden met deze arme vrouw. Zij heeft nog steeds dezelfde droom. De woorden zijn veranderd, maar de droom is gebleven.

Omdat hij van haar hield en omdat hij er geen consequenties aan verbond zei hij: 'Ik beloof het.'

Met donderend geweld beukten de golven tegen het schip.

'Mama? Mama, ik beloof het . . .'

Zwak pakte ze zijn hand. Ze had hem verstaan. Ze begon weer voor zich uit te mompelen. Onverstaanbare woorden die in een melodie overgingen. Zij neuriede een oud, romantisch liedje.

Hij probeerde nog een paar maal haar koortsdelirium te doorbreken. Zij neuriede en lachte, slaakte plotselinge, verrukte kreetjes. Waar was zij? Terug op het toneel in Parijs? Bij James Amberly? Ergens in een kasteel van haar dromen, waar zij de alleenheerschappij had, niet werd geïntimideerd en nergens bang voor hoefde te zijn? Plotseling bedacht hij dat zij hem alle schuld had kwijtgescholden. Een gevoel van enorme opluchting stroomde door hem heen.

Het grootste gedeelte van de nacht bracht hij wakend bij haar door, hoewel hij wist dat het geen zin had. Zij herkende hem niet meer. Zij was zich zijn aanwezigheid niet eens bewust.

Onvermijdelijk dwaalden zijn gedachten terug naar de maanden die voorbij waren gegaan, sinds ze voor het eerst het kistje van achter de Madonna had gehaald. Hij bedacht dat ze al die tijd misschien wel gelijk had gehad. Dat je laten vernederen tot armoede en vergetelheid best eens de allerergste misdaad kon zijn. Maar tegelijkertijd besefte hij dat de omstandigheden zijn vooruitzichten hadden veranderd. Hij koesterde geen enkele hoop meer ooit nog zijn erfenis te zullen krijgen. Noch dat hij ooit wraak zou kunnen nemen op de Amberly's. Wel had hij zoveel haat opgekropt, dat het verlangen zich op hen te wreken nooit helemaal zou verdwijnen. Maar voortaan zouden er praktische hinderpalen zijn. Hij was op weg naar een onbekende kust, die meer uitdagingen voor hem in petto had dan hij op dat moment nog kon bevroeden. En ook meer mogelijkheden.

Misschien had zijn moeder alleen maar de verkeerde middelen gekozen om te vermijden dat hij die afschuwelijkste aller misdaden zou begaan. Uitputtende uren lang zat hij tegen haar kooi geleund te luisteren naar de hartverscheurende geluiden, die zij in haar delirium maakte, naar haar koortsig lachen, haar neuriën. Hij kwam tot de overtuiging dat de droom zelf, achteraf gezien, misschien ook de juiste droom was geweest. Rijkdom en aanzien, dat was wat hij verlangde van het nieuwe land. En rijk en aanzienlijk zou hij worden. En of hij het zou worden! Voor zichzelf. En voor haar. Dat was het enige dat van belang was.

Twintig uur bracht Phillipe Charboneau in de hut door, bijna zonder te slapen en zonder aan eten te denken. Toen die twintig uur voorbij waren, was zijn moeder, die dappere vrouw uit de Auvergne, dood.

4

Kapitein Caleb vroeg welke godsdienst Marie had beleden. Phillipe antwoordde, zonder zich er voor te verontschuldigen, dat zij in haar jeugd een beeldschone en voortreffelijk actrice was geweest in Parijs, en daarom haar katholieke geloof niet had mogen belijden.

Kapitein Caleb zei dat hij, als lid van een Vrije Gemeente, van mening was dat alle mensen gelijk waren in de ogen van hun Schepper. Die overtuiging was een van de redenen geweest waarom zijn grootvader uit Midden-Engeland naar Amerika was gevlucht. Hij beloofde dat hij een toepasselijke tekst zou uitkiezen voor de begrafenis.

5

Het was een prachtige ochtend laat in mei. De *Eclipse* lag in het heldere en windstille weer rustig voor anker. Zowel voor en achter als aan stuurboord en bakboord leek de oceaan op groen glas.

De kapitein had de hele bemanning aan dek geroepen. Zijn zeilmeester had de leiding gehad bij het innaaien van het lijk van Marie in een zeildoek. Vlak voor de laatste naad werd dichtgenaaid kwam Phillipe van het benedendek naar boven.

Kapitein Caleb liep naar hem toe, terwijl de zon zijn witte haren bescheen. 'Wil je dat samen met haar begraven?'

'Ja, ik dacht er pas op het laatste moment aan. Ik geloof dat zij zou hebben gewild . . .'

Plotseling deed iets hem aarzelen. Hij zweeg even en zei toen: 'Bij nader inzien geloof ik, dat ik het beter kan bewaren. Die paar persoonlijke brieven zijn de enige herinnering die ik aan haar heb.' En hij stak het leren kistje met de al lang dof geworden koperen hoeken onder zijn arm.

6

'Laat uw hart gerust zijn. Oefent geloof in God, oefent ook geloof in mij.'

Kapitein Calebs stem dreunde over de hoofden van de bemanning, die zich in twee rijen op het dek had opgesteld. Het waren gezonde mensen met een heldere oogopslag. Allemaal uit de koloniën afkomstig, behalve Gropius, die zijn wollen muts niet had afgezet. Een blik van stuurman Soaper was echter genoeg.

Phillipe stond naast Caleb, ieder aan het hoofd van een rij. De rijen stonden tegenover elkaar. Tussen de rijen tilden vier zeelui voorzichtig het stoffelijk overschot van Marie op.

'In het huis mijns Vaders zijn vele woningen. Ware dat niet zo, ik had het u verteld.'

Phillipe voelde de tranen in zijn ogen opwellen. Hij keek van het kleed, dat boven de reling werd getild, naar de verweerde gezichten van de zeelieden uit Nieuw-Engeland. Het waren mannen van deze aarde; hij had ze vaak genoeg horen vloeken als ze bij slecht weer het want in moesten. Het waren ook ongeletterde mannen, de meesten konden lezen noch schrijven. Toch gedroegen zij zich, in het aangezicht van de dood, met een waardigheid die Phillipe in Engeland nog nooit had gezien. Zou het 'inademen van minder verstikkende lucht', waar doctor Franklin het over had gehad, misschien de oorzaak kunnen zijn van dit onderscheid?

'Want ik ga heen om u een plaats te bereiden. En zoals ik ga om u een plaats te bereiden, zo zal ik terugkomen om u te ontvangen bij mij, opdat ook gij moogt zijn waar ik ben. En waar ik heen ga, daarheen weet gij de weg . . .'

Plotseling begonnen de bladzijden van het Boek Johannes, waaruit Caleb voorlas, om te slaan door de wind, zodat de kapitein terug moest bladeren om de plaats te vinden waar hij was gebleven. Phillipe zag dat de zeelui even omhoog keken. Stuurman Soaper keek naar de zeilen die zachtjes waren gaan klapperen in de opstekende wind.

'Thomas zei tot hem: 'Heer, wij weten niet waar Gij heen gaat. Hoe weten wij dan de weg?'

Phillipe keek toe hoe het kleed hoog boven de reling werd getild. En hoe daarna die ruwe, door de teer zwart geworden handen het met grote teder- heid boven de golven hielden. Caleb verhief zijn stem.

'Jezus zei tot hem: 'Ik ben de weg, de waarheid en het leven. Niemand komt tot de Vader dan door mijn bemiddeling. Amen.'

De vier zeelieden lieten hun last los, die uit het gezicht verdween. Phillipe hoorde een plons. Hij sloot zijn ogen en bad dat zijn moeder op haar onbe- kende plaats van bestemming eindelijk vrede zou mogen vinden.

Een klopje op zijn schouder maakte een einde aan het korte moment van melancholie. Hij hief zijn hoofd op en opende zijn ogen. Kapitein Caleb keek hem aan met een vreemde uitdrukking op zijn verweerde ge- zicht.

'Ik denk dat een slokje rum je goed zal doen,' zei hij zachtjes.

Zonder iets te zeggen volgde Phillipe hem.

Soaper schreeuwde al zijn bevelen en de mannen klauterden snel naar boven om de zeilen in gereedheid te brengen voor de opstekende harde wind.

7

De sterke zoete rum die hij in de hut van Caleb dronk scheen al zijn ver- driet weg te branden. De kapitein nam genoegen met een scheepsbeschuit.

Het leren kistje stond tussen hen in op tafel. Dat en het zwaard van Gil waren de twee belangrijkste dingen die zijn moeder en hij op reis hadden meegenomen en tegelijkertijd de enige twee overgebleven dingen.

Niet armer en niet rijker, dacht hij. Maar wijzer? Laten wij dat in 's hemelsnaam hopen.

Caleb hield zijn aandacht bij de scheepsbeschuit, die hij aan het eten was. Hij vroeg: 'Wat waren de moeilijkheden die een duidelijk zieke vrouw dwongen deze reis te ondernemen?'

Zonder te aarzelen vertelde Phillipe nu het hele verhaal. Hij liet Caleb zelfs de brief van Amberly zien. Toen deze hem gelezen had, legde hij hem terug in het kistje en deed dit op slot.

'Maar dat is nu allemaal voorbij,' zei hij.

'Nog niet helemaal.'

Phillipe keek de kapitein scherp aan.

'Dat meisje waar je over sprak, zei je niet dat zij erover dacht Engeland te verlaten?'

'Ja, maar ik begrijp niet . . .'

'Om samen met jou naar Amerika te gaan? Waar zij familie had?'

'Dat was maar een terloopse opmerking, kapitein Caleb.'

'Het punt is, mijn jongen, dat de dertien koloniën nog steeds een deel van het Britse Rijk zijn. Het kan zijn dat je nog niet helemaal buiten gevaar bent. Door middel van het meisje met wie je halfbroer gaat trouwen en door haar familie in Philadelphia zou de lange arm van de particuliere of zelfs van de publieke wet je tenslotte toch nog kunnen grijpen. Ik geef toe dat de kans daarop niet waarschijnlijk lijkt. Maar aangezien je in Engeland krenkend bent behandeld en je opnieuw wilt beginnen met zoveel mogelijk dingen in je voordeel—de Almachtige is mijn getuige, dat het weliswaar niet ongebruikelijk is om zonder een cent op zak in Amerika aan te komen, maar daarom niet minder moeilijk—geef ik je de raad nog op een laatste, definitieve, manier afscheid te nemen van je nare verleden. Je hebt alle hoop op je vaders fortuin, of je aanspraken daarop, al opgegeven. Waarom begin je dan niet helemaal als een nieuw mens? En neem je geen nieuwe naam aan? Een die je nooit zal verraden?'

Voor het eerst sinds dagen kon Phillipe Charboneau zijn lachen haast niet bedwingen. Het idee kwam als een volkomen verrassing, maar trof midden in de roos.

'Merci, kapitein,' zei hij. 'Dat is een voortreffelijk advies. Ik zal dat zeker opvolgen.'

'Neem nog wat rum,' zei Caleb. 'Maar vertel aan niemand op dit schip dat de kapitein je heeft toegestaan meer dan één glas rum te drinken, anders breekt er muiterij uit. Ik moet naar de brug; ik heb zo'n idee dat het afgelopen is met het rustige weer, waardoor wij vertraging hebben opgelopen. Als wij een beetje geluk hebben kunnen wij nu rechtstreeks naar Boston koersen. O, en nog iets.' Hij hield stil bij de deur. 'Het valt niet mee afscheid te nemen van de vrouw die je op de wereld heeft gebracht. Mijn moeder is

zevenentachtig. Zij woont in Maine en is nog gezond en vitaal. Als zij sterft,
hoop ik dat ik mij net zo zal gedragen als jij. Je hebt het gedragen als een
man.'

8

Toen hij die nacht voor het eerst alleen was in de stinkende hut, was Phillipe blij dat de kapitein hem niet zien kon. Hij kon zichzelf er niet toe brengen in de kooi te gaan liggen. In plaats daarvan was hij op zijn vaste plaats
op de grond gaan zitten. Hij had elk idee van tijd verloren. Hij hoorde de
scheepsbel luiden, maar hij wist niet voor welke wacht.
Hij probeerde ergens anders aan te denken dan aan de afwezigheid van zijn
moeder. Aan het kraken van de schoener, aan het voortdurend zachte
geluid van de golven die tegen de romp van het schip sloegen. Maar wat hij
ook probeerde, niets hielp.
Het was nutteloos.
Een onverdraaglijk verdriet welde in hem op. Hij hoorde voetstappen buiten op de gang en trachtte een kreet van pijn te onderdrukken. De onzichtbare op de gang aarzelde even, maar liep toen weer door. Net op tijd.
Hij huilde zoals hij nog nooit in zijn leven had gehuild. Het hartbrekend
snikken duurde vijf tot tien minuten.
Daarna had hij geen tranen meer. Zijn buik deed hem pijn. Iets diep in zijn
binnenste was tot as verbrand. Verbrand, en voor altijd verdwenen. Phillipe leunde met zijn voorhoofd tegen de rand van de kooi en sloot zijn ogen.
Maar hij kon de slaap niet vatten en waakte, de hele lange nacht.

9

Tegen het einde van de hondewacht, op de morgen van zes juli 1772, ging
Phillipe naar het dek om wat frisse lucht op te snuiven.
De scheepsbel luidde zeven keer, zodat hij wist dat het over een half uur
vier uur in de ochtend zou zijn. Hij had althans tijdens de reis het systeem
van de bel en de wachten geleerd, al was dat ook het enige. Hij stapte het
verlaten dek op en liep naar de boeg, weg van de mannen die bij de stuurhut
op wacht stonden, schaduwen tegen de lantaarns die boven het achterdek
hingen.
Hij wist waarom hij zo plotseling was ontwaakt uit zijn onrustige slaap. Het
kwam door het gesprek van de vorige avond. Zij zouden gauw land in zicht
krijgen, hadden de oudere matrozen voorspeld. Misschien morgen al.
Maar het was nu morgen, nietwaar?
Staande achter de boegspriet tuurde hij over de onmetelijke, donkere zee.

214

Langzaam boog hij zijn hoofd achterover. Boven zich zag hij tenminste licht. De eindeloze hoeveelheid sterren, duizenden en duizenden, die over de geweldige hemelboog verspreid stonden en langzaam, met het stampen van het schip, aan zijn blik voorbijgleden.

De naam. Hij moest een naam bedenken.

Hij speelde met een paar mogelijkheden, maar niet één bevredigde hem. Als zij eens morgen . . . vandaag land in zicht kregen? Wie zou hij dan zijn? Plotseling voelde hij zich heel klein worden onder het immense uitspansel, dat was bezaaid met zilveren lichtjes. Kleiner nog dan hij zich voelde op Quarry Hill, de nacht dat Marie en hij uit Tonbridge waren gevlucht. De onmetelijk grote hemel en de eindeloze, zwarte oceaan leken op hem te drukken, hem kleiner te maken, zijn hoop, zijn moed te verminderen.

Zij was weg. Hij was alleen.

Hij was *alleen.*

En daar, ergens voorbij het boegbeeld—een mollige houten zeemeermin met blote borsten en beschilderde ogen—wachtte een vreemd land. Plotseling werd hij haast duizelig van angst.

En met recht? Er was niets meer waaraan hij zich kon vastklampen. De boeken die hij had gelezen, de mensen die aardig voor hem waren geweest, Fox, de Sholto's en Hoskins, de aanmoedigingen van Franklin—zij hadden hun zin verloren. Hij was van hen afgesloten, alsof zij nooit hadden bestaan. Verloren en verdwenen, ver achter het fosforescerende zog van het schip.

Hij voelde zich met de seconde kleiner en eenzamer worden. Hij had geen flauw idee van het dagelijkse leven in de koloniën, waarheen de schoener zich spoedde met de nachtwind in de zeilen. Hij had alleen maar woorden, woorden en nog eens woorden gelezen. En was ze bijna allemaal vergeten. Zij schenen te horen bij een ander leven. Het leven van iemand die nu een volkomen vreemde voor hem was.

'Niets uit het verleden zou van toepassing zijn op zijn situatie in de nieuwe wereld. Hij kon zich op niemand verlaten, omdat er niemand *was*—hij was alleen. Alleen tussen de Amerikanen moest hij overleven! Hij die tweemaal een buitenlander was! Die niet eens mocht zeggen, dat hij in Engeland thuis hoorde! De hele schepping, de sterren, de duistere zee, de wind en de golven leken hem uit te lachen. Wat een arrogantie!

Toen schaamde hij zich voor zijn angst.

Hij had al veel beproevingen moeten doorstaan. Hij zou er nog meer kunnen doorstaan. Hij hief zijn hoofd op. En vocht tegen de angst die voortsproot uit zijn onzekerheid over de toekomst. En nog eens herhaalde hij voor zichzelf: *Ik zal overleven.*

Het hielp, een beetje. Maar de sterren en het duister bleven onmetelijk en afschrikwekkend.

Mijn God, dacht hij, in ieder geval kan ik mij als een man gedragen. En ze nooit laten merken wat ik werkelijk voel!

Phillipe had maar een oppervlakkige kennis van de bijbel. Maar hij kende het verhaal van Adam. Toen hij daar bij de boegspriet stond te piekeren, liet hij even zijn fantasie de vrije loop, in de hoop daardoor zijn angst te kunnen onderdrukken: Hij was een man. Hij was op dezelfde manier als Adam ter wereld gekomen. Hij had nog maar kort kennis kunnen nemen van de wonderlijke schepping, waarvan hij de bijzonderheden nog lang niet kon bevroeden. Goed, hij zou die schepping naar zijn hand zetten, zoals het een man betaamde. Hij was geen jongen meer.

Ja, bij God, dat *zou* hij doen.

Maar wie zou hij zijn?

Het probleem hield hem de rest van de nacht uit zijn slaap. Hield in ieder geval zijn hersens bezig. En diep in zijn binnenste bleef de angst.

10

Diezelfde dag, kort voor zonsondergang, weerklonk een kreet uit het kraaienest. 'Land in zicht! Land in zicht!' De oudere matrozen hadden gelijk gehad.

Phillipe stond in de stijve bries aan de reling aan bakboord. Gropius tierde in het Hollands en het Engels, dat het nieuwe zeuntje weer net deed of hij zeeziek was en dat terwijl het gewone zeuntje lui in zijn kooi lag. Phillipe lette niet op de vloeken en tuurde naar de groenzwarte streep, die de zomerlucht scheidde van de witte schuimkoppen van de oceaan. Wat was die streep nog dun en ver!

Hoog boven de marsgasten die in de masten bezig waren kringelden en krijsten de meeuwen.

Hij hield de reling stevig vast en proefde de zoute wind. Hij was niet alleen zenuwachtig bij het vooruitzicht zijn nieuwe land te zien, hij voelde ook dat zijn handen koud waren en zijn ziel, door de angst!

Maar hij had nu in ieder geval een naam. Hij had die gekozen tijdens de wacht in de voormiddag.

Nu elke band van enig belang was doorgesneden, was zijn naam het enige wat hem nog bond aan zijn verleden.

En het was maar een dunne band. Hij had iets nodig dat bij beide werelden hoorde. Iets dat hem zou helpen de gigantische overgang die in ijltempo op hem afkwam door te komen.

Een oude kist, een zwaard, een zelfverzekerde, vooruitstekende kin en de besluitvaardige blik in zijn ogen waren niet genoeg. Hij had besloten zijn naam te veramerikaniseren tot Philip. En om tenminste nog een herinnering aan zijn verleden te bewaren, had hij de erfelijke titel van zijn vader ingekort tot Kent. Philip Kent. Altijd zou hij voortaan in zijn gedachten zo heten, en altijd zou hij zo worden genoemd. Hij had het kapitein Caleb al verteld.

Zo keek een nieuwe man, die zichzelf gedoopt had, naar zijn nieuwe vaderland, dat onder de oranje wolken in het westen naderbij kwam. Hij vroeg zich af wat voor hem in het verschiet lag, terwijl de *Eclipse* op de rede van Nantasket Roads afstevende.

DEEL DRIE

De Vrijheidsboom

I De geheime kamer

1

In de nacht ging de *Eclipse* voor anker, twee mijl uit de kust van Boston. Nog voor het aanbreken van de dageraad kwam een loods aan boord. Hij nam het roer van Caleb over en stuurde het vrachtschip door het nauwe kanaal, langs de eilandjes in de haven naar een ligplaats aan de Lange Werf. De broeierige ochtendnevel voorspelde, dat het een gloeiendhete zomerdag zou worden. De nevel hing als een waas boven de heuvels, de daken van de stad en de borstweringen van het William-kasteel, het fort dat op een eiland in de haven gelegen was. Niets kon echter Philip Kents opwinding doen vervagen, nu de kabels stevig werden vastgemaakt en de loopplank naar beneden werd gelaten.

Aan de ene kant van de kade, waar het een drukte van belang was, lagen de schepen voor anker en aan de andere kant was het een wirwar van kleine onderneminkjes.

Philip hield het zwaard en het kistje stevig vastgeklemd en stond op het punt zich tussen het gewoel op de kade te begeven toen een hand zijn schouder vastgreep.

'Weet je nou wel waar je heen moet, jongen?' Doordat boven in de mast de zeilen werden opgevouwen vielen er af en toe schaduwen op kapitein Calebs gezicht.

'Nee, kapitein,' antwoordde Philip.

Caleb dacht even na. 'Misschien had je je uiteindelijk beter aan mij kunnen verbinden. Zonder vaste bestemming . . .'

'Maar kapitein, nu heb ik toch veel meer mogelijkheden . . .' Hij kreeg een kleur en hoe hij ook zijn best deed, hij kon er niets aan doen dat er iets van kwaadheid in zijn stem doorklonk: 'U lacht mij uit.'

Caleb knikte en zijn lach verbreedde zich. 'Ik bedoel het niet kwaad hoor, Philip. Het is alleen maar dat je zo veranderd bent; de duivel hale mij als je niet nu al Engels aan het worden bent. Nog een paar maanden hier tussen de mensen en zij zullen je nooit voor een Fransman houden.'

'Omdat ik ook geen Fransman ben!' antwoordde hij en tegelijkertijd wist hij niet goed raad met die plotselinge uitbarsting. Hij vatte moed bij het zien van het drukke gedoe op de kade en riep geestdriftig: 'Ik ben nu net als u. Een inwoner van Amerika.'

'Maar misschien zouden wij even moeten bespreken waar je naartoe zou kunnen gaan.'

'Nee. Bedankt, kapitein, ik weet dat ik mijzelf uitstekend zal redden.'

'Dus je bent vastbesloten als de heer Philip Kent helemaal je eigen weg te gaan?'

'Volkomen.'

'Hoewel Philip Kent niet veel ouder is dan . . .?'

'Strikt genomen, kapitein: een paar dagen.'

'Dat is waar. In een nieuw land doet het feit dat hij achttien jaar . . .'

'Negentien.'

' . . .geleefd heeft er niet veel toe. Maar dit wel: onze nieuwe meneer Kent uit Amerika beschikt niet eens over de meest elementaire kennis van de plattegrond van de stad.'

'Ik vind mijn weg wel, kapitein, maakt u zich maar geen zorgen.'

Op Calebs gezicht was te zien dat hij wist dat verdere pogingen tot overreding vruchteloos zouden zijn. 'Je klinkt niet alleen als een Engelsman, je gedraagt je als een stijfkoppige Yankee! Goed dan.' Caleb stak zijn donkergebruinde hand uit: 'Veel geluk en God zij met je.'

Philip schudde zijn hand en probeerde de bezorgde blik die ongevraagd in Calebs ogen verschenen was te negeren. Toen draaide hij zich om en haastte zich de loopplank af.

Hij wist dat hij zich snel uit de voeten moest maken. Want hoe langer hij aan boord van de *Eclipse* bleef dralen, hoe meer hij zich gedwongen zou voelen te erkennen dat Caleb gelijk had. Hij was absoluut alleen, en kon zich door geen enkele ervaring laten leiden.

Maar toen bedacht hij dat hij twee nachten geleden gezworen had helemaal opnieuw te beginnen. Wat voor risico's dat ook zou inhouden. Hij *was* negentien, en sterk en hij voelde zich prima. Hij voelde de zon lekker op zijn rug schijnen terwijl hij zich een weg baande langs de Lange Werf, alles wat hij op de wereld bezat onder zijn arm geklemd.

En met elke stap over de gammele planken, die zijn nieuwe thuis voorstelden, voelde hij zich zekerder worden.

2

Bij het invallen van de avond begon de gedachte bij hem op te komen, dat het misschien toch wel verstandig zou zijn geweest kapitein Calebs suggestie ter harte te nemen.

Gedreven door honger doorzocht hij een hoopje vuilnis achter een herberg aan het water. Hij ontdekte een half dozijn oesterschelpen waar nog een restje vlees aan zat. Die stukjes oester, die hij met zijn vieze nagels losschraapte waren zijn eerste maal in zijn nieuwe land.

Iets om te onthouden, dacht hij treurig en stopte een van de schelpen in zijn zak voordat hij van de volle herberg wegsloop.

Hij sjokte door een steegje in de broeierige schemering.

Oesters uit een hoop vuilnis. Inderdaad iets om te onthouden wanneer ik op

222

een dag mijn eigen huis zal bezitten en een vijftigdelig zilveren servies; een huis waar ik boven de schoorsteenmantel een ereplaats kan geven aan het zwaard van Gil.

Dat lichtende visioen maakte spoedig plaats voor minder prettige beelden. Bittere herinneringen uit het verleden overspoelden hem. Beelden van Marie, Roger Amberly, de moordzuchtige man met het ene oog, Alicia. Hij probeerde ze zo goed en zo kwaad als het ging van zich af te zetten.

Een donderslag weerklonk over de verlichte stad. Een zomerse onweersbui broeide achter de zware wolken die zich boven de schoorstenen hadden samengepakt.

Die nacht sliep Philip Kent in een hooiberg, zonder een enkele naam van een straat te weten, en zonder een flauw benul te hebben waar de kade precies lag waar hij die morgen aan land was gekomen. Hij had die hooiberg in een klein tuintje gevonden achter een van de aan Bostons bochtige straten gelegen huizen. Tegenover het warme, geurige hooi tokten kippen droevig in de regen, opgesloten in hun ren. Hij groef zich diep in in het hooi, met in zijn ene hand de schelp die hij bewaard had. Hij had ontdekt dat de schelp een scherpe rand had. Bijna net zo scherp als een mes. Een handig wapen, zeker voor een vreemdeling in een nieuwe stad . . .

Hij werd wakker toen het nog donker was. Hij was doornat en bibberde van een beginnende koortsaanval.

3

Halverwege de ochtend had hij de weg terug gevonden naar de Lange Werf. Hij had besloten toe te geven dat het fout was geweest om zo gauw op zijn eentje er vandoor te gaan en was van plan kapitein Caleb om raad te vragen.

Maar de weinige matrozen die nog aan boord van de *Eclipse* waren vertelden hem dat de kapitein instructies had gegeven aan de stuurman, Soaper, hoe de lading gelost moest worden en zelf naar het huis van zijn moeder in Maine vertrokken was.

De mopperpot Gropius, die eruitzag alsof hij een stevige kater had overgehouden van zijn eerste avond aan wal, gaf Philip een stuk brood-met-wormen en een mok rum.

Daarna liep hij met onzekere schreden weer de kade op, de stad in. Hij bestudeerde de gezichten van de voorbijgangers. Sommigen hadden grove gelaatstrekken, anderen zagen er welvarend uit. Sommigen droegen militaire, driekante steken. Maar al gauw zagen zijn koortsige ogen alles in een waas. Het zweet stroomde van zijn voorhoofd. Zijn kleren, die nog vochtig waren van de regen, plakten aan zijn lijf en verspreidden een zure lucht. Maar hij bleef doorlopen.

Hij zwalkte twee dagen en nachten door de straten van Boston.

Waar hij in vuilnishopen kon stelen, stal hij; waar hij kon slapen, sliep hij; en ondanks het feit dat zijn ziekte hem danig verzwakt had en dat het ademhalen hem moeite kostte, kreeg hij de plattegrond van Boston aardig in zijn hoofd.

Bij een herberg vroeg hij om werk, wat voor werk dan ook. Het enige resultaat was dat hij door de dikke, besnorde dochter van de eigenaar werd afgewezen. Hem nog wel de tijd gegund om naar het inwonertal van Boston te vragen.

Het dikke meisje plukte iets uit haar haar, waar ze nieuwsgierig naar keek en antwoordde: 'Volgens de *Gazette* zijn we nu met vijftienduizend. Veel te veel van die verdomde kreefteruggen in de stad.'

'Kreeftewat?'

'Roodjassen. Britse soldaten.'

'O, ik begrijp het.'

'Wat gek dat je dat vraagt. Vooral omdat je de ene seconde om werk vraagt terwijl je eruitziet dat je de andere seconde in zwijm kan vallen. Waar kom je vandaan? Je spreekt op een rare manier. Net als een Franse mesjeu die hier eens een keer is geweest.'

Te moe om dat nog eens uit te gaan leggen, ging Philip weg.

Terwijl hij ronddwaalde werd hij zich meer bewust van die kreefteruggen waar zij het over had gehad. De soldaten van koning George droegen schitterende rode jassen en witte of lichtbruine broeken. De lapels en de kragen van de jassen hadden allemaal hun eigen kleur: helgeel, zachtgeel, blauw enz. Natuurlijk had hij de soldaten al eerder opgemerkt. Maar nu hij er beter op lette, zag hij dat sommigen van hen zich langs de straten voortbewogen met een zeker air, en door veel eenvoudige burgers vuil werden aangekeken of zelfs werden uitgescholden. Maar andere, meestal beter geklede inwoners traden de soldaten beleefd of zelfs hartelijk tegemoet.

De troepen waren overal, van het met iepen begroeide grasveld op een open gedeelte in de stad—dat de Common heette, zo had men hem verteld—tot onder de schaduw van een reusachtige oude eik, de grootste eik op Hannover Square, waar hij toekeek hoe een groepje officieren een aankondiging die op de stam was gespijkerd eraf rukte. Hij zag roodjassen van de North End tot de stadspoort met de twee bogen, die toegang gaf tot de Neck.

De Neck was een lange, smalle landengte die de verbinding vormde tussen de stad en het land er omheen. Het smalste stuk was even buiten de imposante stenen poort gelegen en niet meer dan een paar meter breed. Met de Dorchester Hoogten aan de overkant van het water in het oosten en de rivier de Charles in het westen leek Boston op een soort gezwollen duim, opgestoken door het vasteland, waar hij alleen door de Neck mee verbonden was. Het klokkengebeier deed Philip aan Londen denken. Maar de drukte was hier weer heel anders, evenals de geuren. Je rook hier voornamelijk de geur van vis, vermengd met die van koeien en varkens die men in de kleine achtertuintjes hield. Maar ook de geur van rumstokerijen en stinkende stallen en vlak bij het water de sterke peklucht van scheepswerven en lijnbanen.

Ziek als hij was had Philip geen besef meer hoeveel dagen er voorbij waren gegaan. Misschien twee. Misschien drie. Hij vervuilde verschrikkelijk en had onvoorstelbare honger. Met als resultaat dat hij zichzelf steeds meer het doelwit wist van de achterdochtige blikken van goedgeklede voorbijgangers en voorname lieden te paard. Hoe slechter hij eruit begon te zien, des te norser waren de afwijzingen als hij bij een rokerij of brouwerij om werk vroeg. Zijn ogen kregen een typisch wazige koortsige blik, die ook niet in zijn voordeel sprak.

Bevend en klappertandend liep hij bij zonsondergang weer eens ergens in de North End van de stad toen twee lieden de hoek omstoven en tegen hem aan botsten.

Philip verloor zijn evenwicht en viel op handen en knieën op de keien. Hij liet zijn zwaard en het kistje vallen. Hij was er zich vagelijk van bewust dat hij met zijn handen flink wat modder had doen opspatten. Precies op de smetteloos witte broek van een soldaat die zich dreigend over hem heen boog.

De man stak duidelijk af tegen de roodachtige lucht en tegen de glas-in-loodruitjes van een herberg, een paar stappen verderop.

'Verdomme! Die onhandige bastaard heeft mijn broek vuil gemaakt, luitenant Thackery!' zei hij.

'Dan zullen wij er voor zorgen dat hij de wasserij betaalt, kapitein.' De andere man greep Philip bij zijn kraag en sleurde hem overeind. 'Kom morgenochtend naar de kwartieren van het Veertiende West Yorkshire, jongen. En neem genoeg geld mee om . . . hé, wacht eens even!' Hij stak zijn hand uit om Philip opnieuw vast te grijpen, want die had zich losgetrokken om zijn twee bezittingen op te rapen. Door de woeste greep van de luitenant raakte Philip uit zijn, door de koorts veroorzaakte, benevelde toestand en stond hij plotseling oog in oog met een gezicht dat hem bepaald onaangenaam aankeek: 'Let op, als een officier van de koning je iets beveelt. Of je moet er de voorkeur aan geven dat het bevel je op een wijze wordt overgebracht die je nog lang zal heugen.' De luitenant liet veelbetekenend zijn andere hand op het gevest van zijn galadegen rusten.

Philip keek naar de slanke officier en toen naar de vlezige kapitein wiens broek inderdaad onder de modderspatten zat. Plotseling kon het hem allemaal niets meer schelen en sloeg hij met een luide kreet de hand die hem vasthield van zich af.

'Verdomme, een vechtersbaas!' riep de dikke kapitein, en ging uit voorzorg een eindje uit de weg om zijn ondergeschikte de zaak te laten afhandelen. En dat deed deze dan ook, een harde, verbeten uitdrukking op zijn gezicht.

Philip hoorde geluiden van voetstappen achter hem op de keien, maar hij durfde niet om te kijken. De luitenant had zijn degen uit de schede getrokken, die vervaarlijk glinsterde in het licht dat uit de vlakbij gelegen herberg kwam.

'Waarschijnlijk draagt hij onder die stinkende kleren een vrijheidsmedaille,' zei de luitenant, en tikte met de punt van het lemmet op Philips mouw. 'Hij is in ieder geval onbeschaamd genoeg om een van hen te zijn. Heb ik permissie om hun gelederen uit te dunnen, kapitein?'

De kapitein mompelde zijn toestemming. Maar de luitenant had daar zelfs niet op gewacht en reeds flikkerde zijn omhoog geheven degen vervaarlijk in het laatste zonlicht, gereed om Philips gezicht open te rijten ...

Wijdbeens en met suizend hoofd had Philip nog net genoeg tegenwoordigheid van geest om met een snelle beweging de rechterpols van de luitenant te grijpen zodat het flonkerende staal in zijn baan werd tegengehouden. Grommend hield hij de arm met het zwaard een ogenblik van zich af, terwijl hij met zijn andere hand de oesterschelp uit zijn zak griste. Hij krabde met de scherpe schelp over de wang van de luitenant.

Brullend deinsde luitenant Thackery terug op de glibberige keien. Het bloed droop op zijn gele lapels. De kapitein vloekte en trok zijn degen, toen de voetstappen die Philip al had gehoord achter hem stilhielden. Een man greep zijn arm. 'Heb je hulp nodig, jongen?'

Philip zag het magere gezicht van een man van middelbare leeftijd, met zwart haar en gloeiende wangen. Hij kon niets anders doen dan slikken en ja knikken. Met geheven degen kwam luitenant Thackery op hen af terwijl het bloed langs zijn kaak stroomde.

'Ga opzij, want ik haal zijn ingewanden eruit. U ziet wat hij met mijn gezicht heeft gedaan.'

'Het is een hele verbetering,' zei de man met de zwarte haren. De zangerige manier waarop hij sprak leek op die van de Ier, Burke. 'Wat is er gebeurd, jongen?'

'Ik heb de broek van die ander per ongeluk met modder bespat,' bracht Philip er met moeite uit.

'Ga opzij, verdomme nog an toe!' brulde de luitenant.

De magere, zwartharige man schudde zijn hoofd. Hij ging naast Philip staan en zei: 'Laat mij er u even aan herinneren waar u zich bevindt, heren. De Salutation—hij wees naar de herberg even verder op—zit vol met mijn vrienden. Als u werkelijk van plan bent te gaan vechten, dan kan ik u verzekeren, dat u binnen de kortste tijd een groot deel van de North End achter uw broek zult hebben. U heeft toch wel eens eerder de fluiten en de hoorns gehoord, neem ik aan?'

'De fluiten en de hoorns van uw verdomde Bostonse oproerkraaiers?' tierde de kapitein, 'of wij die gehoord hebben!'

'Welnu, het is mij niet helemaal onmogelijk ze op te roepen,' zei de zwartharige man onverstoorbaar. 'Ik ben Will Molineaux, de ijzerhandelaar.'

Het was duidelijk dat deze aankondiging samen met zijn woeste zwarte ogen tot een gevecht uitnodigden.

Er waren zweetdruppeltjes op het voorhoofd van de kapitein verschenen. 'Molineaux?'

'In hoogst eigen persoon, meneer.'

'Laat gaan, Thackery,' beval de kapitein. 'Hij is de leider van de hele verdomde vrijheidsbende in dit gedeelte van de stad.'

'Kapitein,' raasde de luitenant, 'ik weiger te buigen voor dit . . .'

'Laat gaan, zeg ik! Of ze snijden ook je keel nog eens door.'

Met een klap stootte luitenant Thackery zijn zwaard weer terug in zijn schede. De zenuwachtige kapitein gebaarde dat hij hem moest volgen. Maar Thackery, wiens hoge uniformkraag al bloederig was geworden, riep ten afscheid: 'Binnenkort zullen wij wetten hebben die het ons toestaan jullie op te hangen. Oproerig uitschot!'

'Nee, heren,' riep Will Molineaux terug, 'eerst zullen wij jullie aan de Vrijheidsboom zien hangen!' Hij bulderde van het lachen toen hij zag dat de dikke kapitein hierop niet wist hoe snel hij de hoek om moest slaan. De bloedende luitenant verdween achter hem aan het duister in.

De man draaide zich om naar Philip. 'Zo'n kapitein zie je niet vaak. De soldaten van de koning die in deze stad gelegerd zijn zijn geen lafaards. Tirannen en opschepperige bullebakken zijn het, maar geen lafaards. Je hebt je dapper gedragen, vriend. Een ander was voor ze in het stof gekropen.'

'Ik . . .' Het viel Philip moeilijk iets uit te brengen. Het leek of zijn hele lijf in brand stond. Door het waas voor zijn ogen leek het gezicht van de Ier nu weer langer dan weer breder te worden. '. . . ik heb misschien wel uit onwetendheid gehandeld, meneer. Ik ben pas een paar dagen geleden in Boston aangekomen.'

'Je ziet eruit als een lijk. Waar woon je, als ik vragen mag?'

'Nergens. Ik ben op zoek naar onderdak. En werk. Maar ik kan niks vinden.'

'Hoe heet je?'

'Philip Kent.'

Molineaux' ogen vernauwden zich. 'Ben je een weggelopen slaaf?'

'Nee.'

'Kun je dat bewijzen?'

'U zult mij op mijn woord moeten geloven.'

Molineaux keek hem aandachtig aan en legde toen zijn hand op Philips voorhoofd. 'Je bent zo ziek als een hond, dat is duidelijk. Ik ben op weg naar de Salutation. Enkele van de heren die daar bijeenkomen zijn bepaald geen vrienden van Zijne Majesteit en de troepen van Zijne Majesteit. Campbell, de waard, hoort daar ook bij. Kom dus maar mee, dan kunnen wij eens zien of hij je niet als schoonmaker in dienst wil nemen. Volgens mij doet hij dat zelfs graag. Een kerel die, zoals jij, een Tommy zo bij de neus heeft genomen zal hij wel mogen.'

Molineaux hielp Philip bij het oprapen van zijn bezittingen en leidde hem naar de deur van de Salutation. Boven de deur hing een uithangbord waarop twee prachtig geklede heren geschilderd waren die een buiging voor elkaar maakten.

Bijna iedereen in de vrolijke gelagkamer droeg met teer besmeurde kleren of zeemanskleren. 'Het is hier een woest stelletje matrozen, rompenbouwers, breeuwers en mastenmakers,' gaf Molineaux als commentaar. Hij leidde Philip door de rokerige ruimte naar de bar, waar een korte, gedrongen man de scepter zwaaide over de vaten. 'Maar het zijn allemaal fatsoenlijke, vrijheidslievende kerels. Hallo, Campbell.'

'Goeienavond, meneer Molineaux.'

'Campbell, ik hoop dat deze jongen van je gastvrijheid zal mogen profiteren. Philip Kent is zijn naam.'

Met tamelijk luide stem beschreef Molineaux wat zich op straat had afgespeeld. De mannen die in de buurt zaten luisterden mee. Aan het eind kreeg Philip een ovatie. Grinnikend beloofde Campbell dat hij Philip te eten zou geven en dat hij in het bijgebouw van de herberg zou kunnen slapen. Ook zou hij hem een paar dagen werk geven zodat hij in zijn onderhoud zou kunnen voorzien terwijl hij naar ander werk uitkeek.

Door de tabaksrook en de lucht van teer en alcohol werd Philip hoe langer hoe duizeliger. Hij bedankte Campbell hartelijk en draaide zich om om ook Will Molineaux te bedanken, maar zag dat deze zich naar de schemerige deuropening begaf, helemaal achter in de gelagkamer.

Molineaux had gezelschap gekregen van een slordig geklede man van middelbare leeftijd, die een tremor had, waardoor een hand en zijn hoofd hevig trilden. Philip had niet gezien waar de man vandaan gekomen was.

Philip wou hen achterna lopen maar Campbell greep hem vast bij zijn arm. 'Waar ga je naar toe?'

'Naar die achterkamer om die meneer te zeggen hoe ik het gewaardeerd heb, dat hij . . .'

Campbell schudde zijn hoofd, en de lach was van zijn gezicht verdwenen. 'Dat is een privé-vertrek, meneer Kent. Om Will en Adams—' hij wees naar de man met de tremor die net de deur achter zich dicht deed— 'en een paar andere goede vrienden de gelegenheid te geven ongestoord te vergaderen. Niemand die bij mij in dienst is, mag door die deur naar binnen. Tenzij ik hem daar opdracht toe geef. Onthoud dat goed gedurende je verblijf in de Salutation. En wat wil je nu doen. Eten of slapen?'

'Eigenlijk allebei.'

'Vooruit dan. Bij zonsopgang zal ik je wakker maken en aan het werk zetten. Zelfs een Zoon van de Vrijheid moet zijn eigen kost verdienen. En volgens mij ben je nu lid van die organisatie, of je dat nou wel of niet in de gaten had.' Hij sloeg kameraadschappelijk zijn arm om Philips schouder en bracht hem naar de keuken. En even later naar de welkome rustplaats, het vies ruikende gammele bijgebouwtje. Daar viel Philip uitgeput in slaap in het stro. Buiten loeide een koe.

4

Hoewel het aanvankelijk de bedoeling was dat het verblijf in de herberg op de hoek van Salutation Alley en Ship Street van korte duur zou zijn, werd het al gauw een week. En toen nog een week. Philips sterke lichaam overwon de koorts en nu hij weer op krachten kwam probeerde hij zich op alle mogelijke manieren onmisbaar te maken voor de waard. Hij timmerde planken tegen het bijgebouw, waar dronken gasten soms hun roes uitsliepen voordat zij naar hun vrouw strompelden. Hij klom op het dak om nieuwe dakpannen te leggen aangezien Campbell een keer langs zijn neus weg had gezegd, dat tijdens hevige regenbuien het water langs de balken bij de haard van de gelagkamer naar beneden droop.

Campbell zag de gretige ijver van de jongen met welgevallen aan. Maar dat Philip, met Campbells stilzwijgende instemming, in de Salutation bleef, kwam niet alleen doordat hij er een veilige vluchthaven gevonden had, hoe belangrijk dat op zichzelf ook was. Wat hem weerhield weg te gaan was hetgeen hij zich de ochtend na zijn aankomst realiseerde. De sjofele, trillende man, die hij even in het gezelschap van Molineaux had gezien, heette *Adams*.

Hij had naar de man geïnformeerd toen Campbell even de tijd had. Deze had hem verteld dat de voornaam van de man *Samuel* was. Dus het was de radicale politicus waar Fox in Tonbridge over gesproken had, en die door North in Kentland was uitgefoeterd!

Philip kon in het begin nauwelijks geloven dat zo'n zwak, slecht gekleed iemand een serieuze bedreiging kon vormen voor George III—laat staan de leider van de rebellie kon zijn.

Aan de andere kant veronderstelde hij dat iemand niet knap en rijk hoefde te zijn om tegen de tirannie van de koning gekant te zijn. Waarschijnlijk juist het tegendeel. In ieder geval brandde Philip door de talrijke bezoeken van Samuel Adams en gelijkgezinden van nieuwsgierigheid en was hij vastbesloten bij de eerste de beste gelegenheid in die kamer te komen. Dus was hij zo druk mogelijk in de weer en meldde hij Campbell dat de pogingen die hij zo af en toe ondernam om ergens anders werk te vinden op niets waren uitgelopen. Daar waren geen leugens voor nodig. Philip wachtte zijn kans af.

Die kwam op een middag, gedurende de derde week van zijn verblijf. Campbell, die kennelijk goed raad wist met de situatie, confronteerde zijn knecht met het nieuws, dat hij geen werk meer voor hem kon bedenken. Was dat de openingszet die ertoe zou leiden dat Philip beleefd werd verzocht op te stappen?

Zonder daarop te wachten vroeg Philip meteen: 'U zou mij de heren kunnen laten bedienen die elkaar in de achterkamer ontmoeten.'

'Wát?'

'Men kan mij vertrouwen. Ik zal niets vertellen over wat ik hoor. En ik wil heel graag meneer Adams ontmoeten.'

'Waarom?'

Brutaalweg vervolgde Philip, wetend hoe ongeloofwaardig het zou klinken: 'De Eerste Minister van Engeland heeft mij een keer verteld dat ik mij gedroeg als een van diens leerlingen.'

Campbell was een kroes aan het poetsen, zijn mond viel open van verbazing. 'De Eerste . . .?' Maar toen barstte hij in lachen uit. 'Jaja! Je bent zeker in audiëntie door hem ontvangen, hè?'

'Nee, het was een toevallige ontmoeting. Bij het huis van mijn vader in Engeland.'

Campbell knipperde met zijn ogen in de baan van het gouden zonlicht, dat door de glas-in-loodraampjes naar binnen viel. 'Je spreekt goed Engels, Philip, soms met een licht Frans accent, geloof ik. Maar ik kan nog steeds nauwelijks geloven, dat een jongen, die zonder een cent in Boston aankomt, die varkenskop van een North heeft ontmoet.'

'Toch is het echt waar, meneer Campbell.'

'Waar kom je werkelijk vandaan, Philip? En wat nog belangrijker is, waarvoor ben je op de vlucht? Of moet ik zeggen voor wíe?'

'Voor de familie van mijn vader,' antwoordde hij prompt, besluitend dat oprechtheid nu geboden was, en dat de kans dat hij daardoor in moeilijkheden zou komen klein was. 'Mijn vader is een edelman. Ik ben zijn bastaardzoon. Hij had mij een deel van zijn vermogen beloofd. Maar toen ik uit Frankrijk naar Engeland was gekomen om mijn rechtmatig aandeel op te eisen, heeft de familie van mijn vader geprobeerd mij te vermoorden. Ik ben naar Amerika gekomen om hen te ontvluchten.'

'Waarom naar Amerika? Waarom niet terug naar Frankrijk?'

'Ik heb in Londen een tijd in een drukkerij gewerkt. Ik was van dat vak gaan houden en dacht dat ik hier een betere kans zou hebben om er in door te gaan. En ik heb doctor Franklin ontmoet . . .'

'De handelsvertegenwoordiger van Massachusetts?'

Philip knikte. 'Hij heeft mij ervan overtuigd dat ik naar de koloniën moest gaan. Hij heeft mij gezegd dat de mensen in Amerika zich verzetten tegen degenen, die anderen willen onderdrukken en tot slaaf willen maken.'

Nu keek Campbell helemaal verbouwereerd. 'Mijn God! De Eerste Minister en ook nog Ben Franklin!'

'De doctor is erg vriendelijk voor me geweest. Ik heb een hele avond in zijn huis over Amerika gepraat.'

Campbell bestudeerde zijn handen. 'Dan ben je in Londen zeker in zijn huis in Marrow Street geweest?'

'Nee. Craven Street.'

Campbell ontspande zich en knikte. 'Natuurlijk, Craven Street. Ik was even in de war.' Maar hij zei het iets te luchtig.

Philip wist dat hij op de proef was gesteld. Hij vervolgde: 'De doctor had werkelijk veel goeds te vertellen over de vrijheid hier, meneer Campbell.'

'Behoudens dat je voor die vrijheid moet vechten, Philip. En dat voor die vrijheid geheimhouding vereist is. Wat er in die achterkamer besproken wordt, zou bepaald niet in goede aarde vallen bij gouverneur Hutchinson. En overigens ook niet bij de conservatieve inwoners van deze stad. Maar, verdraaid nog aan toe, het lijkt erop dat je goede geloofsbrieven hebt. Ik heb er nog een grapje over gemaakt, op de avond dat je aankwam, weet je nog wel?'

'Nou en of!'

'Maar nu geloof ik werkelijk dat jij van het soort bent, dat een van deze . . .' Hij haalde een ketting uit zijn hemd vandaan. Aan het eind daarvan glinsterde een medaille. Philip boog zich voorover om de symbolen te bekijken die erop waren aangebracht: een gespierde man die een lange paal vasthield. Boven aan de paal hing een vreemdsoortige muts. In de medaille waren de woorden *Sons of Liberty* gegraveerd.

De straatdeur ging open. Een half dozijn roodjassen marcheerde naar binnen en liep naar een tafel toe. Haastig verborg Campbell zijn medaille, maar hij verborg niet zijn afkeer toen de soldaten op luide toon verlangden bediend te worden.

Campbell beval een van de meisjes de soldaten te bedienen. Daarna krabde hij eens op zijn kin en vestigde zijn aandacht weer op Philip. Na een ogenblik van stilte zei hij: 'Okee. Ik neem een keer het risico en zal afwachten wat er gebeurt. De heren zijn van plan vanavond te vergaderen. Ik zal je naar binnen sturen om het bier te serveren.'

5

Wanneer Philip later aan die verstikkend hete avond aan het eind van juli terugdacht, beschouwde hij zijn binnenkomst in de achterkamer als een van de gewichtigste ogenblikken in zijn leven. Maar nu was hij voornamelijk verschrikkelijk opgewonden en nieuwsgierig. Als die zorgvuldig bewaakte kamer de ontmoetingsplaats was van mannen die zich hadden verenigd om de onderdrukking door aristocraten zoals de Amberly's te bestrijden, dan wou hij meer te weten komen van die mannen en van hun ideeën.

Vergezeld van Campbell trad hij om een uur of acht 's avonds de kamer binnen. Hij droeg een zwaar blad met kroezen, die waren gevuld met een mengsel van rum en bier, dat met een pook warm was gemaakt.

De kamer was eenvoudig gemeubileerd en had geen ramen. Die avond waren er slechts vijf mannen aanwezig. Philip had er maar twee de Salutation binnen zien gaan. Toen zag hij dat er in een donkere nis achterin de kamer nog een deur was. Alle vijf mannen draaiden zich om toen Campbell en Philip binnenkwamen.

Toen Will Molineaux Philip zag, keek hij de waard verbijsterd aan.

Terwijl Philip de kroezen op tafel zette haastte Campbell zich tekst en uitleg te geven: 'Ik sta borg voor de betrouwbaarheid van deze jongeman, heren. Will kent hem ook.'

'Een beetje,' zei Molineaux op zijn hoede.

'Zijn naam is Philip Kent,' vervolgde Campbell. 'Hij is kort geleden uit Engeland aangekomen. En, Samuel, daar is hij toevallig Lord North tegengekomen. De Eerste Minister heeft tegen hem gezegd dat hij zich al gedroeg alsof jij hem persoonlijk zijn politieke catechismus had geleerd.'

'Is dat werkelijk waar?' zei Samuel Adams.

Philip merkte op dat de man nog steeds even versleten en slordige kleren aan had. De etensvlekken en inktspatten deden vermoeden dat hij niets om uiterlijk vertoon gaf.

Met zijn staalblauwe ogen nam Adams Philip op. Zijn bleke handen trilden aan een stuk door. Zo af en toe maakte hij een plotselinge ruk met zijn hoofd. Maar met zijn gioeiende ogen bleef hij Philip strak aankijken. Met een hoge beverige stem vroeg hij: 'En hoe heeft deze opmerkelijke ontmoeting plaatsgevonden?'

Philip beschreef de omstandigheden in ongeveer dezelfde woorden die hij tegen Campbell gebruikt had.

Adams luisterde naar het verhaal zonder dat de uitdrukking op zijn gezicht veranderde. Toen het afgelopen was zei hij: 'Nieuwelingen die zich willen inzetten voor de zaak die onvermijdelijk moet zegevieren zijn altijd welkom. Zowel uit wat u zegt als uit wat u achterwege laat, leid ik af dat u geen sympathie heeft voor de Engelse adel.'

'Niet voor degenen die het gewone volk behandelen alsof het hun eigendom is.'

'Er zijn geen anderen,' zei Adams.

Een uitzonderlijk knappe man van begin dertig, met lichte haren en gekleed in een bizar fluwelen pak lachte en zei, terwijl zijn mooie slanke handen met een pijp met een lange steel speelden: 'Soms ben je bespottelijk consequent, Samuel. Vrienden van ons zoals de Hertog van Chatham wijs je af . . .'

'Principiis obsta, dokter Warren, *principiis obsta!'*

De man, die kennelijk Warren heette, lachte wederom en keek Philip aan. 'Samuel citeert voortdurend Ovidius: Weet vanaf het begin aan welke kant je staat.'

Weer was er die woeste blik in Adams' ogen die Philip onzeker maakte. Het fanatisme van die man was iets waar bepaald niet om te lachen viel, wat zijn persoonlijke motieven ook waren. De anderen leken dat niet te delen en hadden hun kroezen ter hand genomen terwijl Adams antwoordde: 'De eerste verzoening leidt alleen maar tot nog veel meer verzoeningen, dat kan ik jullie verzekeren. En precies op het moment dat wij geen enkele kwestie hebben waarmee wij de bevolking van Boston voor onze zaak kunnen winnen, krijgen wij er twee in onze schoot geworpen. Twéé, in juni.' Beschuldigend stak hij zijn vinger uit naar de vergadering. 'En jullie aarzelen! Dat is onvergeeflijk!'

Campbell trok Philip aan zijn mouw en wees naar de deur van de gelagkamer, kennelijk met de bedoeling dat Philip weer zou vertrekken, nu de introductie achter de rug was. Maar Adams sprong op van zijn stoel en liep met snelle, zenuwachtige stappen naar hen toe.

'Nee, Campbell, laat hem maar blijven. Als wij morgen op straat horen wat er hier besproken is, dan weten wij wie wij de schuld moeten geven.'

'En aan wie een paar leden van de bende wel eens een bezoekje zouden willen brengen,' voegde Molineaux er met een lachje aan toe.

Wat hij daarmee bedoelde was Philip geheel en al duidelijk. Dit was de tweede keer, dat hij op zijn betrouwbaarheid werd getest. Deze keer twijfelde hij er niet aan, dat hij de test zou doorstaan.

'Kom, kom. Hij lijkt mij van het goede soort,' viel een derde spreker in. Het was een kleine man met een vierkant gezicht, donkere ogen en keurig van achter samengebonden haar. Hij droeg eenvoudige, goedkope kleren.

Dokter Warren glimlachte. 'Ik had wel verwacht dat je dat van een landgenoot zou zeggen, Paul.' En tegen Philip zei hij: 'Dit is meneer Revere van North Square. Onze plaatselijke zilversmid.'

'En wat nog belangrijker is,' zei Adams, 'de enige van ons die nooit de enigszins verfijnde lucht van Harvard heeft opgesnoven. Paul is de enige waar de vele handwerkslieden en werktuigkundigen in de stad naar luisteren.'

'Omdat ik er zelf een ben,' zei de kleingebouwde man.

Philip schatte dat hij eind dertig of begin veertig was. Aan zijn stompe nagels en zijn vereelte, gespierde handen was duidelijk te zien dat hij een handwerksman was.

'Welkom, meneer Kent, en mocht u ooit een mooie zilveren knoop moeten vervangen, mag ik u dan in overweging geven, dat . . .'

'Ik ben bang, dat ik geen zilveren knopen bezit, meneer Revere.'

'Je hebt tanden,' zei Cambell, 'die vervangt Paul ook.'

Revere haalde zijn schouders op. 'Noodzakelijk bijkomstig werk om alle monden aan mijn tafel te voeden. Zei u niet dat uw ouderlijk huis oorspronkelijk in Frankrijk gelegen was, meneer Kent? Het huis van mijn vader ook.'

'Waar, meneer?'

'Riaucaud, vlakbij Bordeaux. De familie van mijn vader was Hugenoot.'

Philip knikte langzaam. 'Er waren er een paar in de Auvergne. Ik weet hoe de protestante Fransen achtervolgd zijn, en weggejaagd.'

'Dat is de reden waarom meneer Apollos Rivoire hierheen is geëmigreerd, leerjongen is geworden bij een goudsmid en zodra zijn eerste zaak op Clark's kade tot bloei was gekomen zijn naam heeft veramerikaanst. Ik neem aan dat u dat al gedaan heeft?'

'Ja. De naam van onze familie was Charboneau.'

'Zien jullie wel?' lachte Revere tegen de anderen. 'Ik heb jullie gezegd, dat hij uit het goede hout gesneden is.'

Philip had ogenblikkelijk sympathie opgevat voor de rondborstige handwerksman, die zo helder uit zijn ogen keek, een sympathie die alleen maar groter werd toen Revere zo tactvol was om er aan toe te voegen: 'Ik neem aan dat je niets begrijpt van al dat gepraat over de nieuwe aantastingen van de rechten van de Engelse kolonisten.'

'Dat is waar, meneer Revere. Ik zou het erg op prijs stellen als u het mij een beetje zou kunnen uitleggen.'

'Het eerste incident waar Samuel op doelde had te maken met de koninklijke douane-schoener *Gaspee*. Bij de achtervolging van smokkelaars'— 'echte of verzonnen,' zei Warren enigszins cynisch—'. . . liep hij op een zandbank onder de kust van Providence. Nu moet u weten dat wij, aan de kust levende kolonisten, het smokkelen van Hollandse thee en dergelijke artikelen als een hoogst eerbiedwaardige bezigheid beschouwen. Een bezigheid die echter niet wordt geduld door de bijzonder impopulaire kapitein van de *Gaspee*, luitenant Dudingston. Voor hij ongelukkigerwijze aan de grond liep, had hij zich dan ook voortdurend beziggehouden met het aanhouden en doorzoeken van onze schepen langs de kust. En had hij Amerikaanse kapiteins en hun bemanningen op een boosaardige en wraakzuchtige manier het leven zuur gemaakt. Welnu, toen men zag, dat de *Gaspee* aan de grond was gelopen, handelde men snel. De arrogante luitenant met zijn bemanning werd verjaagd. En toen staken een stel patriottische burgers het schip in brand, zodat het tot de zeespiegel afbrandde. Toen heeft men voorgesteld de daders in Engeland te berechten. Als men ze te pakken kan krijgen.' Revere lachte even. 'Wat twijfelachtig is. Want wie van degenen die de *Gaspee* in brand heeft gestoken, zal zijn buurman aangeven?'

Warren zei: 'De tweede kwestie die Samuel wil aangrijpen, is de verklaring van de Koninklijke Gouverneur van Massachusetts, Hutchinson, dat vanaf volgend jaar zijn salaris niet door ons Provinciale Congres betaald zal worden, maar door de Kroon.'

'Twee prachtige provocaties!' riep Adams uit. 'Daar moeten we gebruik van maken!'

'Daar zijn wij het allemaal over eens,' wierp Warren tegen. 'Maar de wens is nog geen garantie voor de daad. Nadat de laatste belastingen waren afgeschaft . . .'

'Hun verdomde belasting op de thee niet!' zei Adams.

Met moeite zijn kalmte bewarend vervolgde Warren: '. . . is de opstandige gezindheid hier toch aanzienlijk verminderd. En in de rest van het land praktisch verdwenen.'

'Maar de juni-verklaringen zijn de gevaarlijkste bedreigingen voor onze vrijheid tot nu toe!' sprak Adams tegen.

Warren zuchtte. 'Ik kan alleen maar de mensen die in mijn wachtkamer zitten bekeren, Samuel. En ik kan niet alle andere koloniën bereiken. Het is een noodzaak de dertien klokken als één klok te laten slaan, zoals Franklin eens heeft opgemerkt. En dat is niet gemakkelijk.'

Een zwaargebouwde man, die tot dan toe had gezwegen sprak: 'Ik heb artikelen in de *Gazette* gepubliceerd, Samuel. Jouw artikelen en die van je neef John, Abraham Ware en dat zal ik blijven doen. Maar net als Warren denk

234

ik niet dat dat genoeg is. Het volk is gewoon weer vervallen in de zelfgenoegzaamheid die hun welvaart met zich mee brengt.'

Philip, die er enigszins verlegen met het dienblad in zijn hand bij had gestaan was plotseling in zijn element: 'Bent u drukker, meneer?'

De forse man gaf een kort knikje. 'Benjamin Edes. Van de firma Edes en Gill, Dasset Alley, achter de Statenzaal.'

'Ik heb het drukkersvak in Londen geleerd . . .'

'Zozo?'

'Ik heb ook geleerd dat het een achtenswaardig en belangrijk beroep is. Ik heb doctor Franklin verteld dat dat het vak is, dat ik hier wil uitoefenen, als ik daar de gelegenheid toe krijg.'

Adams schoot omhoog. 'Heeft u Benjamin in Londen ontmoet?'

'Ja, meneer. Hij heeft mij thuis ontvangen. In Craven Street.' Hij keek naar Campbell. De waard glimlachte, wetende dat Philip zijn kleine waarheidstest had doorzien.

Philip had besloten niets over de verloren lijst en de brief te vertellen. In plaats daarvan zei hij tegen de mannen: Doctor Franklin vertrouwde erop dat ik in dit land werk kon vinden. Dus als u ooit een drukkersknecht nodig heeft, meneer Edes . . .'

'Voortdurend,' zuchtte Edes. Hij nam Philip van hoofd tot voeten op.

'Leerjongens blijven nooit lang bij me. De meeste zijn veel te bang om moeilijkheden te krijgen met de justitie. Dat is ook de reden waarom mijn partner Gill zich zo op de achtergrond houdt. U moet namelijk weten dat veel conservatieve Tory-burgers mijn blad, de *Gazette*, opruiend vinden. Samuel moet bijvoorbeeld zijn artikelen onder Latijnse pseudoniemen schrijven zoals Brittanus Americanus. En een paar andere schrijvers idem dito. Als je dat soort risico's aankan . . .' Hij keek Campbell nadrukkelijk aan. 'Misschien dat onze gastheer zich niet vergist heeft toen hij jou opdroeg hem hier te helpen bij het bedienen.'

Philip hoefde niet lang over zijn besluit na te denken. 'Wanneer mag ik met u komen praten, meneer Edes?'

Even werd Edes door het bruuske antwoord overvallen, maar hij herstelde zich gauw. 'Nou, morgen dan maar, als je graag wilt. Maar ondertussen verga ik van de dorst.' Hij schoof zijn lege kroes naar Philip toe en vroeg of de anderen ook nog iets wilden drinken. Allen antwoordden bevestigend behalve de zilversmid. Edes' gelach dreef de rookgordijnen uit elkaar. 'Paul is onze nuchtere echtgenoot en vader,' verklaarde hij aan Philip. 'En ook de man wiens koperen gravures als illustratie dienen voor de pamfletten die wij aan de Vrijheidsboom spijkeren. Ik neem aan dat wij dankbaar moeten zijn dat hij een vaste hand wil blijven houden.'

Revere lachte terug.

Philip wou naar buiten gaan. 'Meneer Kent!'

Hij draaide zich om en zag dat Revere hem aankeek.

'Even zonder gekheid: wat u nu gehoord heeft moet beslist onder ons blijven. Dat is geen grapje. Het soort gesprekken dat in deze kamer gevoerd wordt, heeft tot nu toe geen levens gekost. Maar dat zal niet lang meer kunnen duren. Wij moeten ons beschermen, koste wat het kost,' besloot hij rustig.

Philip huiverde even voor de ernstige, oprechte manier waarop de zilversmid hem aankeek. 'Ik verzeker u dat ik niets zal zeggen,' antwoordde hij, en tegen Edes zei hij: 'Morgen kom ik naar u toe, meneer.'

Toen hij de kamer verliet, hoorde hij hoe Adams op zijn ruziezoekende maar ook wel hartstochtelijke manier zijn betoog hervatte: 'Het probleem is onze kans te benutten! Een confrontatie, een vurige confrontatie, moet zeker plaatsvinden. Hoe eerder het volk dat begrijpt en dat aanvaardt . . .'

'Jij manipuleert, Samuel,' onderbrak Warren. 'Ik ben het er niet mee eens dat een "vurige ontmoeting"—jouw mooie term voor openlijke opstand, voor oorlog—onvermijdelijk is. Of door ons onvermijdelijk gemaakt moet worden!'

Philip trok de deur achter zich dicht.

6

Hij bleef even staan en overzag de gelagkamer met de zwarte balken, die vol zat met rumoerige lieden uit North End. Hij zag twee Britse officieren in een hoek bij de ingang zitten. Zij aten een flink vleesgerecht, terwijl zij met onverbloemde arrogantie naar de mensen in hun omgeving keken. Hun arrogantie werd beantwoord door dreigende gezichten. Weer ging er een rilling door Philip heen. Die ene stap die hij in de achterkamer van de Salutation had gezet, betekende nu dat hij veel meer bij de zaak betrokken was geraakt dan oorspronkelijk in zijn bedoeling had gelegen. Hij had weliswaar de radicale Adams willen ontmoeten, maar nu was hij aan de groep verbonden door de gelegenheid werk te vinden bij een drukker die het propagandamateriaal voor de Amerikaanse zaak verspreidde.

Weer keek hij naar de Britse officieren en werd geïntimideerd door die gezagsdragers, hoe hij zich ook had voorgenomen zich niet te laten intimideren.

Er was natuurlijk een bijzonder eenvoudige oplossing. De Salutation verlaten. Nooit naar Benjamin Edes toe gaan. En elk verder contact met de mannen, die zelf toegaven dat zij gevaarlijk waren, vermijden.

Campbell kwam door de deur naar buiten, bleef staan en keek Philip aan. De waard scheen Philips onzekerheid aan te voelen en in zijn stem lag een nauwelijks merkbaar dreigement: 'Ik hoop, dat je er geen spijt van hebt dat je in die kamer toegelaten bent, jongeman. Dat zou wel eens vervelend kunnen zijn. De Molineaux-bendes van de North End en de vechtersbazen van Ebenezer Mackintosh uit de South End, gaan niet meer zo tekeer als vorig jaar. Maar ik zou de waarschuwing die je binnen is gegeven niet te licht opvatten. Als geheimen geschonden worden, ook al gebeurt dat per ongeluk . . . Meneer Adams kent de organisatoren van de bendes persoonlijk. En hij is een vastbesloten mens.'

Philip staarde naar de helderrode jassen van de Britse officieren. Hij dacht aan zijn moeder, de Amberly's, het boek van Girard en aan wat die verteld had over de nieuwe stormen die rondwaarden.

'Spijt, meneer Kent?' Zijn ogen verhardden zich. 'Nee, meneer Campbell. Absoluut niet!'

II Juffrouw Anne

1

De drukkerij van Edes en Gill in Dasset Alley zag er niet bijzonder welvarend uit. Op de eerste verdieping waar de drukkerij gevestigd was had men in een kleine ruimte slechts de beschikking over één kleine, houten pers. Een paar letterkasten lagen binnen handbereik. Achter een afsluiting bevond zich een piepklein, rommelig kantoortje van waaruit de forse Ben Edes de uitgeverij leidde.

Zoals hij beloofd had, meldde Philip zich om tien uur de volgende ochtend bij meneer Edes. Ze waren het er vlug over eens dat Philip manusje van alles zou worden in de drukkerij.

Van tijd tot tijd bleek de zoon van Edes, Peter, ook mee te helpen. Maar de jongen was nog klein en Edes had een grote, sterke hulp nodig. 'En,' zei hij, 'eentje die er niet vandoor gaat wanneer gouverneur Hutchinson of een van die anderen die voor de Kroon in het stof kruipen weer eens in het openbaar een aanval doet op onze krant.'

Voordat hij definitief zijn zegen aan de overeenkomst gaf, keek Edes eerst een tijdje toe hoe Philip de pers hanteerde. Toen de test was afgelopen, zei hij: 'Je bent door voortreffelijke meesters opgeleid. Vooruit, laten we naar het kantoor gaan om over je loon te praten. Heb je al ergens een slaapplaats?'

Terwijl hij uitgelaten achter Edes aanliep, zei Philip: 'Nee, meneer. Maar ik ga er meteen naar op zoek.'

'Beneden in de kelder hebben wij nog een ongebruikte kamer waar wij een strozak neer kunnen leggen als je dat wilt. Gratis.'

'Dat zou fantastisch zijn.'

'Eten moet je maar doen zoals het je uitkomt, in de herbergen in de buurt.'

'Dat is geen probleem, meneer.'

'Heb je een koffer? Andere bezittingen die je ergens wilt opslaan? Die kan je achter neerzetten. Of bij mij thuis.'

'Dit—' Philip liet hem het kistje en het ingepakte zwaard zien—'is alles wat ik bezit.'

Toen ze weer in het kantoor waren teruggekeerd keek Edes hem aandachtig aan. 'Zozo, dat heb je dus alvast meegenomen. Dat noem ik nog eens vertrouwen hebben in jezelf. Is dat alles wat je uit Engeland hebt meegenomen?'

'Alles.'

'Vertel me eens wat je hier wilt doen in dit land. Een beetje uitgebreider dan gisteravond.'

Philip dacht even na. 'Eerlijk gezegd, meneer, denk ik op het ogenblik alleen aan de kans weer aan de slag te gaan. En aan wat nieuwe kleren. Ik wil een net pak kopen van wat ik kan sparen.'

'Heb je nog andere ambities behalve je baan?'

'Ja. Ik denk dat ik het leuk zou vinden om in de loop van de tijd mijn eigen drukkerij te beginnen.'

Edes grinnikte. 'Dus je bent nu al met mij aan het concurreren!'

'Tja,' knikte Philip. 'Op een bepaalde manier wel, veronderstel ik. Een man moet vooruitkijken.'

'Zeer begrijpelijk, Kent, zeer begrijpelijk. Laten we hopen dat Boston niet afgebrand is door de burgerlijke onlusten of met de grond gelijk gemaakt door de artillerie van de koning voordat jij genoeg geld hebt vergaard om me mijn handel af te snoepen.' Nuchterder vervolgde hij: 'Zoals je gister-avond wel gemerkt zult hebben is Sam Adams uit op een gewapend treffen met de Britse regering. Elk zakelijk project dat hij ook maar ondernomen heeft, is mislukt. Maar in de politiek is hij absoluut een genie, voortdurend is hij bezig mensen om te praten, hier fluistert hij de een iets in het oor, daar de ander, en zo is hij bezig in het geheim het volk voor zijn zaak te winnen. Hij haat de Kroon overigens niet alleen uit puur idealisme. Een aantal jaren geleden is de vader van Sam geruïneerd door het faillissement van de Land Bank. Je bent al gewaarschuwd, dat je met niet zulke respectabele figuren moet omgaan als je bij Edes en Gill gaat werken. Nog steeds over-tuigd?'

'Ja,' antwoordde Philip met nadruk.

Ben Edes was in zijn nopjes. Hij trok een la van zijn bureau open. 'Laten we daar dan maar een klein glaasje rum op drinken en kibbelen over de hoogte van je loon.'

2

Binnen een paar dagen besefte Philip dat financieel succes niet het eerste doel was van de eigenaars van Edes en Gill. Gill was maar sporadisch aan-wezig. In de drukkerij werd de kleine maandagskrant de *Gazette*, gedrukt, maar ook allerlei handelsdrukwerk. Als de krant gedrukt was, rolden er reclamebiljetten, aanplakbiljetten voor winkels en alles wat maar winst kon opleveren uit de pers. Onder die laatste categorie vielen de handge-kleurde koperen gravures, een gezamenlijke onderneming van Revere en Ben Edes.

De twee die het best verkocht werden dateerden uit 1770. De ene stelde de nog steeds beruchte Slachting van Boston voor. De andere was een minder bloederig *Gezicht op een Wijk van Boston in Nieuw Engeland, en de Britse*

*Oorlogsbodems die Hun troepen aan Land zetten in het Jaar 1768. Opge-
dragen aan de Hertog van Hillsborough.* Toen Philip vroeg hoe een lid van
het hoogste college van de Zonen der Vrijheid zoiets had kunnen opdragen
aan een Engels edelman, antwoordde Edes: 'Op zo'n manier zou hij dat nu
niet meer doen. Maar Paul heeft een huis vol kinderen, om die te eten te
geven, heeft hij een andere manier gevonden om aan beide partijen zijn
waren te slijten. Geloof maar dat het hem de nodige zweetdruppeltjes heeft
gekost toen hij die woorden opschreef, Philip. Maar zijn ogen waren op zijn
portemonnaie gericht.'
Edes vervolgde met op te merken dat Revere, als graficus een autodidact,
er geen aanspraak op maakte een origineel tekenaar te zijn. Al zijn gravures
waren 'gemodelleerd'—gestolen dacht Philip bij zichzelf—naar tekenin-
gen van anderen. Revere bracht die eenvoudig op metaal over, met een
paar verfraaiingen. 'Maar als zilversmid is hij absoluut origineel. Veel
mensen zeggen dat er in alle dertien koloniën geen betere te vinden is,' zei
Edes ten gunste van zijn vriend.
Ondanks zulke zonder meer commerciële projecten als de gravures van
Revere, was het duidelijk dat het grootste deel van Edes' energie gewijd was
aan de *Gazette.* Het was niet alleen zijn bedoeling er de meest invloedrijke
krant van Nieuw Engeland van te maken, maar ook het blad waarin de
patriotten van Boston hun verzet tegen de edicten van de koning konden
uiten en de bevolking, die de laatste tijd rustig was, konden waarschuwen
en alarmeren.
Overigens was de politieke richting van de *Gazette*—of liever gezegd van
Ben Edes—de belangrijkste reden waarom John Gill zelden op de drukkerij te vinden was. Niet zozeer omdat hij de benadering van Edes afkeurde,
maar meer om zijn eigen hachje niet in gevaar te brengen. En, zoals Edes
eens opmerkte, als er verschil van mening was over de koers van de uitgeverij, was Gill altijd de verliezende partij. 'Omdat ik altijd langer en harder
kan schreeuwen.'
De zomer van 1772 maakte plaats voor helder, fris herfstweer. Philip had
alleen maar tijd voor de uitputtende arbeid die Ben Edes van hem verlangde. Net als bij de Sholto's werkte hij zes dagen per week en kon hij alleen op
zondag uitrusten. Normaliter gebruikte hij dan de helft van de dag om het
tekort aan slaap in te halen in de kleine maar comfortabele kelderkamer die
hij van Edes mocht gebruiken.
De drukker had Philips kundigheid al gauw opgemerkt en liet hem daarom
niet alleen de ballen inkten en de pers bedienen, maar ook letterzet-
ten—wat in het begin langzaam ging. Maar toen Philip de slag te pakken
had, vond hij het een bevredigende bezigheid. Hij zou er nooit zo snel in
worden als Ezau Sholto. Maar hij verstond het vak.
Lichamelijk was Philip nu een man geworden. Hoewel hij niet erg groot
was, was hij sterk en zag er krachtig uit. Zijn schouders waren stevig
gespierd door het steeds maar weer overhalen van de boom van de pers.
Met zijn donkere, eerlijke ogen nam hij alle nieuwe dingen, elk nieuw

240

gezicht, en elk woord dat door Edes en Gill gedrukt werd, gretig in zich op. Dank zij zijn zwerftochten op zondagmiddag werd Boston hem al gauw vertrouwd, en door zijn werk leerde hij de mensen kennen die de leiding hadden van de verdediging van de rechten van de Engelsen tegen de inbreuken die de koning en het parlement daarop pleegden.

Samuel Adams was een regelmatige bezoeker van de drukkerij. Meestal had hij een stapel foliovellen bij zich, waarop hij met zijn bevende hand zijn laatste schimprede tegen de regering-North had geschreven. In de aankondiging dat het salaris van de Koninklijke Gouverneur en tevens de salarissen van alle rechters in Massachusetts spoedig rechtstreeks door de Engelse schatkist zouden worden uitbetaald, zag Adams een mogelijkheid zijn landgenoten in opwinding te brengen. Hij schreef er onophoudelijk over. De *Gazette* drukte zijn artikelen onder verschillende pseudoniemen—altijd weer een aanwijzing hoe gevaarlijk dergelijk werk was.

Een andere regelmatige bezoeker was Abraham Ware. Ware was in Harvard opgeleid. Hij had een dikke buik en uitpuilende kikkerogen. Hij schreef bijna even vlammende stukken als Adams, maar hij gebruikte maar één nom de plume, Patriot.

Revere, de rustige, eenvoudig geklede zilversmid, kwam ook zo af en toe op bezoek en bracht dan korte nieuwsberichten mee, of een grof gegraveerde politieke spotprent.

Op de tweede verdieping van het gebouw van Edes en Gill ontmoetten deze mannen en anderen elkaar 's nachts. De kamer boven heette de Long Room. Philip werd er nooit binnengelaten, hoewel hij nu een redelijk betrouwbare employee was geworden. Maar Edes had er niets op tegen aan Philip te vertellen wie die nachtelijke bezoekers dan wel waren.

De dikke advocaat uit het naburige Braintree was de neef van Samuel, John. De knappe enigszins dandy-achtige man van begin dertig die door alle bezoekers met bijzondere achting werd bejegend was John Hancock, de koning van de kooplieden uit Beacon Hill.

Edes zei dat Hancock geen heethoofd was. Eigenlijk bekleedde hij zo'n aanzienlijke positie dat het logischer was geweest als hij zich bij de Tories had aangesloten. Zij die de politiek van de koning en zijn politici steunden waren in de minderheid in Boston, hoewel het een betrekkelijk stille en weinig actieve meerderheid was.

Maar Hancock had een romantische belangstelling ontwikkeld voor de ideeën die door Adams en de zijnen werden uitgedragen. In 1768, legde Edes uit, hadden de koninklijke douane-commissarissen in de gaten gekregen wat een geweldige potentiële steun Hancock was voor de zaak van de Zonen der Vrijheid. De commissarissen hadden Hancock er valselijk van beschuldigd, dat hij op zijn sloep *Liberty* madera smokkelde. De lading werd in beslag genomen.

Die strategie had een averechts effect. Hancock leed geen enkel financieel nadeel—dank zij de goed van pas komende en totaal niet toevallige tussenkomst van een van de beroemde Boston-bendes, onder aanvoering van de

241

schoenlapper Mackintosh uit de South End en de ijzerhandelaar Molineaux uit North End. De opgezweepte menigte redde de madera van Hancock en vanaf die tijd was de rijke man een trouwe supporter van de zaak geworden. Hoewel hij minder heetgebakerd bleef dan Adams, besteedde hij grote sommen van zijn persoonlijk vermogen aan de extra drukkosten—aan de pamfletten en de strooibiljetten die de Zonen der Vrijheid heimelijk door de hele stad verspreidden en aan de bomen spijkerden.

Hancock, de neven Adams en Revere—met Edes de enige twee van de groep die niet uit Harvard kwamen—ontmoetten elkaar minstens een keer per week in de Long Room. Als Philip aan het werk was in de drukkerij bij het licht van lampen die op walvistraan brandden, kon hij vaak de hoogoplaaiende twistgesprekken horen tijdens die bijeenkomsten. De stem van Adams klonk meestal boven iedereen uit.

Samen met de Long Room en Campbells Salutation in het noorden, was ook de Green Dragon in de naburige Union Street een populaire ontmoetingsplaats voor de patriotten. Philip at vaak in de Dragon. Hij voelde dat zijn band met de zaak hechter werd als hij daar vaak ging eten, hoewel hij niet het voorrecht genoot te delen in de gedachten van de leiders, behalve als die in de *Gazette* terecht kwamen of op de pamfletten die 's nachts achter gesloten deuren van de pers rolden.

Begin oktober had een golf van propaganda die over de stad was uitgestort een zekere beroering onder de burgerij doen ontstaan ten aanzien van de kwestie van de salarissen. Adams' volgende stap was het aandringen op een stadsvergadering. Het doel was vaste contact-comités op te richten, zowel in Boston als in de dorpen van Massachusetts, teneinde de positie van Adams' groepering elders bekendheid te geven en niet alleen de steun van gemeenschappen in de naaste omgeving te verkrijgen maar ook van gelijkgezinde mensen in New York, Philadelphia en andere koloniale steden.

In verband met het plan voor de comités, zond Edes op een morgen Philip erop uit naar de South End met een dringende boodschap. Hij moest kopij ophalen bij Adams thuis in Purchase Street; kopij voor een pamflet dat zou worden aangeplakt aan de Vrijheidsboom en op drukke plekken in de stad.

Philip haastte zich naar Purchase Street die niet ver van de Neck vandaan lag. Toen hij daar aangekomen was keek hij met verbazing naar de enorme, schitterende woning, die zelfs op een uitkijktoren kon bogen.

Hij stelde zich voor dat je vanaf de uitkijktoren een prachtig uitzicht op de haven moest hebben. Maar hij vroeg zich af hoe iemand die in zulke financiële moeilijkheden verkeerde als Adams, er zo'n groot huis op na kon houden. Uit gesprekken in de Dragon en in de drukkerij was hij te weten gekomen dat Samuel Adams er ondanks een veelbelovende start in Harvard, in geslaagd was elke zakelijke onderneming die hij in zijn leven op touw had gezet falikant te laten mislukken.

Adams' vader—de Diaken genoemd vanwege zijn sterk religieuze opvattingen—had inderdaad veel geld verloren toen de Britse regering de koloniale Land Bank die hij had opgericht onwettig had verklaard. Maar met de processen die daarop gevolgd waren, had Samuel ook de welvarende brouwerij-distilleerderij van de Diaken geërfd. Het bier en de rum die daar vandaan kwamen behoorden tot de beste van Nieuw Engeland.

Een paar jaar onder de leiding van Samuel, en ook die firma was ter ziele. Adams' optreden als de belastinginner van Boston was net zo rampzalig geëindigd. Toen hij in vijfenzestig aftrad was hij meer dan achtduizend pond aan inningen achtergeraakt. Gouverneur Hutchinson beschuldigde hem van ambtsmisdrijven. Edes zei dat Adams' werkelijke probleem was, dat hij 'geen hoofd voor cijfers had, en de neiging had edelmoedig te zijn voor iemand die met een meelijwekkend verhaal naar hem toe kwam.' Philip kon gemakkelijk begrijpen waarom de Koninklijke Gouverneur een van Adams' voornaamste doelwitten was geworden. Maar na zijn zakelijke debâcles had Adams, die inmiddels al in de veertig was, tenslotte toch zijn ware bestemming en een baan voor het leven gevonden: in de politiek. Of, zoals hij het noemde: 'de zaak van de vrijheid.' Op het ogenblik kon echter niemand in Boston verklaren hoe hij zijn drukke politieke werkzaamheden kon uitoefenen en ook nog zijn gezin onderhouden. Hier en daar werd beweerd dat zijn jongere neef John, de succesvolle advocaat uit Braintree, hem een vergoeding gaf als zijn 'raadgever'.

Philip was nu bij het ijzeren hek van Adams' huis aangekomen. Het werd hem in tegenstelling tot zijn eerste indruk duidelijk, dat het huis helemaal niet onderhouden werd. Het hek moest nodig geschilderd worden, het gras, door de vroege nachtvorst geel gekleurd, was tot op kniehoogte uitgegroeid. De klopper van de voordeur werd kennelijk nooit gepoetst. En de knappe maar vermoeid uitziende vrouw die de deur open deed, droeg een jurk die zelfs het laagstbetaalde dienstmeisje te min zou zijn.

'Is meneer Adams thuis?' vroeg Philip. 'Ik ben van Edes en Gill.'

'O ja, mijn man verwacht u,' zei de vrouw.

Philip was geschokt dat dit de vrouw van Adams was.

Zij glimlachte vermoeid. 'Komt u binnen. Samuel zit in de studeerkamer boven. Hij is al aan de lunch. Wilt u meeëten?'

'Nee, dank u, ik moet zijn manuscript zo snel mogelijk naar de drukkerij brengen.'

De vrouw stond op het punt nog iets te zeggen, maar werd afgeleid door de stormachtige binnenkomst van een enorme New-Foundlander die nodig een bad moest hebben. Philip liep snel de trap op waarbij de gemorste broodkruimels onder zijn voeten knarsten. Hij zag spinnewebben aan het plafond. De houten balken waren hier en daar aardig vermolmd.

Ondanks de naargeestige, vervallen omgeving neuriede Samuel Adams een vrolijk wijsje in zijn studeerkamer waarvan de deur open stond. Toen Philip in de deuropening verscheen, richtte Adams zijn hoofd op en knikte. Zijn glimlach verbreedde zich. Hij legde de ganzeveer waar hij mee had geschreven neer en riep: 'Kom binnen, Kent! Wil je even een hapje eten terwijl ik de kopij afmaak?'

Met bevende handen schoof hij een bord naar de hoek van zijn overvolle bureau, waarbij hij haast een inktpot omstootte. Hij droeg een kniebroek en kniekousen en een wit hemd met lange mouwen dat onder de inktvlekken zat. De bronzen gesp van zijn linkerschoen ontbrak.

De politicus zag de uitdrukking op Philips gezicht toen deze naar het bord met slijmerig uitziende etenswaren keek. 'Rauwe oesters, da's goed voor je! Ik ben er absoluut gek op. Weet je zeker, dat je niet mee wil eten?'

'Nee, nee, dank u,' zei Philip zwakjes. Toen hij bijna dood ging van de honger had hij stukjes oestervlees uit de vuilnishopen opgevist, en was daar dankbaar voor geweest. Maar vanmorgen werd hij al misselijk als hij er naar keek. Weer een teken, dat zijn leven veranderd was, dacht hij, terwijl hij de zure smaak in zijn mond probeerde weg te slikken.

Terwijl Adams' ganzeveer weer op het papier kraste, keek Philip naar de enorme hoeveelheid boeken in de studeerkamer. De titels van de meeste boeken deden hem vermoeden dat zij een politiek onderwerp betroffen. Hij zag onder andere boeken van Locke en vertalingen van Rousseau.

Al neuriënd maakte Adams de kopij af met een zwierige zwaai en begon hem droog te blazen. 'Ben Edes heeft me verteld dat je een goeie kracht voor hem bent,' zei hij tussen het blazen door.

'Dat hoop ik, meneer Adams. Ik vind het erg leuk werk.'

'Neem mij maar niet kwalijk dat ik die eerste avond in de Salutation een beetje lomp tegen je was. Maar het zijn gevaarlijke tijden. Wij kunnen niet voorzichtig genoeg zijn.'

Hij overhandigde het manuscript, stopte nog een oester in zijn mond en slikte die met smaak naar binnen.

Philip rilde. Hij bestudeerde de kopij die Adams hem had gegeven. Het was een krachtige oproep aan de bevolking van Boston het idee van de contact-comités te steunen. Het pamflet eindigde met een waarschuwing:

Zij die het niet eens zijn met het standpunt van de redelijke en rechtvaardige Adams zullen ons grote ongenoegen opwekken.

De ondertekening had Philip ook onder andere stukken gezien in de drukkerij: Joyce Jun'r. Hij trok zijn wenkbrauwen op; de geschriften van Joyce Junior klonken meestal dreigend, zelfs sinister.

'Is dit ook een van uw pseudoniemen, meneer Adams?'

'Als het publiek een beetje bang gemaakt moet worden, ja.'

'Ik dacht dat er iemand was die echt zo heette.'

'Wil je beweren dat je niet weet wie Joyce is, of was?'

'Nee. Ik heb het al een paar keer aan meneer Edes gevraagd, maar dan barst hij altijd in lachen uit.'

Adams' blauwe ogen twinkelden. Hij vouwde zijn handen. Er kleefde nog een klein stukje oester aan zijn mondhoek. Zijn hoofd beefde nog steeds, maar zijn handen trilden minder. Hij zei: 'Joyce Junior is al jaren een legendarische, zij het fictieve figuur in de omgeving van Boston. De echte

Joyce, George Joyce, een kornet uit het Britse leger, was de kerel die die verdomde Karel de Eerste gevangen heeft genomen. Een van de gruwelijkste koningen die ooit heeft geleefd. Men zegt dat Joyce zelf de bijl gehanteerd heeft, die Karels hoofd in het zand deed ploffen, maar dat gedeelte van het verhaal is nogal twijfelachtig, geloof ik. Aan deze kant van de oceaan noemen wij hem Junior, en bewaren wij hem voor taken en acties die wel eens beneden de waardigheid van meer ordelievende burgers zouden kunnen zijn. *Brittanus Americanus* zou er bijvoorbeeld niet over denken om bendes op te trommelen. Maar de onverschrokken Joyce heeft dat al vaak gedaan.'

Philip huiverde toen hij de schittering in die staalharde blauwe ogen zag.

'Ik twijfel er niet aan dat wij de komende dagen en maanden nog vaak van de goede kornet zullen horen,' besloot Adams. 'Laat vooral niet na zijn adviezen op te volgen, meneer Kent, anders kom je in moeilijkheden.'

Philip lachte terug. 'Bedoelt u dat ik dan mijn baan kwijtraak?'

'Dat is maar een onderdeel. Niemand kan neutraal blijven tijdens de komende strijd.'

Ondanks de oppervlakkige hartelijkheid, was Philip blij dat hij snel afscheid kon nemen en de benauwde, muffe, kleine kamer kon verlaten, waar de politicus over zijn bord gebogen zat, met zijn lippen smakte en met trillende handen oesters naar zijn mond bracht. Toen hij zich naar de voordeur haastte, hoorde Philip het woeste geblaf van een hond, het huilen van een kind, en de moedeloze uitroepen van mevrouw Adams achter in het huis.

Opgelucht snoof Philip buiten de frisse zeewind op en bedacht, dat het geen wonder was dat de machthebbers in Engeland in Adams een gevaarlijke tegenstander zagen, die vastbesloten was de toekomst onzeker te maken. Hij was dan wel als zakenman mislukt, maar zijn bijna griezelige ogen lieten er geen twijfel over bestaan dat hij nooit zou falen in zijn huidige taak. Philip had het gevoel, dat hij, door zijn bezoek aan het huis in Purchase Street, midden in het spinneweb was gestapt. Hij hoopte dat Edes hem niet gauw weer naar Adams zou sturen.

3

Het was alweer later in oktober toen Philip op een grauwe, sombere ochtend alleen in de drukkerij was. Hij was druk bezig de komende maandagse aflevering van de krant te zetten. Met weer een stuk van Adams waarin de voordelen van de comités voor de bevordering van de koloniale eenheid breed werden uitgemeten. Er werd gebeld. Hij keek op van zijn werk en zag dat er een jonge vrouw was binnengekomen.

Zij reageerde teleurgesteld toen zij zag dat alleen Philip in de zaak aanwezig was. Zij deed haar capuchon af en haalde een stapel foliovellen onder haar natte jas vandaan. 'Zou ik meneer Edes even kunnen spreken?' vroeg ze.

'Hij is in de Green Dragon, juffrouw, evenals meneer Gill.'

De jonge vrouw nam hem kritisch op. 'Bent u de nieuwe leerjongen?'

De manier waarop zij hem aankeek irriteerde Philip en hij zei: 'Ik ben bij meneer Edes in loondienst. Ik ben niet aan hem gebonden.'

Het meisje leek even van haar stuk gebracht door die scherpe reactie. Zij was een paar centimeter groter, maar ongeveer even oud als hij, schatte Philip. Ze had bruine ogen, kastanjebruin haar en een fraaie, maar wilskrachtige mond. Uit de schitterende, gezonde teint van haar huid leidde hij af dat ze veel in de open lucht vertoefde. Hij zag dat ze een paar sproetjes om haar neus had en de zwellingen onder haar jas verraadden een welgeschapen figuur. Hoewel ze niet erg elegant gekleed was, maakte ze een vastberaden, zakelijke indruk, waar Philip onwillekeurig enigszins van in de war raakte. 'Kan ik iets voor u doen?' vroeg hij tenslotte.

Het meisje reikte hem de foliovellen aan. 'Ik ben juffrouw Ware. Dit is kopij van mijn vader. Hij moet onmiddellijk gezet worden. Hij wilde zelf hierheen komen, maar hij had een afspraak met een cliënt.'

Philip bekeek de dichtbeschreven vellen aandachtig, zag de handtekening van Patriot en begreep wat de tekst inhield: een oproep aan de burgerij openlijk steun te betuigen aan het plan van Adams een Contact-Comité van eenentwintig mensen op te richten om het 'gezichtspunt van Boston' naar de andere koloniën en, zoals aan het eind werd gezegd, 'in de hele Wereld' te verbreiden.

Hij hoorde het meisje ongeduldig kuchen, keek op en zag twee bruine ogen hem geïrriteerd aankijken:

'Ik hoop dat de tekst uw instemming geniet?'

'Hij lijkt mij uitstekend, ja.'

'Daar ben ik dan bijzonder blij om. Ik was mij er niet van bewust dat een gewone drukkersjongen kopij goed- of afkeurde. Ik dacht dat het zijn taak was de kopij te zetten en te drukken en niets meer dan dat.'

Met een ietwat onbeschaamde grijns op zijn gezicht legde Philip de papieren op een stapel pas gedrukte pamfletten. 'Maar ik ben geen gewone drukkersjongen, juffrouw Ware. Mag ik vragen waar u last van heeft? Het slechte weer misschien?'

Ze kreeg een kleur. 'Jonge vrouwen zijn er niet aan gewend zo brutaal door leerjongens bejegend te worden!'

Philips grijns verhardde zich. 'Ik heb u al gezegd dat ik een vrije werkman ben, en geen leerjongen. Maar ik geloof dat u dat best wist toen u het voor de tweede keer zei.' En iets rustiger vervolgde hij: 'Zodra meneer Edes terugkomt, zal ik hem de tekst geven.'

'Dank u wel.' Het meisje leek van haar stuk gebracht; Philips beschuldiging had doel getroffen. Zij aarzelde en zei toen: 'Ik ben onbeleefd tegen u geweest . . .'

'En ik ook tegen u. Neemt u mij niet kwalijk.'

246

'En neemt u mij ook niet kwalijk. Dit artikel is verschrikkelijk belangrijk, begrijpt u. Het wemelt in de stad van de geruchten over meneer Hancocks tegenzin zijn steun te geven aan het plan voor de Contact-Comités.'

'Ik ben ervan overtuigd dat de zorgvuldig gekozen woorden van uw vader ertoe zullen bijdragen hem te overtuigen.'

Verbaasd vroeg zij: 'Bent u dan bekend met zijn geschriften?'

'Zeker. Ik lees bijna al het zetwerk, dat ik van meneer Edes 's nachts moet drukken. Ik heb gehoord dat sommige zetters alleen letters lezen en nooit hele woorden. Daar hoor ik niet bij.'

'Dan heb ik mij inderdaad in u vergist,' zei het meisje op iets vriendelijker toon. 'De jongens die vroeger voor meneer Edes hebben gewerkt, hadden nergens anders belangstelling voor dan voor het aftellen van de dagen tot zondag, wanneer ze konden uitslapen.'

'Dat doe ik ook. Maar ik heb een verre reis moeten maken om in dit land te komen. Als ik hier mijn toekomst wil opbouwen, moet ik op de hoogte zijn van wat er gebeurt.'

'Een verre reis?' vroeg Juffrouw Ware. 'Waar vandaan?'

'Frankrijk. Toen Engeland. Mijn naam is Philip Kent.'

Nu de aanvankelijke vijandige houding was verdwenen, kwam hij tot de slotsom dat hij die stekelige en openhartige manier van praten van het meisje wel leuk vond. Maar op de vriendelijke geste die hij had gemaakt door zijn naam te noemen, volgde geen identieke reactie.

Juffrouw Ware hoefde kennelijk niets meer van hem te weten. Zij trok de capuchon weer over haar bruine krullen, liep naar de deur en zei: 'Zodra de proeven van de tekst klaar zijn, wil mijn vader dat weten. Misschien, dat hij op het laatste moment nog correcties wil aanbrengen. Als u dat tegen meneer Edes wil zeggen.'

'Pardon?'

'Wat bedoelt u?'

'Als u dat aan meneer Edes wilt zeggen, alstublieft,' zei Philip zachtjes maar vastberaden. Hij plaagde haar, maar niet helemaal.

Het meisje stond in de deuropening; achter haar, in Dasset Alley, kletterde de regen op de keien. Weer keek zij hem uitdagend aan. De welvingen onder haar strakke jas gaven hem een opgewonden gevoel, een gevoel dat tot nu toe onderdrukt was geweest, behalve tijdens zijn koortsige, onwelkome dromen over Alicia.

Het scherpe antwoord van juffrouw Ware maakte een eind aan een eventuele verdere kennismaking: 'Ik dacht dat ik mij in u vergist had, maar dat was een vergissing. U heeft toch dezelfde stomvervelende leerjongensmentaliteit. Goeiemorgen.' Zij draaide zich met een ruk om en begaf zich vastberaden in de regen.

4

Vroeg in de middag keerde Benjamin Edes terug. Philip overhandigde hem het laatste artikel van Patriot en vroeg toen hoe de dochter van de schrijver heette.

Al bladerend door de kopij antwoordde Edes verstrooid: 'Zij heet Anne. Een knap meisje, maar met een scherpe tong.'

'Dat heb ik gemerkt.'

'Volgens mij laat Abraham haar te veel in zijn bibliotheek snuffelen. Een vrouw moet zich beperken tot sokken stoppen en eten koken. De man die met haar wil trouwen en kinderen verwekken moet over een sterke ruggegraat en een harde vuist beschikken. Anne is nu negentien en heeft dus al lang de huwbare leeftijd bereikt. Maar tot spijt van haar vader is zij geen normaal huwbaar meisje. Hij is bang dat zij een oude vrijster wordt. Het doet haar bepaald geen goed dat zij zo goed van de tongriem gesneden is en niet de natuurlijke rol van een vrouw wil vervullen.'

'Ik kan mij niet voorstellen dat zij geen vrijers heeft.'

'Natuurlijk wel. Sommige Britse officieren lopen achter haar aan. Maar bij wijze van hoffelijkheid zou zij hun het liefst in het gezicht willen spugen. Wat dat betreft is zij helemaal Abrahams vlees en bloed.'

Even later gaf hij de tekst aan Philip. 'Opwindend, opwindend.'

'De dochter van Ware zei dat hij de proeven nog even wil doorkijken.'

Edes knikte. 'Zodra je het gezet hebt, breng je de onopgemaakte proeven naar zijn huis in Launder Street. Wij zetten de tekst op de frontpagina, in plaats van dat stuk over de brand op de lijnbaan. Het is nog steeds onzeker wat het resultaat zal zijn van de stadsvergadering. Hancock maakte nog steeds bezwaren tegen het idee van de Contact-Comités. Hij zegt, dat het te openlijk is en te radicaal.'

Hij bemerkte de afwezige blik in Philips ogen en gaf hem een duwtje in zijn rug. 'Aan het werk, mijn jongen! Als je zo naar de regen blijft staren, krijgen wij de krant nooit gedrukt.'

5

De volgende morgen ging Philip vroeg op pad met de proeven van Patriots oproep steun te verlenen aan de Contact-Comités. De lucht was opgeklaard en er woei een felle oostenwind die al een beetje aan de winter deed denken. Hij volgde Edes' aanwijzingen op en kwam zo bij het rijk uitziende, twee verdiepingen hoge huis in Launder Street. De kok die de deur open deed vertelde hem echter, dat de advocaat en zijn dochter al uit waren. Om een uur of tien zouden zij waarschijnlijk in de boekhandel van Knox in Cornhill, tegenover William's Court te vinden zijn, want daar gingen zij vaak naar toe.

Toen Philip de deur van die zaak open deed, vroeg hij zich af of de kok hem wel de juiste informatie had gegeven. Op het eerste gezicht leek de Londense boekhandel meer op een salon dan op een winkel.

De zaak was stampvol. Midden in een warwinkel van boeken, fluiten, broodtrommels, telescopen en rollen behang zaten chique dames en heren uit de stad op een vriendschappelijke en geanimeerde manier te converseren met Britse officieren. Verbluft bleef Philip staan kijken en kreeg een dikke jongeman met een roze gezicht in het vizier, die met een oudere officier aan het praten was. De jongeman droeg een zijden band om zijn klaarblijkelijk verminkte hand. Even moest Philip aan Roger Amberly denken.

De dikke jongeman zag Philip daar verloren staan en stond op om hem welkom te heten: 'Kan ik iets voor u doen, meneer? Ik ben Knox, de eigenaar.'

'Ik kom van Edes en Gill en ben op zoek naar meneer Ware, de advocaat.'

'Hij is achter in de zaak in gesprek met een kapitein van de grenadiers. Ik ben bang dat het gesprek enigszins eenzijdig verloopt. U zult een welkome afleiding zijn.'

De dikke man wees naar achteren en haastte zich terug naar de officier met wie hij in gesprek was, een zo mogelijk nog dikkere kolonel van het Koninklijke Regiment der Artillerie, schitterend uitgedost in een blauwe jas met rode lapellen. Toen Philip naar achteren liep hoorde hij Knox enthousiast zeggen: 'Ik heb zojuist een nieuw werk van het continent binnen gekregen dat interessant materiaal bevat over de ontwikkeling van kanonnen. Ik ben erg benieuwd wat uw mening hierover is.'

Philip liep langs de grote hoeveelheid uitgestalde waren—en probeerde niet op de geamuseerde blikken te letten die de keuvelende dames en heren en officieren op zijn armzalige kleren wierpen—totdat hij bij de advocaat met de kikkerogen en zijn dochter was gekomen. Zij zaten zich duidelijk te ergeren aan de attenties van een lange officier van tussen de twintig en de dertig jaar.

Zijn met geel afgezette uniform duidde erop dat hij deel uitmaakte van de negenentwintigste compagnie grenadiers van Worcestershire. Philip had genoeg kennis vergaard over de Britse troepen die in Boston gelegerd waren om te weten, dat de eenheden der grenadiers de elite-stoottroepen van elk regiment waren. De mannen die bij zo'n compagnie waren ingedeeld werden geselecteerd op hun grote fysieke kracht en postuur. De officier die in gesprek was met de Wares was daar geen uitzondering op. De kapitein was breedgeschouderd. Hij had een lange neus en een litteken op zijn kin. Hij was niet onknap en droeg een smetteloos gepoederde pruik.

Toen Philip naderbij kwam hoorde hij hem zeggen: '. . . zou ik graag uw toestemming hebben om een bezoek aan uw dochter te brengen, meneer Ware. Ondanks onze politieke meningsverschillen.'

De man had een neerbuigende manier van doen. Anne beet op haar onderlip en hield haar blik strak gevestigd op een rijtje medicijnflesjes. Op een bordje ernaast stond dat zij *Hill's altijd werkzame medicijn tegen de beet van een dolle hond* bevatten.

Ware antwoordde: 'Wat dat betreft, kapitein Stark, heeft u niet zozeer mijn toestemming als wel die van mijn dochter nodig.'

'En het verlenen daarvan is een onmogelijkheid,' zei Anne koel.

De kapitein kon zijn afkeer niet onderdrukken. Hij zei tegen Ware: 'Heeft u dan geen enkele invloed op het gedrag van uw dochter?'

'Natuurlijk heeft hij dat wel,' antwoordde het meisje. 'Mijn vader voorziet mij van, wat Locke noemt, "standaardregels voor het leven" . . .'

'Locke!' riep de officier uit. 'Die verdomde radicaal, ze hadden zijn boeken moeten verbranden en hem erbij!'

Het meisje haalde haar schouders op. 'Volgens u. Ik vind dat hij het goed gezegd heeft. Zijn uitspraken waren bedoeld voor mensen die geregeerd werden, maar ze gelden net zo goed voor kinderen die bij hun ouders leven.' Terwijl Ware een diepe zucht slaakte vervolgde zijn dochter: 'Als ik eenmaal die "standaardregels voor het leven" ken—de algemene regels die door een regering of mijn vader worden gesteld—dan wil ik "op alle terreinen die buiten die regels vallen de vrijheid hebben om mijn eigen wil te bepalen". Ik wil niet het voorwerp zijn van de inconsequente, onzekere, onbekende, willekeurige wil van een ander mens.'

'Heeft u dat zelf verzonnen?' snierde de officier. 'Of meneer Locke?'

'Allebei een beetje.'

'Mijn God, jullie liberale Whigs zijn een heetgebakerd, gevaarlijk stelletje,' klaagde de officier. 'Ik verkeerde in de veronderstelling dat de winkel van mijnheer Knox neutraal terrein was. Dat men daar even de politiek kon vergeten om zich met aangenamere zaken bezig te houden.'

Wares ogen schenen nog meer uit te puilen dan normaal. 'Wel, meneer, aangezien u over politiek begonnen bent . . .'

'Nee, meneer, dat was uw dochter.'

Zonder acht op hem te slaan vervolgde Ware: '. . . is het onmogelijk de beknotting van de vrijheden te vergeten. Hoewel de onnozele ministers van de koning dat elementaire feit schijnen te vergeten.'

Philip stond een paar stappen achter de brede rug van de kapitein en wachtte op een gelegenheid zich met het gesprek te bemoeien. Bij de aanblik van Wares dochter had hij een schok gekregen. Zij had haar jas open gedaan waardoor een eenvoudig, maar elegant jurkje van gebloemd mousseline zichtbaar werd, dat hij geweldig mooi vond. De plooien van de stof konden de vormen van haar jonge, welgevormde borsten niet verbergen.

Hij vroeg zich af of zijn reactie een algemene was—een reactie die bij het zien van elke aantrekkelijke vrouw bij hem opgekomen zou zijn—of dat het iets te maken had met deze vrouw in het bijzonder. Hij kreeg niet lang de tijd hierover na te denken, want Anne had hem opgemerkt. Terwijl er een verrassend warme glimlach op haar gezicht verscheen, stond zij op en liep langs de elegante, sterke kapitein naar hem toe. 'Hier is meneer Kent van de drukkerij,' zei ze terwijl ze hem bij de arm nam. 'Goeiemorgen.'

'Juffrouw Anne,' zei hij beleefd, terwijl hij zich er bewust van was dat haar borsten langs zijn arm streken en dat ze heerlijk naar lavendel geurde. Hij kon een besmuikte glimlach niet onderdrukken en fluisterde: 'U begroet mij heel anders vandaag. Heeft dat een praktische reden?'

Zij bloosde schuldbewust. Maar hij had geen bezwaar tegen haar strategie zijn arm vast te houden terwijl zij langs de grote grenadier liepen.

De officier staarde Philip aan alsof hij nog minder dan een stuk vuil was. 'Verkeert uw dochter in gezelschap van werklieden?' vroeg kapitein Stark aan de advocaat.

'Inderdaad, meneer,' antwoordde Anne. 'Bij voorkeur.'

Philip kon de blik van de kapitein niet zetten en zei: 'Ik neem aan dat u daar geen bezwaar tegen hebt, kapitein?'

Onaangenaam getroffen trok de officier zijn schouders naar achteren alsof hij daarmee nadrukkelijk het verschil tussen zijn machtige lengte en Philips relatief kleine postuur wilde onderstrepen.

'Daar zou ik wel eens bezwaar tegen kunnen hebben, wanneer wij met zijn tweeën zijn en u in uw sarcasme blijft volharden.'

De dreiging die uit kapitein Starks ogen straalde was niet zomaar de gewone arrogantie die Philip bij vele Britse soldaten in de stad had waargenomen. Het was de persoonlijke reactie van een man op de in zijn ogen beledigende manier waarop Anne aandacht schonk aan Philip. Zij bleef nog steeds zijn arm vasthouden alsof zij de dikste vrienden waren.

Philip stak zijn kin vooruit. 'Ik zou zo'n ontmoeting niet uit de weg gaan. Ik heb een beetje geleerd hoe men met een zwaard om moet gaan.'

Als antwoord op die bluf verscheen er een gemene glans in de groene ogen van de officier. 'Elke democraat schijnt hier de aristocraat na te apen. In ieder geval is Boston niet zo'n grote stad. Misschien zal ik inderdaad op een dag het genoegen smaken u weer tegen te komen.' Roodaangelopen maakte kapitein Stark een buiging voor Anne. 'Uw dienaar.' Na nog eens een woedende blik op Philip geworpen te hebben, liep hij met grote stappen weg.

Anne liet Philips arm los en lachte verrukt. 'Onverdraaglijke ezels! Zij denken dat zij door hun uniformen en hun elegante manieren de vangst van de dag zijn. Wij mogen u wel bedanken, meneer Kent. Wij konden hem eenvoudig niet kwijtraken, hoe onbeschoft wij ook tegen hem waren.'

Philip zei: 'Ik ben blij dat ik het een beetje heb kunnen goedmaken van gisteren.'

De betekenis hiervan ontging Ware. Hij nam een snuifje, niesde en knipperde met zijn kikkerogen. 'Anne is Stark wel eerder tegengekomen. Ik heb uit betrouwbare bron vernomen, dat die man een hoerenloper van het ergste soort is. Neem me niet kwalijk, Anne.'

Anne haalde haar schouders op, niet in het minst geschokt door de taal die haar vader bezigde. Philip vond haar antwoord typerend voor haar ongewone persoonlijkheid.

'Het is het juiste woord, geloof ik. Ik heb het ook gehoord. Het is algemeen bekend dat kapitein Stark zich beroemt op de kwantiteit van zijn veroveringen en de kwaliteit ervan laat hem koud. En hij heeft een afschuwelijk opvliegend karakter.' Terwijl er nu een echte glimlach op haar gezicht verscheen, zei ze tegen Philip: 'Daarom heb ik het des te meer gewaardeerd dat u mijn spelletje mee wou spelen. Niets heeft hem tot nu toe zo volledig van zijn stuk gebracht.'

Philip was een beetje geprikkeld dat hij zo met opzet gebruikt was, maar zijn ergernis was niet van lange duur. Daar was hij eenvoudig niet toe in staat. Hij genoot van de warmte waarmee Anne hem aankeek. Zijn blik gleed langs het décolleté van haar gele bloemetjesjurk. Wat paste die kleur goed bij haar gezonde, gebruinde huid.

Anne zag waar hij naar keek. Even verkoelde haar blik. Zij liet zijn arm los.

Philip stak zijn hand in zijn jaszak en zei zachtjes: 'Ik heb de proeven bij me, meneer Ware. Maar deze plaats lijkt mij niet zo geschikt.'

Ware wuifde zijn bezwaren weg. 'O, maak je geen zorgen, de fatterige roodjassen die hier elke ochtend recipiëren denken aan niets anders dan aan hun conservatieve vriendinnen. Zij zullen in de veronderstelling verkeren dat ik een of ander juridisch stuk aan het lezen ben.' Ware nam de proeven in ontvangst en voegde er aan toe: 'Anne heeft mij verteld, dat je alles wat je zet en drukt voor Edes vlijtig bestudeert.'

'Ja, meneer, want ik ben geïnteresseerd in koloniale zaken.'

Anne had haar aandacht weer gevestigd op de kwakzalversmiddeltjes tegen dolle-hondenbeten van Hill. Was zij misschien een beetje verlegen nu het uit was gekomen dat zij over hem gepraat had?

Terwijl Ware de drukproef bestudeerde ging Philip verder:

'Een van de laatste regels in uw stuk heeft mij een beetje verbaasd. De regel waarin u de hoop uitspreekt, dat aan het zwaard van de ouders nooit het bloed van hun kinderen zal kleven.'

'Adams had vast gewild dat ik dat zou hebben geschrapt,' zei Ware. 'Maar zo af en toe moet de wat gematigder voorstanders van de vrijheid een hart onder de riem worden gestoken. Johnny Hancock en de neef van Sam, John, bijvoorbeeld. Ik zou die regel zelf geschrapt hebben als ik niet één ding in overweging had moeten nemen. Wij zijn nog niet klaar om terug te slaan.'

'Zullen de koloniën daar ooit toe in staat zijn?'

'Als de ministeriële troepen en die kruiperige Hutchinson niet van tactiek wijzigen, ja.'

'Wanneer denkt u dat dat zal gebeuren, meneer Ware?'

'Dat is moeilijk te zeggen. Als het niet dit jaar is, dan misschien volgend jaar. Dat is waar Samuel op rekent, samen met enkele anderen onder ons,' voegde hij er aan toe. De kalme blik in zijn ogen deed elke zweem naar het groteske of komische in zijn gezicht verdwijnen.

Wares uitlatingen waren in overeenstemming met de stemming waar de drukkerij van Edes van doordrongen was. Philip had de indruk gekregen

252

dat sommige leden van de partij voor de vrijheid nergens anders genoegen mee zouden nemen dan met openlijke rebellie, en daarom bezig waren de gebeurtenissen zo te manipuleren dat zij het door hen gewenste resultaat teweeg zouden brengen. Misschien hadden zij gelijk zo te handelen. Philip had zich tot nu toe geen definitieve mening gevormd. Maar hij realiseerde zich wel dat zo'n radicale ommezwaai een einde zou maken aan zijn eigen ambities.

Maar met Anne Ware in de buurt werden zijn gedachten al vlug van dat soort abstracte onderwerpen afgeleid.

Haar vader stommelde naar het achterste hoekje van de boekwinkel, terwijl hij zoals het een goede advocaat betaamt Latijnse zinnen mummelde. Hij trok amper de aandacht van de kwebbelende dames en heren.

Philip maakte van de gelegenheid gebruik om Anne aan te spreken. Hij wees naar de dikke Knox die bij de voordeur zat. 'Is die kerel een Tory?'

'Absoluut niet!'

'Maar hij staat kennelijk wel op goede voet met de officieren. Kijk eens hoe hij hun zijn boeken laat zien.'

De bruine ogen van Anne Ware werden ernstig. 'Net als mijn vader, gelooft Henry dat een militaire confrontatie misschien niet helemaal onvermijdelijk, maar toch zeker mogelijk is. Henry is een sluwe vos, meneer Kent. Op een heel slimme manier komt hij veel te weten van de officieren die hier komen. Hij moedigt ze zelfs aan hun kennis ten toon te spreiden. Hij lokt ze uit onder het voorwendsel meningen uit te wisselen over militaire strategie en tactiek. Henry heeft nooit in een legereenheid gezeten. Maar hij wil voorbereid zijn. Hij is speciaal geïnteresseerd in het gebruik van de artillerie. Dat is de reden dat hij ervoor heeft gezorgd dat hier meer Tory's komen dan Whigs.'

Even kreeg Philip het te kwaad. George III zou toch nooit toestaan dat de situatie in de koloniën zo zou verslechteren, dat er een openlijke opstand zou uitbreken. En toch was hij daar niet zo zeker van, als hij zijn harde lessen van Engeland en het soort mensen dat daar de macht had voor de geest haalde.

'Meneer Kent?'

Hij schrok op en merkte dat Anne haar hand weer op zijn arm had gelegd. 'Ja?'

'Ik dank u nogmaals dat u mij uit zo'n verwerpelijke situatie gered heeft. En wat nog belangrijker is: ik bied u mijn oprechte verontschuldigingen aan voor mijn slechte gedrag van gisteren.'

Philip lachte en zei: 'Die ben ik u ook verschuldigd. Aanvaardt u ze?'

'Natuurlijk.'

Hij deed alsof hij zich nog ergens bezorgd over maakte. 'Er is nog een punt.'

'Wat dan?' zei ze geïrriteerd.

'U heeft Stark verteld dat u graag in gezelschap verkeert van werklui. Aangezien ik daar onder val, ben ik van plan van uw uitspraak gebruik te maken. Mag ik u eens op een zondag opzoeken? Misschien voor een wandelingetje over de Common of . . .'

'Lieve God,' lachte ze. 'U bent zonder enige twijfel de brutaalste drukkersjongen die ik ooit ontmoet heb. Ik zit in de val, nietwaar?'

'Inderdaad, juffrouw Anne.'

Haar bruine ogen keken hem uitdagend aan. 'Stoutmoedigheid kan een bewonderenswaardige maar ook een vervelende mannelijke eigenschap zijn, meneer Kent.'

Zij plaagde hem, net zoals hij haar gisteren geplaagd had, maar was het alleen maar plagerij? Hij wist het niet zeker. 'Hoe denkt u er over in mijn geval?'

'Eerlijk gezegd heb ik mijn mening daarover nog niet gevormd.' Zij wierp een blik op zijn kleren. 'Hebt u een fatsoenlijk pak?'

'Nee. Maar ik zal er een kopen. Dat was ik al eerder van plan.'

'O? Wanneer?'

'Nadat u gisteren weg was gegaan,' loog hij. 'Nadat u mij had aangezien voor een leerjongen.'

'Er is toch echt iets ongewoons aan u, meneer Kent,' zei zij. Haar woorden klonken noch vijandig noch goedkeurend. Alleen weifelend.

'Wilt u mij dat nader verklaren, juffrouw Ware?'

'Om te beginnen: u sprak tegen die grenadier alsof u uzelf als zijn gelijke beschouwde.'

'Ik ben zijn gelijke,' zei Philip. 'Het bijzondere is dat een vrouw dat van zichzelf ook zei.'

'O,' zei ze met een lachje. 'Ik dacht dat als die stomvervelende vent enig onderwijs genoten had, het noemen van de naam Locke alleen al hem tot razernij zou hebben gebracht.'

'Maar u geloofde in wat u citeerde, en u betrok het op u zelf.'

'Dat is waar. Hebben wij het nu over mij, meneer?'

'Ik dacht dat wij het over Locke hadden. Ik heb een paar van zijn geschriften gelezen.'

Verbaasd keek zij op. 'Geen wonder dat u zich er zo over opwond, dat ik u voor een ordinaire leerjongen aanzag. Wat denkt u van de ideeën van Locke?'

'Soms denk ik dat het heel juist is wat hij heeft gezegd.'

'Niet altijd?'

Philip fronste zijn wenkbrauwen. 'Nee, niet altijd. Maar maakt u uw zin af. U noemde mijn gedrag ongewoon omdat ik die kapitein als mijn gelijke beschouwde. Waarom niet? Is dat niet een van de eerste overtuigingen van de groepering van uw vader?'

'Ja, maar het was nog iets meer. U keek op een bepaalde manier—hooghartig—ik kan het niet precies uitleggen. Hoewel u helemaal onder de inkt zit, gedroeg u zich bijna als een lord. Misschien . . .' Zij wachtte even en die uitdagende blik verscheen weer in haar ogen. 'Misschien dat ik daarom wel nieuwsgierig genoeg ben om u een bezoek toe te staan. Vooropgesteld dat u

254

zich inderdaad een fatsoenlijk pak kunt veroorloven.'

Zijn blik deed haar de ogen neerslaan. 'Wees er zeker van dat ik er anders een steel.'

Even hield zij haar adem in, waardoor haar borsten nog meer naar voren kwamen. Wat betekende die plotselinge kleur op haar wangen? *Vreemd, gevoelig meisje*, dacht hij. Hij voelde zich tot haar aangetrokken, maar er was meer dan dat. Hij moest toegeven, dat hij het leuk zou vinden haar met zijn verleden te confronteren. Hoe zou zij hem dan behandelen? Hoe zou zij reageren? Hij verheugde zich erop dat uit te proberen.

'Alles in orde,' zei Ware die naar hen teruggestommeld was. Hij drukte de proeven in Philips hand.

Anne zei tegen hem: 'De assistent van meneer Edes heeft gevraagd of hij ons een bezoek mag brengen, vader.'

'Anne,' zuchtte Ware, 'al dat gekakel van Locke en Co over de "standaard-regels van het leven" klinkt allemaal prachtig. Maar sinds je moeder is overleden, is het hoe langer hoe duidelijker geworden, dat ik wat dit soort zaken betreft geen enkele stem in het kapittel heb. Ik wens u succes, meneer Kent. Mijn dochter kan net zo lief zijn als de prachtige feeks van Shakespeare, als zij dat wil.'

'Dat risico zal ik met genoegen lopen, meneer Ware,' antwoordde Philip. Bij wijze van groet tikte hij met zijn hand tegen zijn voorhoofd en na een laatste stoutmoedige blik op Anne geworpen te hebben, draaide hij zich om en liep weg. Deze keer had zij het kennelijk niet erg gevonden; zij keek hem na alsof zij nog steeds niet wist wat zij van hem moest denken. Wat dat betreft, dacht hij, waren zij quitte.

Het laatste wat hij hoorde toen hij de deur van de Londense boekhandel uitliep was de joviale Knox die aan twee artillerie-officieren vroeg op welke afstand mortiervuur het meeste effect sorteerde.

6

Philip volgde de gebeurtenissen van 1772 via de verhalen die hij voor de *Gazette* moest zetten en drukken.

Tot grote woede van Gouverneur Hutchinson in het provinciehuis, kwam de stadsvergadering van Adams op 2 november bijeen. Er werd een permanent Contact-Comité opgericht en er werd op aangedrongen over heel Massachusetts soortgelijke comités in te stellen. IJlbodes snelden in volle vaart over Roxbury Neck om het nieuws naar andere steden over te brengen.

Eind november was het comité in Boston begonnen met het uitgeven van een vloed van geschriften waarin het zijn mening kenbaar maakte. Die geschriften werden trouw door de *Gazette* verkort weergegeven. Adams zelf schreef *De Rechtspositie van de Kolonisten*. Dokter Joseph Warren, misschien wel de populairste dokter—en de meest uitverkoren en knapste vrijgezel—van de hele stad stelde de *Lijst van Verkortingen en Schendingen van Die Rechten* samen. Spoedig begonnen berichten binnen te sijpelen dat er inderdaad in heel Massachusetts comités werden ingesteld en tevens in de grote steden verderop aan de kust.

De mannen die in het begin van de winter door de sneeuw naar de Long Room van Edes stapten om daar te vergaderen, waren in een opperbeste stemming nu zij permanent contact hadden gekregen met gelijkgezinden in de andere koloniën. Hun opwinding deed hen weer denken aan de opmerking van Franklin over de dertien klokken die tegelijk moesten slaan. Mocht het dan zijn, dat die dertien klokken nog niet helemaal tegelijk hetzelfde uur sloegen, ze liepen in ieder geval vrijwel gelijk.

Philip had ook nog persoonlijke beslommeringen, naast het volgen van de politieke ontwikkelingen. Hij spaarde zijn geld zuinig op en bezocht kleermakers om naar hun prijzen te vragen. Tenslotte werd hij ongeduldig en vroeg Edes om een voorschot, waardoor hij zeker een half jaar bij de drukker in het krijt zou staan.

Een paar dagen nadat de klokken in de toren van Christ's Church het jaar 1773 hadden ingeluid, had hij zich naar behoren uitgedost in een eenvoudig maar net pak van bruin laken, een sneeuwwitte sjaal, kniekousen en schoenen met gespen. Op een zondagmiddag begaf hij zich naar Launder Street om de uitdaging van juffrouw Anne—als het tenminste een uitdaging was geweest—aan te nemen. Het zonnetje scheen en het dooide. Toen hij de trappen van het mooie huis beklom verscheen er plotseling een wolk voor de zon. Staande in de kille schaduw dacht hij even aan Alicia. Hij dacht aan haar met droefheid in zijn hart. En met een vraag.

Was zijn belangstelling voor de aantrekkelijke en formidabele dochter van de advocaat alleen maar een manier om de herinnering aan Alicia weg te dringen? Een herinnering die hem nog steeds dwars zat? Hij wist er niet meteen een antwoord op.

Toen klopte hij aan bij de Wares.

III Brand in september

1

Ware, de advocaat, leidde zijn jonge gast naar de salon, waar Anne zat te wachten. Er lag een serene uitdrukking op haar gezicht en ze zag er prachtig uit in haar witte japon. De middagzon die door de ramen naar binnen viel wierp een amberkleurig schijnsel op haar gezicht.

Zij begroette Philip hartelijk maar ook een tikkeltje geamuseerd, omdat het duidelijk aan hem te zien was, dat zijn nieuwe kleren hem nog ongemakkelijk zaten.

'Goedemorgen, juffrouw Ware,' zei hij met een hese stem.

'Goedemorgen, meneer Kent,' zei Anne minzaam. 'Gaat u zitten.'

Snel ging Philip op een van de stoelen met geborduurde kussentjes zitten. Ware gedroeg zich bijna even zenuwachtig als Philip zelf. Hij wreef in zijn handen, ging nu weer op de ene dan weer op de andere voet staan en knipperde met zijn uitpuilende ogen. Vervolgens liep hij weer naar de deur toe en zei: 'Ik zal eens kijken of de thee al klaar is. Wij serveren niets sterkers in dit huis op de dag des Heren.' Toen verdween hij.

Bedaard vouwde Anne haar handen in haar schoot waarop stofdeeltjes oplichtend in de zon neerdwarrelden. Zij bleef Philip geamuseerd aankijken. Tenslotte zei zij: 'U heeft een mooi pak aan. Ik heb mij afgevraagd of u zich aan uw belofte zou houden.'

'Als het doel de moeite waard is, altijd.' Verdraaid, wat raakte hij in de war van dat meisje!

Was dit alleen maar een spelletje van haar kant? Iets waar zij later haar vrienden mee aan het lachen zou kunnen maken? Hij zag het al bijna voor zich hoe zij een beschrijving zou geven van die boerenkinkel van een drukkersjongen, die had zitten trillen als een espeblad in haar salon, slecht op zijn gemak en met een vuurrood hoofd. Bij de gedachte alleen al werd hij kwaad en hij beloofde zichzelf voorbarig dat dat gebruinde, weelderige lichaam aan hem getoond—en onderworpen—zou worden. Hij deed zijn best om haar glimlach te beantwoorden en zei: 'Ik hoop dat u een prettige zondagmorgen heeft gehad?'

'Als u een uur bidden en een vier uur lange preek prettig noemt,' zuchtte zij. 'Wij zijn lid van de Onafhankelijke Kerk. Ik geloof dat onze predikanten er niet zozeer op uit zijn om de zonde te overwinnen als wel om de gelovigen zo uit te putten, dat zij helemaal niet meer in staat zijn om aan zonde te denken. Heeft u een geloof en bent u praktiserend gelovige?'

'Geen van beide. Mijn moeder was een Franse. Katholiek van geboorte.

Maar vanwege haar . . . haar vroegere carrière, mocht zij de diensten niet meer bijwonen. Zij is actrice in Parijs geweest,' voegde hij er met onmiskenbare trots aan toe.

'Actrice! Wat fascinerend! Ik heb papa gesmeekt om mij toestemming te geven de rondreizende gezelschappen die in Boston spelen te gaan zien. Maar dat soort werelds amusement noemen wij verderfelijk.'

'Ik dacht dat u deed wat u wou, juffrouw Anne.'

Zij bloosde. 'Dat is ook zo, tot een bepaald punt.'

'En waardoor wordt dat punt bepaald, als ik vragen mag?'

'Voorzichtigheid. Gezond verstand. U zei het zelf zoëven. Is het doel de moeite waard?' Uit de manier waarop zij naar hem keek, leidde hij af dat die woorden een bepaalde betekenis moesten hebben. Maar welke betekenis precies was hem niet duidelijk. 'Is het waard om over de schreef te gaan? Beroering, ontstemming te veroorzaken?'

Zij liet het onderwerp schieten, alsof de wending die het gesprek genomen had haar niet beviel: 'U had het over Parijs. Ik had al het idee dat u met een licht accent sprak. Ik herinner me dat u uit Frankrijk naar de koloniën bent gekomen . . .'

'Na een paar moeilijke maanden in Engeland. Ik heb daar geprobeerd een erfenis op te eisen.'

'Waar heeft u zo goed Engels leren spreken?'

'In de Auvergne. Mijn moeder had een leraar in dienst genomen. Hij heeft mij kennis laten maken met de werken van Locke en Rousseau. Die voorbereiding was echter tevergeefs. Mijn vader was een edelman. Maar hij'—waarom zou hij het niet bekennen?—'hij is nooit met mijn moeder getrouwd geweest. Dus weigerde zijn familie'—weer een pijnlijke stilte—'mijn eisen in te willigen. Toen zij moeilijkheden begonnen te maken ben ik scheep gegaan hier naar toe, om een nieuw leven te beginnen.'

Hij verwachtte dat zij hem zou uitlachen of op zijn minst geamuseerd zou aankijken, iets wat zij kennelijk graag deed. Toen dat niet gebeurde, raakte hij nog meer van zijn stuk.

In plaats daarvan klapte zij in haar handen en riep: 'Ik heb u toch gezegd, dat er een mysterieuze wolk om u hing? Nu heeft u het mysterie onthuld! De manier waarop u die pummel van een grenadier in de ogen keek, uw enigszins trotse manier van lopen . . .' Ze strekte haastig haar hand uit. Door dat gebaar spande haar jurk zich strakker om haar borsten. 'Alstublieft, ik bedoel daar niets beledigends mee. U heeft een soort trots die u onderscheidt van de anderen. Dat is goed. Ik zou dolgraag meer over uw avonturen in Engeland willen horen. Hoe hebben zij uw kijk op wat er hier gebeurt beoordeeld? De weerstand tegen de Kroon, bedoel ik?'

Rustig zei Philip: 'Ik veracht de familie van mijn vader en alles wat zij vertegenwoordigen. Zij hebben de gezondheid en de gemoedsrust van mijn moeder verwoest.'

'Was u samen met haar in Engeland?'

'Ja. Zij is gestorven tijdens de reis naar Boston.'

258

'O! Dat spijt me verschrikkelijk.'

'Als ik zou kunnen, juffrouw Anne . . .'

'Wij kunnen elkaar wel bij de voornaam noemen, vind je niet, Philip?'

Hij knikte stijfjes. 'Als ik zou kunnen, zou ik teruggaan naar Engeland, en er alles wat mij toebehoort vandaan halen. En ik zou het zo doen, dat mijn familie er onder zou lijden.'

Even bleef Anne naar zijn grimmige gezicht kijken. Elk spoor van haar eerdere geamuseerdheid was uit haar gezicht verdwenen. Zij vroeg: 'Ik begrijp het niet. Wil je een van de hunnen zijn? Of wil je ze alleen maar vernederen?'

'Allebei een beetje, denk ik.' Het was het eerlijkste antwoord dat hij kon bedenken. En even riep de gedachte daaraan weer storende herinneringen aan beloften aan Marie bij hem op. Beloften die nu bijna vergeten waren.

Anne dacht na over zijn antwoord en zei: 'Ondanks je uitleg ben je nog steeds een raadsel, Philip.'

'Hoe bedoel je?'

'Je werkt voor Edes, die bepaald geen aanhanger van de aristocratie is. Toch suggereer je, dat je naar Engeland terug zou keren, als je daar de gelegenheid toe zou krijgen.'

'O, dat zal toch nooit mogelijk zijn. Ik heb besloten mijn bestemming hier te zoeken.'

'Omdat je dat wilt of uit noodzaak?'

'Ik geef je weer hetzelfde antwoord als zoëven. Allebei een beetje.'

'Zo'n positie zou wel eens binnen korte tijd onhoudbaar kunnen worden, weet je.'

'Vanwege de moeilijkheden die Adams steeds voorspelt? En zelf probeert te veroorzaken?'

Zij knikte. 'Hij probeert alleen maar het onvermijdelijke te bespoedigen. De inwoners van deze koloniën zullen een besluit moeten nemen. De koning is vastbesloten zijn wil door te drijven. En ik geloof dat Adams, niettegenstaande zijn twijfelachtige methodes, in één ding gelijk heeft. Een kleine onderdrukking is alleen maar een voorbode voor een grotere onderdrukking.

Na een klein hapje van de vrijheid te hebben afgeknabbeld, zullen de ministers van koning George alleen maar aangemoedigd worden steeds meer te verorberen. Daarvan probeert het Contact-Comité de andere koloniën te overtuigen. Wat in Boston gebeurt kan binnen korte tijd ook bij hen gebeuren. Dus moeten wij samen één front vormen.'

Ze zei dat alles op kalme toon. Maar haar ernst maakte indruk op Philip. Hij dacht even aan Alicia en stelde de rustige manier waarop Anne Ware voor haar idealisme uitkwam tegenover het onverholen gebrek aan idealisme van de dochter van de graaf van Parkhurst.

Het rammelen van theekopjes weerklonk. Philip keek op en zag Ware binnenkomen, gevolgd door zijn kokkin, die Philip bij zijn eerste bezoek aan Launder Street bij de voordeur had ontmoet. De kokkin was een jonge,

259

mollige meid met vuurrood haar en een vrolijk gezicht. Ware stelde haar voor als Daisy.

Zij zette het theeblad op de tafel en begon de thee in te schenken in fijne kopjes van Chinees porselein met een lichtblauw randje. Toen zij klaar was, ging ze weer weg en hief Ware zijn kopje omhoog bij wijze van toost. 'Wilt u met ons drinken op het verzet tegen de tirannie, jongeman? Misschien moet ik hierbij opmerken, dat wij gesmokkelde Hollandse thee drinken. Zolang er nog die onverdraaglijke belasting van drie pennies op rust moeten wij van die rotzooi uit Engeland niets hebben.'

Terwijl Philip het dampende kopje naar zijn mond bracht, bedacht hij dat er niets was, dat niet door de politiek werd besmet. Zelfs een tamelijk moeizame zondagnamiddagvisite niet, in deze donkere, comfortabele oude kamer waar vanaf het olieverfschilderij boven de schoorsteenmantel een bebaarde man in strenge, zwarte kleren op hen neer keek.

'Ik drink ook op uw gastvrijheid,' zei Philip en nam vervolgens een slokje. Hij bleef maar een half uurtje. In die tijd weidde Ware uit over de verschillende vormen van schending van het recht en, zoals hij ze noemde, misdaden van het kabinet North. Aan het eind van een van die lange betogen stond Philip snel op en kondigde aan dat hij moest vertrekken.

Ware, op zijn beurt, stond ook op. 'Ik heb uw gezelschap zeer op prijs gesteld.' Hij wou met Philip meelopen naar de deur. Maar Anne stond gracieus op en pakte zijn arm. 'Drink uw thee maar op, papa. Ik laat onze gast wel even uit.'

Terwijl zij met hem meeliep scheen het zonlicht, dat door het venster boven de voordeur naar binnen viel, op haar ogen en haar kastanjebruine haren. Hij was danig van streek geraakt door wat er gebeurd was. Hij had niet genoeg ervaring en goede manieren om zichzelf staande te houden tijdens een dergelijke beleefdheidsvisite. Hij had een grote behoefte zich zo snel mogelijk uit te voeten te maken, terug naar een meer geschikte omgeving, de kelderkamer van Edes.

Anne zei: 'Dank je wel voor je bezoek, Philip.'

'Ik vond het erg leuk.' Zijn woorden klonken geforceerd. Even stonden zij zo dicht bij elkaar, dat hun lichamen elkaar bijna raakten. Waar was die feeks, waar Ware het over had gehad? vroeg hij zich af. Hij zag alleen maar de glimlach op haar gezicht en haar prachtige bruine haren.

Ze zei: 'Je mag best een keer terugkomen.'

Tot zijn verbazing hoorde hij zichzelf antwoorden: 'Dank je, dat zal ik zeker doen.'

Toen hij zich op weg begaf door de plassen op de straten die door een bleek januarizonnetje werden beschenen, voelde hij zich plotseling vrolijk. En schaamde hij zich voor zijn eerdere verlangen weg te rennen. Maar één vraag had hij nog niet opgelost. Wat was het in 's hemelsnaam, dat hem zo tot het meisje aantrok? Afgezien van de voor de hand liggende lichamelijke opwinding die een te lange periode van onthouding had veroorzaakt?

Anne Ware had zich aan de kant van de patriotten geschaard, daar was

260

geen twijfel over mogelijk. Op een subtiele maar onmiskenbare manier had zij hem uitgedaagd zijn positie kenbaar te maken. Hij wist het werkelijk niet.

Enfin, misschien dat dat wel de verklaring was . . .

Anne Ware was een soort spiegel. Een spiegel waarin hij, met enig geluk, uiteindelijk een duidelijk beeld van zichzelf zou kunnen ontdekken. Bovendien was zij evenwichtig, intelligent en had zij een sterk karakter. Hij was er nieuwsgierig naar te weten hoe zij aan zo'n onafhankelijke geest en manier van doen was gekomen. Zij dreef het niet op de spits, maar als hij zijn eigen ervaring, haar vader en Edes kon geloven, was zij toch duidelijk verschillend van de typische Bostonse jonge vrouw.

Zijn nieuwsgierigheid werd er alleen maar groter door.

En verder was ze verdraaid aantrekkelijk.

Fluitend verhaastte hij zijn pas. *Ik ga met haar naar bed voordat het geoorloofd is, verdomd als het niet waar is,* dacht hij.

2

Philip wist niet precies wat het woord vrijage, een bekende term in Amerika, allemaal inhield. Maar gedurende de volgende maanden drong het geleidelijk tot hem door, dat hij daar mee bezig was. Hij werd een regelmatige bezoeker van het huis in Launder Street. En op haar beurt was het bijna altijd de dochter van de advocaat die de stukken van Ware naar de *Gazette* bracht. Terwijl de winter voorbij ging en de stad zich ging koesteren in het lentezonnetje, maakten ze lange wandelingen door Boston. Aan het eind van de zondagmiddag gingen ze vaak naar Hannover Square, waar de lampions van de patriotten aan de reusachtige Vrijheidseik hingen en hun schijnsel in het schemerdonker verspreidden. Voortdurend werden ze er door de koninklijke troepen of door sympathisanten van de Kroon afgetrokken. Maar altijd verschenen er weer nieuwe om hun licht te laten schijnen over de nauwelijks verhulde dreigementen van Joyce Jun'r tegen de Tories of over pamfletten met nieuws over de patriottische zaak.

Hoe het Huis van Burgers in Virginia naar het model van Adams een Contact-Comité van elf personen had opgericht, bijvoorbeeld. Dat was belangrijk, legde Anne uit, omdat de conservatieve planters in de kuststreek van Virginia niet bekend stonden als extreme radicalen zoals de inwoners van Nieuw Engeland. Toen rijke en invloedrijke mannen—zij noemde Henry en Jefferson en Washington en Richard Henry Lee, allemaal onbekende namen voor Philip—de waarschuwingen van Adams ter harte begonnen te nemen en een orgaan in werking stelden om contact te houden met Massachusetts, had de zaak van de vrijheid een grote sprong voorwaarts gemaakt.

Toen zij een keer tegen het eind van een zondagmiddag over de Common slenterden, galoppeerde een half dozijn Britse officieren voorbij en snelde in volle vaart over het open grasveld. Een van hen hield even de teugels in om zich van de identiteit van Anne en haar metgezel te overtuigen. Terwijl hij zijn briesend paard in bedwang hield sprak kapitein Stark hen niet aan. Maar zijn blik naar Philip liet niets te raden over. De huid om het litteken op zijn kin was lijkbleek. Toen gaf hij zijn paard de sporen en galoppeerde naar zijn roepende metgezellen. Een kleine, in vodden gehulde jongen, die onder een iep in de buurt had gezeten sprong op en gooide een steen achter de ruiter aan: 'Smerige, stinkende kreefterug!'

Sinds de ontmoeting in de boekhandel van Knox had Philip niet meer aan de kapitein der grenadiers gedacht. Maar hun toevallige ontmoeting zei hem dat Stark hun woordenwisseling niet vergeten was. En Philips brutaliteit evenmin.

Toen de kapitein uit het gezicht verdween, gaf Anne Philip een arm, en lachte. Hij voelde zich in de zevende hemel. Het was de eerste keer in al die weken dat zij met elkaar gesproken en gewandeld hadden, dat zij hem aanraakte.

Dat gebaar gaf hem extra zelfvertrouwen en toen zij in de schemering voor het huis in Launder Street stonden, probeerde hij haar te kussen. Zij wendde haar mond af zodat zijn lippen alleen maar even haar wang beroerden. Toen glipte zij, iets ten afscheid mompelend, naar binnen. De kus was een teleurstelling geweest. Geweldig onbevredigend. *Die verdomde vrouw!* dacht hij toen hij naar Dasset Alley terugliep. *Altijd volmaakt meester van de situatie.*

Misschien, dacht hij bitter, was dat het juist waarom hij steeds weer naar haar toeging. En dat ongetwijfeld zou blijven doen.

3

'Meneer Kent, waar is Ben Edes? Dit moet onmiddellijk gedrukt worden!'

Toen hij de gemelijke stem hoorde, stapte Philip achter de pers vandaan en zag Sam Adams bij de deur staan. Hij trilde nog meer dan gewoonlijk. Zijn adem rook ranzig. Zijn versleten jas zat onder de vlekken. Hij zag er kortom even onverzorgd uit als altijd. En toch was het iemand die respect afdwong.

Hij overhandigde Philip een foliovel waarvan de inkt nog vochtig was. *Schandalige Belediging van de Engelse Vrijheden!* was de titel van het korte stuk. Philip zei: 'Meneer Edes zit in de Long Room met meneer Hancock te praten, meneer . . .'

Adam griste het papier weer uit zijn handen. 'Dan moeten zij het allebei persoonlijk zien. Die verdomde geruchten waren toch waar. North lokt een ramp uit, én geeft ons precies de gelegenheid waar ik op gehoopt had!'

'Hoe bedoelt u, meneer Adams?' vroeg Philip, terwijl Adams haastig naar de trap liep.

Adams draaide zich om, zijn ogen schitterden van een haast waanzinnige vreugde. Thee, jongeman. Hun godvergeten Thee! Vanmorgen kwam het bericht via een pakketboot binnen. Nog geen maand geleden—op zevenentwintig april om precies te zijn—is er in Londen een wet aangenomen die die verrotte Oostindische Compagnie feitelijk het monopolie geeft over de koloniale theehandel. Om het slinkende kapitaal van de Compagnie te steunen, zijn de uitvoerbelastingen die de Compagnie voorheen in Engeland betaalde afgeschaft. En voortaan mag er hier alleen nog maar thee verkocht worden door agenten die door de Compagnie zijn aangesteld. De Compagnie zal in staat zijn de thee voor een goedkopere prijs te verkopen dan die van gesmokkelde thee en van de thee die door de ordelievende conservatieve handelaren wordt verkocht. Nú zullen die verdomde conservatieve zakenlui moeten toegeven dat ik gelijk had, toen ik zei dat gevaar voor één burger, of één kolonie, gevaar voor iedereen inhoudt.'

'Maar waarom zouden ze die maatregel genomen hebben?' vroeg Philip. 'Ze weten hoe impopulair hij zal zijn.'

'Ze willen ons weer op de proef stellen! En ze voelen zich geenszins bezwaard gebruik te maken van de wet om een stelletje bevoorrechte boeven die de Oostindische Compagnie aan de rand van het faillissement hebben gebracht te redden. Dit is een zaak, waarin wij ons zullen vastbijten, verdomme. En zij zullen de beet voelen, godnogaantoe!' Vol enthousiasme snelde Adams de trap op.

Philip herinnerde zich dat Burke en Franklin het plan hadden besproken dat was voorgesteld om de handelsonderneming te redden. Nu was dat plan realiteit geworden. Of het inderdaad voor Adams en zijn helpers zou aflopen zoals ze gepland hadden, stond nog te bezien. Maar nu er een zoel lentewindje door de open deur van Edes en Gill naar binnen woei, kostte het Philip moeite zich druk te maken over de nieuwe gebeurtenissen. De warme lucht die rook naar de zoute zee en lentebloemen vulde zijn hoofd met erotische fantasieën over Anne Ware. Die beelden bleven in zijn hoofd toen hij naar de pers terugliep en lusteloos een advertentie begon te drukken.

Maar binnen tien minuten kwamen Ben Edes, Adams en de elegante Hancock hals over kop de trap afstormen. Philip moest meteen een pamflet gaan zetten, dat bij zonsondergang aan de Vrijheidsboom zou worden aangeplakt.

4

De zomerhitte zorgde ervoor, dat de crises tussen de koloniën en de Kroon zich verhevigden.

In Engeland was doctor Franklin op de een of andere manier in het bezit gekomen van brieven die door gouverneur Hutchinson en de Provinciale Secretaris van Massachusetts, Andrew Oliver aan een lid van het kabinet van North waren geschreven. De brieven bevatten een openhartig en zelfs grof oordeel over de rol en de activiteiten van de radicalen in Boston.

Franklin zond kopieën van de brieven naar Adams, in de veronderstelling dat deze de belofte aan Franklin, dat zij vertrouwelijk zouden blijven, zou respecteren.

Maar dat was Franklins belofte en niet de belofte van Adams. De laatste las ze een voor een voor op een geheime bijeenkomst van de wetgevende vergadering, en liet daarna meteen de pers van Edes en Gill de volledige tekst drukken.

De brieven toonden op vernietigende wijze aan dat Hutchinson een bedrieger was. Zij lieten hem zien als een man die in het openbaar sympathie voor de kolonisten voorwendde, terwijl hij in het geheim aan Londen adviseerde dat er maar één manier was om tegen de opstandige leiders op te treden: met geweld. Een brief bevatte de boude uitspraak dat *'er enige beknotting van wat men noemt de Engelse Vrijheid moet plaatsvinden'*.

Philip werkte nu dag en nacht aan de pers, terwijl Ware, Warren, Revere en de andere leden van de Long Room voortdurend met nieuwe pamfletten, affiches en artikelen voor de *Gazette* aankwamen. Hij realiseerde zich al gauw dat Adams inderdaad de vonken had gevonden die hij tot een vuurzee zou kunnen aanwakkeren.

De brieven van Hutchinson waren nog maar kleine spaanders. Maar de echte brandstof was het theemonopolie.

Hutchinson had voorgesteld zijn neef aan te stellen als agent en commissionair voor Boston. Zoals Adams had voorspeld waren de Tory-kooplieden onmiddellijk op economische gronden gemotiveerd samen met de liberalen te protesteren. Een koopman schreef zelfs een artikel in de *Gazette* waar onder meer in stond: 'Amerika zal in het stof liggen voor een monster, dat in staat kan zijn elk onderdeel van onze handel te vernietigen, ons van al onze bezittingen kan beroven en ons moedwillig bij duizenden kan laten omkomen van de honger!' Philip was verbaasd. De tijdelijk bekeerde Tory klonk bijna even opstandig als de oude Samuel zelf.

Anne Ware was dolgelukkig met, wat zij noemde, de enorme blunder van de ministers van koning George. Zij voorspelde Philip dat Adams, met de dirigeerstok in de hand, een *fortissimo* protest zou laten weerklinken, dat zelfs tot openlijke vijandigheden zou kunnen leiden. Al heel spoedig zouden de bendes er weer op uit kunnen trekken in Boston. Maar het ergerde Philip in hoge mate, dat Anne eigenlijk alleen maar over de thee-affaire wou praten als zij op zondag samen gingen wandelen.

Om te proberen haar aandacht eens af te leiden van de politiek telde Philip zijn spaargeld en stelde vast dat hij vier shilling kon missen. Eind juni nodigde hij Anne uit op zaterdagavond naar de populaire wassen beelden van mevrouw Hiller op de Clark Kade te gaan kijken. Vroeg in de avond stonden zij voor de deur van het houten gebouw en betaalde Philip de toegangsprijs aan een in vodden gehulde jongen die zenuwachtig op een stoeltje zat te wippen. Het rumoer op de kade verstomde toen de deur achter hen dichtging, en ze zich door gordijnen naar de verlichte zaal begaven. Op voetstukken stonden hier de sierlijke duplikaten van de koningen en koninginnen van Engeland. De lovertjes en het goudddraad van hun glanzende fluwelen kostuums werden beschenen door rokerige lampen die aan de balken hingen. Langzaam liepen Anne en Philip langs de merkwaardig levensechte figuren, wier ogen blind in het licht en de schaduw staarden. Daar was Arthur van de Tafelronde, met zijn vierkante kin, met Excalibur. De knappe Richard Leeuwenhart in de maliënkolder van de kruisvaarder. En de misdadige, gebochelde John. En nog veel meer.

Maar mevrouw Hiller had maar een paar bezoekers vanavond. Misschien kwam het door het weer. Er hing een drukkende mist over de haven en binnen was het nog twee keer zo benauwd. Het scheen Annes stemming te drukken. Zij leek bijna even ver weg als het wassen beeld van koningin Elizabeth met haar hoge witte kraag. Anne stond naar de koningin te kijken zonder dat zij haar werkelijk zag.

'Vind je het niet leuk?' vroeg Philip tenslotte. Hij zweette en voelde zich hoogst onbehaaglijk in zijn nieuwe pak. 'Wij hoeven niet te blijven.'

'O, ja, we moeten de hele tentoonstelling zien,' antwoordde Anne, zonder veel enthousiasme naar het hem scheen. 'Daar is onze huidige koning,' wees ze. 'Het verbaast me dat mevrouw Hiller hem niet aan het eind van de kade in het water heeft gegooid.'

Twee andere bezoekers liepen hen voorbij in het schemerige licht en wierpen grillige schaduwen op de niet al te schone vloer. Onder de volgende lamp bleven zij staan voor het beeld van George III met zijn pafferig gezicht en zijn roze lippen. In zijn schitterende kostuum van blauw satijn en met zijn keurig gepoederde pruik, zag hij er jongensachtig, minzaam en volkomen onschadelijk uit. De wangen van de koning glansden. Misschien was dat de was die in de hitte smolt. Op het voetstuk had iemand een scheldnaam geschreven.

Na een ogenblik stilte schudde Philip zijn hoofd. 'Nee, ik geloof dat we beter weg kunnen gaan. Jij zit aan heel andere dingen te denken.'

Zij draaide zich verontschuldigend om. 'Dat is waar, het spijt me.'

Hij kon zich niet weerhouden een kleine sarcastische opmerking te maken: 'Zullen wij maar wat langs de kade gaan lopen om het weer eens over thee te hebben?'

'Ik maak me zo ongerust over die arme meneer Revere. Vanmiddag kwam hij bij ons binnen met een bordje, dat hij voor papa had gerepareerd.

Hij zag er uitgeput uit. Ik geloof niet dat hij meer dan twee woorden gezegd heeft.'

Dat was tenminste iets wat Philip kon begrijpen. De afgelopen maand was Revere nauwelijks bij Edes en Gill geweest. Begin mei was zijn vrouw, Sara, gestorven. Ben Edes had gezegd dat haar dood hem volkomen had ontredderd.

'Sara Revere had in december dat laatste kind niet ter wereld moeten brengen,' zei Anne. 'Isanna is als een ziek kind op de wereld gekomen en mijn vader voorspelt dat zij dan ook niet lang te leven heeft.' Zij keek Philip op een vreemde, vorsende manier aan. 'Mevrouw Revere was pas zesendertig. Een jaar ouder dan mijn moeder toen die dood ging. Men zegt dat een getrouwde vrouw bij elke baby een tand kwijtraakt. Sara heeft er veel meer verloren, haar leven incluis. Dat is een te hoge prijs voor wat de wereld van een vrouw verwacht.'

'Vrouw en moeder, bedoel je?'

'Precies. Ik wil ook een kind, maar niet ten koste van mijn leven.'

'Ik had al het gevoel dat je je niets aantrok van de ideeën die men in Boston heeft over de manier waarop een vrouw zich zou moeten gedragen.'

Hij bedoelde dat gewoon als een grapje. Maar aan de gespannen uitdrukking op haar gezicht zag hij dat hij een fout gemaakt had.

'Het leven is meer dan baby's, keukens en schoonmaken,' zei Anne zachtjes. 'Dat is het enige wat mijn moeder bezighield. Het heeft haar dood veroorzaakt.'

'Wanneer'—hij aarzelde en kon de vraag bijna niet over zijn lippen krijgen—'wanneer is dat gebeurd?'

'In vierenzestig.'

'Ik heb er nooit aan gedacht je dat te vragen, Anne,—heb je ooit broers en zusters gehad?'

'Een jongere broer, Abraham Junior. Hij heeft maar drie maanden geleefd.'

'Wat was de oorzaak van de dood van je moeder?'

Weer schenen haar ogen dwars door hem heen te gaan op zoek naar het verleden dat haar bleef achtervolgen. 'De pokken. Er was een afschuwelijke epidemie. Bijna vijfduizend mensen zijn er hier aan gestorven. Bijna vijftig aan de voorzorgsmaatregel die hen had moeten redden. Mijn moeder was er een van.'

'Wat voor een voorzorgsmaatregel?'

Verstrooid streek zij met haar hand langs het versleten fluwelen touw, dat hen van de wassen beelden scheidde. Zij antwoordde: 'In het jaar 1721 woedde er ook een epidemie. Een zekere dokter Boylston en dominee Cotto stelden, dat er maar één manier was om levens te redden en dat was door potentiële slachtoffers een kleine dosis van de pokken te geven, via een nieuwe methode die men inenting noemde. Het stadsbestuur van Boston beschouwde dat toen als ketterij. Maar in vierenzestig waren zij bereid om het idee uit te proberen. Mijn moeder nam het vergif van een van de slachtoffers van de pokken in. En zij nam het in op de voorgeschreven manier: op de punt van een naald, direct in een wondje in haar arm. Maar zij werd er niet alleen maar ziek van. Zij stierf er aan.' Na een ogenblik besloot ze: 'Papa heeft het de dokters nooit kwalijk genomen. Het idee was goed. Er werden veel meer mensen door gered dan er omkwamen. Ik geloof dat mijn moeder bereid was te sterven. Ik geloof dat zij eigenlijk al lang tevoren dood was gegaan.'

Haar stem stierf weg terwijl zij over het touw bleef strijken en naar de uitpuilende ogen van Boer George bleef kijken. Philip voelde, dat hij nu een kans had iets van de ongewone geestkracht en onafhankelijkheid van het meisje te begrijpen, een grotere kans dan ooit tevoren. Hij vroeg: 'Wil je me dat uitleggen, Anne?'

Zij keek hem aan. 'Uitleggen wat de oorzaak van haar dood is geweest? Hetzelfde waar Sara Revere aan gestorven is. De wereld laten bepalen wat een vrouw wel en niet mag doen. Baby's opvoeden. Leiding geven aan het personeel. Geen onafhankelijke mening van enig belang er op na houden. Ik heb gezworen, dat mij dat niet zou overkomen.'

'Jou kennende, heb ik zo'n idee dat dat ook niet zal gebeuren.'

'Maar je moet er voor vechten, Philip. De maatschappij verandert niet snel.' Zij keek hem strak aan. 'Wil je dat ik je laat zien wat mijn moeder heeft vernietigd?'

Voordat hij kon antwoorden, weerklonk en een tweede vrouwenstem: 'Anne Ware, liefje! Mijn hemel!'

Uit de duisternis aan het eind van de zaal verscheen een gezette vrouw van middelbare leeftijd met een vrolijk gezicht. Zij liep naar hen toe en nam Annes handen in de hare. 'Ik heb mijn favoriete leerling in geen eeuwigheid gezien. Hoe gaat het met je? Waarom kom je nooit eens langs?'

'Het spijt mij, mevrouw Hiller. Ik vind het erg leuk u weer eens te zien.' Ze wees naar Philip. 'Mag ik mijn vriend, de heer Kent voorstellen? Dit is mevrouw Hiller, de eigenares van de tentoonstelling.'

Zachtjes zei Philip: 'Ik had moeten weten dat je hier al eerder geweest zou zijn.'

'Heel vaak,' glimlachte mevrouw Hiller. 'Maar over het algemeen boven, waar mijn particuliere school voor jonge meisjes gevestigd is. Anne was uitstekend in het weven en borduren. Maar ik zag dat zij het niet van harte deed. Dat kwam doordat ze te veel in de boeken van haar vader snuffelde!' De glimlach op het gezicht van de vrouw kon niet verbergen, dat zij Anne eigenlijk een standje gaf.

'Ja,' zei Anne, 'papa is nog steeds teleurgesteld dat ik de vrouwelijke ambachten wel geleerd, maar nooit beoefend heb.'

'Dat zal ongetwijfeld veranderen als je eenmaal getrouwd bent, zoals het hoort,' antwoordde mevrouw Hiller terwijl zij een snelle blik op Philip wierp, die het steeds benauwder kreeg. De vrouw vervolgde: 'Te veel leren is een belemmering en geen hulp in de keuken, de kinderkamer en de salon, liefje. Onthoud maar goed dat een man van enig belang niet met een vrouw trouwt omdat zij een overheersende geest heeft. Integendeel! Vrouwen moeten onderdanig zijn.'

Anne zuchtte. 'Dan neem ik aan dat ik niet voor het huwelijk in de wieg ben gelegd.'

'Dat zou wel eens jouw ongelukkige lot kunnen zijn,' zei mevrouw Hiller, 'tenzij je van mening verandert.' Maar dat ze erg op haar voormalige leerling gesteld was, kon zij niet verbergen. Zij gaf een zacht tikje op Annes hand en zei: 'Toch ben je nog steeds een leuk, fijn meisje. Je komt me een keer op een middagje opzoeken, hè?'

'Ja, ik zal proberen een paar uurtjes vrij te maken.'

'Goed. En nu moeten jullie mij excuseren, want ik moet gaan kijken of die schelm nog wel bij de ingang zit, of dat hij weer is weggeglipt om rum te gaan drinken.' Haar japon ritselde toen zij haastig wegliep door het gangpad.

Philip zei: 'Anne, ik had je hier nooit naar toe meegenomen, als ik had geweten dat je de tentoonstelling al eerder gezien had.'

'O, ik vind het altijd weer leuk. En het is al een tijd geleden. Meestal was ik alleen in de schoollokalen op de tweede verdieping, zoals mevrouw Hiller al zei. Arme papa. Ik ben bang dat hij al dat geld voor niets heeft uitgegeven. Ik heb een hekel aan borduren!' Zij lachte. 'Ik hoop dat ik je avond niet bedorven heb, Philip.'

'Nee. Maar je hebt me wel weer een paar geheimen over jezelf onthuld.'

'Geheimen?'

Hij knikte en zei: 'Soms denk ik, dat ik je begrijp.'

'En eerlijk gezegd is dat meer dan ik van jou kan zeggen,' plaagde ze.

'Hoe ik er ook op aandring, je wilt me niets over de tijd in Engeland vertellen.'

Nu was hij op zijn hoede en maakte een nonchalant gebaar: 'Dat is allemaal verleden tijd en van geen enkel belang meer. Kom, laten we de frisse lucht ingaan.'

Ze verlieten de tentoonstellingsruimte. Maar buiten was het bijna even benauwd en vochtig. Bij het vallen van de avond waren de fakkels aangestoken. Door de warme, klamme mist van de oceaan konden ze maar een paar meter voor zich uit kijken en waren details onzichtbaar. Terwijl zij voortliepen, doemden bleke, gele gezichten op uit het niets; mannen, vrouwen en een paar kinderen die zich hadden verzameld rond een evenwichtskunstenaar, die zijn kunsten vertoonde op een lange staaf, die aan twee, ver uit elkaar geplaatste vaten was vastgemaakt. Toen hij op één voet een scherpe pirouette maakte, steeg er applaus op en werden er wat munten op een ton gegooid.

Ze lieten de menigte achter in de mist. In de verte hoorden ze het geluid van een bel-boei. Plotseling bleef Anne staan. 'Ik heb je zoëven gevraagd of je zin had om te zien waarom ik zo'n schandelijk persoon geworden ben.'

'Is dat dan iets wat ik kan zien?'

'In zekere zin wel. Dan moeten we nog een paar honderd meter verderop langs de kade.'

'Ga jij maar voor. En vertel me in de tussentijd op hoeveel verschillende scholen je bent geweest. Je hebt het al eens over de middelbare school gehad.'

'Ja. En daarvoor heb ik op een lagere school gezeten. Lagere scholen worden geleid door vrouwen en zijn bestemd voor de jonge kinderen. Jongens kunnen na de middelbare school naar de universiteit. Meisjes moeten naar zo'n academie als die van mevrouw Hiller. Papa dacht dat hij mij een dienst bewees door mij daar naartoe te sturen. Zijn hart zat op de goede plaats. Maar in zijn bibliotheek heb ik veel meer geleerd. Ik ben begonnen met boeken over zedenleer. De boeken van Bunyan. De preken van dominee Mather . . .'

'En toen ben je je gaan bezighouden met Locke, en de politiek?'

'Inderdaad. Ik wil niet zo'n leven hebben als mijn moeder. Ik wil mij best aan de normen houden, als dat moet. Maar dat betekent niet dat ik niet zelfstandig kan denken, en niet ook een andere rol kan vervullen dan kinderen baren, waardoor al je tanden uitvallen!'

Philip wilde lachen. Maar haar stem had weer die gepijnigde klank gekregen. Hij besloot, dat het beter was het onderwerp niet meer aan te roeren, totdat zij op de plaats waren aangekomen, die misschien een beetje zou kunnen verklaren hoe zij zo'n vrijgevochten karakter gekregen had, een karakter waar haar vader klaarblijkelijk slechts in beperkte mate iets over te vertellen had.

Door de dichte, om hen heen warrelende mist wist hij langzamerhand niet meer waar hij was. Plotseling zag hij voor zich iets geels opdoemen. De straat ging hier niet verder. Vlakbij hoorde hij het kabbelen van water. Het was bijna helemaal donker. Anne gaf hem een arm: 'Pas op voor de modder. Ik moet even naar de hut van de nachtwaker voordat wij naar binnen gaan.'

Philip, die voor een raadsel stond, ging met haar mee naar het gele licht. Toen zij dichterbij kwamen, kwam er een gebogen man met sneeuwwit haar uit het bouwvallige kleine hutje strompelen. Hij hief zijn lantaarn omhoog. 'Wie is daar?'

'Ik ben het maar, Elihu.'

De man moest op zijn minst zeventig zijn. Zijn waterige ogen glinsterden in het schijnsel van de lamp. Er verscheen een glimlach op het gerimpelde, tandeloze gezicht. 'Juffrouw Anne! U bent hier al zeker een jaar niet meer geweest, of misschien zelfs wel twee jaar. Hoe gaat het toch met je, kind?'

'Prima, Elihu, prima.'

'En hoe gaat het met je goede vader?'

Hij is kerngezond, dank je. Hoewel hij nog steeds te hard werkt. Dit is een vriend van me, Philip Kent. Mag ik hem iets van de werf laten zien?' 'Maar natuurlijk,' zei de nachtwaker. 'Mij kan het niet schelen wie nu zogenaamd de eigenaar is. Wat mij betreft is hij nog steeds van Abner Sawyer. Roep maar als je de weg kwijtraakt.'

'Dat gebeurt niet,' lachte Anne. 'Ik ken de werf veel te goed.' Zij greep Philip nog steviger bij de arm en leidde hem van de hut naar een hek toe. Een groot, grof geschilderd bord hing tussen de stijlen:

DE SCHEEPSWERF VAN SAWYER

Anne stopte bij het bord en wees naar boven. 'De meisjesnaam van mijn moeder was Sawyer. Dit alles was eens het eigendom van haar vader. Vroeger.' Langzaam liet ze zijn arm los en liep verder met een vreemde, melancholieke uitdrukking op haar gezicht, alsof zij, net als door de mist, door het verleden werd omsloten.

Philip volgde haar. Hij passeerde hoge stapels rommel, en grote hopen grove houtblokken. Toen zag hij dat Anne stil was blijven staan. Hij liep snel achter haar aan. Weer greep zij hem bij zijn arm: 'Pas op!'

Deze keer wees ze naar beneden. Nog een stap en hij was in een manshoge diepe kuil gevallen. Daarachter doemden spookachtige U-vormige ribben op als de botten van een voorhistorisch monster. Na een ogenblik zag hij iets dat op het inwendige van de *Eclipse* leek, zonder de houten romp: de kiel en de ribben van een zeilschip dat op een van de drie houten dokken die naar het onzichtbare water voerden gebouwd werd.

'Je bent bijna in de zaagkuil gelopen, vertelde Anne hem. 'Daar werken een of twee man en hier ook nog eens twee. Met speciale zagen maken zij van de houtblokken twee meter lange planken die naderhand de romp van dat schip zullen vormen.'

'En je grootvader was eigenaar van dit bedrijf?'

'Ja. Hij is in 1714 uit Engeland gekomen, in dienst van een andere eigenaar van een werf. Hij is in Plymouth geboren en getogen. Zijn vader en daarvoor zijn grootvader hadden in de zaagkuilen van scheepswerven gewerkt. Zo is de familie aan de naam Sawyer gekomen, denk ik. Engelse families plachten vaak hun naam aan hun beroep te ontlenen: Carter, Miller, Carpenter . . . er moeten er nog veel meer zijn. Hoewel mijn grootvader aan de wal werkte, hield hij erg veel van de zee. Hij vond het heerlijk schepen te bouwen. Maar in Plymouth waren er meer dan genoeg scheepswerven, dus is hij naar Amerika gevaren. Toen mijn moeder werd geboren, was zijn droom werkelijkheid geworden en had hij zijn eigen scheepswerf. Hij was pas vijfentwintig, maar hij had hard gewerkt. Het werd een succes en hij werd een geslaagde scheepsbouwer. Maar zijn vrouw en hij hadden geen andere kinderen dan mijn moeder. Dat was het probleem . . .'

Ze liep weer verder door de mist, langs het uiteinde van de zaagkuil heen, waar dwarsbalken in de grond waren gestoken om de lange houtblokken te steunen, die van boven en van onderen werden doorgezaagd. Anne liep naar het skelet van het schip. De reusachtige ribben torenden boven hen uit. Philip liet haar doorpraten, want op een of andere manier wist hij, dat zij iets kwijt moest.

'Vanaf het moment dat zij kon lopen was dit het speelterrein van mijn moeder. Zij was dol op de werf. Ik veronderstel dat zij het de gewoonste zaak van de wereld vond, dat zij op een dag de eigenares zou worden. Zij had er nooit op gerekend dat mijn grootvader precies als de meeste Engelsen was. Hij was teleurgesteld dat hij geen zoon had. En hij nam voetstoots aan, dat een vrouw de verantwoordelijkheid voor dit soort werk nooit zou kunnen dragen. Het leiden van een scheepswerf is mannenwerk—' Ze zweeg even. Met een somber gezicht vervolgde ze: 'Zij heeft me verteld dat zij hem er maar één keer naar gevraagd heeft. Ze was toen vijftien of zestien. Ze wilde weten wanneer zij het werk kon gaan overnemen. Zijn assistent worden. Zij kende de praktijk even goed als hij. Hoe je de kiel in elkaar moest zetten. Hoe je precies het geraamte moest opbouwen. Hoe je de planken moest timmeren, moest invetten, moest breeuwen—ze wist het allemaal, omdat ze de arbeiders er mee geholpen had. Daarom vroeg ze het. Ze heeft me verteld dat grootvader Sawyer nog nooit van zijn leven zo gelachen had. De tranen stroomden over zijn gezicht. Hij kon gewoon niet geloven dat het haar ernst was. Hij bedoelde het niet kwaad. Zo was het nou eenmaal in die tijd. Maar ik denk dat hij er de oorzaak van was, dat zij vanaf die tijd langzaam dood is gegaan. Hoewel het het laatste was, dat hij met opzet zou hebben gedaan . . .'

Zij verzonk in gedachten en toen zij verder ging klonk haar stem treurig: 'Vreemd, hoe mensen elkaar kunnen kwetsen. Zonder dat zij het zelf weten. Omdat gewoonte hen daartoe dwingt. Nou ja . . .' Ze haalde haar schouders op en schudde de treurigheid van zich af. 'De weigering van mijn grootvader was de ommekeer in haar leven. Toen mijn vader mijn moeder het hof maakte—hij was net afgestudeerd in Harvard—is zij met hem getrouwd, omdat zij haar droom al had opgegeven. Het jaar voordat hij in eenenvijftig stierf, heeft mijn grootvader de werf verkocht. Hij heeft mijn vader en mijn moeder een deel van de opbrengst gegeven. Een mooi bedrag. Mijn grootvader heeft er nooit een ogenblik aan gedacht terug te komen op zijn weigering mijn moeder datgene te schenken wat zij het liefste wou hebben—maar wat zij niet kon krijgen omdat zij een vrouw was. Toen ik klein was, nam zij mij vaak mee hier naar toe. Alleen om de arbeiders aan het werk te zien. Dat waren de enige momenten, dat ik haar echt gelukkig heb gezien. Als wij weer naar huis gingen, huilde zij altijd een beetje.'

'Wist je vader dat?'

'Dat weet ik niet zeker. Zo ja, dan betwijfel ik of het hem veel kon schelen. Mannenwerk is mannenwerk, punt uit.'

'Maar waarom is ze dan met hem getrouwd als ze zo voelde?'

'Zij hield van hem. En'—met een bittere klank in haar stem—'zij realiseerde zich dat het haar enige mogelijkheid was. Zij begreep tenslotte dat het zelfs ondenkbaar was, dat een vrouw over dit soort werk zou kunnen dagdromen. En dat is het nog steeds. Wat mevrouw Hiller doet, dat is iets anders. Een meisjesschool leiden wordt geaccepteerd. Dat valt binnen het voorgeschreven domein van de vrouw. Voor zo ver ik weet was mijn grootvader een aardige, liefhebbende man. Mijn vader ook. Maar desondanks hebben hun ideeën tot de dood van mijn moeder geleid.'

'Daarom ga jij een andere kant op. Lees je Locke. Bemoei je je met de politiek . . .'

'Ik zal mij ook met het werk van mijn man bemoeien, wanneer'—ze draaide zich om—'wanneer ik weet wie hij is.'

'Anne, je bent een verdomd ongewoon meisje.'

Ze lachte. 'Daar moet ik ook een prijs voor betalen. Ik heb geen kring meisjes van mijn eigen leeftijd om mij heen. En geen heren die meer dan een of twee keer op bezoek zijn gekomen, behalve jij,' plaagde ze. 'En jij bent een Fransman. Amerika is nieuw voor jou, je weet waarschijnlijk niet beter! Hoewel ik plichtsgetrouw naar de kerk ga en de meeste uiterlijke conventies in acht neem, ben ik niet helemaal fatsoenlijk, Philip.'

Op dat moment wou hij zijn handen uitstrekken en haar in zijn armen nemen. Hij hield zich in. Zelfs nu had hij nog te veel ontzag voor haar.

Zij voelde aan, dat het even een pijnlijk moment was en zei: 'Het is donker, wij kunnen beter naar huis gaan.'

Ze lieten de spookachtige ribben van het schip op de dokken achter zich. Zij liepen voorbij de hut, waar de oude Elihu in slaap gesukkeld was.

Philip zweeg. Eindelijk had zij gedeeltelijk uitleg over zichzelf gegeven; hij begreep waarom Ware zo gezucht had, toen zij Locke had geciteerd tegenover de slecht gemanierde grenadier.

Ze verlieten de scheepswerf en het bord dat hoog in de mist stak. Toen ze weer op de harde keien stonden, dacht hij bij zichzelf dat een meisje als Anne Ware voor de meeste gewone mannen te veel zou zijn. Maar had hij zichzelf dan ooit als 'gewoon' beschouwd? dacht hij, terwijl hij daar inwendig om moest lachen.

Zwijgend liepen ze, op hun gemak, als goede kameraden, naar haar huis. Het enige wat de nachtelijke stilte verbrak was het geroep van een nachtwaker: 'Acht uur. Het is een mistige avond. Acht uur!' Hij bleef piekeren over wat zij hem had verteld. Op een of andere manier werd hij alleen nog maar meer door haar gefascineerd. Werd hij nog meer door haar aangetrokken, lichamelijk, maar ook op een andere manier.

Toen ze bij de trap van haar huis gekomen waren, scheen haar humeur te zijn verbeterd, zelfs zo, dat er een echt gemeende lach op haar gezicht was verschenen. 'Bedankt voor het prettige uitstapje, Philip.'

'Ik moet me nogmaals verontschuldigen dat ik je ergens naar toe heb meegenomen, waar je al zo vaak bent geweest. Dat had je mij moeten zeggen . . .'

'Helemaal niet. Ik weet hoe hard je gewerkt hebt voor die vier shilling. Maar ik heb het gevoel dat ik te veel—en te openhartig—heb gepraat. Weet je zeker dat je nog steeds wilt omgaan met een jonge vrouw die er op staat zelfstandig te denken?'

Zijn antwoord kwam bijna tegelijkertijd: 'Dat weet ik zeker.'

Zij lachte. Een warme, volle lach. Plotseling boog zij zich voorover en gaf hem een tedere kus op zijn wang.

Die kus, hoe preuts ook, maakte dat hij zich in maanden niet zo gelukkig had gevoeld. Nadat hij de deur achter haar had gesloten, bleef hij nog een tijd lang in gepeins verzonken op de stoep staan.

5

Het water van de rivier de Charles kabbelde tegen de boeg van een kleine roeiboot. Philip had het bootje voor de middag gehuurd. Hij roeide terwijl Anne achterin zat en over alles en nog wat babbelde. Zij droeg de gele bloemetjesjurk die hij zo leuk vond. Ze had een rieten mand naast zich neergezet.

Meeuwen krijsten in de lucht terwijl Philip de boot naar de grasrijke heuvels op het schiereiland tegenover Noord-Boston stuurde. Het was een zonnige zaterdag in september. Omdat er op het ogenblik weinig te doen was in de drukkerij had hij Ben Edes een middag vrij gevraagd. Hij was opgetogen toen Edes zijn verzoek inwilligde, omdat picknicken op zondag geen passend tijdverdrijf werd gevonden.

Hij roeide langs de keurige, zonverlichte huizen en de pieren van Charlestown. Het dorp lag op het zuidelijke puntje van het schiereiland. Maar zijn blik was voortdurend gevestigd op de heuvels erachter. Twee ervan heetten Breed's en Bunker's.

Daar stonden maar een paar witte boerderijen. Hij had het plan opgevat ergens op die heuvels zijn bedoelingen aan Anne duidelijk te maken. Tijdens de hete zomer waren zijn lichamelijke en geestelijke behoeften bijna onverdraaglijk geworden.

'... en Adams is er van overtuigd, dat andere havens er ook bij betrokken zullen worden,' zei Anne. 'Men zegt, dat er wel een half miljoen pond thee naar de agenten van de Oostindische Compagnie verscheept zal worden. En die stommerik van een Hutchinson zweert nog steeds, dat het plan voor het monopolie afgedwongen zal worden. 't Is fantastisch!'

'Lieve God, we zijn weer terug op het oude onderwerp,' kreunde hij, en het was maar gedeeltelijk voor de grap, dat hij dat zei. 'Ik word doodziek van al die thee, thee, thee!'

'Maar de thee is er de oorzaak van dat wij met zijn allen één front kunnen vormen, wat zo hard nodig is!' zei ze, terwijl de wind van de Atlantische Oceaan door haar haren speelde en ze haar kastanjebruine krullen in toom probeerde te houden. Verderop rolden de golven met witte koppen naar de eilandjes in de haven. Een stel jongens die op een pier van Charlestown aan het vissen waren wuifde naar hen. Anne wuifde terug en zei op haar inmiddels bekende plagerige manier: 'Trouwens, Philip, is er iets interessanters waar wij over kunnen praten? Die avond op de werf heb ik je al dood verveeld met mijn geklets over mijn familie ...'

'Dat is niet waar.'

'Maar we hebben het nooit over jou. Al maanden probeer ik je te verleiden meer over je mysterieuze avonturen in Engeland te vertellen. En het enige wat ik er voor terugkrijg is een gewichtig gezicht. Eerlijk is eerlijk. Ik heb alles onthuld, maar jouw verleden zit net zo stevig op slot als de bruidskist van een oude vrijster. Vind je niet dat wij elkaar nu goed genoeg kennen om vertrouwelijkheden uit te wisselen?'

'Wij kennen elkaar,' antwoordde hij. 'Maar nog lang niet goed genoeg.' Zijn blik bleef op haar borsten rusten terwijl hij plotseling brutaal lachte. Anne kreeg een kleur. Zij streek weer door haar haar. Was ze zenuwachtig? Hij kreeg weer meer hoop, dat de zonnige middag en een stil plekje op een van de heuvels het door hem zo gewenste resultaat hebben.

Ineens greep Anne zijn hand die hij stevig om een roeispaan geklemd had. 'Ik bedoel het niet op jouw manier. Echt, Philip, ik lig elke nacht over je te piekeren.'

'Ben je tot een slotsom gekomen?'

'Dat iets je achtervolgt. Dat je ergens bezeten van bent.'

'Jij ook.'

'Ja, maar ik heb mijn—wat zeggen de Fransen?—mijn zwarte beest uitgelegd. Is het jouwe zo verschrikkelijk, dat je er niet over kan spreken?'

Hij rustte op zijn riemen en dacht even na. Misschien dat hij het verleden wel al te voorzichtig voor zich had gehouden. Hij roeide weer verder en vertelde zijn verhaal.

Hij trad niet in details. Maar vertelde wel het belangrijkste. Hij sprak niet over zijn verhouding met Alicia Parkhurst en draaide de zaak zo, dat Rogers aanvallen vermoedelijk geïnspireerd waren door Lady Jane. Maar ook in de verdraaide versie maakte het verhaal grote indruk op Anne en werd zij er stil van.

Toen hij de roeiboot op de noordoostelijke punt van het schiereiland aanmeerde, bekeek zij hem met nieuwe, aandachtige belangstelling. 'Dan was ik niet ver af met mijn toevallige opmerking.'

'Welke toevallige opmerking?'

'Die opmerking over jouw "lord"-achtige manier van doen. Het is inderdaad waar, dat je wat dat betreft je ergens op kan beroepen. Ik was daar niet helemaal zeker van, toen je dat zei, de eerste keer dat jij bij ons op bezoek kwam.'

'Ja, ik kan me inderdaad ergens op beroepen, zoals je dat noemt. Maar dat heeft geen enkele zin.'

'Heb je die brief van je vader bewaard?'

'Hij ligt in het kistje van mijn moeder. Dat bewaar ik in mijn kamer. Die brief is ook waardeloos, neem ik aan.'

'Weet je wel dat er toch iets van hoop doorklinkt in je stem als je dat zegt?'

'Nee,' loog hij terwijl hij uit de boot op het kiezelstrand klauterde. Hij hielp haar uit de boot en voelde even haar warme borsten tegen zich aan.

Zij pakte de mand uit de boot en zei: 'Wat wil je eigenlijk, Philip?'
'Dat heb je mij al eens eerder gevraagd.'
'Ja, maar ik heb er nooit een antwoord op gekregen. Geen reëel antwoord,
tenminste. Je bent nu voorgoed aan de greep van je familie ontvlucht. Je
moet nu ergens op af koersen, niet gewoon blijven weglopen. Dus wat zal je
doel zijn?'
'Eten.'
Ze lachte. 'Okee. Zullen we naar Morton's Hill gaan? Daar is het plezierig.
Maar als je wilt moet je ook mijn andere vraag beantwoorden.'
Ze klommen omhoog door het geurige hoge gras. Eindelijk gaf hij haar een
antwoord: 'Ik zou later graag iemand van aanzien willen zijn. Eigenaar zijn
van mijn eigen drukkerij.'
'En dan naar Engeland teruggaan om tegenover die mensen met je status te
pronken? Zoals je je moeder gezegd hebt voordat zij stierf?'
'Als ik reëel ben, zoals jij dat noemt, denk ik dat daar geen sprake van zal
kunnen zijn.'
Halverwege de top van de heuvel hield zij hem staande en draaide hem
naar zich toe. Hij zag haar als op een schilderij, met als achtergrond de
groene weiden, de kerktorens van de dorpjes, de daken van de huisjes en de
masten van de schepen in de haven aan de overkant. Sommige van die
masten waren van schepen van een Engels vlooteskader. 'Zelfs nu spreek je
nog niet of je het echt meent, Philip.'
'Verdraaid nog aan toe, misschien weet ik het helemaal nog niet zo
zeker.'
'Weet je nog wat ik je eens gezegd heb — en toen haalde ik de woorden van
Adams aan? Op een gegeven moment zal iedereen een keuze moeten
maken. Daar ontkom je niet eeuwig aan.'
De vastbesloten manier waarop zij sprak, bracht hem van zijn stuk; hoewel
zij even oud waren, leek zij op het ogenblik meer volwassen dan hij. Misschien omdat haar weg al duidelijk in kaart was gebracht.
'Ik weet, dat jij je toekomst al hebt uitgestippeld, ja. Een man aan wiens
zijde je kan leven. Niet alleen de kinderen opvoeden, maar samen met hem
zijn bedrijf of zijn vak tot een succes maken.'
'O, maar dat zal niet meteen gebeuren,' zei zij, terwijl zij weer verder klom.
'Dat zou niet kunnen, zelfs niet als op dit moment de juiste man uit de
hemel kwam vallen. De toekomst is te onzeker. De vraagstukken waar
papa, Adams en de anderen bezeten van zijn moeten eerst opgelost worden, voordat een van ons vrij is om andere dingen na te streven. Voorlopig
is het mijn doel daaraan mee te werken, voor zover ik dat kan.'
'Je bent echt heilig overtuigd van de zaak, hè?'
'Ja. Je weet dat ik me niet van de wereld wil afsluiten, zoals dat van vrouwen verwacht wordt. En ik houd niet alleen van mijn vader, ik respecteer
ook de meeste van zijn ideeën. Behalve de ideeën die hij er op na houdt
over de rol van de vrouw!'
'Dat obstakel schijn je al te hebben omzeild,' zei Philip zuur. 'Hij laat je

doen en laten wat je wilt, nietwaar?'

'Dat is zo. De lieve man heeft zich gerealiseerd dat hij de strijd al lang geleden verloren heeft. Maar hij heeft goede ideeën over recht en politiek, dat is echt waar, Philip. Op die gebieden heeft hij mij beïnvloed. Wat hij belangrijk vindt, vind ik ook belangrijk. Ik heb zelf ook over het een en ander nagedacht, of dat tenminste geprobeerd. Verzet is goed en rechtvaardig. Ik zou zo zeggen dat je tot dezelfde slotsom moet zijn gekomen, na alles wat je in Engeland hebt meegemaakt. De wereld is aan het veranderen. Het volk laat zich niet meer onderdrukken door koningen en mensen met privileges. Je hebt me over die leraar in Frankrijk verteld. Hij wist dat de keus onvermijdelijk was, nietwaar?'

Philip knikte. 'Dat geloof ik wel, ja. Binnenkort zal ik mijn keus maken.'

'Tenzij je te lang wacht en je onder de druk van het ogenblik een keuze krijgt opgedrongen. Geloof me, ik heb genoeg geschiedenisboeken gelezen in de bibliotheek van mijn vader om te weten dat het toeval ook een rol speelt. Maar ik geloof, dat het beter is, dat een man—of een vrouw—uit eigen, vrije wil zijn keuze bepaalt en zich niet eenvoudigweg door de gebeurtenissen laat meeslepen, goedschiks of kwaadschiks.'

'Anne . . .' Zijn blik dwaalde naar de wazige top van de heuvel. Hij zette de mand op de grond. 'Ik heb een keus gemaakt.'

'Welke?'

'Je te zeggen dat ik erg veel voor je voel.' De stilte werd alleen verbroken door het fluisteren van de wind. 'Dat ik heel erg naar je verlang.'

Zij bloosde en pakte de mand op. 'Laten we naar de top lopen. Het vlees is niet lekker meer als we niet gauw . . .'

'Anne.'

Hij hield haar ene arm steviger vast en pakte toen ook haar andere arm. Langzaam trok hij haar naast zich in het ruisende gras. Hij sloeg zijn arm om haar schouder heen, zijn lichamelijke opwinding was nu op een kookpunt gekomen. Op haar bovenlip parelden kleine zweetdruppeltjes en hij vermoedde, dat zij ook opgewonden was.

'Hier heb ik maanden op gewacht, Anne.'

'Philip, ik kan niet. Ik bedoel . . .'

Hij liet haar niet uitpraten maar wierp haar, met zijn arm als kussen om haar heen, achterover in het gras. Zij bood geen weerstand. Maar toen hij languit naast haar ging liggen, keken haar bruine ogen eventjes ongelukkig. Hij boog zich naar haar toe en kuste haar. Teder beroerde hij haar mond, zo wonderlijk zacht en warm. Toen leunde hij op zijn elleboog.

Zij keek hem aan, bijna angstig. Met een klein stemmetje zei zij: 'Ik wist dat als wij hierheen zouden gaan—ik wist dat wij dan—mmmmm!' Na dat kleine, vreemde, bijna treurige kreetje van overgave sloot zij haar ogen en bleef roerloos liggen.

Weer boog hij zich dicht naar haar toe en streek over haar zachte haren. De zon brandde op zijn rug. Zijn heup raakte haar heup aan en zijn hele lijf stond in lichterlaaie.

276

Zij trok zich niet terug. Maar hij voelde iets van verzet, iets van spanning in haar. Vrees?

Weer kuste hij haar. Ditmaal beantwoordde zij zijn kus. Zij sloeg haar arm om zijn nek. Zijn hemd raakte haar borsten. Zij gaf een klagend geluidje, draaide zich naar hem toe en hield hem nog steviger vast, terwijl zij kusten met de hartstocht van de jeugd in de hitte van die gouden dag in september.

Ze kusten elkaar een eeuwigheid, verscholen in het hoge gras, afgesloten van de wereld op het geklingel van koeiebellen in de verte na. Zijn mond streelde haar oogleden, haar geurige haar. Het gras rook naar herfstgeuren, maar geurde niet zo heerlijk als haar bedwelmende adem, toen, eindelijk, haar lippen zich van elkaar scheidden en hij haar zoete mond mocht proeven.

Weer gaf ze een klein kreetje, dat diep uit haar binnenste kwam, toen zij de verandering van zijn lichaam bespeurde. Voelde, want zij lagen ineengestrengeld. Alleen hun verfrommelde kleren scheidden hun jonge lichamen.

Ze hoorden een schipper op de rivier iemand roepen. De hete zon deed hen ondergaan in een warme, groene zee, en joeg hun hijgende ademhaling op en versnelde het strelen van hun zoekende, begerige handen . . .

Voor Philip was er geen weg terug. Zijn bloed klopte als een bezetene. Zijn hand gleed onder de zoom van haar jurk. Even dacht hij dat ze zich wilde afwenden, een geluidje maakte—misschien zei dat ze niet wilde—maar het bonzen van zijn hart maakte hem doof.

Zijn handen gleden hoger. Warme, geheime plekjes deden zijn vingertoppen tintelen. Hij voelde hoe de hartstocht haar lichaam veranderde, net als zijn lichaam veranderd was.

De ruisende wind fluisterde een ver, vreemd lied. In de verte krijsten de meeuwen in de haven. Haar handen gleden over zijn lichaam, zijn handen werden steeds stoutmoediger.

Plotseling duwde zij hem van zich af. Zij deed haar jurk weer omlaag en haar ogen schoten vuur. Zij ging rechtop zitten en streek haar jurk glad. Zij keek hem niet aan.

'Anne, wat is er in godsnaam aan de hand?'

'Dit is dwaasheid, Philip. Het is dwaas en verkeerd. Ik had hier nooit met je moeten komen. Ik had je niet op de gedachte mogen brengen. O, God, wil je me vergeven?' Tranen welden op in haar ogen.

Hij stond op. Zijn haarband was losgeraakt toen zij hem zo plotseling van zich afgeduwd had. Hij keek haar aan. Hij trilde van woede, van verbazing in de plotseling kil geworden wind. 'Ontken je dat je hetzelfde wilde als ik?'

'Ik . . . Philip . . .'

'Je kunt het niet ontkennen.'

Zij sloeg haar handen om haar knieën en boog haar hoofd. Haar stem klonk zoals hij hem nog nooit gehoord had. Onzeker: 'Nee, dat kan ik niet. Maar . . .' Ineens hief zij haar hoof op. Hete tranen biggelden over haar wangen. Toch herkende hij in haar hetzelfde meisje dat hij voor het eerst in de drukkerij van Ben Edes had ontmoet.

'Ik wil het niet.'

'O,' zei hij bijna snauwend, 'zeker omdat een man jou zijn wil oplegt. Dat is het, hè! Nou, dan kan ik je verdomme wel vertellen dat je in dat geval nooit een man zal krijgen die . . . Ach!' Hij draaide zich om, boos op zichzelf.

'Neem me niet kwalijk.' Hij knielde bij haar en nam haar handen in de zijne. 'Aan de manier waarop je kuste vóelde ik wat je wou, Anne.'

'Ja,' zei ze onzeker, 'dat is waar. Het is een mooie, warme dag, we zijn hier veilig, niemand kan ons hier betrappen, maar, Philip, op zo'n manier heb ik nog nooit van een man gehouden, nooit in die negentien jaar. Ik . . . ik kan het niet zomaar doen.'

'Niet omdat een mán het wil?'

'Ik neem het je niet kwalijk, dat je boos bent . . .'

Hij stond op. 'Ik begrijp het gewoon niet.'

' . . . en je zult wel denken dat ik erg preuts ben . . .'

'Je kust niet als iemand die preuts is. Allesbehalve preuts, Anne . . .'

'Luister! Luister toch alsjeblieft! Het was mijn fout. Het was dwaas en gemeen van mij om je zo in verleiding te brengen. Dat heb ik niet zo bedoeld . . .' Ze sprak nu heel snel, terwijl zij de tranen van haar wangen veegde. 'Maar als de tijd daar is, dan . . . dan moet er nog een andere reden zijn dan een hete middag.'

Hij voelde zijn woede afzakken. Hij wist maar al te goed wat zij bedoelde. Hij zei zuur: 'Liefde.'

De pret van het uitstapje was er helemaal af. Anne keek hem nog steeds niet aan: 'Ja. Anders lijk ik net op een hoer die je voor haar diensten betaalt. Kun je dat begrijpen, Philip?'

In de verte klonken de verloren kreten van de meeuwen.

'Ja. Je wilt dat ik nog een tweede keus maak.'

'Nee, ik heb niet gevraagd om . . .'

'Maar, dat is wat je wilt. Daar sta je op, hoewel je het mij niet kwalijk moet nemen als ik dat verlangen van jou niet kan combineren met de andere dingen die je gezegd hebt.'

'Welke dingen?'

'Wat je over je moeder hebt verteld, bijvoorbeeld. Zij is getrouwd omdat dat zo hoorde. Zij heeft zichzelf verbonden. Dat was ook liefde nietwaar? Dat heb je zelf gezegd . . .'

'Ja.'

'En zij is er aan gestorven.'

'Ja.'

'En toch wil jij ook zo'n verbintenis aangaan? Met een man? Zodat jij zelf ook gebonden bent? Is dat die vrijheid waar je zo'n reclame voor maakt, Anne?'

'Voor mijn moeder betekende het huwelijk . . . zich overgeven.'

'En dat is precies wat je wilt, nietwaar?'

278

'Nee. Nee, er is een verschil. Ik weet niet of ik het goed kan zeggen—ik kan niks goed zeggen op het ogenblik—Van iemand houden is een band, ja. Maar zo'n band, met een mens of met een ideaal ga je vrijwillig aan. Je gaat er naar toe, je gebruikt het niet om aan iets te ontsnappen.'

'Sorry, maar het verschil is wel verdomd subtiel. Wanneer weet je met wat voor band je te maken hebt?'

'Je . . . je weet het gewoon. Word je er door bevredigd, of . . . of word je er door vernietigd?'

Hij was te zeer in de war om lang bij zulke gedachten stil te kunnen blijven staan en maakte een geprikkeld gebaar. 'Nou, misschien heb je wel gelijk. Maar wat voor keus je ook voor ogen staat—bevrediging, vernietiging, naar iets toegaan of voor iets weglopen—het is in ieder geval een keuze die ik niet kan maken.'

Zij knikte treurig. 'Ik ben lang niet slim genoeg. Ik wist het, geloof ik, al. En toch heb ik erin toegestemd hier te komen. Wetend wat er zou kunnen gebeuren. En ik wou'—ze richtte haar hoofd op, haar ogen waren vochtig—'en ik wou dolgraag dat het zou gebeuren.'

'Lieg niet tegen me.'

'Ik lieg niet! Het is de waarheid! Maar ik heb een verschrikkelijke fout gemaakt door het zover te laten komen . . .'

Philip knielde weer bij haar neer en hield zijn hand voor haar warme mond. Hij was in de war en voelde zich ellendig. Hij probeerde zijn gevoelens te verbergen achter een kort lachje: 'Je moet jezelf niet de les lezen. Het is mijn fout, juffrouw Ware. Ik was even vergeten dat jij zo'n verduiveld sterke vrouw bent. En dat je zulke positieve ideeën hebt over alle verschillende menselijke handelingen. Je wilt van bepaalde dingen zeker zijn, maar om je eigen woorden te gebruiken, eerlijk is eerlijk. Heb ik daar ook niet het recht toe?'

'Natuurlijk heb je dat.'

'Het spijt me dat ik mijn wil heb willen opleggen. Een man die alleen maar vraagt . . .'

'Hou op, Philip! Ik heb je al gezegd, dat dat er niets mee te maken heeft.'

Hij wist dat dat waar was, hij schaamde zich dat hij haar voor de tweede keer zo had aangevallen. Hij probeerde zijn opgekropte emoties te kalmeren door te lachen; het was een grimas. 'Het is het beste, dat wij er over ophouden. Hier,' hij hief de mand in de lucht, 'laten wij het schapeboutje en het mooie weer niet vergeten.'

'Ik . . . ik ben nog steeds bang dat je boos bent.'

'Ik ben absoluut razend op je, liefje. En het gekke daarvan is, dat ik nog meer naar je verlang dan ooit. Ik sta op springen—God weet hoe dat komt. Ik zou naar de Copp's Hill pier terug moeten roeien en jou hier achterlaten. Maar ik denk dat ik dat wel niet zal doen.'

'Dat verbaast me,' zei ze met een treurige glimlach.

'Werkelijk? Dat hoeft niet. Er'—hij kon niet doen alsof; hij kon alleen de pijnlijke waarheid die recht uit zijn hart kwam uitspreken '—er is iets wat ik in je bewonder, zelfs als je mij afwijst. Misschien, dat ik je bewonder, omdat je mij afwijst. De duivel hale me als ik genoeg van vrouwen begrijp om dat uit te vissen! Maar op jouw eigen manier ben je nog taaier dan die ouwe Adams op zijn wildst. Vooruit.' Hij gaf haar een hand en hielp haar bij het opstaan.

Toen zij de heuvel verder opklommen, vervolgde hij: 'Ik wou dat ik tegen je kon liegen, Anne. Ik wou dat ik kon doen alsof ik je kon geven wat je van mij eist. Dat zou een mooie, keurige oplossing zijn.'

'Maar als je zou liegen, zou ik het weten.'

'Ik durf te wedden dat je daar gelijk in hebt,' zuchtte hij. 'Nou ja, in ieder geval kan ik dat niet. Ik kan niets beloven.'

Zij bleef staan en keek hem aan. Haar ogen gloeiden zo intens, dat zij zijn ziel, of wat dan ook de essentie van zijn wezen was, leken te doorboren: 'Nu niet? Of nooit niet?'

Herinneringen aan Kentland kwamen weer bij hem op, aan zijn moeder, aan wat hij had kunnen zijn—of misschien nog steeds zou kunnen zijn. Verdomme, wát wou hij nou precies?

Hij zei: 'Anne, ik weet het niet.' Hij draaide zich weer om en liep verder naar de zonovergoten top. Hij wou dat het zonlicht hem zou verteren, dat hij er zich helemaal in zou kunnen verliezen, zodat hij niet meer zou hoeven na te denken en besluiten te nemen. Niet meer raadsels zou hoeven op te lossen over de hele verdomde wereld—en zichzelf.

Hij kwam tot bedaren en opende de mand. Kort daarna voegde Anne zich bij hem. Zij ging op het laken zitten, dat hij had uitgespreid. Haar wangen waren nog rood, maar de tranen waren verdwenen.

Philip haalde het eten uit de mand en zei achteloos: 'Ik neem aan, dat je nu niet meer wilt, dat ik bij je op bezoek kom.' Hoewel haar glimlach geforceerd was, wist hij toch niet goed wat hij er van moest denken: 'Dat is het laatste wat ik wil, Philip. Jij zult besluiten moeten nemen, net als deze koloniën. Op de een of andere manier zal er iets van je worden. Ik wil graag te weten komen wat er van je zal worden.' Zij wendde haar blik af. 'Maar jij bent degene die zal moeten beslissen.'

6

De rest van de middag brachten zij door met speculaties omtrent de thee-crisis en flauwe opmerkingen over het mooie najaarsweer. Toen hij terug-roeide naar Boston zwegen ze. Toen zij in Launder Street waren aangeko-men, nam hij haastig afscheid, zonder haar aan te raken. Die nacht kon hij de slaap niet vatten. Door die middag was een vraag haast ondraaglijk duidelijk geworden: wat was zijn ambitie? Zijn toekomst? In hoeverre kon hij de keus zelf maken en in hoeverre zou die bepaald worden door de komende gebeurtenissen?

Hij woelde rusteloos in zijn bed en kwam tot de conclusie dat hij verliefd was op Anne. Niets anders kon verklaren dat hij zich zo verloren, kwaad en verward voelde.

7

Tegen het eind van oktober galoppeerden ijlbodes over de Roxbury Neck die berichtten dat een massabijeenkomst in Philadelphia het ontslag had afgedwongen van de thee-agenten die in die stad benoemd waren. In Boston werd een gelijksoortige bijeenkomst georganiseerd, maar de neef van gouverneur Hutchinson en twee zonen die op die potentieel lucratieve posten waren benoemd, wilden niet zwichten.

Met donderend geweld voeren Adams en de zijnen uit tegen de thee-agenten. Zij scholden hen uit voor verraders en vijanden van Amerika, maar het mocht allemaal niets baten.

Op de zevenentwintigste november werd de Dartmouth, een van de eerste drie schepen met de gehate lading aan boord, voor de kust gesignaleerd.

De volgende nacht werkten Philip en Benjamin Edes de hele nacht door. Zij zetten, corrigeerden en drukten een pamflet, dat de volgende ochtend door de stad werd verspreid en aan de Vrijheidsboom werd gespijkerd:

VRIENDEN! BROEDERS! LANDGENOTEN!

Die allerergste plaag, de verfoeide thee, die door de Oostindische Compagnie naar onze stad is verscheept, is nu in de haven aangekomen; het uur der vernietiging en van daadwerkelijk verzet is aangebroken. Iedere vriend van dit land, van zichzelf en van zijn nageslacht wordt opgeroepen vandaag om negen uur bijeen te komen bij de Faneuil Hall (om die tijd zullen de klokken luiden) om zich gezamenlijk en met succes te verzetten tegen deze nieuwste, slechtste, en meest destructieve maatregel van de overheid.

Philip had er geen idee van wat Anne Ware dacht van de geladen en met het uur explosiever wordende atmosfeer in de stad. Sinds die ene middag had hij Launder Street niet meer bezocht en had hij er steeds voor gezorgd dat hij iets in het kantoortje van Edes te doen had zodra hij haar bij de drukkerij aan zag komen. Hij was er nu niet eens meer zeker van of zijn reactie voortkwam uit liefde voor haar—en zijn angst voor die liefde—of dat het tegendeel het geval was.

Toen het thee-schip aan de Griffins-Kade aanmeerde, verhoogden Edes en zijn vrienden hun activiteiten nog. Voor Philip was dat ook een welkome afleiding van al die weken vol twijfel en zelfonderzoek, weken waarin hij nog steeds niet tot een definitief besluit gekomen was.

8

Het scheen dat hij lichamelijk afstand van Anne kon houden. Maar hij kon niet verhinderen dat zij op andere manieren naar hem toe kwam. Twee dagen na het aanmeren van de *Dartmouth* droomde hij over haar—een heftige, erotische droom waarin hij door mistflarden heen oog in oog stond met haar naakte lichaam. De mistflarden veranderden in dikke rook. Hij kreunde, wentelde zich om op zijn strozak, hoestte en kon de geur van zijn droom zelfs ruiken in de vochtige duisternis..
Rook?
Meteen opende hij zijn ogen. In paniek gooide hij zijn bezwete lakens van zich af. Door zijn plotselinge angst verslapte de erectie die de droom had veroorzaakt. Gehinderd door zijn nachthemd rende hij half-struikelend naar de trap. Hij trapte met zijn blote voet in een splinter toen hij met twee treden tegelijk de trap op vloog. Het rode schijnsel dat van boven kwam was angstaanjagend. De stank van de rook werd sterker. Hij hoorde een knetterend geluid.
Hij stormde door de bovendeur, stoof langs de ingang van het kantoor van Ben Edes. Vlakbij de pers likten gretige vlammen aan een stapel pas gedrukte exemplaren van de *Gazette.*
Het vuur woedde nog niet in alle hevigheid; de vochtige inkt zorgde voor de enorme rookontwikkeling. Hij sprong op het brandende papier af en smeet de vellen zo ver mogelijk van de kostbare pers vandaan, waarbij hij zijn handen schroeide. Bij het rode licht van de vlammen zag hij een houten toorts die op de grond gevallen was. De voordeur hing half uit zijn voegen. Het was duidelijk dat de deur geforceerd was. Hij had kennelijk zo vast geslapen, dat hij de inbraak niet had gehoord.
'Brand, brand!' schreeuwde hij bij de voordeur, in de hoop dat er zo laat nog mensen over straat zouden lopen.
Opgelucht hoorde hij dat andere mannen even later zijn kreet herhaalden, een stelletje lanterfanters die zich in de omgeving van de kroegen bij het stadhuis ophielden, vermoedde hij. Hij stoof naar de pers toe, pakte een teil met zand die daar voor dergelijke noodsituaties stond en leegde hem over de her en der verspreide, brandende kranten. Dat hielp iets.
De stemmen klonken luider in de nauwe Dasset Alley. Philip schreeuwde tegen de half-zichtbare figuren bij de voordeur: 'Laat wie laarzen aan heeft me helpen het vuur uit te stampen!'
Een zwaaiende zuiplap met een rode neus en een wollen sjaal om zijn nek werd door zijn metgezellen naar voren geduwd.
'Een van jullie moet zo snel mogelijk naar het huis van meneer Edes gaan om hem te waarschuwen. Snel!' riep Philip.
Toen Edes een kwartier later arriveerde, was de brand geblust. Het steegje stond nu vol rumoerige en ruziezoekende mensen. Edes kon er maar met grote moeite doorheen komen.
'Vakwerk,' zei Edes tenslotte, terwijl hij de ingeslagen deur bekeek. 'God-

dank, dat je de pers gered hebt.'

'Blijkbaar heeft iemand ontdekt waar de pamfletten aan de Vrijheidsboom vandaan komen.'

De drukker snoof. 'Dacht je dat dat een geheim was? Dit soort dreigementen—en erger— zijn al lang niets nieuws meer voor me.'

Philip opperde de veronderstelling dat een van de Tory-aanhangers de brand wel zou hebben gesticht. Maar Edes verwierp dat idee terwijl hij zijn blik over de menigte buiten liet gaan. 'Nee, m'n jongen, de kooplieden die nog steeds de voeten van Boer George kussen, zijn veel te beducht voor hun eigen hachje—en veel te bang voor de Zonen der Vrijheid—om 's nachts schurkenstreken uit te halen. Het meest waarschijnlijke is dat het soldaten zijn geweest. Van het garnizoen in het William Kasteel. De hooggeëerde mannen van de koning.' Hij spoog op de grond en raapte verbrande resten van de *Gazette* van de grond. 'Zij denken dat zij door een paar vandalenstreken onze protesten tegen de theekwestie de kop in kunnen drukken. Natuurlijk,' voegde hij eraan toe, terwijl er een lach op zijn gezicht verscheen, 'zijn zij waarschijnlijk op het idee gekomen door onze organisatie. Wij hebben ook brand gesticht als de omstandigheden dat vereisten. Nou ja, wij zullen morgen weer moeten drukken. Zij hebben ongeveer eenderde van de oplage verwoest.' 'En zijn er bijna in geslaagd de enige plaats waar ik mijn toekomst op kan bouwen te vernietigen,' riep Philip. 'Dat de duivel ze moge halen, de schoften!'

Ben Edes keek hem goedkeurend aan. Hij stak zijn hand onder zijn hemd en haalde net zo'n medaille te voorschijn als Campbell een keer had laten zien. Hij hing de medaille om de hals van zijn verbouwereerde assistent. 'Een cadeautje, Philip. Wees er trots op. Je hebt hem verdiend met wat je vannacht hebt gedaan. En met wat je zoëven hebt gezegd.'

IV Bijltjesnacht

1

'Philip, je weet, dat er vanavond iets gaat gebeuren. Wij hebben jonge mannen nodig. Ben je van de partij? Ik moet je waarschuwen: het zou wel eens gevaarlijk kunnen worden.' Ben Edes sprak die woorden op de zestiende december, kort na het middaguur. Het was donderdag en guur weer.

Philip veegde de inkt van zijn handen af aan zijn schort en keek Ben recht in de ogen; hij wist precies wat deze bedoelde met 'er gaat iets gebeuren'. Gedurende de negentien dagen dat de *Dartmouth* aan de Griffins kade had gelegen, terwijl haar lading nog steeds in het ruim lag opgeslagen, had het in Boston gewemeld van de geruchten die nergens anders over gingen. In de tussentijd hadden twee zusterschepen, de *Eleanor* en de *Beaver*, eveneens aan die kade aangelegd. Beide met nog meer thee aan boord.

Samuel Adams had er tijdens openbare bijeenkomsten aan het eind van november steeds weer op aangedrongen dat de thee moest worden terugverscheept naar Engeland. De aanhangers van Adams hadden er steeds weer handig voor gezorgd dat de patriottische resoluties op luide bijval konden rekenen. Maar voor de Koninklijke Gouverneur maakte dat geen verschil uit. Hutchinson had de belastingautoriteiten die in de haven patrouilleerden opdracht gegeven de thee-schepen alleen te laten uitvaren als zij een officiële verklaring konden overleggen waaruit bleek dat de belasting betaald was.

Morgen, zeventien december, zou het einde zijn van een belangrijke termijn. Douanebeambten waren twintig dagen na de binnenkomst van een schip gerechtigd aan boord te komen en de lading in beslag te nemen als de belasting niet was betaald. Voor de *Dartmouth* was morgen die twintigste dag aangebroken.

Ben Edes had Philip toevertrouwd dat Adams, met het oog daarop, drie dagen geleden een geheime vergadering had belegd van de Contact-Comités uit Boston en vier omliggende steden. Daar was een plan voorbereid, dat moest worden uitgevoerd in de nacht van de zestiende op de zeventiende, de dag waarop de lading in handen van de kroon zou vallen.

'Zal de gouverneur toegeven?' vroeg Philip. 'Ik heb in de Dragon gehoord dat er nog een laatste bijeenkomst zal zijn om daarop aan te dringen.'

'Ja, er is een bijeenkomst in de Old South Church die vanmiddag om drie uur begint. Maar het valt te betwijfelen of Hutchinson van mening verandert. Zo ja, dan zullen enkele bekenden van mij zeer teleurgesteld zijn. De gouverneur is er zich kennelijk van bewust dat er moeilijkheden op komst

zijn. Hij is naar zijn grote landgoed vertrokken bij Blue Hill in Milton.'
'Ja, dat heb ik ook gehoord.'
'Tenzij hij de *Dartmouth* toestemming verleent weg te varen, zal men zich dus van de thee meester maken. En die toestemming geeft hij niet.'
'Maar de troepen, meneer Edes? Zullen zij de plannen steunen?'
'Dat is de vraag. En tevens het risico. De troepen kunnen uit het garnizoen hier naartoe trekken en ons tegenhouden. En wat nog erger is: als wij op de kade zijn, zijn wij in het schootsveld van het Engelse eskader. Als die ver-domde admiraal Montague er toe besluit een kanonsdruifje of kartets op ons af te zenden om ons van ons protest af te houden, dan zouden wij er wel eens geweest kunnen zijn.'
'Denkt u dat zij de theeschepen en de kade zouden beschieten?'
'Om tegelijkertijd een paar patriotten uit de weg te ruimen? Het lijkt mij niet onwaarschijnlijk.'
Philip huiverde.
Edes zei: 'Natuurlijk is dat niet helemaal zeker. Nu de stemming in de stad zo is, kunnen de kreeften besluiten zich afzijdig te houden. Het hangt er ook van af welke orders aan de soldaten worden gegeven. Orders om ons neer te knallen? Wij zijn niet van plan iemand lichamelijk letsel toe te brengen. Maar ja,' hij haalde de schouders op, 'dat betekent nog niet dat de hel niet kan losbreken. Met opzet of per ongeluk. Dus je bent gewaar-schuwd, jongen. Wat is je antwoord?'
Philip grijnsde. 'Denkt u nou echt dat ik het zou willen missen? Risico of geen risico? Nadat ze getracht hebben de zaak af te branden? Zegt u maar waar en wanneer.'
Edes gaf hem een klap op zijn schouder. 'Bij mij thuis. Er zijn drie groepen georganiseerd, één daarvan bij mij. Kom daar voor zonsondergang, als je de zaak gesloten hebt. Ik heb begrepen dat men op die bijeenkomst in de Old South voor de laatste keer kapitein Francis Rotch zal proberen over te halen vanavond weg te varen. We wachten het resultaat af. Als hij weigert, wachten we op het teken van Sam.'
Daarna trok Edes een wollen jas aan en verliet de zaak.
Philip keek hem na en zag dat het die ochtend drukker dan gewoonlijk was op straat. Ondanks het slechte weer was het in Boston een drukte van belang. Het lijkt wel kermis, dacht Philip zuur. De stemming op straat leek bepaald niet in overeenstemming met de openlijke slag die de wet van de koning zou worden toegebracht. Merkwaardige lui, die Amerikanen.

2

Om kwart voor vijf kwam Philip bij het huis van Ben Edes aan. Het was minder gaan regenen, de winterse schemering had de wolken uiteengedre-ven. De jonge zoon van Edes, Peter, liet hem naar binnen en leidde hem naar de gesloten deuren van de zitkamer. 'Ik mag niet naar binnen, alleen om de rum te serveren,' zei hij verongelijkt.

De jongen klopte aan. Philip hoorde het geroezemoes binnen verstommen. Even later gingen de deuren open. Edes begroette Philip en liet hem binnen. Terwijl Edes de deuren weer sloot, aanschouwde Philip een tafereel waar hij absoluut niet op was voorbereid.

Een groot aantal jongemannen vulden de kamer, die hem geen van allen bekend voorkwamen. Gezien hun kleren waren de meesten handwerkslui. Zij hervatten hun opgewekte gepraat en grapten over de vodden die ze droegen, van gescheurde lakens tot vrouwenhoofddoeken. Maar hun gesprekken leken iets té luidruchtig, alsof iedere deelnemer aan de verkleedpartij zijn angst moest onderdrukken.

Ook Philip voelde die angst. De hele middag waren bezorgde mensen in de drukkerij geweest op zoek naar Edes. Philip had hen doorgestuurd naar de woning van de drukker.

Plotseling zag Philip een bekend gezicht. Revere, de zilversmid. Hij had een deken in een bundeltje onder zijn arm en iets wat leek op vogelveren onder zijn jas. Philip had hem zeker al een maand niet meer gezien. Vanavond flikkerden zijn ogen waakzamer dan ooit tevoren. En zag hij er weer uitstekend uit. Philip nam zich voor hem geluk te wensen met de reden tot die gelukkige ommekeer, als hij daar de gelegenheid voor zou hebben.

Nu ging Edes hem voor naar een glimmende notehouten tafel die midden in de kamer stond. Daarop lag een grote verzameling veelsoortige bijlen. De drukker koos er een uit en gaf hem aan Philip. 'Vanavond zul je een edele wildeman zijn, jongen.' Edes' glimlach verdween van zijn gezicht. 'Wees niet verbaasd als je dit zou moeten gebruiken.'

Philip hield het wapen omhoog en fronste zijn wenkbrauwen. 'Zijn er moeilijkheden op komst?'

'Dat is nog niet zeker. In de buurt van de kade wemelt het van Engelse soldaten. En geen mens die weet waar die verdomde admiraal uithangt. Misschien heeft hij hier lucht van gekregen en brengt hij zijn geschut in stelling. Maar zo'n pietluttige reden zal Adams niet weerhouden het sein voor de actie te geven.'

Het woord 'pietluttig' leek nou niet bepaald geschikt voor een mogelijke beschieting door Engelse marineschepen. Maar Philip zei niets teug.

Edes wees naar een hoop smerige kleren in een hoek. 'Kies iets uit wat je past. Zodra wij de Old South verlaten, smeren we roet op ons gezicht en—ziedaar!—rechtschapen burgers zijn ineens veranderd in wilde Mohikanen.'

Philip pakte een deken uit de stapel en joeg met zijn bezwete hand een vlieg weg. 'Waar dient die vermomming voor, meneer Edes? Ik bedoel: er is geen mens die zich door deze uitmonstering in de luren laat leggen.'

'Nee, maar als de troepen op komen dagen en er herrie komt, heb je kans om zo niet herkend te worden.'

Paul Revere kwam naar hen toe en zei: 'Sommige vermommingen zullen beter zijn dan andere, meneer Kent.'

Edes verwijderde zich en terwijl Philip de deken over zijn schouder sloeg, vervolgde de zilversmid: 'Als je goed kijkt zul je hier en daar een glimp van de kanten kraag van een heer ontdekken. Sommige mensen die ons steunen kunnen het zich nog niet veroorloven ontdekt te worden. Maar toch zullen het prima Indianen zijn. En om nog iets aan wat Ben zei toe te voegen: als wij het op een rennen moeten zetten kunnen we deze vodden snel van ons afgooien. Maar vooruit, tot nu toe is er nog niets gebeurd! Laten wij het vieren nu wij het nog kunnen.'

Revere gaf lachend een van de werklui een wenk en deze overhandigde hun twee mokken rum. Philip merkte nu goed wat een valse vrolijkheid er heerste. De zogenaamde Indianen deden het voorkomen alsof het alleen maar een vrolijk feestje betrof. Maar de avond zou wel eens op iets heel anders kunnen uitlopen.

Hij stopte de onheilspellend scherpe bijl in zijn riem en voelde zich nu een echte misdadiger. Hij dacht met angst en beven aan de Engelse oorlogs-schepen die voor anker lagen. De bevelvoerende admiraal zou toch niet zo gek zijn om zijn kanonnen op de stad te richten? Natuurlijk niet. Maar een ongelukje zat in een klein hoekje. Als iemand eens zijn zelfbeheersing ver-loor . . .

Philip probeerde zich te ontspannen en proostte met zijn mok: 'Meneer Revere, ik moet u gelukwensen met de gelukkige gebeurtenis in oktober.'

'Dank u wel, meneer Kent. Een weduwnaar met een stoet kinderen is niet in staat zowel een huishouden als een zaak te drijven. Het geluk heeft mij toegelachen toen ik juffrouw Rachel Walker ontmoette.'

Nog geen twee maanden geleden was voornoemde juffrouw Walker de tweede vrouw van Revere geworden. Ze stond niet bekend als een grote schoonheid. Maar zij was vriendelijk, intelligent en in staat voor alles te zorgen. En Edes zei dat Revere gedurende de korte tijd dat hij haar het hof maakte weer de oude was geworden.

'Maar het speet mij te moeten horen dat uw jongste kind is overleden,' zei Philip.

'Dank u voor uw deelneming. Arme kleine Isanna. Haar was maar een kort leven beschoren. Maar een man kan niet altijd blijven treuren. Ik heb het droevige verleden de rug toegekeerd en verheug mij in mijn huidige geluk.'

'Ben Edes heeft mij verteld dat u een knap raadsel heeft gemaakt op de huidige mevrouw Revere.'

'Op haar naam, ja,' knikte de ander. 'Neem drie kwart van de plek waar de snoodaard bekent.'

Philip schonk zich nog een mok rum in en zei: 'Is het "rack", de pijnbank? En driekwart daarvan Rac?'

'Met driekwart van de plek die de snoodaard verwenst . . .'

'Hel van "Hell"—dat maakt samen Rachel . . .'

'Het is tijd om te vertrekken, heren!' riep Ben Edes. 'Tijd, heren!'

Philip en Revere sloegen hun rum achterover en de laatste zei: 'De volgende twee strofen leveren de naam Walker op en de laatste twee strofen alleen maar een romantisch compliment, en dat heeft ze verdiend ook. Dus hoop ik van harte dat ik lang genoeg in leven blijf om ons eenjarig huwelijksfeest te vieren.'

'Ik wens het u van harte toe,' lachte Philip. 'En nog vele daarna.'

Zijn hoofd gonsde van de rum. Zijn aanvankelijke angst was verdwenen. Hij voelde zich in net zo'n vakantiestemming als de anderen toen zij haastig de woning van Edes verlieten. Niemand deed een poging zijn vermomming te verstoppen. Snel liepen allen de Marlborough Street door. Ze werden aangemoedigd door mensen die voor hun huis stonden en deden of zij zich dood schrokken: 'Hemeltje, een opstand van de Mohikanen. Kijk eens wat een griezelige tommyhawks!'

Toen zij bij de hoek van Marlborough Street en Milk Street waren gekomen, was het al bijna helemaal donker. Alle straten waren vol mensen. Meer mensen dan Philip ooit in Boston bij elkaar had gezien. Bij de ingang van Old South namen de aanmoedigingen en toejuichingen toe.

Maar de fluitende en klappende mensenmenigte buiten was nog niets vergeleken met de geweldige massa die in de kerk was samengedromd. Elke kerkbank, elk plekje in de gangen was bezet. Overal stonden de mensen op elkaar gepakt.

Edes en zijn mannen konden nog een plekje helemaal achteraan bemachtigen. Boven hen brandden vele kaarsen.

Philip liet zijn blik over de onrustige menigte gaan. Een man, vlak bij Edes fluisterde: '. . . tot nu toe is er vurig gesproken. Adams en Quincy en dokter Warren zetten de mensen nu al twee uur lang in vuur en vlam. Maar nu wordt men ongeduldig. Er zijn al een paar moties tot schorsing ingediend.'

Iemand, van wie Philip hoorde dat hij ene Samuel Savage was, hamerde juist op dat moment weer op uitstel: 'Ik herhaal nog eens: kapitein Rotch is naar het huis van zijn excellentie in Milton en er is geen reden aan de goede trouw van de kapitein te twijfelen. Bovendien zijn onze verschillende steden er erg op gebrand volledig over deze zaak geïnformeerd te worden en willen zij daarom dat deze vergadering tot zijn terugkomst voortduurt.'

De verklaring werd met gehoon en schel gefluit begroet. Philip liet zijn blik rusten op de bovenste galerijen. Plotseling ontdekte hij Ware en Anne tussen de vele gezichten.

Zij staarde naar hem. Hij kon de uitdrukking op haar gezicht niet goed zien. Het leek of ze hem bewonderend maar ook verdrietig aankeek. Misschien dat de bewondering te maken had met zijn aanwezigheid en de andere emotie persoonlijker bedoeld was . . . Hij krabde een vlo weg en knikte haar toe met een aarzelende glimlach. Nauwelijks merkbaar was het knikje, waarmee zij te kennen gaf dat zij hem had gezien.

Nu hij haar daar in de mensenmenigte zag staan, met haar hoedje en haar lief gezichtje, overviel hem een hevig verlangen haar te spreken.

288

Ineens was er beroering bij de zijingang. Er weerklonk een kreet: 'Rotch is terug! Laat hem door!'

Iedereen begon tegelijkertijd te praten. Er moest hard op tafel gehamerd worden om de menigte weer tot stilte te brengen. Een bleke man met doorweekte en bemodderde kleren drong zich naar voren naar de kansel. Philip herkende op een van de voorste rijen het bevende hoofd van Sam Adams. Adams was half uit de kerkstoel opgestaan om beter te kunnen luisteren.

Revere fluisterde: 'Ik zie dat je Adams in de gaten hebt gekregen. Hij is degene die het teken zal geven als wij tot actie moeten overgaan.'

'Ja, dat heeft meneer Edes mij verteld,' knikte Philip.

Eindelijk was de geweldige menigte stil.

'Kapitein Rotch,' zei Savage tegen de man, die er uitgeput uitzag, 'heeft u de gouverneur ontmoet?'

Vermoeid knikte Rotch bevestigend.

'En wat is zijn houding in deze zaak?'

Het was nu doodstil. Philip hoorde de kapitein zeggen: 'Nog steeds dezelfde als een paar dagen geleden. Hij wil alles toestaan dat in overeenstemming is met de wet en zijn plicht jegens de koning. Maar hij herhaalde, dat hij mij geen toestemming kon geven uit te varen zonder dat mijn schip goedgekeurd is door de douane—de belasting betaald is.'

'Nee, nee!' werd er her en der in de kerk geroepen. Weer moest Savage om stilte hameren.

'In dat geval,' vervolgde Rotch vermoeid, 'zou ik vrij zijn toe te geven aan de . . . de publieke opinie, en met de lading naar Engeland terug te varen.'

'Met andere woorden,' zei Savage, 'het staat u op het ogenblik niet vrij de haven te verlaten?'

'Dat is juist.'

'Maar de burgers eisen dat de thee teruggestuurd wordt. Tenzij u vanavond uw anker licht, kan uw schip in beslag genomen worden. Daarom moet u uitvaren, kapitein.'

'Dat kan ik onmogelijk doen,' zie Rotch hoofdschuddend. 'Het zou mijn faillissement betekenen.'

Ergens op de galerij schreeuwde een woeste stem: 'Laten we dan maar eens kijken hoe thee zich mengt met zout water!'

De kreet werd gevolgd door instemmend geschreeuw en voetgestamp.

Philip keek naar Anne en zag dat zij met glinsterende ogen naar de preekstoel keek. Net als alle andere aanwezigen keek zij verheugd.

Weer hamerde Savage om stilte. En weer eens. Totdat Adams opstond. Savage zag hem. Opnieuw werd de menigte stil. Duidelijk klonk die bekende trillende stem door de stilte: 'Ik wil het publiek er aan herinneren dat kapitein Rotch een goed mens is. Hij heeft alles gedaan om aan de wensen van de burgerij gevolg te geven.' Adams draaide zich iets om, zodat hij nu ook de mensen achterin de kerk aankeek. Revere stond haast op zijn tenen. Ben Edes had een rode kleur gekregen.

Adams vervolgde met vlammende ogen: 'Wat er ook vanaf nu gebeurt, laat men niet vergeten dat iedereen de kapitein en zijn schip ongemoeid moet laten.'

Rotch keek gealarmeerd omhoog en veegde het zweet van zijn gezicht.

Adams scheen groter te worden toen hij zich nog meer naar de mensen achterin de kerk draaide. Hij zei: 'Maar met deze vergadering alleen kunnen wij het land niet redden.' Toen maakte hij met zijn gebalde vuist een berustend gebaar.

Philip hield zijn adem in. Dat moest het teken zijn. Het gebrul van Ben Edes bevestigde dit: 'Naar de haven! We gaan thee zetten, haventhee!'

Mannen en vrouwen rezen op en schreeuwden instemmend. Kapitein Rotch riep: 'Wácht!' De rest ging in het tumult verloren.

Revere trok Philip bij zijn schouder naar de deur. Sommige mannen in de buurt van Edes begonnen wilde oorlogskreten te slaken. Philip sloeg de deken om zijn schouder en maakte hem vast. Toen trok hij de kous uit zijn zak en trok die over zijn hoofd. Door het rumoer heen weerklonk nog eenmaal de klap van de voorzittershamer '. . . de vergadering is gesloten.'

Philip werd in de massa voortgestuwd en bereikte uiteindelijk de uitgang. Zwak maanlicht scheen op de daken waarover een ijzige noordenwind woei. Maar die kon het enthousiasme van de honderden—misschien wel duizenden—in de straten niet verkoelen. 'De bendes, de bendes!' bruldden ze. 'Vanavond is de haven een theepot!'

De zogenaamde Indianen krijsten over de menigte heen. Snel trokken zij hun oude jassen en dekens aan, staken kalkoen- en ganzeveren in hun haar en maakten elkaars gezichten zwart met roet, dat zij in zakjes aan hun riem droegen.

Revere streek snel Philips gezicht vol met roet en gaf hem het zakje, om hetzelfde bij hem te doen.

'Lijken we op echte Mohikanen?' wou de zilversmid weten toen Philip klaar was.

Philip knikte en werd tegelijkertijd bijna omvergeworpen door de massa die uit de kerk gestuwd werd. Rechts van hem hoorde hij Ben Edes naar zijn groep schreeuwen. Terwijl hij die richting uitging, hoorde hij Revere schreeuwen: 'Volg Ben naar de Griffins-kade!'

Tegelijk met die roep sloeg de klok van de Old South zes keer.

3

Krijsend baanden de Indianen van Edes zich een weg door de menigte om zich vooraan in de Milk Street te verzamelen. Philip merkte nu hoeveel er in het geheim was voorbereid, want de menigte maakte snel plaats voor de vermomde mannen om daarna hun rijen even snel weer te sluiten en ze te volgen.

Terwijl Edes en zijn mannen op de haven afgingen stonden mensen voor hun huizen met olielampen en even later zag Philip ook brandende fakkels. De bende zong met luide stem en riep verwensingen aan het adres van de koning, zijn thee en zijn belastingen—alles bij elkaar leek het wel op een carnavalsoptocht.

Zelfs Edes zag er vrolijk uit met zijn bijl in de hand en zijn gezicht onder het roet. Hij tuurde in de verte of de andere groepen al in het zicht waren, op weg naar de verzamelplaats in Hutchinson Street, vlak bij Fort Hill. Maar Philip was er zich goed van bewust dat de menigte bij het eerste teken van gevaar vermoedelijk zou verdwijnen en dat het de Mohikanen waren die het eerst gepakt en herkend zouden worden als de Britten zouden ingrijpen.

Inmiddels was het effect van de rum nu geheel verdwenen. Philip voelde die knagende angst weer. Degenen om hem heen eveneens. Men keek heimelijk om zich heen, fronste de wenkbrauwen en beet zenuwachtig op zijn lip. De reden daarvan was iets dat ze tot dat moment nog niet gezien hadden: rode uniformen. Heel wat rode uniformen. Bij de deuropeningen van de kroegen. Op de balkons. Pistolen en zwaarden waren maar al te goed zichtbaar.

De soldaten en officieren die toekeken deden geen poging hun wapens te trekken of tussenbeide te komen. En de menigte liet hen ook met rust, behalve dan met woorden. De Britten beantwoordden die met vloeken en gebalde vuisten, maar verder niets. Wachtten zij misschien op een teken? Philip begon weer te zweten.

Nog eens honderd Indianen stonden te wachten op het afgesproken punt bij Fort Hill. Terwijl zij door Hutchinson Street trokken, nam het krijsen nog in hevigheid toe. De schaduwen van hun veren flakkerden tegen de muren van de gebouwen. Maar de voorste geledederen zwegen plotseling toen zij de hoek van de Griffins-Kade omsloegen. Op hun beurt werden de anderen stil.

De masten, rondhouten en opgerolde zeilen staken af tegen het licht van de heldere sterren aan de hemel. In de verte kon men in de haven duidelijk de lichten van het eskader onderscheiden. Hurkten er kanonniers met lonten achter de relingen?

Nu had zich een flink aantal soldaten gevoegd bij de menigte die de Indianen volgde. Philip zag geen musketten. Nog niet? Philip zocht de daken af naar mogelijke aanvalspunten. Er was daar niets verdachts te zien . . .

Ondanks de schijnbare rust voelde hij zich steeds meer gespannen worden. Ben Edes riep zijn groep hem te volgen aan boord van het schip, dat het dichtst bij het begin van de kade lag, de *Dartmouth* van Rotch. Andere groepen liepen verder naar de *Eleanor* en de *Beaver*, terwijl de kade steeds voller werd met mensen die op de uitkijk gingen staan.

Philip zag mannen voorbij hollen met rollen touw over hun armen. En inderdaad zag hij af en toe een glimp van een kanten manchet, zoals Revere had voorspeld. Binnen een paar ogenblikken was het op de Griffins Kade bijna net zo licht als overdag. Dozijnen lantaarns en toortsen werden omhooggehouden die het schouwspel verlichtten van Edes en zijn mannen die de loopplank van de Dartmouth op liepen en oog in oog kwamen te staan met de gealarmeerde stuurman en een man in het uniform van ambtenaar van de douane.

Het was doodstil geworden op de kade. De aanhangers van Edes volgden hem toen hij naar de stuurman toeliep. Philip plaatste zijn voeten stevig op het wiebelende dek en hoorde over het geluid van de klotsende golven heen de stem van Edes: 'Meneer Hodgon, voor uw eigen bestwil kunt u beter opzij gaan staan, zodat wij aan de slag kunnen. U weet waarom wij hier gekomen zijn?'

Zenuwachtig keek Hodgon naar de mannen die met geheven toortsen en geverfde gezichten in een halve cirkel om hen heen stonden. 'Ja. Kapitein Rotch heeft mij verteld dat zoiets als dit zou kunnen gebeuren. Wij zullen niet tussenbeide komen.'

Alsof dat mogelijk zou zijn! dacht Philip.

De zeeman en de douanebeambte, wiens mond was opengevallen van verbazing, trokken zich terug naar het achterdek. Samen met een paar stomverbaasde matrozen keken zij daar toe hoe Edes zijn mannen aanspoorde.

'Denk eraan: behalve de thee wordt niets en niemand kwaad gedaan. En nu aan het werk!'

Een jonge leerjongen vlak bij Philip schreeuwde uitgelaten. Met een strenge blik legde Edes hem het zwijgen op. De kermisstemming was verdwenen. Edes tuurde zenuwachtig naar de lichten van de oorlogsschepen en Philip en de anderen haalden gauw hun bijlen te voorschijn. Edes gaf de orders. Philip had het al gauw te druk om aan de angst te denken. Hij werd naar de reling aan de havenzijde gezonden terwijl andere mannen al de eerste in zeildoek gepakte kist met een haastig in elkaar gezette takel naar boven hesen.

De kist werd van hand tot hand doorgegeven naar de reling en daar neergezet. Philip en twee anderen hakten hem vervolgens open met hun bijlen. Toen het gat groot genoeg was tilden zij de kist op en stortten de poederige inhoud in zee. Daarna gooiden zij de lege kist ook in zee en begonnen met de volgende.

De vreemde stilte duurde voort. Alleen het hijgen van de mannen, het geknars van de takel, het op de grond ploffen van de kisten, het hakken van de bijlen en de luide plons als de lege kisten in het water neerkwamen verbraken de stilte. Philip en zijn maats moesten herhaaldelijk niezen, want hun neusgaten en ogen zaten vol met heerlijke Bothea-thee. Maar zij bleven hard doorwerken.

De menigte bleef een uur op de kade staan, twee uur. Er was geen aanwijzing dat zij kleiner werd. Maar het aantal rode militaire jassen vermeerderde. Zwetend en hijgend zag Philip de gezichten van de soldaten alleen in een waas. Maar hier en daar kon hij de gezichten van een aantal die het schip dichter waren genaderd onderscheiden. Zij keken ongelovig en razend van woede.

Nog eens keek hij de daken af. Was dat daar niet een Tommy bij die schoorsteen . . .?

Hij wilde wijzen en waarschuwen. Toen besefte hij, dat zijn verbeelding hem parten had gespeeld. De wacht die zich aan zijn hoge uitkijkpost vastklemde, was in burger.

De burgerij van Boston maakte zich niet druk om de soldaten die in groepjes van twee en drie arriveerden. Ze werden nog steeds uitgescholden, maar de soldaten die numeriek nog steeds in de minderheid waren, konden weinig anders doen dan woedende blikken terugwerpen en beloven dat zij vergeldingsmaatregelen zouden treffen.

Meer dan drie uur duurde het vernielen en legen van de kisten. Toen zei Edes: 'Het ruim is leeg. Heeft iemand de kisten geteld?'

'Tachtig hele kisten en vierendertig halve,' luidde het antwoord.

Philip leunde over de reling, hield het niezen in en stak zijn bijl in zijn riem. In zijn hele leven had hij nog nooit zo'n bizar tafereel aanschouwd: de toortsen; de gebiologeerde gezichten van de stille toeschouwers, vriend en vijand; het water langs de kade, vol met kapotte kisten. Het donkere schuim op het water dat door de toortsen werd verlicht; de thee. Als iemand door de wind het water ingeblazen zou worden, zou hij niet anders kunnen denken dan dat hij in een pot thee gevallen was.

Op de twee andere schepen werd geroepen, dat het werk daar ook klaar was. Volgens het bericht in de *Gazette* hadden de drie schepen samen driehonderdtweeënveertig volle kisten aan boord. Philip bedacht, dat er zo heel wat belastingcenten van de koning in het water waren beland. Hij wist eerlijk niet wat hij van de zaak moest denken, eerst die mengeling van ongerustheid en het vrolijk drinken van rum, en nu die vreemde, spookachtige stilte. Een paar mannen waren bezig de resten gemorste thee netjes op te vegen. Hij wreef het zweet van zijn gezicht en knipperde tegen de lichten van het eskader. De aanval was niet gekomen. Hij voelde zich bijna teleurgesteld. De spanning van het wachten op mogelijke vergeldingsmaatregelen was bijna even erg als openlijke vijandigheden.

Hij gaapte en zag dat Ben Edes beleefd naar Hodgon, de stuurman, salueerde, ten teken dat de uitgeputte Indianen konden vertrekken.

Er zouden zeker tegenacties komen, dacht hij terwijl hij de loopplank afstrompelde. Hij had pijn in zijn arm en zijn neus kriebelde nog; hoe zou het anders kunnen? Maar Adams en de rest hadden zich schijnbaar nooit druk gemaakt over mogelijke gevolgen. Toen hij terugdacht aan de poging om de *Gazette* in brand te steken, concludeerde hij dat zij misschien wel gelijk hadden.

Het enige wat hij nu nog wou was: teruggaan naar zijn kelderkamer, die vieze deken die onder de vliegen zat van zich af gooien, het roet van zijn gezicht afvegen en naar bed gaan.

De menigte verspreidde zich. Er waren steeds minder toortsen en lantaarns te zien. Alleen of in kleine groepjes liepen de vermoeide thee-overvallers naar de kop van de kade, waar de leiders van de groepen hen opwachtten en hen complimenteerden:

'Prima werk, heren.'

'Jullie hebben vanavond een goed karwei geleverd voor de zaak van de vrijheid.'

Terwijl aan het eind van de straat het geluid van een pijper weerklonk, greep Edes Philip bij de schouder. 'Een aantal mannen van onze groep gaan naar de Statenzaal.'

'Ik ga liever naar huis. Ik heb de koning voldoende te pakken genomen vanavond, vind ik. Ik kan niet meer.'

Edes glimlachte. 'Daar heb je gelijk in. Gooi dan gauw je vermomming af. Ga je eigen weg, maar ik raad je aan de achterafstraatjes te nemen.'

Philip knikte en vervolgde zijn weg op zijn eentje, terwijl er steeds minder mensen op straat bleven. Hij liep de Hutchinson Street in, zich er amper van bewust, dat twee officieren met rode jassen hem aanstaarden, die in de schaduw van een muur stonden. Plotseling werd hij afgeleid door tumult een paar deuren verderop; er werd een raam opengedaan en Indianen die daar in rijen van twee langs liepen begonnen te schreeuwen. 'Jezus, daar heb je de admiraal!' riep een van de Indianen. Terwijl Edes hem haastig voorbij liep, zag Philip een dikke man uit het raam op de tweede verdieping leunen, met zijn pruik scheef op zijn kop. 'Die laffe hond heeft de hele tijd vanuit een veilig plekje zitten kijken!'

'Inderdaad jongens,' riep Admiraal Montague naar beneden. 'En jullie Indiaanse bokkesprongen hebben jullie een prettig avondje opgeleverd, nietwaar?' Hij wees met zijn dikke vinger naar beneden en zijn stem klonk grimmiger. 'Maar denk er om, dat jullie de muziek nog moeten betalen.'

'O, maak je daar maar niet ongerust over, heer,' riep een van de andere Indianen terug. 'Kom maar naar beneden, als je wilt, dan zullen we meteen de rekening vereffenen!'

Ogenblikkelijk deed de admiraal van het eskader het raam naar beneden. Een seconde later ging het licht in zijn kamer uit. Luidruchtig lachend vervolgden de Indianen hun tocht terwijl de pijper zijn deuntje hervatte.

Philip glimlachte flauwtjes en liep op zijn eentje door. Plotseling hoorde hij snelle voetstappen achter zich. Hij keek om. Twee Britse officieren die snel achter hem aan liepen . . . Waren dat dezelfde als daarnet?

Een van hen wees naar hem. Toen schoof hij een vrouw en twee kleine kinderen opzij. De angst sloeg Philip om het hart.

Hij keek voor zich en versnelde zijn pas. De spanning en de daaropvolgende vermindering van de spanning hadden hem in de maling genomen en hadden hem het gevoel gegeven dat hij veilig was. Hij had kostbare seconden verspeeld, nadat hij die twee toeschouwers was gepasseerd zonder ze goed op te nemen; hij had rustig gelopen, in plaats van te rennen.

Toen hij zoëven achterom keek, had hij het gezicht herkend van de officier die naar hem gewezen had. Het was de lange grenadier met de lange neus en het witte litteken op zijn kin.

Philip liep sneller en keek weer achterom. Hij zag een glimp van een gele lapel. Kapitein Stark riep hem stil te blijven staan.

Philip gooide zijn muts en de stinkende deken van zich af en liet ze achter op de keien terwijl hij het op een lopen zette. Hij hoorde de laarzen van Stark en zijn metgezel achter hem aankomen.

Philip was nog geen twee blokken verder toen hij wist, dat hij ze niet voor kon blijven. Hij was te moe.

4

Wanhopig sloeg hij rechtsaf een onbekend steegje in. Nog eens beval Stark hem stil te staan. Hij schreeuwde met een dikke tong. Had hij misschien gedronken? Zo ja, dan liep hij daardoor toch niet minder snel. Zijn metgezel en hij haastten zich op hun prooi af.

Philip gleed uit in een hoop poep en viel languit op zijn kin. Zijn tanden klapten op elkaar. Hij voelde, dat er iets in zijn mond kraakte en spoog iets wits uit, dat een tinkelend geluidje maakte op de keien.

Buiten adem probeerde hij weer overeind te komen. Met zijn tong voelde hij dat hij een groot deel van een boventand was kwijtgeraakt. Toen hij zich met twee handen overeind probeerde te hijsen, hoorde hij Stark roepen: 'Hier is hij!'

Philip draaide zich om en zag iets glinsteren bij de ingang van het steegje; het zwaard van Stark, uit de schede getrokken.

De andere officier protesteerde dat hij niet verder kon. Een groepje burgers met lantaarns waren in de Hutchinson Street verschenen, op weg naar huis. Twee daarvan zagen Stark met zijn getrokken zwaard, maakten zich los van de groep, grepen de andere officier en begonnen hem te molesteren. Maar Stark was te snel. Hij omzeilde de anderen en rende het donkere steegje in.

Philip stond weer op zijn benen en zette het op een lopen. Hij kreeg steeds meer last van zijn ogen, die nog vol thee zaten. Zijn schouders deden zeer. De angst sloeg hem om het hart toen hij de laarzen van de officier meedogenloos naderbij hoorde komen. Er was er nu nog maar één over, maar Stark had het voordeel, dat hij niet moe was en bovendien vastbesloten.

Het steegje boog schuin naar links af. Philip gooide een hoop afval omver en sprong over een krijsende kat, met ogen die gloeiden als edelstenen. De metgezel van Stark was al lang uit het gezicht verdwenen. Maar de lange kapitein was hem aan het inhalen.

Links doemde een houten schutting op. Behoorlijk hoog, maar misschien dat hij er overheen kon klauteren. Vloekend probeerde hij uit alle macht een houvast te krijgen, had geen kracht meer om zich vast te houden en viel.

Hij viel met een klap op zijn rug. Hijgend. Nu hij niet over de schutting had weten te komen was zijn laatste kans op veiligheid verkeken. Kapitein Stark doemde op en hield zijn pas in. Het zwaard dat hij voor zich hield glinsterde in het sterrenlicht.

De man grinnikte diep uit zijn keel. Philip rook rum. De ogen van de kapitein waren niet zichtbaar. Maar zijn gezicht wel.

Kapitein Stark liep nog een stap naar voren. Philip sprong op en drukte zich met zijn rug tegen de schutting.

'Ik dacht al dat ik je herkende onder het roet,' zei de grenadier. 'Niet alleen dat je de officieren van Zijne Majesteit beledigt, je schendt ook nog eens zijn wetten. Ik neem aan dat ik je voor de rechter kan slepen. Maar ik geloof dat ik het recht deze keer maar eens in eigen hand neem.' Weer grinnikte hij. Een vreugdeloze lach. Hij vervolgde: 'Temeer daar ik betwijfel of iemand zal treuren over een misdadiger. En terwijl jij hier ligt te rotten en de honden je botten likken, zal ik weer mijn opwachting maken bij de jongedame. Onthoud dat als je hier ligt dood te bloeden!'

Zonder waarschuwing stak hij zijn zwaard op de voorgeschreven manier voor zich uit. Toen, met een vliegensvlugge beweging, boog hij zijn rechterknie, stampte met zijn laars op de grond en stootte zijn zwaard met bliksemkracht naar Philip.

Philip wachtte tot het laatste ogenblik, dook toen ineen en stortte zich op de laarzen van de grenadier.

Het zwaard stak in de houten schutting. Kapitein Stark vloekte en trok het zwaard weer los. Inmiddels had Philip zijn armen om het rechterbeen van de man geslagen en bracht hem uit zijn evenwicht.

Met zijn handen in de lucht zwaaiend vloekte kapitein Stark nog eens. Philip liet hem achterover tuimelen. Maar de grenadier was in uitstekende conditie. Al tuimelend gaf hij Philip met zijn linkerbeen een keiharde trap tegen zijn scheen. Philip hinkte achteruit.

Kapitein Stark krabbelde weer overeind. Wit poeder van zijn pruik was op de paarse stof van zijn uniform terechtgekomen. Hij stortte zich naar voren, haalde uit met zijn rechterarm en stootte die met alle kracht omlaag.

Philip dook weg met zijn hoofd. Het zwaard schampte zijn slaap en veroorzaakte een snee, van zijn haar tot zijn kin. Terwijl het bloed hem langs het gezicht stroomde, sprong Philip naar rechts en trok zijn bijl uit zijn riem.

'Gladde kleine hoerenzoon,' hijgde Stark, terwijl hij zich gereed hield om met een horizontale maai Philips hoofd van zijn romp te klieven. 'Opscheppend over je zwaardkunst . . .'

Suizend kliefde het zwaard door de lucht. Weer dook Philip weg en rende bukkend naar voren, zijn hand zo vast om de bijl geklemd, dat het hem pijn deed. Hij wist dat de dronken Stark hem wilde doden en verloor daarom geen tijd met kunstige manoeuvres. Nog een keer dook hij onder het maaiende zwaard door en hakte met de bijl uit alle kracht.

De bijl kliefde door de witte broek in de dij van Stark. Met zijn linkeroog onder het bloed kon Philip amper zien dat Stark verstijfde. Maar hij hoorde de schreeuw van pijn van de grenadier.

Met een hand hield Stark zijn bloederige broek vast en met de andere maaide hij het zwaard naar Philips nek. Zonder te kijken rende Philip naar achteren. Hij struikelde over een van die duivelse vuilnishopen. En viel te midden van rotte groenten en stinkende visgraten.

Zwaar ademend hinkte Stark naarvoren, met zijn linkerhand zijn broek vasthoudend, zijn rechter klaar om toe te steken. De vuilnishoop was glibberig, Philip kon zich nergens aan vasthouden . . .

Kapitein Stark was nu duidelijk in het voordeel. Philip hoorde hem grommen van plezier. De geur van de rum vermengde zich met de stank van groenten en vis. Een seconde lang leek het Philip of hij tegen een reus opzag, wiens hoofd even hoog als de maan scheen. Stark richtte zijn zwaard op Philips onbeschermde keel . . .

Terwijl Philip van rechts met zijn bijl op de grenadier inhakte, voelde hij tegelijkertijd de luchtstroom van het suizende zwaard vlak naast zijn gezicht. De bijl kliefde door de mouw van het uniform en boorde zich tot aan het bot. Voorovergebogen wou Stark het karwei afmaken toen Philip hem in zijn buik schopte.

De hand van de grenadier ging open. Het zwaard viel op de grond, daar zijn doorgesneden spieren zijn arm verlamden. Kreunend zonk hij op zijn knieën. Hij draaide zijn hoofd van links naar rechts alsof hij zijn vijand zocht.

'Jongen . . .' kreunde hij. Ging hij om genade smeken? Philip liet geen tijd verloren gaan om dat te weten te komen. Hij greep het zwaard van de grond en boorde het in de buik van de grenadier, met zo'n kracht, dat het er aan de andere kant weer uit kwam.

Langzaam rolde Stark opzij, zijn ogen puilden uit. De grenadier gaf een gruwelijke kreet van pijn, beefde en was dood.

Philip luisterde, verdoofd.

Behalve dronken stemmen die in de verte zongen, hoorde hij geen enkel geluid. Een kerkklok sloeg half tien.

Philip had Stark uit zelfverdediging neergestoken, zonder er op te letten of er zelfs aan te denken wat hem daarna zou kunnen gebeuren. Nu begonnen echter de meest afschuwelijke dingen tot hem door te dringen. Hij liet zich op zijn knieën vallen en groef in de vuilnishoop totdat hij een plek had gemaakt waar hij de bloederige bijl kon verbergen. Zodat iemand die Stark zou vinden zou denken, dat hij met zijn eigen zwaard was neergestoken. Door een dief, misschien.

Philip stopte het gat vol met vieze groentebladeren en vissekoppen. De kat die hij zoëven had ontmoet kwam aansluipen. Hij likte zijn linkerhand met zijn ruwe tong en gaf een kopje en miauwde.

Door dat gewone geluid verloor hij het laatste restje kalmte. Hij rende weg en liet de dode achter bij de kat in het donker. Hij voelde het bloed op zijn gezicht opdrogen. Hij moest er nu wel bizar uitzien: bloed en roet op zijn gezicht, een halve tand . . .

Hij koos de achterafstraatjes en stopte zo af en toe om van de misselijkheid en de duizeligheid te bekomen. Hij klappertandde verschrikkelijk toen hij eindelijk in Dasset Alley aankwam.

Hij viel twee keer op zijn knieën voor hij de voordeur kon openen. Hij strompelde naar beneden, deed de kaars aan, liep naar de tobbe met koud water en viel flauw.

V Het besluit

1

In de verte klonk geklop. Aanhoudend. Philip opende zijn rechteroog. Hij had meer moeite met zijn linkeroog, want daarop was bloed aan vastgekoekt.

Hij keek naar een strootje bij zijn neus en probeerde zich te herinneren wat er was gebeurd. Hij was gevallen. Te oordelen naar de bijna opgebrande kaars was dat al enige tijd geleden. Kreunend kroop hij overeind. Weer werd er geklopt. Even verscheen er een wilde blik in zijn ogen, als van een gevangen dier.

Hij wist dat zijn misdaad ontdekt was. Stark had de andere, achtergebleven officier verteld dat hun aanstaande slachtoffer voor Edes, de drukker, werkte. Dat was het enige dat het kloppen op de voordeur, boven, kon betekenen!

Zijn hoofd werd helderder. Hij streek met zijn tong over zijn gebroken tand, wachtte even en ademde zachtjes. Misschien dat de nachtelijke bezoeker zou weggaan.

Weer werd er geklopt.

Philip liet de kaars brandend achter en klom zo stil mogelijk de trap op. Bovengekomen liep hij op zijn tenen naar de achterdeur van de winkel. Deze keer werd er niet alleen geklopt, maar ook geroepen: 'Philip?'

Hij draaide zich met een ruk om, rende langs de pers, deed de deur van het slot en rukte hem open. Een schaduw met een capuchon op stond huiverend in de koude wind—een schaduw—maar geen dreigende schaduw. Een vertrouwde.

'Anne!'

Ze werd door de zilveren maan beschenen. Ze glipte langs hem heen, terwijl hij over zijn linkeroog wreef om zijn hoofdpijn te verdrijven. Ze verdween in de donkere winkel terwijl hij de deur weer op slot deed. Hij tastte naar haar hand en voelde haar vingers de zijne drukken. Ze zei: 'Ik moest je zien. Ik heb gewacht totdat vader en Daisy sliepen en ben toen het huis uitgeslopen.'

'Hoe laat is het?'

'Even na drieën.'

'En je bent helemaal alleen van Launder Street hier naartoe gekomen? Lieve God, weet je, dat dat gevaarlijk is!'

'Minder gevaarlijk dan wat jij vanavond gedaan hebt.' Haar stem klonk geëmotioneerd. 'Ik weet niet precies hoe ik moet uitleggen wat ik voelde toen ik vanaf de galerij jou met meneer Edes samen zag. Verbazing. Bewondering. De ware reden waarom . . . waarom ik mij zo ellendig gevoeld heb sinds wij die middag op de rivier zijn gaan roeien. Waarom ben je niet meer langs geweest?'

'Ik dacht dat dat het beste was, dat is alles. Je hebt je gevoelens duidelijk gemaakt. Maar ik kon niet zeggen wat je zo graag van mij wilde horen. Ik . . .'

Ja, vertel het haar. Op dit moment was het absoluut noodzakelijk volkomen eerlijk te zijn.

'Ik kan het nog steeds niet. En nu geloof ik dat ik je beter weer naar huis kan brengen.'

Haar witte ovale gezicht scheen te bewegen; zij schudde haar hoofd. 'Nu nog niet . . .' Zij raakte zijn wang aan, en slaakte een onderdrukte kreet. 'Wat heb je aan je gezicht?'

Hij maakte een grimas toen hij haar koele vingers tegen zijn dichtgekoekte wond voelde. Toen zijn ogen wat aan het donker gewend geraakt waren—alleen een flauw schijnsel van beneden uit de kelder verlichtte de drukkerij—zag hij dat haar ogen wijd open stonden: 'Je bent gewond! Maar, ik heb gehoord dat er geen moeilijkheden zijn geweest op de Griffins Kade! Geen gevechten, niets . . .'

'Op weg naar huis heb ik een ongeluk gekregen. Ik ben gevallen.'

'Zoveel bloed komt niet alleen door een val. Ik wil er naar kijken. Waar is je kamer en waar is er licht?'

Hij hoorde in haar stem weer die stekelige vastberadenheid die een van haar eigenschappen was die hem het eerst had aangetrokken. En haar aanwezigheid—haar bezorgdheid—vrolijkte hem op. Daarom stribbelde hij niet tegen. Hij nam haar hand, die nog koud was, en liep met haar de trap af.

Zij deed haar capuchon af toen zij in de kelderkamer waren aangekomen en inspecteerde zijn gezicht aandachtig. 'Goeie hemel! Dat is een zwaardwond. En je hebt een deel van een tand verloren!'

Anne was bleek geworden. De sproetjes om haar neus leken wel zwart in het schemerige licht.

'Die tand was mijn eigen fout. Ik rende en viel—meneer Revere kan hem wel maken, neem ik aan. Maar God mag weten wie de rest van de schade van vanavond moet herstellen.'

'Je bedoelt niet de thee, hè?'

Hij schudde zijn hoofd en nam haar hand in de zijne: 'Anne, als ik je vertel wat er gebeurd is, moet je mij beloven dat aan niemand te zeggen. Zelfs niet aan je vader, begrijp je?'

Met grote ogen knikte zij. Hij liet haar hand los en keek naar de richel waar het zwaard van Gil lag en naar een nisje daarboven waar hij het kistje van Marie bewaarde.

'Er waren ook een aantal soldaten tussen de menigte toen wij de thee in zee gooiden . . .'

'Dat heeft vader verteld, ja.'

'Een daarvan was Stark, de grenadier. Hij herkende mij. Hij en een andere officier achtervolgden mij. De andere bleef achter. Maar Stark kreeg mij in een steegje te pakken. Er was niemand die het zag, dus had hij de gelegenheid met me te doen wat hij al vanaf die dag in de boekhandel van plan was. Hij had heel wat gedronken, geloof ik . . .'

'En toen hebben jullie gevochten?'

'Ja. En op het eind moest . . . moest ik hem doden.' Tranen welden op in zijn donkere ogen.

Zij vloog op hem af en boog haar hoofd tegen zijn borst. 'O, Philip, wat afschuwelijk.'

'Voor wie?' vroeg hij ironisch.

'Voor jou, natuurlijk. En voor de kapitein. Hij was een slecht mens. Maar de dood is niet zomaar iets.'

Afwezig streelde hij haar weelderige haar en besefte weer dat zij iets groter was dan hij. 'Het is niet de eerste keer dat ik mannen gedood heb, Anne. Maar je hebt gelijk—er is niets leuks aan. Alleen is er de angst achteraf. En de shock. En de wetenschap dat het mij eens zal overkomen—hoe dan ook; ik deed er zo lang over op je kloppen te reageren, omdat ik dacht dat ik herkend was. Misschien door de andere officier. Ik wilde via de achteruitgang wegsluipen toen jij mijn naam riep.'

Er viel een stilte. Anne scheen hem anders aan te kijken dan normaal. Met iets van angst in haar ogen. Toen kreeg haar kracht, die zij in zo'n sterke mate bezat weer de overhand en glimlachte zij.

'Ik ben er zeker van, dat je veilig bent. Ze zullen waarschijnlijk denken, dat Stark door iemand uit de massa is gegrepen.'

'Dat is de andere officier overkomen.'

'Zie je wel? Gezien de slechte reputatie van Stark zal iedereen aannemen dat hij zijn eigen dood heeft uitgelokt.'

'Tenzij Stark mijn naam aan zijn metgezel heeft verteld. Je kunt er niets van zeggen—totdat er iemand komt om mij te arresteren.'

'Maak je daar maar druk over als het gebeurt. Op het ogenblik ben je buiten gevaar. Vooruit, ga zitten, dan kan ik je wond een beetje schoonmaken. God, je zit helemaal onder het bloed. Kun je ergens veilig je hemd verbranden?'

'Ja.'

'Dan is dat het eerste wat je morgenochtend moet doen.'

Met haar zachte maar sterke handen duwde zij hem op de stoel bij de strozak en haastte zich naar de tobbe met water. Zij maakte haar jas los en wierp hem opzij. Vervolgens dompelde zij een handdoek in het water. 'Trek je hemd uit.'

Toen hij dat deed, zag hij dat zij met nieuwe verbazing naar de vrijheidsmedaille keek, die op zijn borst hing. Met een hand hield zij de natte handdoek vast en met de andere pakte zij de medaille. 'Ik wist niet dat jij er een droeg.'

'Een cadeau van meneer Edes. Omdat ik een paar weken geleden de brand heb geblust. Au!' Hij gaf een kreet toen hij plotseling de koude handdoek voelde.

Zorgvuldig veegde zij het opgedroogde bloed weg. Hoewel zij het zo voorzichtig mogelijk deed, was enige pijn onvermijdelijk. Maar hij gaf geen kik meer. En hij begon zich zelfs te ontspannen onder haar behandeling. Toen voelde hij iets onder zijn rechtervoetzool.

Terwijl Anne de handdoek in de tobbe omspoelde waardoor het water een dieprode kleur kreeg, trok hij zijn laars uit. Hij keerde hem op zijn kop en lachte hardop toen er een hoopje thee uit dwarrelde. 'Ik geloof, dat ik dit moet bewaren! Als aandenken aan mijn loopbaan als Indiaan. Wacht, ik weet precies waar ik het in moet stoppen.'

Anne keek glimlachend toe toen hij op een blote voet naar boven hinkte en na enkele ogenblikken in de drukkerij gerommeld te hebben, terugkwam. Hij liet haar een kleine groene fles zien, die normaal de vloeistof bevatte waar de letters mee werden schoongemaakt. Hij had de vorige week de fles leeg gemaakt en een nieuwe geopend, dus de fles in zijn hand was inmiddels kurkdroog geworden. Voorzichtig goot hij de rest van de thee uit zijn laars in de fles. Het was net genoeg om de bodem te bedekken. Hij deed een stop op de fles en legde hem naast het zwaard van Gil.

'Nog een erfstuk van de familie Kent. Om aan mijn kleinkinderen te laten zien dat ik de thee-party van meneer Adams heb meegemaakt.'

Anne gebaarde dat hij weer op de stoel moest gaan zitten en begon zijn linkerooglid schoon te wrijven. Even later deed zij een stapje naar achteren en nam haar werk in ogenschouw. Toen knikte ze. 'Eindelijk schoon. Ga naar buiten en gooi de tobbe leeg, dan probeer ik iets te vinden om de bovenkant van de wond mee te verbinden. Daar is hij het diepst.'

'Denk je dat er een litteken overblijft?'

'Een kleintje. Maar niemand zal ooit kunnen zeggen hoe je er aan gekomen bent.' Zij nam zijn arm en draaide hem om naar de trap. Op die bekende energieke, autoritaire manier waar hij inwendig om moest lachen.

Terwijl hij naar de achterdeur liep, bedacht hij dat hij haar gauw naar huis moest brengen. Hij hoorde iets bewegen bij de pers, waar zij aan het zoeken was naar een schone lap, die in voorraad gehouden werden om overtollige inkt mee af te vegen. De nachtlucht veroorzaakte kippevel op zijn blote lichaam. Hij leegde de tobbe met het rode bewijsmateriaal. Hij liep terug en deed de deur op slot.

Beneden gekomen ging hij weer op de stoel zitten, terwijl Anne een lap in lange repen scheurde. Zij omwikkelde zijn voorhoofd, en bedekte zo het ergste deel van de wond, en maakte aan de achterkant van zijn hoofd een knoop. Met haar handen op de heupen deed zij een stap achteruit en keek voldaan. 'Zo ben je tenminste weer toonbaar.'

De kaars ging uit. Voor het eerst sinds haar komst was hij zich bewust van haar vrouwelijkheid, van haar volle borsten onder haar eenvoudige jurk van paarse zijde. Hij stond op en zocht met zijn hand achter het kistje in de nis.

Anne zei: 'Ik heb altijd willen weten waar je woonde, Philip.'

Hij nam een nieuwe kaars. 'Ik beloof je dat ik op een dag iets beters zal hebben. Meneer Edes houdt een deel van mijn salaris in. Hij geeft mij alleen het kleine beetje dat ik hem vraag voor mijn eten. De rest spaar ik, voor net zo'n drukkerij als deze.'

Hij zag dat zij over zijn schouder naar iets keek. Hij draaide zich om. Het voorwerp van haar nieuwsgierigheid was het leren kistje.

'Daar bewaar je zeker de brief in waarover je me in september verteld hebt?' Hij liep bij de nis weg. 'Ja, maar ik geloof zo langzamerhand dat ik dat nu allemaal echt achter me gelaten heb, Anne.' Hij stak de nieuwe kaars in de houder, na eerst wat was op de rand gegoten te hebben. 'Toen iemand die toorts door de deur had gegooid, heb ik gereageerd op een manier die nieuw voor mij was. Ik was des duivels. Niet alleen meneer Edes wilden zij dakloos maken, mij ook! Het is moeilijk om het goed uit te leggen, maar die nacht heb ik voor de eerste keer begrepen waar meneer Adams steeds op hamert. Dat een bedreiging aan het adres van één man, één kolonie, voor vele anderen ook gevolgen kan hebben.'

Anne zat op de stoel, haar handen rustten op haar schoot, haar wangen schenen in het kaarslicht. 'Ja, je hebt het precies bij het goeie eind. We worden allemaal bedreigd, dus zijn wij er allemaal bij betrokken. Je hebt gezien hoe het zich heeft verspreid. Eerst was Boston hoofdzakelijk het doelwit van de toorn van de koning. Nu breidt de onderdrukking zich hoe langer hoe verder uit. Theeschepen die andere havens aandoen . . .' Zij zweeg even en voegde er toen aan toe: 'Toen ik je vanavond in de Old South zag, vroeg ik me af of je tot een besluit was gekomen over de hele kwestie.'

Hij keek naar de gegraveerde medaille op zijn borst en zei: 'Kennelijk wel. Ik heb er nooit met voorbedachten rade op aangestuurd. Maar ik voelde mij trots toen meneer Edes tegen mij zei dat ik geschikt was om zo'n ding te dragen. Toen zij de thee-party organiseerden heb ik nauwelijks geaarzeld. Dus . . .' Hij lachte en probeerde de verontrustende gedachten aan Marie weg te dringen. 'Ik ben nu een rebel, neem ik aan.' Zijn blik werd ernstiger; zijn glimlach bestierf op zijn mond. 'Zeker nu ik een officier gedood heb.'

Langzaam stond het meisje op. Haar handen beefden zenuwachtig. Zonder haar blik van hem af te wenden zei zij kalm: 'Een van de dingen die ik je vannacht kom vertellen is, dat als jij jouw besluit genomen hebt . . . ik dat ook gedaan heb. Ik moest. Sinds dat tochtje over de rivier heb ik geprobeerd mijzelf voor te liegen. Geprobeerd voor te wenden dat ik niet voel wat ik voel. Net zoals bij jou is er ook iets bij mij gebeurd, die eerste keer. Je zegt dat ik sterk ben, maar ik ben niet sterker dan wat er in mijn hart leeft.'

Zij liep op hem af, verlegen maar beeldschoon. Hij was verbaasd en tegelijk opgewonden door wat haar woorden in wezen betekenden.

'Ik zei, dat ik niet onder woorden kon brengen, wat ik gisteravond op de galerij dacht. Ik geloof, dat je nog niet de helft ervan kunt raden. Maar ik

303

moest hierheen komen om iets te zeggen, dat ik nog nooit tegen iemand heb gezegd . . .'

De blos op haar wangen werd feller. De zoete lavendelgeur van haar lichaam overweldigend.

'Ik wil je als minnaar, Philip. Zonder voorwaarden, zonder beloften, zonder zekerheid over de toekomst of een mooi huis, omdat er niets zeker meer is na de gebeurtenissen met de thee.'

Sprakeloos wilde Philip protesteren. 'Ik ben nog steeds dezelfde die ik in september was, Anne. Niet zeker . . .'

'Dat besef ik volkomen.' Haar hand gleed over haar schouder naar de achterkant van haar jurk. 'Ik zeg het je nog een keer. Geen beloften. Zelfs al blijft het bij deze ene nacht, dan heb ik dat liever dan helemaal niets.' Er glinsterden tranen in haar ogen. Maar zij glimlachte eveneens. Zij maakte haar jurk los en liet die samen met haar lijfje en haar onderjurk naar beneden glijden.

'Wij hebben de tijd,' zei ze. 'Meer dan een uur voordat de ochtendklok luidt.' Zij liet haar kleren over haar middel vallen, wierp zich in zijn armen en zocht met haar mond zijn mond.

Haar stevige borsten raakten zijn borst. Hij trok haar naar zich toe en voelde haar tepels harder worden tegen zijn huid.

'Anne, Anne . . .' Hij streelde haar haar en kuste haar wangen. 'Ik geef wel om je.'

'Dat is dan genoeg,' hijgde ze. 'Voor het ogenblik is dat meer dan genoeg.'

'Ik wil niet dat het pijn doet. Je hebt gezegd dat je nog nooit . . .'

De zachte, zoekende mond liet hem niet uitspreken.

Hij proefde haar zoete tong terwijl zij haar handen tegen zijn rug drukte. Ze gaf een kreetje van verrukking toen hij haar dicht tegen zich aantrok en ze zijn mannelijkheid voelde. Hij had nooit beseft dat onder de oppervlakte van haar verstandelijkheid zo'n vurigheid en hartstocht schuil gingen — hoewel hij dat natuurlijk had kunnen raden, na hun ontmoeting in september, bedacht hij.

Op een bepaalde manier was hij geneigd om hun samenzijn af te breken, voordat het verder ging. De reden daarvoor was simpel. Hij gaf genoeg om haar om toe te geven dat hij niet wist hoeveel hij om haar gaf. En dat eiste dat hij geen pijn mocht doen, lichamelijk of anderszins.

Maar de stilte en de afzondering van de kelderkamer, de flakkerende kaars op de richel, haar kussen en strelingen en de onzekere toekomst bovenal, zwoeren samen om hem over zijn aarzeling heen te helpen. Ze duikelden op de strozak. Anne trok haar kleren uit en wierp ze opzij. Toen richtte hij zich op en kneep de kaars uit zonder dat het hem pijn deed.

Anne greep zijn broekriem. Hij hielp haar. Hij kuste haar gezicht, haar ogen, de zachte vallei tussen haar borsten. En wist dat dat alles nog maar een belofte was . . .

In het dichte duister vlijde zij zich tegen hem aan, niet verlegen nee, maar zoekend met haar handen, toen met haar hele lichaam.

Toen hij bij haar binnendrong, merkte hij aan de krampachtige manier waarop zij zijn schouders vastgreep dat het haar pijn deed. En voor hem was het eind onbevredigend omdat hij zodra hij een erectie kreeg al klaarkwam.

Ze lieten zich terugvallen op de strozak. Uitgeput. Haar geurige haar als een web tegen zijn bezwete borst. Toen ze elkaar loslieten gaf zij een kreetje. Van pijn of van plezier? Hij kon het niet met zekerheid zeggen.

'Verdomme, Anne, ik weet dat ik je heb teleurgesteld.'

'Nee. Nee!'

'Ja. Ik kwam te vlug klaar. En ik heb je pijn gedaan.'

'Is dat . . .' Nog steeds hijgde zij. 'Is dat niet normaal de eerste keer? De volgende keer weet ik hoe het moet. Ik ben nog helemaal niet ervaren . . .' Zij lachte onzeker, maar vol vrouwelijke warmte. Haar vingers bleven hem strelen, gleden langs de omtrek van zijn hand die om haar naakte middel op haar buik lag. 'O! Als papa eens wist dat zijn keurige, kerkse dochter een minnaar genomen heeft! Maar ja . . .' Zij vergezelde haar plagerijtje met lieve kusjes op zijn keel en zijn kin. 'Ik ben tenminste zo verstandig geweest om mij in te laten met een man met de juiste politieke overtuiging.' Zij hield even de vrijheidsmedaille in haar hand, liet hem weer los, drukte haar beide handen op zijn wangen en kuste hem hartstochtelijk.

Ze bleven een tijdje naast elkaar onder de vieze lakens rusten. Weldra raakte hij echter door haar strelende hand en haar stoute vrouwenlachje weer opgewonden. Toen hij haar voor de tweede keer nam, drukte zij hem zonder angst tegen zich aan en gaf zich zonder enige beperking. Zij beantwoordde zijn ritme met even grote heftigheid. In zijn geest barstte de nacht in duizenden schitterende sterren uiteen. Zijn lichaam stond in vuur en vlam en zocht—het hare eveneens.

Steeds sneller en sneller gaven zij zich volledig aan elkaar over. En toen de laatste, verrukkelijke, huiverende ogenblikken voor hen allebei tegelijk aanbraken—ogenblikken van onmogelijke, onverdraaglijke spanning en plotselinge ontlading en vreugdevolle kreten en fluisteringen in het langzaam verkoelende naspel—toen hoefden zij zich niet meer te verontschuldigen.

Deze keer was het volmaakt geweest.

2

Geeuwend en fluisterend, elkaars hand vasthoudend, liepen zij 's morgens in de kou naar Launder Street. Zij gaven elkaar een kuise zoen en hij beloofde dat hij zondag langs zou komen. Haar ogen gloeiden toen zij voor de laatste keer zijn gezicht aanraakte en naar binnen glipte.

Met haar stralend beeld voor ogen wandelde hij weer terug naar Dasset Alley, onderwijl een deuntje fluitend, ondanks zijn vermoeidheid. Hij schopte tegen een stukje ijs, op een laag gedeelte van de straat, stopte zijn koude handen in zijn zakken en vroeg zich af of een mens ooit volledig zelf zijn bestemming kon bepalen. Het leek er niet op. De ontmoeting met kapitein Stark was toeval geweest. En misschien dat Anne Ware zichzelf niet gegeven zou hebben, als niet de zwaardwond bij haar extra sympathie en bezorgdheid had gewekt en haar over de emotionele drempel heen had geholpen.

Hij liep verder in de ochtendschemering. De lucht kleurde opaalachtig. Het was een miraculeuze nacht geweest. Zijn toekomst zou er op zoveel manieren door beïnvloed worden, dat hij ze niet eens kon tellen. Toch voelde hij zich tevreden.

Een besluit noemde Anne het. Eigenlijk was het een hele serie beslissingen geweest. Kleine, incidentele beslissingen.

Zijn woede na de mislukte brandstichting. Edes die hem de medaille gaf. De thee-party waarbij hij zich dientengevolge in een opwelling had aangesloten. De noodzaak met de grenadier af te rekenen. Het feit, dat hij toch aan Annes liefde toegaf hoewel hij zijn bedenkingen had over de toekomst. Nou ja, ondanks haar verzekeringen was hij nu gedeeltelijk aan haar gebonden, net zoals hij verbonden was met de zaak van de patriotten. Geen van beide gevolgen had hij voorzien.

Hij kon zijn adem zien. In de stilte klonk de stem van een nachtwaker die riep dat het half zes was en dat het vandaag helder zou worden. Hij accepteerde de loop van het lot zonder spijt.

Hij sliep vast en gelukkig gedurende een uur—totdat Edes hem kwam wekken om aan de slag te gaan.

3

Edes vroeg direct aan zijn jonge assistent hoe hij aan die gebroken tand was gekomen en aan het verband om zijn hoofd en aan de wond die onder het verband nog zichtbaar was.

Philip had al besloten dat hoe minder mensen van zijn geheim op de hoogte waren, hoe beter het was. Hij zei dat hij zijn tand had gebroken en die wond had opgelopen toen een paar dronken Britse officieren die bij de thee-party aanwezig waren geweest hun wraakgevoelens op hem wilden botvieren.

Het was waar, al was het maar de halve waarheid.

'Ik was sneller dan zij,' zei Philip. 'Ik ben hard op mijn gezicht gevallen en daarna ben ik in het donker tegen een muurtje gebotst en heb mijn gezicht verwond. Dat is alles.'

Edes knikte en accepteerde zijn uitleg zonder commentaar. Een uur later verliet hij de winkel. Philip nam de gelegenheid te baat om zijn bebloede hemd uit de kelder te halen en het in een kacheltje in het kantoor van Edes te verbranden.

4

Anne Ware kwam nu weer regelmatig in de drukkerij met de kopij van haar vader. Zo af en toe maakte Philip uit de onderzoekende blikken van Edes op, dat het misschien wel duidelijk was dat zij een verhouding hadden.

Natuurlijk gedroeg Anne zich altijd als een dame. Maar zo af en toe liet zij haar hand op de zijne rusten, terwijl zij hem het laatste verontwaardigde stuk van Patriot liet zien. Edes miste het stille spel niet, maar maakte er geen opmerkingen over.

Gedurende de dagen die volgden kregen Philip en Anne geen gelegenheid alleen te zijn. Wanneer hij op zondag het huis in Launder Street bezocht was Ware meestal aanwezig of tenminste Daisy O'Brian, de kokkin. Het was te koud om ergens buiten een plekje te zoeken om te vrijen. En hoewel zij natuurlijk de kelderkamer konden gebruiken, wilde Anne niet het risico lopen dat men zou zien dat ze op zondagmiddag de winkel in Dasset Alley inliep. Zoals zij zelf had gezegd, was zij nog steeds zo verstandig zekere normen in acht te nemen.

Wel was de blos op haar wangen dieper geworden, alsof de winterkoude de zomerse kleur van haar huid niet kon vervagen. Het bewaren van hun gezamenlijke geheim bezorgde hun veel pret.

Een uur voordat de klokken van de stad het nieuwe jaar 1774 zouden inluiden, fluisterde Anne vrolijk: 'Ik geloof dat Daisy een vermoeden heeft. Heb je niet gemerkt hoe zij naar ons zit te staren?'

Philip keek uit het raam. Het sneeuwde. De lichten in de andere huizen in Launder Street waren vaag te zien. In de haard van de Wares knapperde een vrolijk vuurtje. Annes vader had zojuist een toost uitgebracht op het nieuwe jaar en snurkte nu als een slapende kikker, zijn vlezige handen op zijn buik. Hij zakte steeds meer onderuit in zijn stoel.

Philip had zijn nette pak aangetrokken. Hij grinnikte naar Anne. 'Nee, ik heb je kokkin en haar blikken niet gezien. Het enige dat ik wil zien ben jij.' Hij pakte een glas rode wijn en proostte.

Anne liep naar hem toe, pakte het glas uit zijn hand, nam een slokje en leunde tegen hem aan. Philip keek naar de slapende advocaat. Ware leek ongeveer uit zijn stoel te glijden. Hij snurkte en zijn ogen bleven gesloten.

Philip sloeg zijn arm om haar middel.

Zij keken naar de sneeuw en Anne vervolgde: 'Arme Daisy. Zij verlangt verschrikkelijk naar een man. Haar vader is weduwnaar en heeft een boerderij in de stad. Ze heeft mij gezegd, dat ze zelfs een Tory zou nemen, als er maar iemand was die naar haar keek. Ik heb de echte treurnis van haar verlangen nooit begrepen totdat wij . . . Nou ja, je begrijpt wel. O, Philip! Wat is het heerlijk om zich zo dicht bij iemand anders te voelen. Ik zou zo graag willen dat Daisy iemand zou vinden.' Zij zette het glas op een tafeltje, draaide zich om en nam zijn gezicht in haar handen. Ware bleef maar doorsnurken. Anne keek Philip recht in de ogen.

'Ik zou graag willen dat zij even gelukkig was als ik. Hoewel het *huwelijk* geen deel van de afspraak is!' Zij kuste hem teder op zijn lippen.

De wijn had hem een warm gevoel gegeven. Hij antwoordde: 'Ja, maar anderzijds heeft niemand gezegd, dat het uitgesloten is.'

'Dat weet ik. Maar als je je maar niet gehouden voelt door wat er gebeurd is. Ik heb het eerder gezegd: de maanden die voor ons liggen zijn te onzeker. Laten wij zoveel mogelijk profiteren, zolang het nog kan.' Zij wierp nog eens een blik op de slapende advocaat. Toen lichtten haar ogen op: 'Heb je ooit het kleine schuurtje achter het huis gezien?'

Hij hield zijn gezicht in de plooi en zei: 'Nee, juffrouw Ware, ik geloof het niet.'

'De vorige eigenaar heeft het gebouwd. Wij maken er geen gebruik van omdat papa niet iemand is die een koe gaat melken om een paar centen te sparen. Er ligt een grote stapel hooi in de schuur. Als je wilt, kunnen wij het nieuwe jaar op onze eigen manier inluiden.'

'Anne Ware,' lachte hij, 'je bent werkelijk een schandalig wezen.'

'Nee,' zei zij, 'ik ben alleen verliefd.' Zij nam hem bij de hand en ze liepen de zitkamer uit.

Zij hielden stil bij de keukendeur om te zien hoe het met Daisy was. De rode wijn die haar werkgever haar had gegeven had haar in slaap doen vallen.

'Iedereen in huis slaapt,' riep Anne fluisterend. 'Een goed voorteken om vierenzeventig te vieren, vind je niet?'

'Inderdaad, juffrouw Ware. Gaat u maar vooruit!'

Zij slopen door het achterportaal en met veel pret in hun samenzwering door de witte sneeuw. Op het dak van het schuurtje leek de grote hoop sneeuw wel op een wittebrood. Binnen was het lekker warm in het hooi. Die nacht vreeën zij niet zo haastig als de eerste keer. Zij maakten eerst tedere grapjes met elkaar. En alles ging met zo'n openhartigheid gepaard, dat Philip zich afvroeg of het huwelijk met dit intelligente, gretige meisje niet even eindeloos bevredigend zou zijn als de ogenblikken die zij nu met elkaar deelden.

Anne aarzelde in het geheel niet lichamelijke passie te tonen. Hoewel zij moesten lachen dat zij tijdens het vrijen de helft van hun kleren nog aanhadden, kwamen zij allebei toch tegelijkertijd heerlijk klaar, precies op het moment dat de klokken van Boston begonnen te luiden.

Even later werd Philip weer geconfronteerd met de meer praktische en harde kanten van haar karakter. Zij streek haar jurk glad en zei: 'Heeft mijnheer Knox je al een bezoek gebracht?'

'De eigenaar van de boekhandel? Nee. Is hij dat dan van plan?'

'Een paar dagen geleden heb ik hem verteld dat jij misschien in aanmerking zou komen voor . . . maar het is misschien beter, dat hij het je persoonlijk uitlegt.'

'Wat uitlegt?'

'Henry zal je dat duidelijk maken.'

308

'Kijk eens hier, juffrouw. Je bent me weer aan het pesten.'
'Een beetje maar.' Zij keek hem ernstig aan. 'Toen je die medaille van Ben Edes geaccepteerd hebt, heb je je aan iets gebonden, Philip.'

5

Een paar dagen later kwam de dikke Knox de drukkerij binnenstappen. Hij was gehuld in een lange jas, zijn krullend haar was niet gepoederd en zijn optreden was zakelijk. 'Meneer Kent, weet u dat er overal in de stad en in sommige streken van het platteland vrijwilligers-compagnieën worden gevormd?'
'Vrijwilligers? Ja, wij hebben er in de krant stukken over gedrukt. Waarom vraagt u dat?'
Knox kwam een stapje naderbij. 'Omdat ik vrijwilligers rekruteer voor de Bostonse Grenadierscompagnie. Kapitein Pierce is de commandant en ik ben een van zijn luitenants. Als er moeilijkheden ontstaan als resultaat van de thee-party, willen wij daarop voorbereid zijn.'
Meteen bekeek Philip de man met nieuwe belangstelling. Het was duidelijk dat Knox goed ontwikkeld en beschaafd was. Zijn corpulentie deed allesbehalve denken aan een soldaat. Maar hij had scherpe en vastberaden ogen.
Knox vervolgde: 'Wij hebben mannen nodig om de gelederen te vullen. Liefst moeten zij een meter tachtig lang zijn, maar als wij niet genoeg mannen van die lengte kunnen vinden, kunnen zij ook kleiner zijn. Van bepaalde wederzijdse vrienden heb ik gehoord, dat uw geestkracht en toewijding aan onze zaak zeker zal opwegen tegen uw lengte. Wij exerceren een keer per week, en de vergoeding is minimaal. Maar ik ben vol vertrouwen, dat Ben Edes u die tijd vrijaf wil geven. Als u niet weet hoe u een musket moet laden en afvuren, zullen wij u dat leren.'
Philip besefte dat Anne Knox op zijn juiste waarde had geschat. Hij wendde tegenover de Britse officieren, die van zijn winkel een officieuze salon hadden gemaakt, belangeloze vriendelijkheid voor, terwijl hij ondertussen hun tactische en strategische geheimen aan de weet kwam.
'Ik heb een paar keer met een Brown Bess geschoten. Maar dat is al een paar jaar geleden.'
'Als u er de eerste keer geen moeite mee hebt gehad, zult u de slag gauw weer te pakken krijgen.' Knox hield zijn hand met de zijden sjaal er om gedrapeerd omhoog. 'Wegens een jachtongeluk is het hanteren van een musket mij onmogelijk, zoals u misschien al eerder heeft opgemerkt. Ik neem aan dat zij mij daarom officier hebben gemaakt,' voegde hij er met een lachje aan toe. 'Voordat u een besluit neemt, moet ik er nog aan toevoegen dat elk lid van de compagnie zelf moet zorgen dat hij een musket bemachtigt. Het is niet zo makkelijk er aan te komen, tenzij je een boer bent die er eentje boven de haard heeft hangen. Maar wij zijn niet erg nieuwsgierig hóe

iemand aan een musket komt, als hij er maar een heeft. In de tussentijd oefent hij met een stok.'

Philip probeerde zijn lachen in te houden. 'Een stok?!' Meteen wist hij dat hij iets verkeerds had gezegd.

'Wees ervan overtuigd, meneer, dat wij niet met kinderspelletjes bezig zijn. Men kan heel goed leren een musket te laden en af te schieten zonder dat men beschikt over kruit, kogels en het wapen zelf. En als men die heeft'—er verscheen een vastberaden uitdrukking op Knox' gezicht—'zal men in staat zijn ze te gebruiken.'

Philip huiverde. Het was een grote stap, van het organiseren van de thee-party naar het organiseren van militaire eenheden, een veelbetekenende stap. Hij fronste en vroeg de boekhandelaar: 'Gelooft u werkelijk dat het tot openlijke vijandigheden zal komen?'

'Wie weet wat wij kunnen verwachten als de rapporten van Hutchinson over de thee-affaire in Engeland aankomen—en die zullen nu ongetwijfeld aangekomen zijn. U bent aanbevolen als iemand die in onze eenheid zou passen. Als die aanbeveling een vergissing was . . .' Zijn onafgemaakte zin en zijn uitdagende blik lieten er geen twijfel over bestaan wat zijn opinie zou zijn als Philip een negatief antwoord zou geven. De stormen waren nu werkelijk opgestoken, en voerden hem mee . . .

'Goed, meneer Knox. Ik doe mee. Als meneer Edes akkoord gaat.'

Knox gaf hem een klap op zijn schouder. 'Daar kun je zeker van zijn! Nadat je eenmaal formeel zijn toestemming hebt gekregen, kom je naar mijn winkel en dan regelen wij de papieren.'

6

Een paar dagen later had Philip een paar uur vrij om zijn eigen zaken te regelen. Hij ging naar de boekhandel van Knox om de vereiste formulieren te tekenen. Toen naar de North End waar hij Revere hoopte te treffen.

Het dooide. De ochtendzon scheen over de dakpannen en de sneeuw begon te smelten. Hij liep North Square op. Het wemelde van kooplieden en kopers op het plein die langs de kleine kraampjes liepen die daar 's ochtends waren neergezet. Een paar dagen per week fungeerde North Square als een van de drie voornaamste marktpleinen van Boston.

Philip slenterde langs paardekarren waar verse groente en brandhout van het platteland werd uitgeladen. Hij baande zich een weg langs de kooplieden die handelden in vaatjes boter, manden met verse peperkoeken en kakelende kalkoenen. De kopers waren voornamelijk huisvrouwen uit de stad met manden aan hun arm. Zij waren vrolijk aan het loven en bieden met de boeren of hun glimlachende, maar vermoeid-ogende knechten; Philip zag, dat enkelen van hen zwarten waren. Er heerste een gezellige drukte. En het geurde naar alles en nog wat: oesters, gepekeld varkensvlees, makreel, roggemeel, hammen, stukken wildbraad en nog veel meer. Reveres kleine, puntige huisje stond tegenover het plein.

Philip stond net op het punt de trap naar de winkel af te lopen toen er een paar huizen verderop rumoer ontstond. Hij schermde met zijn hand zijn ogen af tegen de zon en zag een kleine menigte woest uitziende mannen, die vloekten en woedende gebaren maakten naar een raam op de tweede verdieping. Hij had geen idee waarom.

Hij bleef nog even staan kijken en daalde de trap toen verder af. Wat de reden ook mocht zijn, het was een veel te zonnige dag voor zulke woedeuitbarstingen.

Boven de deur rinkelde een belletje toen hij binnenstapte. Uit een kamer ernaast hoorde hij Revere roepen: 'Een ogenblik. Ik ben zo bij u.'

Philip vond het best even te wachten. Hij werd verblind door de overvloed aan goederen die op de planken, de toonbanken en zelfs op de grond waren opgestapeld. Rijen klokken. En brandijzers en gevesten. Door de ramen op straathoogte scheen de zon op een kistje met instrumenten voor een chirurg. En nog nooit had hij zoveel zilver in zoveel verschillende vormen en maten gezien. Rammelaars, theelepeltjes, gespen, chocoladepotjes, roomkannetjes en schalen. Allemaal blinkend in de januarizon.

Even later kwam Revere binnen, zijn handen afvegend aan zijn leren overschort. 'Meneer Kent! Goeiendag. Wat brengt u naar dit deel van de stad?'

'Ik heb uw diensten nodig, meneer Revere.'

'Wel, wel! Ik kan u van alles aanbieden! Waar zoekt u naar?' Zijn stompe vingers wezen naar de uitstalling van waren. 'Een doopvont? O nee, er is nog niets officieel geregeld tussen juffrouw Ware en u, nietwaar?' De grijns van de zilversmid bevestigde Philips vermoeden. Anne en hij waren het onderwerp van vrolijke roddel in de groep die bij Edes en Gill vergaderde.

Revere pakte een zilveren ketting op. 'Een ketting om uw favoriete duifje aan te leggen? Of een fluit? Een uitstekende fluit.' Hij blies erop en een schelle klank weerklonk.

Philip lachte en hield zijn hand omhoog. 'Ik kom voor meneer Revere, de tandarts.' Hij opende zijn mond en wees. 'Op de nacht dat wij de thee in het water gegooid hebben, heb ik dit gebroken.'

Revere kwam dichterbij en keek in Philips mond. Over het keurige haar van de tandarts heen kon Philip in de andere kamer kijken. De kamer werd beheerst door een stenen oven. De deur van de oven stond half open en hij kon de gloeiende kolen zien die een grote hitte verspreidden en een rood schijnsel wierpen op smeltkroezen, een aambeeld, een hoop kapotte zilveren kopjes en kroezen en andere sieraden waarvan hij het doel niet begreep.

'Een goeie tand verloren voor een goeie zaak,' verklaarde Revere, zich oprichtend. 'Ik kan zorgen voor een meer dan uitstekende vervanging. Gaat u zitten.' Hij wees naar een merkwaardig uitziende stoel die midden in de rommel stond.

Philip aarzelde. 'Wij moeten eerst over de prijs spreken, meneer Revere.'

'Goed. Voor conservatieven bereken ik heel andere, veel hogere prijzen, hoewel ik moet bekennen dat zij mijn deur niet platlopen. Hoeveel kun je missen?'

Philip dacht aan het loven en bieden, dat hij op de markt had gezien en keek zorgelijk. 'Niet meer dan een paar pennies . . .'

'Wat betekent een paar? Vijf?'

'Drie zou me beter uitkomen.'

'Maak er vier van en ik beloof je dat ik zo'n mooie tand zal maken, dat niemand hem van het origineel zal kunnen onderscheiden. Je hebt geluk dat het een hoektand is, die zijn makkelijker. De prijs is inclusief het aanbrengen van cement en de fijne gouddraad voor extra stevigheid. En ook zal ik de nieuwe tand van de beste nijlpaardtand maken.'

Hij rommelde in de kleine laatjes van een kastje, dat tegen de muur stond, vond een grote, kromme tand en liet hem trots zien. Toen hij de verbijsterde uitdrukking op Philips gezicht zag, zei hij: 'Wat scheelt er aan?'

'Een nijlpaard is toch een dier?'

'Natuurlijk is het een dier. Waar anders denk je dat we nieuwe tanden voor mensen kunnen vinden? Koopvaarders brengen mij regelmatig tanden uit West-Afrika. Een paar keer heb ik olifantstanden geprobeerd, maar die worden te gauw geel. En schapetanden zijn bultig en krom. Moeilijk om mee te werken. Ga zitten, meneer, dan kan ik de was aanbrengen.'

'Was?' herhaalde Philip met gesmoorde stem, terwijl Revere hem in de stoel duwde en dwong met zijn hoofd achterover te leunen tegen een paar kussentjes die aan een grote rechte stok bevestigd waren. Neuriënd zocht Revere ergens onder een toonbank en keerde terug met een brok rode was.

'Doe de mond wijdopen, alstublieft, meneer Kent,' beval hij, terwijl hij Philips kaken bijna uit elkaar rukte. Hij knielde naast de stoel en tuurde naar de gebroken tand. Toen brak hij een stukje van de rode was af, rolde het tussen duim en wijsvinger en drukte de was vervolgens voorzichtig tegen het gebroken oppervlak van de tand.

Even later lichtte hij de was eruit. Hij liep er mee naar de toonbank, deponeerde de was in een stenen stamper en maakte een paar aantekeningen. Het papiertje met aantekeningen stopte hij ook in de stamper en plaatste die bij een stelletje zilveren peperpotjes. Philip vroeg zich af hoe de man al zijn besognes kon bijhouden.

'Volgende week is de tand klaar, dus kom dan maar terug,' zei Revere.

'Moet u niet de maat nemen of zo?'

'Dat heb ik al gedaan.' Revere wees naar zijn oog. 'De beste manier om de maat te nemen, als je ze tenminste goed gebruikt. Nee, we zijn klaar, tenzij u natuurlijk wilt dat ik uw tanden een beetje schoon maak. Voor maar een paar extra penny meer heeft u weer een hagelwit gebit. Ik gebruik een tandpoeder dat ikzelf heb uitgevonden. Enkele geheime ingrediënten die ik helaas niet kan verklappen, plus salpeter, kruit, broodkruimels, de graat van een inktvis, gebroken aardewerk . . .'

Philip slikte. 'U bedoelt gebroken borden?'

'Alles hangt er vanaf hoe je het maalt en mengt, meneer Kent. Bij het veroveren van het zwakke geslacht doet het wonderen. Maar daar heeft u geen probleem mee, nietwaar?'

'Eh–eh–nou–eh–dank u wel, maar ik geloof niet dat ik het mij kan permitteren . . .'

'Paul?'

Een vrouwenstem weerklonk achter een deur met een gordijn ervoor, achterin de zaak. Revere draaide zich met een ruk om en Philip sprong op uit de stoel. Er verscheen een slanke jonge vrouw met donker haar. Zij droeg een eenvoudige jurk met een schort en had een beetje meel op haar wang. Ze leek geschrokken.

'Wat is er aan de hand, Rachel?' vroeg de zilversmid.

'Ik was net even buiten—er is een vreselijke ruzie verderop. Ik ben bang, dat de menigte die arme Johnny Malcolm kwaad wil doen.'

Ogenblikkelijk deed Revere zijn overschort af en gooide die op de grond. 'Die gekke oude idioot zal nog eens zijn eigen dood op zijn geweten hebben met zijn scherpe tong. De hele ochtend broeit er al wat. Iemand op het plein heeft mij verteld dat een jongetje Malcolm er van heeft beschuldigd zijn slee met aanmaakhout omver geworpen te hebben. Vooruit, Kent, laten wij gaan kijken wat er aan de hand is.' Grimmig snelde hij naar buiten.

Philip rende achter hem aan.

Bij het huis waar hij eerder een aantal mensen had zien staan, was nu een hele oploop ontstaan. De menigte was woedend. Er werd heen en weer gescholden tussen de menigte en een lijkkleurige oude man met wit haar, die uit het raam hing en zwaaide met een pistool in zijn ene hand en een bijl in de andere.

Revere en Philip liepen op de menigte af. Philip zag van de andere kant drie mannen aan komen rennen met een ladder.

'Is die Malcolm een vriend van u, meneer Revere?'

'Verre van dat. Gekke Johnny is een seniele, boosaardige idioot. Hij vindt niets leuker dan mensen met zijn onbeschaamde, uitdagende hatelijkheden te sarren. Het probleem is dat hij een vurige Tory is. Dat is niet veilig in deze buurt. De Zonen van de Vrijheid hebben al een keer de schuld gekregen, toen een paar woestelingen hem een pak slaag hadden gegeven.'

Toen de twee bij de menigte gekomen waren, gilde de oude man net: 'Loop naar de hel, jullie allemaal! Ik gooi de slee van dat onderkruipsel om wanneer ik dat wil. Zijn vader heeft meegeholpen de thee van de koning in het water te gooien, denk maar niet dat ik dat niet weet. Als ik het hoofd van die knaap doormidden hak, krijg ik tien shilling van de gouverneur. En twee maal zoveel voor ieder van jullie, vuile Yankees! Vuile verraders!'

De oude man schreeuwde met overslaande stem. Zijn speeksel vloog in het rond. Philip had meteen een afkeer van hem. Maar tegelijkertijd besefte hij

313

dat de man een ongelijke strijd voerde.

Revere baande zich een weg door de menigte. 'Laat hem toch. Laat die gek maar zwetsen.'

Woedende gezichten draaiden zich om naar de zilversmid en Philip. 'Houd je bij je leest, Revere. Hij heeft de jongen lastig gevallen en bovendien is hij geen Zoon van de Vrijheid.'

'Maar hij is niet goed bij zijn hoofd. Hij kan niemand echt kwaad berokkenen.'

Reveres argumenten vonden geen weerklank. Er werd alleen nog maar harder geschreeuwd tegen de oude man: 'Pas maar op met je addertong, John Malcolm!' 'Vergeet niet, dat we je al eens eerder op pek en veren hebben getrakteerd. Als je niet je bek houdt, doen we het weer. En deze keer nog beter.'

Malcolm brulde: 'Zei je dat ik met pek en veren ben ingesmeerd en dat het niet goed gedaan was? Laat de man maar komen die het beter kan!' Hij spuugde op de menigte.

Een vrouw met een plat gezicht vloekte en veegde haar voorhoofd af. Dat maakte de menigte razend. Er werd geschreeuwd om de ladder. Voordat Philip het in de gaten had, was die tegen het huis gezet en klommen twee zware mannen achter elkaar naar boven.

'Ga weg!' krijste Malcolm. 'Of ik schiet!'

'Hij is te stom om te richten,' hoonde iemand.

'Of hem goed te laden,' riep een andere stem. 'Ga hem halen!'

Revere vocht zich met mannenmoed door de menigte. 'Verdomme! Als jullie Vrienden van de Vrijheid zijn, laten jullie een hulpeloze vijand met rust!'

'Sodemieter op!' schreeuwde iemand.

Philip zag Revere achteruit wankelen door een stoot in zijn middenrif. Philip baande zich een weg door de menigte om Revere te hulp te komen. Overal om zich heen zag hij vertrokken monden, boosaardige ogen en dreigende handen. Een stevige knuist gaf hem een klap op zijn hoofd. Hij struikelde. Iemand anders sloeg hem in zijn zij.

Een van de mannen op de ladder was de tweede verdieping al ingedoken, van waaruit nu schrille hulpkreten weerklonken. Verblind door het zonlicht en de klappen probeerde Philip degenen die hem stompten en met hun laarzen tegen zijn schenen schopten van zich af te houden. Revere stond ergens beneden bij het huis en schreeuwde woedend tegen de menigte. Maar de massa schreeuwde harder:

'Pek en veren!'

'Pek en veren voor de vrijheid!'

'We zullen die klootzak van een roodjas-vriend een lesje leren!'

Plotseling kwam Revere wankelend door een opening in de menigte te voorschijn. Hij had een wond op zijn voorhoofd. Er droop bloed uit zijn mondhoek. Zijn kleren waren vuil en aan flarden gescheurd. Mannen probeerden hem van achteren te grijpen. Revere gaf een snelle, onhandige stomp die de voorste aanvaller bloedend en vloekend deed terugdeinzen. Hij bereikte de plaats waar Philip zich bevond: 'Ren voor je leven. Ze zijn gek.'

'Ja, je kan er beter vandoor gaan, klootzak!' schreeuwde de vrouw die het spuug op haar gezicht had gekregen. 'Jij bent geen vriend van de rechten van de Engelsen, Revere!'

'En jij weet niet wat dat betekent!' schreeuwde hij terug.

Weer weerklonken vloeken. Weer deed men een aanval op Revere en Philip. Een kei suisde door de lucht. Meer keien volgden. Een van de projectielen raakte Philips oor. Een scheut van pijn ging door hem heen. Plotseling vervaagden al die van haat verwrongen gezichten en zag hij Roger Amberly. Een menigte Roger Amberly's, schreeuwend, graaiend met hun handen, dreigend. Zijn afkeer en woede evenaarde die van Revere.

Even duidelijk was het dat de zilversmid vernederd was. Hij wilde de razende menigte niet ontvluchten. Maar ook wou hij zijn leven niet verliezen in een hopeloze strijd. Zijn voorzichtigheid won. Hij sleurde Philip mee bij de arm, dook weg voor een steen en de twee trokken zich terug naar zijn huis. De menigte juichte. En direct daarna steeg er weer een juichkreet op.

De twee mannen sleurden de ontwapende en pathetische Malcolm uit zijn huis. Zijn geschreeuw was onverstaanbaar geworden, hij was in doodsangst.

Rachel Revere stond te wachten op de stoep. Zij gaf een kreet van schrik toen zij zag dat haar man bloedde. Hij weerde haar hand af en keek naar de dolgeworden menigte die tierend over North Square liep. Tientallen handen hielden de jammerende en spartelende Malcolm hoog in de lucht. 'Beesten,' raasde Revere. 'Godvergeten beesten. Onze zaak te vernietigen met hun barbaars gedrag!'

'Ik dacht dat Adams soms dit soort gepeupel optrommelde,' hijgde Philip. Hij duizelde nog steeds van de slagen die hem waren toegediend. 'Er is niemand van dat zootje die een vrijheidsmedaille draagt, snauwde Revere. 'Het enige wat zij willen is wreed amusement.'

Philip twijfelde aan het eerste. Maar het tweede was zeker waar. De menigte was zeker tot honderden aangegroeid. Kopers en verkopers verlieten allen lachend en kletsend de stalletjes. Na een tijdje was het voorste gedeelte van de stoet samen met de ongelukkige Malcolm uit het gezicht verdwenen. Het leek Philip of hij boven het rumoer de oude man in doodsangst kon horen schreeuwen. Maar hij was er niet zeker van. Van één ding was hij wel zeker: de vrolijke ochtend was totaal bedorven.

Bij het vallen van de avond was het lot van gekke Johnny Malcolm het gesprek van de dag in Boston. Philip zat in de Green Dragon te eten en luisterde met walging naar een groepje leerjongens die opgewekt vertelden hoe de oude man op een kar gezet, naar een kade in de buurt gereden en tot op zijn middel ontbloot en met pek besmeurd was.

Daarna waren er veren kussens opengesneden en was de inhoud daarvan over Malcolms lijf gestrooid. Tot vroeg in de middag—vier uur lang—was hij door de stad gereden op de kar die door de menigte was voortgetrokken. Hij was bij de vrijheidsboom tentoongesteld en toen op de Neck. Daar had men thee te voorschijn gehaald. Men had het slachtoffer gedwongen op alle elf leden van de koninklijke familie te proosten. Philip kon zich voorstellen wat een extra pijn dat had veroorzaakt. De leerjongens gierden van het lachen.

Maar de thee die men bij Malcolm naar binnen had gegoten, had nog niet het einde betekend van zijn zwarte dag. Men had de optocht voortgezet. Weer naar de boom, en naar King's Street en Copp's Hill. Op deze plaatsen was er iets nieuws toegevoegd. Zwepen. De menigte had Malcolm meedogenloos afgeranseld. Totdat men tenslotte moe was geworden en hem aan zijn lot had overgelaten.

'En hij zag eruit!' Een leerjongen schaterde het uit, en spreidde zijn handen uit. 'De teer en de zwepen haalden zulke grote stukken huid van zijn lijf! Zó groot! Eerst plaste hij in zijn broek. Toen begon ie te janken en toen we met 'm klaar waren, wassie zo stijf als een plank.'

Philips maag kwam in opstand. Hij gooide een paar munten op de tafel en liep de herberg uit. De leerjongens hadden de woedende blik die op hun geworpen werd niet in de gaten.

Ben Edes was even ontzet als Revere. Het incident met Malcolm, zei hij, was een van de dingen, die de vastbeslotenheid zou versterken van de Britse ministers—en de koning—streng tegen de kolonisten op te treden. Wat voor recht hadden beesten om anders behandeld te worden?

De volgende ochtend vroeg verscheen Adams in hoogst eigen persoon met de tekst van een pamflet, dat hij net geschreven had. Ook hij was diep verontwaardigd. Maar terwijl Philip de aankondiging ging zetten, vroeg hij zich af of de toorn van Adams wel oprecht was.

Anne had hem heel wat verteld over de moeilijkheden van de afgelopen tien jaar. Het gepeupel had al eerder razend en tierend rondgetrokken—en zij wist met zekerheid dat Adams in ieder geval indirect betrokken was geweest bij het organiseren van het janhagel. Had Adams uit overtuiging deze nieuwe, fatsoenlijke houding aangenomen? Of gewoon uit de praktische overweging, dat met geweld—voorlopig—niets te bereiken was?

Wat de reden ook was, de woorden van Adams, die bij zonsondergang aan de vrijheidsboom werden getimmerd maakten de positie van de Zonen van de Vrijheid bekend:

BROEDERS EN MEDEBURGERS

Hierbij verklaren wij dat de nieuwe straf die onlangs op de onwaardige John Malcolm is toegepast niet door ons was bevolen. Wij bewaren die methode om belangrijker misdadigers tot inkeer te laten komen.

Joyce Jun'r.
Voorzitter van het Comité van Pek en Veren

Als iemand zo stoutmoedig is om dit af te scheuren kan hij op mijn diepste verbolgenheid rekenen.

J. Jun'r.

Nog dagen later bleef Philip zich afvragen of de motieven van Adams wel oprecht waren. Hoeveel bloed had die meedogenloze man op zijn geweten. En kleefde er ook bloed aan zijn trillende handen? Eén ding was zeker. Nu gouverneur Hutchinson in het openbaar de wreedheid tegen Malcolm had veroordeeld, was de kloof tussen de Whigs en de Tories alleen maar wijder geworden en hadden zij hun houding tegenover elkaar verhard.

Lachte Samuel Adams in zijn studeerkamer in Purchase Street nu in zijn vuistje? Nu er weer een tak op het smeulende vuur was geworpen? In ieder geval had die gedenkwaardige dag een goed resultaat tot gevolg. Zoals Revere beloofd had, was Philips nieuwe tand niet van de oorspronkelijke te onderscheiden. Revere had zijn werk keurig gedaan. Anne zei, op het moment dat zij hem wilde kussen, dat zij het onderscheid tussen de twee delen nauwelijks kon zien.

En zodra ze haar ogen sloot voelde ze ook geen verschil.

8

Elke week exerceerde de Bostonse Grenadierscompagnie op de Common, in hagel, storm en sneeuw. Philip was een van de kleinste vrijwilligers. Slechts acht man hadden een musket. De rest leerde onder leiding van kapitein Pierce de militaire handgrepen met stokken, of in het geval van Philip met een bezemsteel die Anne in de keuken had gevonden.

Het doodgewone stuk hout dat in de hoek van de kelderkamer stond begon een huiveringwekkend symbool te worden. De wintermaanden verstreken. In Boston werd bericht dat koninklijke vergeldingsmaatregelen op komst waren tegen doctor Franklin, omdat hij de brieven van Hutchinson in de handen van Sam Adams had gespeeld. In de loop van februari brachten binnenkomende schepen nadere informatie. De Advocaat-Generaal had de brave doctor op vernietigende wijze aangeklaagd. Hij had hem in het openbaar een eerloze man genoemd, een dief. En Franklin ontslagen uit zijn functie van Directeur-Generaal van de koloniale posterijen.

Terwijl maartse buien over de exercerende troepen op de Common striemden, hield ook een andere vraag Philip bezig. Op welke straf kon hij rekenen als men het spoor zou vinden, dat van de dood van kapitein Stark naar hem leidde? Zelfs de *Gazette* had het 'Sensationeel Noodlot' van een koninklijke officier gepubliceerd. Maar tot nu toe had hij nog geen enkele aanwijzing gekregen dat hij met de misdaad in verband gebracht werd. Zoals Anne hoopvol had gezegd, zou het spoor wel eens kunnen eindigen waar het begon. In het steegje waar Stark de dood had gevonden.

Terwijl bij het verstrijken van de tijd die mogelijkheid steeds groter werd, bleef Philip zich onrustig voelen, maar nu om een andere reden. Hij wist wat de overheersende stemming in Boston was. In de stad en op het omringende platteland oefenden overal vrijwilligerslegertjes. En men zag de toekomst met angst en beven tegemoet.

Wat zou de reactie van de Kroon zijn op de thee-party?

Toen het weer warmer werd en de zon over Massachusetts scheen, kwam het antwoord, met nog grotere kracht dan men ooit had kunnen voorzien. Behalve misschien door radicalen als Adams, die ervan overtuigd bleven dat George III de reïncarnatie van Satan was en de leden van de regering North zijn willige dienaars.

Ben Edes merkte op dat de gebeurtenissen in de lente bewezen, dat er misschien toch een grond van waarheid lag in die nieuwe theorie van Adams.

VI De sergeant

1

'Ik denk, heren,' zei Paul Revere terwijl hij de tekening uitpakte, 'dat u dit toepasselijk zult vinden voor de situatie. Als dat het geval is, maak ik er meteen een koperen plaat van.' Hij legde zijn tekening op de tafel in de Long Room. De knappe doctor Warren bestudeerde hem en knikte somber. Hij trok aan zijn stenen pijp en deed een stapje opzij om Molineaux en de anderen de tekening te laten zien die Revere met zijn stompe vingers vasthield. Het was april en het regende.

Philip had hier nooit eerder mogen komen. Dat hij hier mocht komen was een bewijs hoeveel vertrouwen zijn baas in hem had gekregen. Over Edes' schouder keek hij naar de grimmige symbolen die Revere had getekend: de Frygische muts, een van de belangrijkste symbolen van de vrijheidsbeweging, in het groot met daar omheen een rouwkrans, het geheel aangevuld met doodshoofden en gekruiste botten.

Edes zei tegen zijn assistent: 'Dit wordt de titelpagina van ons pamflet.' Hij wees met zijn hoofd in de richting van Adams, die aan het eind van de tafel zat, en wiens ogen fonkelden als agaten in het schijnsel van de lamp. 'Aan de achterkant komt de tekst van Samuel. Je kan er op rekenen dat wij de komende dagen en nachten weinig slaap zullen krijgen.'

Warren wees met zijn pijp naar Revere. 'Je bent van plan om zo snel mogelijk met het nieuws en de pamfletten uit te rijden, Paul?'

'Inderdaad. Nog vier andere ijlbodes wachten op mij. Allemaal betrouwbare mannen. We vertrekken zodra ze gedrukt zijn. Ik neem de zuidelijke route naar New York en Philadelphia. De anderen gaan naar de steden in het westen en het noorden.' Even verscheen er een verdrietige uitdrukking op zijn rustige, open gezicht. 'Hoewel ik graag zou willen dat het niet nodig was.' Adams wierp een nijdige blik op hem. 'Ik zou liever in North Square blijven. Met mijn grafische werk voor Rivingtons nieuwe editie van kapitein Cooks reizen. Maar ja, ik weet dat de tijd dringt.'

Iedereen knikte instemmend en Adams' korte vijandigheid verdween. Philip had de samenzweerders van de Long Room nog nooit zo grimmig gezien.

Plotseling sloeg Adams op tafel. 'De gravure is zo niet goed!'

'Waarom niet?' riep Revere.

'Bij de tekening moeten wij een boodschap drukken. De andere koloniën moeten verbijsterd zijn, zich aangevallen voelen door wat de nieuwe wet inhoudt. Ook al is de wet direct tegen ons gericht, het moet hun

319

duidelijk gemaakt worden dat er aan de bedoeling van de ministers van de koning niet te twijfelen valt. Namelijk dat ze elke kolonie die zich durft te verzetten zullen onderwerpen en vernietigen.' Hij streek met zijn tong langs zijn lippen, greep met zijn dooraderde hand een veer en schreef snel een regel onder de tekening. Philip boog zich voorover om hem te lezen.

De Vrijheidsboom Tot in de Wortel Aangetast.

Will Molineaux protesteerde: 'Dat is nog te zacht uitgedrukt, Sam. Omgehakt, zou beter zijn. Maar ik ben bang dat ook zo'n kreet onze provincie niet zal helpen.'

'Zodra Paul en zijn jongens het nieuws verspreiden, zul je zien dat het tegendeel het geval is, Will. De zusterkoloniën zullen ons te hulp komen. Ons helpen met voedsel en voorraden.'

'Mijn God, ik hoop dat je gelijk hebt,' zuchtte Warren. 'Want als dat niet het geval is, heeft Boston door deze onverdraaglijke wet zijn leven verloren.'

'Zijn leven verloren?' Adams trok met zijn mond. 'Absoluut niet! Je weet wat er uiteindelijk zal gebeuren als de ministers wetten blijven steunen die bedoeld zijn ons te straffen. Je weet waarheen die weg zal leiden, zo zeker als de zon op de maan volgt.'

Het donkere Ierse gezicht van Molineaux keek nog bezorgder. 'Je bedoelt gewapend verzet.'

'Meer dan dat,' verbeterde Adams hem. 'Verenigd verzet, door alle koloniën. Dan: onafhankelijkheid.'

Ondanks de hitte van de lampen en de blauwe rook van de pijpen scheen het plotseling ijzig koud in de Long Room. Adams had een mogelijkheid geopperd waar Philip nooit eerder echt aan gedacht had. De afscheiding van Amerika van het moederland. Alleen al door het uit te spreken schenen de onzekerheid en de gevaren niet te overzien.

En toch zag Philip de logica, de onvermijdelijkheid ervan in. En op de gezichten van de anderen stond hetzelfde te lezen. Niemand keek gelukkig. Maar toch was niemand verbaasd.

Molineaux glimlachte met afgunstige bewondering en mompelde: 'Ik heb zitten denken wie van de groep dat woord het eerst zou uitspreken. Ik neem aan dat je het zeker al lang in je hoofd had, hè Sam?'

Adams' hoofd bewoog even niet. Hij keek elk gezicht afzonderlijk aan. Toen antwoordde hij met een gemaakt glimlachje: 'Inderdaad.'

2

Drie dagen lang stond de pers van Edes en Gill niet stil. Er werden honderden pamfletten gedrukt, waarin het verschrikkelijke nieuws uit Engeland werd samengevat. Ondanks de bezwaren van William Pitt Senior, Burke en

320

een paar andere verzoeningsgezinden die overschreeuwd werden, was er een nieuwe wet aangenomen door het parlement. Een wet die beantwoordde aan de persoonlijke wens van de koning, dat de provincie Massachusetts zou worden gestraft voor het vernietigen van de thee en voor haar langdurige, openlijke rebellie tegen de Kroon in het algemeen.

De Wet op de Haven van Boston, zo stond in het pamflet, verbood het laden en lossen van schepen in de haven met ingang van 1 juni 1774. De enige uitzonderingen daarop waren militaire voorraden en sommige levensmiddelen en brandstoffen met speciale vergunning van de douane, die bij diezelfde wet werd overgeplaatst naar Salem. George III zou de haven pas weer openstellen, als de belasting op de vernietigde thee en de thee zelf betaald zouden zijn.

Revere en zijn ijlbodes galoppeerden over de Roxbury Neck, de enige resterende bevoorradingsroute van de stad, nu de essentiële zeehandel was afgesloten. Binnen een paar dagen keerden zij terug met nieuws, dat de angst van de patriotten, dat de andere koloniën onverschillig zouden reageren, wegnam. De krant van Edes publiceerde het volgende hartverwarmende bericht:

Het Contact-Comité van New York sprak zich het duidelijkst uit, door zijn 'afschuw' te laten blijken van de wet.

De gematigde Quakers van Philadelphia drongen aan op gematigdheid maar bezwoeren hun steun 'tot het bittere einde'.

De Carolina-koloniën beloofden rijst en geld. Zíj zagen in, dat hun drukke haven Charleston net zo goed van zijn handel—en zijn leven—beroofd zou kunnen worden, snoefde Adams.

Vele kuddes schapen werden over de Neck aangevoerd uit New York, Connecticut en andere plaatsen. Duidelijke tekenen, dat nadenkende mensen heel goed de consequenties van de Havenwet begrepen. Over heel Massachusetts begonnen de andere Contact-Comités de voorraden en de scheepsladingen voedingsmiddelen voor Boston aan te vullen. De vrachten werden in wagens en karren aangevoerd, die door de bevolking spottend 'de kustvaarders van Lord North' genoemd werden; vervangers op wielen van de kustvaarders die vanaf de eerste juni niet meer in de haven mochten aanleggen.

Maar er wachtte een nog grotere ramp. Gouverneur Hutchinson kondigde aan dat hij aftrad en terugkeerde naar Engeland. Hij zou worden vervangen door een zojuist benoemde hoogwaardigheidsbekleder die drie titels bezat: Vice Admiraal, Kapitein-Generaal en Gouverneur-Commandant van Massachusetts. Het werd gezien als een teken van de slechter wordende verhoudingen tussen de kolonisten en de Kroon, dat het bestuur van de provincie werd overgedragen aan een militair, General Thomas Gage. De laatste binnenkomende schepen berichtten dat hij nieuwe regimenten uit Engeland mee zou nemen. Om nog maar te zwijgen van de koninklijke oorlogsschepen die de sluiting van de haven kracht bij zouden zetten. Philip wist al gauw dat de vrijwilligerslegers in gehuchten op het platteland serieus aan het oefenen waren. En zoveel mogelijk musketten, kruit en kogels probeerden te bemachtigen.

Elke dag werd de spanning groter.

3

In zijn prachtige rode uniform beval kapitein Joseph Pierce zijn compagnie in de houding te gaan staan. Langs de hele Lange Werf gingen ook de andere plaatselijke eenheden in de houding staan, met inbegrip van de Bostonse Kadetten van Hancock, die zelf het commando had. De pijpers begonnen te spelen en de tamboers roffelden dat het een aard had.

Aan het begin van de kade begon een grote menigte goedgeklede Tories, velen in rijtuigen gezeten, te applaudisseren toen de bronzen kanonnen onder bevel van kapitein Paddock saluutschoten afvuurden over de haven. Het was een regenachtige, nare dag, die door dit valse vertoon van pracht en praal en vriendelijkheid alleen nog maar naarder werd, dacht Philip.

Hij voelde zich ongemakkelijk in zijn uniform, dat, zoals alle uniformen van de Grenadierscompagnie, door Hancock betaald was. Hij voelde zich belachelijk en dreef van het zweet in zijn zware rode jas, witte broek en hoge spitse berenmuts met bronzen voorstuk. De stank van zweet en natte wol werd met de minuut erger.

Het regende gestaag, die dertiende mei, zodat het opgerolde grootzeil van het oorlogsschip, dat in de haven voor anker lag aan het gezicht onttrokken was. Philip keek die richting uit en kon met moeite een sloep onderscheiden, die van het schip naar de kadetrappen werd geroeid. De banken waren bezet door roeiers en officieren in uniform met driekante steken op. Generaal Gage en zijn staf.

Toen Knox de Grenadierscompagnie had bevolen aan te treden voor de officiële ontvangst van de man die verantwoordelijk zou zijn voor de handhaving van de gehate wet, hadden Philip en heel wat anderen openlijk hun twijfels hierover uitgesproken. Zou hun aanwezigheid niet op eerbetoon lijken voor de nieuwe gouverneur?

Knox wuifde de bezwaren snel weg: 'Er zijn verschillende redenen voor onze aanwezigheid. Ten eerste zou Gage wel eens niet zo kwaad kunnen zijn als Adams hem graag afschildert. Volgens alle berichten is hij een gematigd man. De koloniën liggen hem na aan het hart. Zijn vrouw is hier geboren. Zij is een Kemble uit de staat Jersey. En hoewel we op het ogenblik allemaal buiten ons zelf zijn van woede, vinden velen onder ons dat het toch beter zou zijn een of andere regeling met Londen te treffen. Als dat niet kan . . .' Hij haalde zijn schouders op. 'Van één ding kunnen jullie allemaal zeker zijn. Onze vrienden zullen onze aanwezigheid op de Lange Werf volkomen begrijpen. Men zal begrijpen dat het vreugdebetoon niets anders is dan diplomatieke hypocrisie. Natuurlijk vermengd met het aangeboren Bostonse instinct welke heer dan ook op traditionele wijze welkom te heten,' voegde hij er met een lachje aan toe. 'Totdat hij er blijk van geeft geen heer te zijn.'

Dus daar stonden ze in de regen. Generaal Gage en zijn staf klommen de trap op, hij nam het saluut van de officieren van de vrijwilligerseenheden in ontvangst en inspecteerde vervolgens de aangetreden compagnieën. Gage, een man van middelbare leeftijd, hield zijn gezicht zorgvuldig in de plooi. Maar de andere officieren lieten duidelijk blijken wat zij van de plaatselijke vrijwilligerslegers dachten. Philip zag dat zij hun wenkbrauwen optrokken en minachtend glimlachten. Ook hij liet niet na zijn gevoelens duidelijk te laten merken.

Langzaam liep Gage naar het begin van de pier, waar de Tories luid applaudisseerden.

Een kolonel die achter Gage aanliep, zag de onbeschaamde uitdrukking op Philips gezicht, bleef staan en maakte Knox attent op Philips broek: 'De broek van die man is een schande, luitenant. Hij zit onder de modderspatten. In Engeland zou hij er met de zweep van langs krijgen.'

'Ja, meneer,' antwoordde Knox, 'maar zij hebben niet voldoende pijpaarde om ze wit te houden. En mag ik u er op wijzen dat wij hier niet in Engeland zijn.'

De officier bekeek Philip met een koude blik in zijn ogen. 'Nee, maar wees er van overtuigd, dat het hier elke dag meer op Engeland zal gaan lijken.'

De kolonel liep weer door. Philip schraapte zijn keel en spoog op de grond. Met een ruk draaide de kolonel zich om en keek de rijen langs. Philip keek recht voor zich uit. Knox keek geschrokken. De kolonel vloekte binnensmonds en stapte verder.

De mannen om Philip heen lachten besmuikt en mompelden hun instemming. Een man in de voorste rij floot tussen zijn tanden. Het was aan de kolonel te zien dat hij het spottende geluid gehoord had: hij aarzelde even, maar vond het kennelijk niet verstandig om de zondaren nog eens terecht te wijzen.

Onder vrolijke marsmuziek maakten de compagnieën rechtsomkeert om de treurige tocht naar het Provinciehuis te aanvaarden, als erewacht van Gage.

Knox maakte van de gelegenheid gebruik om Philip aan te spreken: 'Kent, kwetst het je erg om je een uur lang met militaire hoffelijkheid te gedragen?'

'Ik ben geen soldaat van de koning,' siste Philip. 'En ik beloof u dat ik hun verdomde rode jas niet zal dragen, als we ooit tegen ze moeten vechten.'

'Dat geldt voor ons allemaal,' zei Knox. Hij was duidelijk geïrriteerd door de grove opmerkingen van de mannen die om Philip heen stonden. 'Sergeant!' riep hij. 'Geef de maat aan voor deze strompelaars!'

Na nog een blik geworpen te hebben op zijn voornaamste onruststoker, voegde hij er aan toe: 'Hoe kan je ooit een leger formeren van ongezeglijke leerjongens die van niemand bevelen accepteren? Ik heb medelijden met de generaal die díe opdracht krijgt.' Vervolgens liep hij naar het hoofd van de colonne.

4

De voorspelling van de kolonel, dat Gage een strenger bewind zou voeren, werd spoedig bewaarheid. In de *Gazette* verscheen steeds vaker het woord *onverdraaglijk* in artikelen over parlementaire decreten.

De Wet op de Justitie zorgde er praktisch gesproken voor, dat elke ambtenaar van de Kroon die geweld had gebruikt bij het onderdrukken van een opstandige daad niet-schuldig werd verklaard. Op aanbeveling van de gouverneur kon de rechtszaak van zo'n ambtenaar naar Engeland overgeheveld worden om een 'eerlijk' proces te garanderen.

In mei werd een tweede wet aangenomen, die de provinciale regering van Massachusetts in wezen ontmantelde. In de toekomst zouden rechters, politie en zelfs vrederechters door de Kroon benoemd worden. Dat betekende dat de jury's in het vervolg alleen uit Tories zouden bestaan, want die werden door de justitie benoemd. En tenslotte probeerde men de radicalen ook hun belangrijkste wapen, de traditionele stadsraden van Massachusetts, uit handen te nemen. Deze mochten in het vervolg alleen bijeenkomen met goedkeuring van de gouverneur—nadat hij de agenda had goedgekeurd.

Zoals iedereen merkten Philip en Anne, dat er elke dag weer iets nieuws gebeurde, of dat er weer een oorlogsschip de haven binnenkwam, tot aan de nok gevuld met roodjassen.

Op de dag dat de Havenwet van kracht werd, zetten het Vierde Infanterieregiment—de infanterie van de koning zelf—met het Vierendertigste uit Ierland, voet aan wal. Uit New York kwamen de Koninklijke Fusiliers afkomstig uit Wales. De koninklijke artillerie zette zijn tenten op op de Common. Alles bij elkaar werd de bevolking vermeerderd met vijfduizend man. En dank zij een andere parlementaire maatregel was hun komst ook op de andere koloniën van invloed. Want zij betrof niet alleen Massachusetts, maar strekte zich uit tot elke plaats langs de kust waar garnizoenen gelegerd zouden worden.

Adams en de leden van de Long Room vierden onder elkaar vrolijk feest over wat zij beschouwden als de nieuwe enorme blunder van de koning. Maar degenen die direct getroffen werden door de Inkwartieringswet waren minder blij.

'Een stinkende kreefterug in mijn huis!' riep Abraham Ware op een zoele dag in juni. Philip en Ben Edes zagen hem woedend op en neer dansen. 'Stel je voor! Ik ben verplicht hem te voeden, een slaapplaats te geven en hem hartelijk te behandelen! Het enige bed dat hij kan krijgen, is de schuur, godnogaantoe!'

324

'Je bent niet de enige, Abraham,' zei Edes. 'In de hele stad worden de troepen in onze woningen gepropt. Om nog maar te zwijgen van de herbergen en de pakhuizen. Eigenlijk op elke plek die de officieren uitkiezen. Is je . . . eh . . . gast al gearriveerd?'

Ware schudde zijn hoofd. 'Maar ik heb begrepen dat ik iemand moet inkwartieren van het eerstvolgende regiment dat binnenkomt. Het Drieëndertigste. Jezus, ik spreek geen woord tegen dat zwijn, let maar op!'

'Tja,' zei Edes met een treurige glimlach, 'afgezien van persoonlijk ongemak, heeft de Inkwartieringswet ook iets goeds voortgebracht. Revere heeft het nieuws net binnengebracht.' Hij wenkte Ware mee te lopen naar de pers.

De advocaat met de kikkerogen keek naar het zetsel. 'Ik kan verdomme toch niet achterstevoren lezen!'

Philip hielp hem: 'Er staat, dat New York en Philadelphia aan het verzoek van Boston gehoor hebben gegeven: in de herfst komt er een groot congres van vertegenwoordigers van alle koloniën. Het congres moet beslissen wat er gedaan moet worden tegen de onverdraaglijke wetten.'

Die informatie suste de kleine advocaat enigszins. Maar toen hij de drukkerij verliet, mopperde hij nog steeds dat hij gedwongen werd een Britse soldaat op zijn eigen kosten te herbergen. 'Het beste maal dat ik hem aanbied is het schimmelige hooi in de schuur!' verklaarde hij bij zijn vertrek.

5

Op een prachtige, zonnige ochtend in augustus verzamelden zich honderden mensen, met inbegrip van Anne Ware en haar metgezel, die speciaal verlof had gekregen van Ben Edes, in Bromfields Lane. De menigte stond te wachten tot de deur van het riante huis van de voorzitter van de provincieraad van Massachusetts open zou gaan. Voor de trappen stond een fraaie koets met roodgele wielen en vier kastanjebruine paarden. Op de bok zaten een koetsier en een palfrenier in livrei. Twee zwarte livrei-knechten stonden bij de deur van de koets. Vier anderen te paard konden met moeite hun dieren, die zenuwachtig steigerden, in bedwang houden. Philip zag dat de vier voorrijders gewapend waren met musketten.

Anne greep Philip bij zijn arm en wees opgewonden: 'De deur gaat open. Daar is papa!'

De menigte applaudisseerde toen Ware, in gesprek met een collega, de eenvoudig geklede John Adams uit Braintree, naar buiten kwam. De volgende die na het afscheidsontbijt naar buiten kwam, was bijna onherkenbaar, zo mooi en weelderig waren zijn rode pak, de franje aan zijn kraag en zijn manchetten. De zilveren gespen op Samuel Adams' schoenen glinsterden in de zon, evenals de gouden knop van zijn stok. Philip wist dat hij al die dingen had gekregen, opdat hij tenminste goed gekleed het grote congres kon bijwonen, dat zou worden gehouden in Carpenter's Hall in Quaker City, op vijf september. De *Gazette* had bericht dat slechts een van de dertien koloniën, Georgia, geweigerd had afgezanten naar de vergadering te sturen. De bedoeling van het congres was overeenstemming te bereiken over wat er gedaan moest worden tegen de onderdrukking door middel van wetten, met name tegen de Inkwartieringswet en de nieuwe wet op Quebec. Deze laatste wet had het grondgebied van Canada uitgebreid tot de rivier de Ohio. 'Canada', zo had Philip begrepen, omvatte nu een gebied waarop speculanten uit Virginia en Connecticut en ook uit Massachusetts aanspraken maakten. Weldra begaven Molineaux, de mooie Hancock, de glimlachende doctor Warren en andere leden van het gezelschap zich in de menigte. Iemand zei vol bewondering, dat de afvaardiging van Massachusetts—de afgevaardigden, de bedienden en de voorrijders—bijna honderd man sterk zou zijn.

Terwijl Sam Adams beraadslaagde met zijn neef John en met Hancock, die achterbleef, zocht Abraham Ware in de menigte naar zijn dochter. Toen hij haar zag, wuifde hij en baande zich een weg naar haar toe. Philip ging opzij staan om Ware de gelegenheid te geven zijn dochter een afscheidskus te geven en een paar vermaningen in het oor te fluisteren. Plotseling straalde er vreugde uit haar ogen en keek ze Philip aan. Voor hem was dat een van die zeldzame ogenblikken, dat hij zonder voorbehoud van hun verhouding genoot. Met haar samen zijn, met haar door de stad lopen of in de keuken roddelen over de laatste politieke ontwikkelingen was iets heel gewoons geworden. Hij dacht haast nooit na over de aard van hun verhouding en ze spraken er nooit over. Zij hadden allebei elkaars voorwaarden aanvaard. Als er gelegenheid was om in de schuur te gaan vrijen, deden ze dat met plezier, zonder te discussiëren over het belang van hun daad.

Anne gaf haar vader nog een laatste zoen. Ze had een kleur gekregen.

Philip zag dat Ware hem aanstaarde. Hij nam zijn dochter bij de hand en liep op hem af: 'Ik heb Anne gevraagd ons een ogenblik te excuseren. Ik wil je graag even onder vier ogen spreken.' Hij liet Annes hand los en leidde Philip door de menigte die applaudisseerde toen Sam Adams nogal opzichtig in de koets stapte. Annes gezicht scheen te zeggen dat zij geen flauw idee had wat haar vader van Philip wilde.

Midden in de duwende, roepende menigte vond Ware de privacy die hij zocht. 'Je weet dat ik een paar weken naar het congres ga, Philip. En dat mijn dochter en Daisy alleen met die soldaat in het huis achterblijven.'

'Ja, Anne heeft mij verteld dat er een sergeant bij u is ingekwartierd. Ik heb hem nog niet ontmoet.'

'Een arme, lompe sukkel,' zei Ware, 'Voor een Tommy is hij zo kwaad nog niet. Maar ik wil het ergens anders met je over hebben. Ik heb er geen bezwaar tegen gemaakt dat Anne met je omgaat. Hoewel ik eerlijk moet toegeven dat ik liever iemand gehad had met een betere achtergrond en meer geld. Voel je niet beledigd! Voor een vader is dat een heel normale reactie. Trouwens, ik verkeer nog in het duister over je bedoelingen. Maar zoals ik zeg, ik heb geen bezwaar gemaakt tegen het feit dat jij met mijn dochter omgaat . . .'

'Hoewel u dat kennelijk wel had willen doen,' zei Philip enigszins geïrriteerd.

'Inderdaad. Maar de waarheid is dat zij mij daarvan weerhouden heeft.'

'Waarom?'

'Zij vindt jouw gezelschap prettig.'

'Meneer Ware. Ik ben erg dol op Anne. Maar . . . u hebt er zelf al op gewezen.'

'Waarop?'

'De reden dat ik niets over mijn bedoelingen kan zeggen, zoals u ze noemt. Ik voel, dat ik geen geld genoeg heb. Of toekomstverwachtingen.'

Ware liet dat tot zich doordringen en mompelde: 'Ik kan je in vertrouwen zeggen dat Anne het over beide redenen gehad heeft. Ze heeft ook gezegd dat ze volgens haar geen van beide echt zijn. Kijk niet zo dom, maar luister! Ik heb weinig tijd en dit moet gezegd worden. Terwijl ik aanneem dat je nooit over het onderwerp gesproken hebt, is Anne ervan overtuigd dat er ergens in je verleden een andere vrouw moet zijn geweest. Aangezien ik mijn eigen kind door en door ken, weet ik wat zij voor je voelt, anders zou ze zoiets nooit zeggen. Zij is in een stille strijd gewikkeld met de vrouw die nog aanspraak op je maakt. Omdat zij . . .' hij schraapte zijn keel, kennelijk slecht op zijn gemak—'eh . . . erg verliefd op je is.'

Totaal uit het veld geslagen keek Philip of hij in de menigte ergens een glimp van Annes kastanjebruine haar kon ontwaren. Hij zag haar nergens. Dat zij zijn verscheurdheid had aangevoeld—het verleden, dat nog steeds aan hem trok, Alicia—maakte dat hij alleen maar meer waardering had voor haar gevoeligheid.

'Uiteindelijk,' vervolgde Ware, 'heeft een vader van alle mensen in de wereld het minst te zeggen over het leven dat zijn dochter wil gaan leiden. Behalve dan natuurlijk aan het hof. Daarom praat ik in plaats daarvan met jou. En vraag je twee dingen.'

De bezorgdheid van de advocaat voor zijn dochter stond duidelijk op zijn gezicht te lezen. 'In de eerste plaats: tijdens mijn afwezigheid moet je vaak naar Launder Street toe gaan. En op Anne letten, zoals alleen een man dat kan. En ten tweede—wat je gevoelens over een huwelijk ook mogen zijn—kwets haar niet. Als er geen permanente verbintenis tussen jullie mocht komen, dan is dat nu eenmaal zo. Maar als je besloten hebt dat je beslissing negatief is, vertel het haar dan openhartig, en snel.'

Met onverwachte kracht greep Ware Philips arm beet. 'Want als ik gedacht had dat je zomaar wat aan het stoeien was, zonder enig echt gevoel, dan had ik je levend gevild. En als ik het niet zelf zou hebben gekund, had ik iemand gehuurd. Ik doe hetzelfde als je Anne opzettelijk pijn berokkent.'

Zo rustig mogelijk antwoordde Philip: 'Dat zal niet nodig zijn, meneer Ware. Ik heb een veel te hoge dunk van uw dochter.'

'En terecht. Vooruit laten we haar gaan zoeken. Ik moet met de koets naar Philadelphia.'

6

Sergeant George Lumden was eind twintig. Hij had vriendelijke grijze ogen, een grote moedervlek op zijn voorhoofd, een slecht gebit. En een verlegen, bijna nederige manier van doen.

Lumden had zich in Warwickshire, waar hij geboren was, aangemeld als rekruut. Als de elfde zoon van een smid, had hij voor het soldatenleven gekozen, omdat dat de enige manier was om aan de armoede te ontkomen. Maar via gesprekken met Lumden in de keuken van de Wares ontdekte Philip, dat hij helemaal niet gelukkig was met het feit dat het Drieëndertig- ste Regiment der Infanterie naar Boston was overgeplaatst.

'Er zijn er veel in mijn regiment die er niet zo over denken als ik. In mijn geval is het persoonlijk. Er woont een familielid van mij, een achterneef, in deze koloniën.'

'O ja? Waar?' vroeg Daisy O'Brian, terwijl zij een dampende schaal met koeken naar de tafel bracht en die met een blos op haar wangen voor hem neerzette.

De blos op haar wangen was Philip niet ontgaan. Hij zat op een stoeltje bij haar, met zijn armen om zijn knieën en vond dat Daisy er bepaald opge- wonden uit zag. Zodra Lumden maar even een beweging maakte of naar haar keek, kon ze haar kreetjes en overdreven hard gelach niet inhouden.

Philip keek naar Anne. Zij roerde langzaam in een ketel met geurige vis die boven het vuur pruttelde. Zij keek terug met een vrolijke blik van verstand- houding. Noch de verrukte Daisy, noch Lumden met zijn ingezakte schou- ders had het door.

Lumden had zijn slobkousen op tafel uitgespreid. Met een klein borsteltje smeerde hij er witte pasta uit een potje op. Zijn uniformjas met groene lapellen hing over zijn stoel. Zijn toch al te dikke lijf was gehuld in wollen ondergoed, dat verduiveld dik leek voor de tijd van het jaar.

'Ik geloof dat de plaats Hartford heet,' antwoordde Lumden op Daisy's vraag. 'Ik wil er naartoe, als alles tenminste rustig blijft in Boston. Ik hoop het van harte. Ik heb nog nooit gevochten, en ik wou dat ik dat ook niet zou hoeven, verdomme,' voegde hij er ongegeneerd aan toe. 'Zonder het risico gedood te worden, is het soldatenleven al hard genoeg. Ik bedoel: stel je voor! De hele tijd ben je nat. Zelfs 's zomers drijf je van je kraag tot je sokken!'

Anne lachte. 'Ik moet toegeven, sergeant, dat die uniformen er warm uit- zien.'

'Het is niet alleen maar het zweet,' zei hij. 'Het is die verdomde pijpaarde. Dag in dag uit moeten we alles wat wit is insmeren met dat spul. Anders krijgen we met de zweep.' Vol afschuw smeet hij het borsteltje op tafel. 'Als de pijpaarde vers is voel je je klef, omdat hij dan nog vochtig is. Als hij opdroogt, doet hij de stof krimpen en word je half in je uniform gewurgd, en dan ga je nog meer zweten. En dan die verdomde tinnen knopen die altijd moeten blinken dat het een lust is!' Hij wierp een van die ellendige knopen op tafel. 'Anders krijg je weer boete of een paar zweepslagen. Of allebei, als je een commandant hebt als de onze.'

'Is je commandant een bullebak?' vroeg Philip.

'Ja. Ik heb nog nooit zo'n opvliegend mens gezien. Regimenten zoals het Drieëndertigste trekken zulke mensen aan.'

'Andere regimenten niet?'

'Niet in die mate.'

'Ik begrijp het niet.'

'Nou, ziet u, het Britse leger bestaat uit twee soorten regimenten. Koninklijke regimenten—altijd met blauwe lapellen, die u zeker wel in de stad gezien zult hebben.'

De drie anderen knikten tegelijkertijd.

'En dan heb je de particuliere regimenten, zoals het mijne. Zij worden door de Kroon gehuurd om te vechten. Een zeer winstgevend zaakje voor de nabob die het kan betalen om zo'n regiment bij elkaar te brengen. Hij is er praktisch de eigenaar van en na aftrek van de kosten kan hij zijn vermogen spekken. Neem de man die in wezen onze commandant is. Hij is een oude jichtige schijtlaars'—hij keek met een kleur naar Daisy en slikte—'burggraaf Coney genaamd. Hij heeft nog nooit gemarcheerd, nog nooit een kogel gezien en is nog nooit buiten Engeland geweest. Dus de man die hier het commando heeft over het regiment, luitenant-kolonel Amberly, is helemaal niet de werkelijke commandant als jullie me kunnen volgen.'

Lumden knipperde met zijn ogen toen hij de gespannen uitdrukking op Philips gezicht zag. 'Neemt u mij niet kwalijk als ik iets verkeerds gezegd heb, meneer Kent.'

Philip schudde zijn hoofd. 'Ga verder Lumden. Vertel over die luitenant-kolonel.'

De sergeant krabde over zijn kin en keek geërgerd naar zijn vinger die nog onder pijpaarde zat. Daisy pakte een lap. Lumden veegde de pasta van zijn kin en vervolgde: 'Hij is het type dat je vaak ziet als commandant van een particulier regiment. Interesseert zich niets voor de soldaten, of voor het vak. Wil alleen maar wat ervaring op zijn conto laten bijschrijven. Heeft natuurlijk zijn officiersaanstelling gekocht. Of zijn vader heeft hem gekocht, zo werkt dat neem ik aan. Het is de enige manier om snel een hoge rang te krijgen. Zoals ik al zei, is Amberly een klote—eh—een opvliegend man. Hij kan afschuwelijk wreed zijn. In een wip heeft hij het met je aan de stok! Aan de andere kant is hij niet veel erger dan de anderen waar ik wel eens over hoor. Dus misschien heb ik wel niets te klagen.'

Kalm zei Philip: 'Weet je misschien de voornaam van die Amberly?'

'Natuurlijk. Roger. Roger Kromhand noemen sommigen van ons hem in het geniep.' Lumden wrong zijn vingers in een rare vorm.

Philip hield zijn adem in. Hij sprong zo plotseling op, dat Daisy een kreet gaf.

Lumden zei angstig: 'Neemt u mij niet kwalijk. Ik weet dat het niet netjes is om met iemands ongeluk te spotten. Maar de verminking aan zijn hand heeft ook de ziel van onze commandant verminkt. Verdomd als het niet waar is. Een slechte hand—een teken van een slechte geboorte'— Lumden tikte met zijn vinger tegen zijn voorhoofd bij zijn linker ooglid— 'dat is een duivelse combinatie, kan ik u vertellen. Geen wonder dat hij zich heeft aangeleerd de zweep met zijn linkerhand te gebruiken. Als hij in de stemming is, vindt hij het leuk straffen uit te delen.'

'Heeft die commandant van jou wel eens over een vrouw gesproken?' vroeg Philip.

'Ja, ik heb horen praten over een vrouw in Engeland. Meneer Kent, ik heb u van streek gebracht, nietwaar? Neemt u mij niet kwalijk. Maar ik begrijp niet hoe ik . . .'

Philip rende naar de achterdeur en riep: 'Laat maar, het is niets.'

'Kent u de commandant soms?'

Philip sloeg de deur achter zich dicht en rende de trap af. Hij hoorde de huisdeur weer opengaan. Hij liep naar de schuur met zijn hoofd naar beneden. Daar in de schaduw staarde hij, zonder iets in zich op te nemen, naar de uitrusting van Lumden: zijn grote ransel, zijn kardoes, zijn Brown Bess met de lange loop en nog langer bovenstuk. Hij hoorde Anne niet binnenkomen, maar voelde het.

Hij draaide zich om.

'Je werd wit toen je die naam hoorde, Philip. Is dat de man waar je over verteld hebt?'

'Het kan niemand anders zijn. De voornaam zou misschien toeval kunnen zijn, maar de hand en het litteken niet.' Hij herinnerde zich, wat Alicia gezegd had. 'Toen ik daar was, waren er geruchten dat hij een tijdje in het leger zou dienen. Nu er zoveel regimenten hier naartoe gezonden worden, was er natuurlijk een goede kans, dat hij hier zou belanden.'

Zij pakte zijn hand vast. 'Wat ben je van plan?'

Hij probeerde te vergeten dat Roger bijna de oorzaak van zijn dood was geweest en zei: 'Ik ben van plan uit zijn buurt te blijven. Als hij mij per ongeluk zou zien, is hij zeker in staat een reden te bedenken om mij te laten arresteren. Hij heeft mijn moeder en mij toentertijd zo gehaat, dat hij mijn dood wenste en ik betwijfel of zijn haatgevoelens verminderd zijn. Hij is vast niet vergeten wie zijn hand verminkt heeft.'

Anne keek hem strak aan. 'Je vroeg naar een vrouw. Zijn vrouw. Is zij degene van wie je destijds zoveel hebt gehouden? Ik weet, dat niet alleen de brief van je vader je aan het verleden kluistert, en je verhindert een toekomst op te bouwen.'

Hij wilde haar gevoelens sparen door te liegen. Maar toen dacht hij aan zijn belofte aan haar vader en zei: 'Ja, dat is zij.'

'Je hebt me nooit verteld dat ze is getrouwd met de andere zoon van je vader, Philip.'

'Dat leek me niet nodig, Anne. Ik moet terug naar de drukkerij. Zeg alsjeblieft niets tegen Lumden.'

'Natuurlijk niet. Maar . . . toen je hem uitvroeg was er zo'n beangstigende blik in je ogen. Haat je Amberly nog steeds zo?'

'Hij heeft de dood van mijn moeder veroorzaakt! Ik wil hem vermoorden.' Plotseling zag hij er moe uit en was de grimmigheid van zijn gezicht verdwenen:

'Maar ik ben realistischer geworden, net als de sergeant. Ik wil in leven blijven. Als ik opzettelijk met hem in contact zou willen komen, zou ik hem in de kaart spelen. Tenzij' — zijn gezicht werd weer grimmiger — 'de moord goed voorbereid zou worden. De moeilijkheid is, dat ik in deze tijden verplichtingen heb tegenover Edes. En het is niet zo makkelijk om een moord voor te bereiden. Voor mij tenminste niet.'

'Door een moord word je precies zoals hij!'

Hij wist dat zij gelijk had. Hij haatte haar bijna omdat zij dat zei. 'Laten we er over ophouden, Anne. Ik moet weg . . .'

'Vertel me eerst iets over zijn vrouw. Was ze mooi?'

'Nee, ik vertel niets. Zij is getrouwd, en daarmee is de kous af.'

'Niet in jouw binnenste.'

Met ongelooflijke precisie was zij tot de kern van zijn onzekerheid doorgedrongen. Hij vluchtte weg. Hij rende naar het huis. Halverwege hoorde hij zijn naam roepen. Hij draaide zich om.

Voor de schuur stond Anne met gebalde vuisten in de zon. 'Ik zal van haar winnen, Philip. Ik zweer dat ik van haar zal winnen!'

Hij dacht dat hij tranen zag in haar ogen.

Hij draaide zich weer snel om en haastte zich naar de drukkerij.

VII Verraad

1

In Frankrijk regeerde een nieuwe koning, de zestiende Lodewijk. Sommige inwoners van de stad Boston vonden dat ook zij gezegend waren met een nieuwe heerser, maar het was een despoot. Want gouverneur Thomas Gage mocht zich dan in het openbaar nogal verzoeningsgezind opstellen, hij had het provinciehuis amper betrokken of die fluwelen handschoen bleek een ijzeren vuist te omhullen. Op de eerste september marcheerde het puikje van enkele regimenten op naar Cambridge, om daar bij verrassing een flinke hoeveelheid kruit en musketten van de plaatselijke vrijwilligers in beslag te nemen.

Beierende kerkklokken en een paar kanonschoten lieten de inwoners van Boston weten dat er zich een uitermate ernstige ontwikkeling had voorgedaan. Niet alleen ernstig voor de kolonisten, maar, zoals spoedig blijken zou, ook voor de Britten.

Het antwoord op de overval liet namelijk niet lang op zich wachten, zo meldde de *Gazette*. Gealarmeerd door de klokken en koeriers te paard, kwamen enkele duizenden boeren uit de omtrek in het geweer. Gewapend met musketten, zeisen en dorsvlegels verzamelden zij zich aan de rand van het dorp Charleston, waar de Britten juist bezig waren een tweede kruithuis leeg te halen.

De partijen raakten niet slaags, aangezien de soldaten voorzichtig genoeg waren om zich terug te trekken zodra de voorhoede van het boerenlegertje Charleston binnentrok. Toen de boeren het dorp verlaten vonden, bliezen ook zij de aftocht.

Niettemin wilde Ben Edes en velen met hem, in het incident een overwinning zien: 'Generaal Gage is bang, Philip, en angst is wel vaker een slechte raadgever gebleken. Hij dacht een goede zet te doen door ons te beroven van wapens die we eventueel tegen zijn soldaten zouden kunnen gebruiken. Maar ongewild heeft hij ons gedemonstreerd op welke manier hij denkt op te treden als het menens wordt. Heb je gehoord hoe snel de vrijwilligers op de been waren?'

'Ja.'

'Snel, dat wel, maar toch nog niet snel genoeg. Dat is de les die wij dank zij Gage hebben geleerd. We moeten een manier bedenken waarop het platteland sneller gealarmeerd en gemobiliseerd kan worden. Gage zal het nog eens betreuren dat hij ons een kijkje in zijn keuken heeft gegund.' Edes grinnikte. 'Want Sam Adams is een uitstekend pottekijker.'

Daarin bleek hij volkomen gelijk te hebben.

In de eerste septemberweek breidde Gage de surveillance en het aantal wachtposten op de Roxbury Neck, de smalle landtong tussen Boston en het achterland, drastisch uit. Niettemin ondervonden Adams, Hancock en de andere vooraanstaande patriotten geen enkele hinder bij het verkeer over de Neck, gesteld dat ze door de wachtposten al werden herkend. De gouverneur leek voorshands niet van plan openlijk tegen de voornaamste stokebranden op te treden, al liet hij zijn regimenten onophoudelijk oefenen.

Dank zij de vrijheid die Adams en de anderen van Gage kregen, kon het Huis van Afgevaardigden van Massachusetts begin oktober in Salem bijeenkomen. Het Huis tartte de gouverneur openlijk door tijdens de vergadering een nieuw Comité van Veiligheid te installeren, onder voorzitterschap van Hancock. Het Comité had volmacht om de vrijwilligers-eenheden te drillen, te bewapenen en zonodig op te roepen. Parate compagnieën werden gevormd die onmiddellijk bij het eerste alarm gemobiliseerd zouden kunnen worden.

In de tussentijd deed Abraham Ware in een wekelijkse brief aan zijn dochter verslag van de debatten in de Carpenter's Hall te Philadelphia. De radicalen en de gematigden in het overkoepelende congres hadden het stevig met elkaar aan de stok over een aantal resoluties van Massachusetts. Ware had ze opgesteld en Revere had ze te paard naar Philadelphia gebracht, nadat ze in afwezigheid van Ware door een conventie in Suffolk County waren bekrachtigd. Annes vader trachtte steun te werven voor zijn oproep de dorpen te bewapenen en economische sancties tegen de Britten af te kondigen, terwijl de gematigden aanvankelijk niet veel verder wilden gaan dan een zoveelste protest tegen het beleid van de Kroon.

Maar tenslotte—'Loof de Almachtige en zij die hun zaken het vurigst bepleiten!' zoals Ware het in een van zijn brieven uitdrukte—hechtte het Congres zijn goedkeuring aan een tiental resoluties. Daarin werd ondermeer uitdrukkelijk vastgelegd dat de provinciale volksvertegenwoordigingen autonoom waren in zaken van provinciaal bestuur, met name waar het de belastingheffing betrof. Verder stelden deze resoluties vast dat dertien met naam genoemde en sinds 1763 geldende Britse wetten indruisten tegen het recht van de kolonisten op 'leven, vrijheid en goed'. Bovendien kregen de radicalen hun zin toen men het eens werd over economische sancties zolang Londen deze 'Onduldbare Wetten' niet zou hebben herroepen.

Ware schreef Anne dat dit eerste Congres eind oktober op reces hoopte te gaan, na de tekst te hebben uitgewerkt van een rechtstreeks tot de koning te richten petitie waarin alle koloniale grieven nog eens zouden worden opgesomd. De vertegenwoordigers van de verschillende koloniën hadden al afgesproken het volgend jaar opnieuw bijeen te komen als de situatie dan niet zou zijn verbeterd.

'Het is minder dan Samuel of dr. Warren—om over mezelf nog maar te zwijgen—hadden gehoopt,' schreef de jurist in een van de brieven die Anne aan Philip liet lezen. *'Daar staat echter tegenover dat we samenwerken, het met elkaar eens zijn, en dat is op zichzelf al van eminente betekenis voor de toekomst. Mee te maken hoe de gedelegeerden 's avonds samenkomen in de City Tavern, te horen hoe hoog in aanzien staande heren, zoals kolonel Washington uit Virginia, lucht geven aan dezelfde bezorgdheid als in Boston leeft, terwijl wij de madera en de gebakken oesters intussen alle eer aandoen, dat, liefste dochter, is een belevenis die woorden tart en slechts tenvolle kan worden begrepen met het hart, een hart dat zwelt van trots . . .'*

Zo brak de maand november aan. Anne verbeidde de terugkeer van haar vader met gemengde gevoelens. Zij miste hem. Maar aan de andere kant zou het bij zijn terugkomst afgelopen zijn met de vrijheid waarmee zij Philip 's avonds thuis kon ontvangen. Ongestoord door een chaperonne praatten zij over van alles en nog wat, behalve over hun eigen toekomst, terwijl Daisy in de keuken zat te babbelen met sergeant Lumden van het Drieëndertigste.

Naarmate de winter naderde, werd het steeds duidelijker dat de Havenwet inderdaad desastreuze gevolgen zou gaan krijgen. Gage interpreteerde de wet zo strak, dat zelfs alle veerdiensten over de rivier door een verbod werden getroffen. Hierdoor stegen de prijzen van allerlei levensmiddelen — van schapevlees tot kabeljauw —, want alles moest met paard en wagen een kostbare omweg via de Neck maken. Brandhout en behoorlijk geraffineerde lampolie waren, in enige hoeveelheden althans, alleen betaalbaar voor de gefortuneerde inwoners van Boston, overwegend Tories, die zich er niet alleen over verkneukelden dat de Whigs in de kou zaten, maar die zich ook niet overmatig bezorgd maakten over het lot van de allerarmsten.

Tussen de bedrijven door vergat Philip uiteraard geen moment de aanwezigheid in Boston van een zekere luitenant-kolonel Roger Amberly. Lumden vertelde hem, dat zijn regimentscommandant was ingekwartierd bij de koningsgezinde bewoners van een kapitaal pand op Beacon Hill.

Philip postte avonden lang bij dat huis, in de hoop een glimp op te vangen van de man die hij tot in het diepst van zijn ziel haatte en dood wenste. Huiverend in de avondkou zon Philip op allerlei manieren om Rogers dood een ongeluk te laten lijken. Hij overwoog zelfs het vuile werk, tegen betaling, te laten opknappen door een mannetje van de South End bende. Maar in al die uren dat Philip, de ene mogelijkheid na de andere verwerpend, rond het huis doolde, bleef Roger onzichtbaar.

Daarbij kwam, dat Philip geen definitief antwoord kon geven op de allerbelangrijkste vraag. Was hij werkelijk tot moord in staat? Zolang hij dat niet wist, zou geen enkel plan ooit vastere vorm kunnen krijgen. Uiteindelijk zette hij dan ook een punt achter zijn avondwake en liet zichzelf weer geheel in beslag nemen door de dagelijkse beslommeringen in Dasset Alley, en door Anne. Misschien, dacht hij meer dan eens, kroop hij weg voor zijn eigen zwakte, een fundamenteel onvermogen om iemand in koelen bloede te vermoorden.

Van haar kant liet Anne de naam Amberly geen enkele keer meer vallen, sinds die middag dat Lumden had onthuld hoe zijn commandant heette. Het onderwerp Alicia kwam evenmin ter sprake, waar Philip haar dankbaar voor was. Na eindeloze debatten over zichzelf, moest hij tot de slotsom komen dat hij inderdaad niet tot een sluipmoord in staat was. Iemand in hem dorstte naar wraak. Maar iemand anders, iemand die even sterk was, weerhield hem ervan.

2

'God nog aan toe, reken maar dat het oorlog wordt,' zuchtte sergeant Lumden somber toen hij op een avond, het was al eind december, in de keuken wat met Philip zat te praten. 'Hebt u niet gehoord wat er is gebeurd in New Hampshire, waar dat dan ook liggen moge?'

'Bij fort William and Mary, bedoelt u zeker?' zei Philip en liet de warme kroes rumpunch met welbehagen in zijn handen draaien. 'In de Dragon hoor je over niets anders praten.'

Daisy's rode haar wedijverde met de vlammen van het haardvuur. Ze was anders de opgewektheid in persoon, maar nu leek het wel alsof ze haar tong had verloren. Philip vroeg zich af waarom. Tot hij zag dat haar blikken steeds weer terugkeerden naar die wat verweesd ogende Britse infanterist. Ze keek alsof ze zich zorgen maakte.

Philip nam een slok en koos zijn woorden met zorg: 'Trouwens, ik heb bij geruchte vernomen dat een inwoner van Boston, die voor vijf shilling per dag koeriersdiensten verricht, de mensen in New Hampshire voor de overval heeft gewaarschuwd, zodat ze hun wapens tijdig in veiligheid konden brengen.'

Bij geruchte was nauwelijks de juiste term. Philip wist heel goed dat Revere de waarschuwing had overgebracht. Maar hoewel Lumden een innemend man leek, wist hij niet zeker in hoeverre de sergeant te vertrouwen was.

Generaal Gage was van plan geweest het fort in New Hampshire stilletjes te versterken en enkele compagnieën waren daartoe onder dekking van de duisternis in Boston scheep gegaan. Maar klaarblijkelijk hadden de patriotten in het provinciehuis iemand die het vak van luistervink uitstekend verstond. Het was trouwens een publiek geheim dat beide partijen met spionnen in elkaars rangen waren geïnfiltreerd.

Revere had de boodschap overgebracht aan een van de patriottische kopstukken in New Hampshire, een zekere John Sullivan. Deze had zijn mannen opgeroepen, het fort omsingeld en het kleine Britse garnizoen zonder slag of stoot tot overgave gedwongen. Toen Gages verse troepen bij het fort arriveerden, waren de vogels al gevlogen, met medeneming van de hele voorraad wapens en kruit.

'En ik ben het dus met u eens, sergeant,' besloot Philip. 'Dat incident heeft de oorlog weer heel wat dichterbij gebracht.'

Lumden wreef nerveus over de grote moedervlek op zijn voorhoofd.

Philip veranderde van gespreksthema. 'Heb je enig idee wanneer Anne en haar vader terugkomen?' vroeg hij Daisy.

'Nee, meneer. Ze zijn een paar boodschappen doen.' Ze liep van de schouw naar de tafel en Philip zag dat ze snel en kort adem haalde. Waarom was ze zo zenuwachtig?

Daisy trok een krukje bij, ging zitten en keek Philip met iets van gespannen verwachting aan. 'Ik ben blij dat u langs bent gekomen, meneer Philip. George ... ik bedoel de sergant hier, wil al een paar dagen iets met u bespreken.'

Philip maakte een gebaar alsof hij zeggen wilde dat Lumden dan zijn mond maar moest opendoen. Maar toen de sergeant hakkelend begon, flitsten zijn ogen van de open keukendeur naar de berijpte ramen en weer terug, alle kanten op, behalve die van Philip.

'Nou kijk, meneer Kent, de zaak is dat ik ... dat ik ...'

'Zit nou niet zo te stotteren,' drong Daisy aan. 'Vertel het hem.'

Lumdens grijze ogen zochten eindelijk die van Philip. 'Kan ik u iets in vertrouwen vertellen?' vroeg hij.

'Natuurlijk.'

'Dat heb ik je toch gezegd,' zuchtte Daisy.

Lumden slikte iets weg. 'Ik denk er over om uit het leger te gaan,' zei hij hortend.

'U bedoelt dat u ontslag wilt nemen?'

'Nee.' Het was Daisy die het antwoord gaf. Met een gebaar dat woorden overbodig maakte, legde ze haar hand op die van de sergeant.

Ineens begreep Philip waarom het meisje zo gespannen was, waarom haar ogen Lumdens gezicht niet loslieten. Natuurlijk, Daisy en de sergeant had-den de afgelopen paar weken menige avond samen in de keuken doorge-bracht. O, dus daarom konden die twee het zo goed met elkaar vinden.

'U wilt dus deserteren,' stelde hij vast.

Daisy knikte heftig. 'George en ik willen trouwen. We hebben het verschil in godsdienst al met elkaar uitgepraat en ...'

'Maar dat is toch prachtig,' lachte Philip. 'Van harte gefeliciteerd, jullie twee!'

Een blos van blijdschap kleurde Daisy's wangen. Het schijnsel van de haard danste in haar felrode haar.

'Deserteren is natuurlijk iets waar je je eigenlijk voor moet schamen,' stoot-te Lumden uit. 'Goed, ik heb er de pest aan om hier andere Engelsen te moeten onderdrukken, maar drie maanden geleden zou ik iedereen een klap voor zijn kop hebben verkocht die had durven veronderstellen dat ik zou deserteren. Maar ik schaam me er niet voor toe te geven dat ik er door mijn gevoelens voor Daisy nu heel anders tegenaan kijk.'

'Beste George,' antwoordde Philip sussend, 'je bent slim genoeg om inmid-

336

dels te hebben ontdekt dat je bent ingekwartierd bij mensen die nu niet bepaald overlopen van sympathie voor de Kroon . . .'

'Ja, reken maar dat ik een paar uitspraken in die richting heb opgevangen,' lachte Lumden zuurzoet.

'Waarmee ik wil zeggen,' vervolgde Philip, 'dat je je hier niet hoeft te verontschuldigen. Ik juich je besluit van harte toe en meneer Ware zal dat ongetwijfeld ook doen.'

'Er zijn trouwens steeds meer soldaten die het voor gezien houden,' hernam Lumden opgelucht. 'Ze smeren hem in boerenkleren over de Neck of maken de wacht bij het Charlestown-veer wijs dat ze als ordonnans naar de overkant moeten.'

'Ik kan alleen maar herhalen dat ik het van harte toejuich,' antwoordde Philip.

'Maar u moet niet denken dat ik de vlag strijk omdat ik laf ben,' verdedigde Lumden zich nog. 'Tenminste, dat is hoogstens een deel van de waarheid,' vervolgde hij even later met zachtere stem. 'Ik betwijfel of ik dit besluit ooit genomen zou hebben zonder de ruggesteun van wat ik in dit huis heb gevonden: sympathie, liefde zelfs . . .' Hij verzonk in zwijgen en kreeg een kleur waaraan die van Daisy zelfs niet tippen kon. 'Wat natuurlijk ook een rol speelt,' vervolgde hij na wat tot rust te zijn gekomen, 'is dat ik . . . nou ja, dat heb ik geloof ik al gezegd . . . dat ik die lui hier in Boston wel mag.'

'Inderdaad, George,' antwoordde Philip met moeite een glimlach onderdrukkend, 'dat heb je net ook al laten doorschemeren. Maar put jezelf toch niet verder uit in rechtvaardigingen of excuses.'

'Zoals ik tegen de zaken aankijk, zijn de koning en zijn ministers stomme misdadigers of misdadige stomkoppen! Het dringt niet tot ze door dat jullie kolonisten harde koppen hebben. Dat jullie het niet snel zullen opgeven!'

'We zullen het nooit ofte nimmer opgeven, George!'

'Precies! Maar dat betekent steeds meer acties over en weer, net zolang tot de vlam in het kruitvat slaat. Of zie ik het verkeerd?'

'Nee, ik ben bang dat je gelijk hebt, George.'

Lumdens vuist sloeg dreunend op tafel en liet de kroezen dansen. 'Maar ik hang nog liever, dan dat ik ga vechten tegen ambachtslui en boeren wier enige misdaad is dat ze staan op de rechten waarvan men ze wil beroven!'

'Ik begrijp je volkomen,' stelde Philip hem gerust. 'Maar dan ook volkomen. Laten we nu liever eens praten over de praktische kant van de zaak.'

'U bedoelt hoe George uit Boston weg kan komen?' vroeg Daisy.

'Inderdaad. We kunnen kiezen tussen de Neck en de rivier.'

'Dan zal het via de Neck moeten,' zei Lumden, 'want als zoon van een smid ben ik geen held in het water. Ik heb zegge en schrijve één keer geprobeerd te zwemmen. We waren op bezoek bij een oom die vlak bij de Avon woonde. Ik durfde niet verder dan tot mijn enkels het riviertje in. Doodsbang was ik! Tijdens de oversteek hierheen ben ik praktisch de hele reis zeeziek geweest. Begrijpt u wat ik bedoel? Ik ben maar een soldaat van niks! Net als

elke andere Britse infanterist hebben ze me maar één ding geleerd: in slagorde op de vijand af te lopen als een stuk kanonnevlees! Zoals wij plegen op
te marcheren heb je een uitstekende kans, dat het eerste vijandelijke salvo
je al fataal wordt.' Zijn ogen blikten in de verte, alsof ze getuige waren van
de slachting die hij had beschreven.
Philip schraapte zijn keel en dat geluid bracht Lumden terug in de werkelijkheid.
'Via de rivier hoef je het dus niet te proberen,' zei hij met een definitief
gebaar.
'Maar als je de Neck over wilt, zul je burgerkleren nodig hebben,' merkte
Philip op.
Daisy vertelde dat ze bij andere dienstmeisjes in de straat al een soort
collecte had gehouden. 'Hoofdzakelijk afdankertjes, maar geschikt voor
ons doel.'
Philip knikte. 'Maar spreken mag je in geen geval, George. Je tongval zou je
onmiddellijk verraden.'
'Ook daar hebben we aan gedacht,' bracht Daisy in het midden. 'We hebben iemand nodig die met George meegaat. Ik heb nog wat geld in een ouwe
kous. Kent u niet een betrouwbare knaap die zich voor een zoon of een neef
van George zou kunnen uitgeven? Kijk, ons plan zit als volgt in
elkaar . . .'
Nadat ze het in grote trekken had uitgelegd, moest Philip toegeven dat
Daisy's plan ondanks de risico's een goede kans van slagen had. Te meer
daar de Britse soldaten toch al geneigd waren een boer uit Massachusetts te
beschouwen als iemand die in de grote stad steevast veel te diep in het
glaasje keek.
'Zo een, twee, drie weet ik niemand,' zei hij tegen Lumden. 'Maar ik zal
voor je uitkijken.'
'God moge het u lonen, Kent!'
'Op welke termijn wil je eigenlijk weg?' vroeg Philip nuchter.
'Meteen, zodra we de zaak rond hebben.'
'En bij wie wil je onderduiken? Bij dat familielid van je in . . . was het niet
in Connecticut?'
'Daar wil ik uiteindelijk naar toe, ja,' antwoordde Lumden. 'Maar voorlopig wil ik zien bij Daisy's vader onderdak te komen. Die heeft een boerderij
even voorbij Concord. Ik denk trouwens niet, dat ze lang naar me zullen
zoeken.'
'Nee,' grinnikte Philip. 'Als ze zouden blijven zoeken naar elke soldaat die
hem de afgelopen paar maanden is gesmeerd, hadden ze dagwerk. Gage
zou trouwens binnen de kortste keren niemand meer hebben om te láten
zoeken! Ik verwed er wat onder, dat je na een week of twee niets meer te
duchten hebt.'
Er schoot hem ineens iets te binnen: 'Wat ben je eigenlijk van plan met je
uniform en je wapens?'
Lumden dacht een ogenblik na. 'Mijn uniform zal ik maar verbranden

denk ik, hier in de schouw. M'n musket . . .'

'En dat mes niet te vergeten, dat op de loop past. Die bajonet, bedoel ik,' drong Philip gretig aan. 'Dat is een wapen waarmee onze vrijwilligers geen enkele ervaring hebben. We hebben het niet en weten het ook niet te gebruiken.'

Daarvan was geen woord gelogen. Luitenant Knox van de Boston Grenadiers had Philip meer dan eens verteld, dat het ontbreken van bajonetten de kolonisten nog wel eens duur te staan kon komen, mochten ze ooit man tegen man moeten vechten met de Britse regimenten. De meeste vrijwilligers waren geneigd dat met een flinke schep zout te nemen. Ze gingen prat op hun trefzekerheid met het musket en zagen niet veel in zo'n extra steekwapen op de loop. Philip had echter veel respect voor Knox' inzicht en knoopte alles wat de luitenant zei in zijn oren. Daarom vroeg hij Lumden nogmaals: 'Wat ga je met die dingen doen?'

'Ik denk dat ik ze hier in de schuur verstop of in de rivier gooi. Als ik mijn wapens zou proberen mee te nemen, worden ze toch meteen als militair eigendom herkend. Ik ben ze liever kwijt dan rijk, want ik heb een afkeer gekregen van alles wat door die wapens wordt gesymboliseerd. Als er gevochten moet worden, zal ik dat voortaan met mijn blote handen doen.'

Er kwam een begerige blik in Philips donkere ogen. 'Wil je mij je musket en je bajonet niet geven?' vroeg hij.

'Als je in ruil daarvoor met een betrouwbare metgezel op de proppen komt, mag je ze hebben,' grinnikte Lumden.

'Afgesproken!'

'Het lijkt me beter maar niet stil te staan bij de dingen die je ermee wilt doen,' zei Lumden ernstig. 'Als de dag ooit komt dat je ze gebruiken moet tegen mannen die nu nog mijn kameraden zijn, dan hoop ik al lang in Connecticut een eigen lapje grond te bewerken en 's avonds een kleintje op schoot te kunnen nemen.' Hij greep Daisy's hand en hield die stevig in de zijne.

Daisy straalde van verliefdheid, maar dat ging geheel aan Philip voorbij. In gedachten streelde zijn hand liefkozend de lange loop van het musket, binnenkort zíjn musket. Hij moest zich dwingen om terug te keren tot de realiteit van het ogenblik. 'Nog één ding, George. Wie moeten we verder nog in vertrouwen nemen? Anne bijvoorbeeld?'

'Ik heb haar al in grote trekken verteld wat we van plan zijn,' antwoordde Daisy voor Lumden. 'Volgens mij moeten we ook meneer Ware op de hoogte brengen. Voor de rest weet niemand er iets van. Ook mijn vader heb ik geen bericht gestuurd—en zelfs als ik iemand kon vinden die hem voor mij een brief wil schrijven, dan zou ik het nog niet doen. Want als ze George te pakken zouden krijgen . . .'

'Dan leggen ze op zijn minst de zweep over mijn rug,' viel Lumden in. 'Als ze me al niet de kogel geven.'

'Daarom dacht ik dat mijn vader maar niets moest weten totdat George veilig en wel het erf opstapt,' vervolgde Daisy. 'Het schijnt dat boodschappen uit Boston tegenwoordig nogal eens worden onderschept.'

'Dat is dan afgesproken,' zei Philip. Hij kwam overeind, want de geluiden uit het voorhuis bewezen dat Anne en haar vader thuis waren gekomen.

Ware liet niet lang op zich wachten. Zijn driekante steek was wit van de sneeuw. 'Kijk eens aan, een samenzwering in de maak!' lachte hij fijntjes. 'Ontken het maar niet, want jullie gezichten spreken boekdelen.' In weerwil van zijn politieke opvattingen, had Ware sympathie opgevat voor de sergeant die bij hem was ingekwartierd.

Ook Anne kwam nu de keuken in. Philip deed een paar passen in haar richting, zodat hun handen elkaar even konden aanraken. Met zijn andere hand hief hij de beker alsof hij een heildronk ging uitbrengen. 'Inderdaad, meneer, samenzweerders zijn we. We hebben zojuist weer een man gewonnen voor de goede zaak. Op zijn minst moet de tegenstander het met één man minder stellen. Daar moet op gedronken worden.'

'U bent een gulle gastheer met andermans drank, Philip Kent,' antwoordde Ware met gespeelde ernst. 'Maar mag ik misschien ook weten wat die samenzwering te betekenen heeft?'

Nadat Lumden hem in een paar woorden op de hoogte had gebracht, sloeg Ware zijn handen vergenoegd ineen en noodde iedereen aan tafel voor een paar rondjes op de goede afloop. 'En deze keer,' zei hij met een schuinse blik naar Philip, 'zijn ze inderdaad voor rekening van het huis.'

3

Op advies van Ben Edes ging Philip naar de Green Dragon om daar iemand voor Lumden te zoeken. Volgens Edes waren de duvelstoejagers in die kroeg niet al te kieskeurig als het erom ging een grijpstuiver te verdienen.

De knaap die dienst had toen Philip zijn licht kwam opsteken, was een zekere Jemmy Thaxter. Het was een morsige, gemelijk kijkende jongen van hoogstens twaalf jaar. De waard, die Philip als mede-patriot herkende, vertelde hem in vertrouwen dat deze Jemmy wel bereid was een duister akkefietje op te knappen als er genoeg werd betaald. 'Maar pas op, hij schuimt al sinds zijn zevende over straat,' waarschuwde de man. 'Laat je dus niet afzetten door dat schoffie en vertel hem geen woord te veel.'

Philip had meteen een hekel aan de sluw uit zijn ogen kijkende jongen. Jemmy's adem had een graflucht en hij had de onaangename gewoonte om steeds met zijn tong langs de gele stompjes van zijn boventanden te likken. Maar het joch luisterde aandachtig en antwoordde dat hij zonder enige moeite een kar en een paard op de kop zou kunnen tikken. Kon het tochtje dat hij moest maken wel eens gevaarlijk worden? Geen nood, in de sloppen waar hij woonde was hij wel wat gewend. Als Philip hem maar zijn tien shilling betaalde, was alles in orde.

Philip vroeg Jemmy maar niet hoe deze aan paard en wagen dacht te komen, want het zou wel jatwerk worden. Hij vertelde hem ook geen bijzonderheden over het plan en al helemaal niets over het doel van de onderneming. Pas vlak voor Lumdens vertrek zou Jemmy te horen krijgen wat hij precies moest doen. Op die manier zou hij zijn mond niet voorbij kunnen praten, dacht Philip.

Het liet Jemmy verder allemaal koud. 'Als ik mijn geld maar krijg, rij ik desnoods voor je naar de hel. Wanneer moet ik de kar en die knol trouwens bij de hand hebben?'

'Pas als ik je het sein geef en niet eerder. Misschien over een paar dagen al, maar het kan ook weken gaan duren. Je hoort wel van me.' Lumden, wist Philip, kon het best zelf zijn tijdstip van vertrek kiezen.

Hoewel de zaak nu in kannen en kruiken leek, zat het Philip toch niet helemaal lekker. Hij weet zijn gepieker echter aan de algemene onzekerheid en de groeiende spanning in Boston. Door de worgende havenwet waren honderden arbeiders op de scheepswerven, in de zeilmakerijen en lijnbanen werkloos geworden. Want waarom zou je nog schepen bouwen als die toch niet mochten varen? Kleine legertjes woedende werklozen maakten de stad in toenemende mate onveilig voor Gages soldaten. Opstootjes en vechtpartijen waren aan de orde van de dag. Militairen, zowel gewone soldaten als officieren, die zich na zonsondergang alleen op straat waagden, namen het risico van een gevoelig pak slaag. Philip wist van twee soldaten die zo'n aframmeling zelfs niet hadden overleefd. Voor hemzelf bleef de spanning draaglijk dank zij de momenten waarop hij even met Anne alleen kon zijn.

Op oudejaarsavond ging hij naar Launder Street, net zoals hij dat twaalf maanden eerder ook had gedaan. Plagerig stelde Anne voor om 1775 even prettig te beginnen als het bijna afgelopen jaar.

Het zat de gelieven echter niet mee. Annes vader was zo vriendelijk om zich al ruimschoots voor elven geeuwend in zijn kwartieren terug te trekken. Maar Daisy en de sergeant hielden de keuken bezet en trokken net een nieuwe fles wijn open. Daarom zat er voor Philip en Anne niets anders op dan even voor middernacht zogenaamd een frisse neus te gaan halen.

Door het netwerk van steegjes wandelden zij naar het vertrouwde schuurtje, waar zij zich neervlijden en zich overgaven aan elkaars omhelzingen. Maar omdat het licht in de keuken verried dat Daisy en Lumden nog steeds op waren, durfden ze niet te lang weg te blijven. Binnen een half uur nadat de klokken het nieuwe jaar hadden ingeluid, waren ze weer terug van hun 'wandeling'.

Gedurende de eerste januariweken kwam huize Ware, net als heel Boston, steeds krapper in zijn levensmiddelen en andere behoeften te zitten. Bij Ware werd het vuur in de keukenschouw 's nachts met niet meer dan een paar blokken brandend gehouden, terwijl de woonkamer alleen overdag nog werd verwarmd.

Philip gaf Lumden herhaaldelijk de verzekering dat alles op rolletjes zou lopen, al was hij daar voor zichzelf helemaal niet van overtuigd. Maar de sfeer in de stad was er nu eenmaal een van totale onzekerheid, hield hij zich voor. Alles leek tot mislukken gedoemd.

Lumden werd inmiddels, naarmate de dagen verstreken, steeds prikkelbaarder en Philip was bang dat zijn schichtige gedrag argwaan zou wekken bij de officieren van het regiment. Bijna dagelijks, vertelde Anne, kondigde Lumden aan dat hij de spanning niet langer aan kon. Toch kwam hij zelf niet op de proppen met een concrete datum voor zijn desertie. Het was zonneklaar dat Lumden nog steeds worstelde met een conflict tussen zijn romantische gevoelens voor Daisy en zijn eerbied voor de krijgstucht. Volgens Anne werd de spanning hem duidelijk te veel.

Bij zijn volgende bezoek aan Launder Street zag Philip dat ze niet overdreef. Lumden zei bijna geen woord en ijsbeerde grommend door de keuken, heen en weer, heen en weer, al maar over die moedervlek op zijn voorhoofd wrijvend.

'Volgens mij krijgt die arme kerel nog een hartaanval als hij de knoop niet vlug doorhakt,' zei Anne even later, in het voorhuis. 'Verbeeld je dat hij onder de spanning bezwijkt en van de daken gaat schreeuwen wat hij van plan is. Vind je niet dat we hem maar van zijn voornemen af moeten brengen?'

'Nee,' antwoordde Philip kortaf. 'Ik wil dat musket hebben.'

Het heilige vuur vonkte in Annes donkere ogen toen zij opmerkte: 'Papa en ik maken nog wel een echte revolutionair van je, Philip.'

'Ik ben het met je eens dat Lumden nu maar eens spijkers met koppen moet slaan,' vervolgde hij, geen acht slaand op haar persoonlijke opmerking. 'Anders is het gevaar inderdaad groot dat hij door de mand valt. We zullen hem vanavond een beslissing trachten af te dwingen. Per slot van rekening: hoe vlugger hij hem smeert, hoe beter. Volgens Adams wacht Gage alleen nog maar op de lente om zijn jacht op onze wapenvoorraden te hervatten; en ditmaal in volle ernst. Daarom, als sergeantjelief blijft uitstellen en nog eens uitstellen, krijgt hij voordat hij het weet zijn marsorders, of hij dat nou leuk vindt of niet.'

Bleek en zwijgend liet Lumden enkele uren later Philips preek over zich heen komen. Door de zorgen mochten zijn wangen dan ingevallen zijn, wat hij daar miste werd dubbel en dik goedgemaakt door een vetrol boven zijn broeksband.

De sergeant beet zenuwachtig op zijn onderlip. Toen Philip was uitgeraasd, antwoordde hij met zichtbare moeite: 'Vooruit dan maar: zaterdag. Zeg maar tegen die jongen dat hij zaterdag klaar moet staan. Als het donker is. Ik knijp er tussenuit na het avondappel . . .'

'Hoe lang hebben we dan voordat ze je missen?'

'Volgens mij zeker tot zondagavond.'

'Ik heb je kleren al klaar liggen,' zei Daisy. Ze klonk opgelucht.

'Afgesproken dan,' besloot Philip. 'Zaterdag om zeven uur.'

De middag daarop vroeg Philip Ben Edes verlof om er een half uurtje tussenuit te gaan. Door een sneeuwbui begaf hij zich naar de Dragon, waar hij Jemmy Thaxter opdracht gaf om op het afgesproken tijdstip met paard en wagen klaar te staan in Launder Street. Snotterend en zijn natte neus aan een vettige mouw afvegend beloofde het joch dat hij er zonder mankeren zou zijn.

Na twee nachten waarin Philip slecht had geslapen werd het eindelijk zaterdag. De hemel had een vuilgrijze kleur en het was merkwaardig drukkend voor de tijd van het jaar. Philip was het maandagnummer van de krant aan het zetten, maar kon zich nauwelijks op het werk concentreren. Toen de dag erop zat sloot hij de drukkerij af en haastte zich naar Launder Street, waar Lumden in de keuken op hem wachtte. 'Nou, een echte boerenknecht zou het je niet verbeteren,' zei Philip, Lumdens uiterlijk monsterend. De sergeant droeg een leren jagershemd met franje aan de mouwen; een breedgerande, slappe hoed; een dikke das van donkerbruine wol en een smerige broek die wie weet in een beter leven ooit groen was geweest. Het geheel werd gecompleteerd met laarzen die aan de zolen vervaarlijk gaapten. Inderdaad, Daisy had genoegen genomen met echte afdankertjes.

'Maak die hals van je zwart met wat roet uit de schouw,' beval Philip. 'Je bent veel te schoon. Ook onder je nagels, ja.' Hij liep naar de voorkamer voor een blik op de klok. Al bijna half zeven.

Hij schoof de gordijnen open en spiedde de straat af. Waarom was hij zo verdomde zenuwachtig? De onaangename herinnering aan Jemmy's loerende oogjes drong zich aan hem op.

Anne kwam hem in de koude voorkamer gezelschap houden. Toen de klok half acht had geslagen, was zij het die uitsprak wat Philip al een paar minuten dacht: 'Er is iets mis. Volgens mij komt hij niet.'

'Nee, ik moest maar eens gaan kijken wat er aan de hand is.'

'Philip?'

Hij draaide zich om in de deuropening.

'Wees alsjeblieft voorzichtig.'

Met een hoofdknik sloeg hij zijn wijde mantel om zich heen. Hij had hem een paar weken eerder gekocht om de gure januariwind geen kans te geven.

Een paar minuten later sloeg hij de klapdeuren van de Green Dragon open, en zag tandenknarsend hoe een zekere Jemmy Thaxter net een paar verse houtblokken in de haard schoof.

De jongeheer Thaxter zag Philip meteen en smeerde hem in looppas door de achterdeur.

Philip rende hem achterna, links en rechts een paar klanten wegdringend. 'Als dat de knecht van Ben Edes niet is,' riep er een. 'Wat heeft Jemmy nou weer geflikt? Zou die Kent wat hebben opgelopen bij dat lekkere zusje van 'm?'

Philip was al in het steegje achter de kroeg. Met een felle spurt haalde hij Jemmy in en greep hem bij zijn kladden.

'Laat me los!' piepte het joch tegenstribbelend.

In plaats daarvan schudde Philip hem stevig door elkaar. 'Waar was jij om zeven uur, hè? Hoe zit het met de kar? En met het paard? Zeg op, lelijke gladakker, of . . .'

'Ik wil niks te make hebbe met een soldaat die er fandoor gaat!' krijste Jemmy, kronkelend in Philips greep.

'Die er vandoor gaat . . .?' Bijna liet Philip zijn prooi schieten, zo verbluft was hij. Net op tijd verstevigde hij zijn greep op het nekvel van Jemmy. Deze liet met een hees gerochel blijken dat hij het knap benauwd kreeg.

'Hoe ben je voor de donder op dat idee gekomen?' Philips stem klonk dreigend. 'Vertel op of ik breek alle botten in je lijf!'

'Ik . . . ik dacht meteen al dat het geen suifere koffie was. Ik wilde kijke wat u vamme wou, dus ben ik u op 'n avond achterna gelope. Van de drukkerij naar dat huis in Launder Street. Toen ik door het keukenraam gluurde, sag ik u met die roodjas staan te prate. Hij wil 'm smere, geeft u dat nou maar toe. Dat was u toch van plan? Dat ik hem over de Neck moest smokkele? Nou ik heb ook een bloedhekel aan die rottige Engelse, maar ik help geen mens te ontsnappe uit het Drieëndertigste.

Tien shilling is veels te weinig—alles is veels te weinig—as se je te pakke krijge, krijg je met de sweep of ze schiete je voor je raap. Hou me godverju niet zo hard vast!'

De manier waarop Jemmy's oogjes heen en weer schoten versterkte de achterdocht die Philip voelde. Maar hij kon niet zeggen wát hem nu precies niet beviel in het verhaal van de jongen. Hij was trouwens ook veel te kwaad om rustig te kunnen denken. Als hij niet zo van Jemmy had gewalgd, zou hij hem een stevig pak slaag hebben gegeven.

'Dus je hebt helemaal niet voor paard en wagen gezorgd?' vroeg hij ten overvloede.

Het smerige kroeghulpje kon niet anders doen dan toegeven. Met een verwensing gooide Philip hem van zich af.

'Krijg ik niet op me donder, of so?'

'Ach waarom zou ik je slaan? Het kwaad is al geschied. Maar knoop dit goed in je oren, Jemmy. Zo jong als je ook bent, één woord hierover, tegen wie dan ook, en ik zorg ervoor dat je bezoek krijgt van een paar mensen met vrijheidsmutsen op hun hoofd. En die malen niet om je leeftijd, kleine verrekkeling die je bent.'

Proestend en zeverend dook Jemmy weg tegen de schutting aan de andere kant van het steegje. 'Nee, 'tuurlijk hou ik me kop dicht. Ik hep ook niks tege niemand gesegd. Ook niet tege me basin, sal sterreve as 't niet waar is! Ik wou d'r alleen niks mee te make hebbe.'

'Maar waarom heb je me dat verdomme dan niet verteld?'

'Ikke . . . ik kneep 'm, dacht dattu me sou slaan.'

'Hou in de gaten dat je een onvergetelijk pak ransel krijgt als je je mond open doet.'

'Nee, nee ik sal niks segge. Ik sweer 't.'

Opnieuw voelde Philip een vlaag van achterdocht. Opnieuw slaagde hij er niet in te bepalen wat de oorzaak was. Wat wel duidelijk was: hij had gewoon de verkeerde getroffen, verdomme, en daardoor was Lumdens hele onderneming in gevaar gebracht. Ook een laatste borende blik in Jemmy's geniepige oogjes leerde hem niets nieuws.

Hij liet het joch verder aan zijn lot over en rende de steeg uit, terug naar Launder Street.

Terwijl Philip door de straten snelde, bedacht hij dat Lumden in elk geval gewoon op het volgende appel zou kunnen verschijnen. Zolang hij bij zijn eenheid niet gemist werd, was er niets aan de hand. Zolang die Thaxter bleef zwijgen, tenminste. Philip realiseerde zich echter dat er nog ettelijke bezoekjes aan de Dragon nodig zouden zijn om Jemmy niet alleen bang te maken, maar vooral bang te houden.

Wat Philip ook verder mocht denken, toen hij de hoek van Launder Street omsloeg bleken de feiten al zijn overpeinzingen reeds te hebben achterhaald. Hij bleef met een ruk staan. Het klamme angstzweet brak hem uit. Bij Annes huis, opgelijnd aan een ring in de voorgevel, stond een paard ongeduldig vonken uit de klinkers te trappen.

Philip had in de stad genoeg duur volk zien rijden om te weten dat die driftig briesende hengst een kostbaar zadel op zijn rug had. Wie mocht de rijkaard wel zijn, wiens bezoek toevallig samenviel met het tijdstip van Lumdens voorgenomen vlucht? Het was Philip net even te toevallig . . .

Terwijl hij, dicht tegen de gevel blijvend, naar de stoep sloop, flitste het ineens door hem heen wat er fout zat in Jemmy's verhaal. Hoe had dat ellendige stuk vreten zo precies kunnen zeggen in welk regiment Lumden diende? Het Drieëndertigste had het joch zonder aarzeling gezegd. Wat stom dat hem dat niet meteen was opgevallen!'

Het kon natuurlijk zijn, dat Jemmy al van tevoren had geweten bij welk regiment de lichtgroene revers van Lumdens uniformjas hoorden. Maar als hij het niet had geweten, waarom zou hij dan de moeite hebben genomen om er achter te komen? Tenzij hij natuurlijk . . .

Boven aan de trap zakte hij op een knie en keek door een spleet tussen de gordijnen de voorkamer in. De schrik snoerde zijn keel dicht toen hij binnen iets roods zag schemeren.

De tuniek van een Engelse officier!

Na een tweede blik wist Philip het zeker en vloog zonder gerucht te maken de stoeptreden af. De hengst brieste en stampte met zijn hoeven. Via het belendende steegje snelde Philip naar de achtertuin. Terwijl hij half gebukt naar de schuur rende, kookte hij inwendig van drift. Het was nu maar al te duidelijk wat er zich had afgespeeld. In de eerste plaats was hij zo stom geweest zich door Jemmy te laten volgen. En vervolgens had dat stuk vreten natuurlijk gelogen, toen hij zei dat hij te bang was geworden om de afspraak na te komen. Nee, dat stuk vuil had gewoon bedacht dat er elders waarschijnlijk meer zou worden betaald. Hoeveel zouden de officieren van het Drieëndertigste hem hebben betaald voor zijn tip?

Philip schoof de schuurdeur open, inwendig nog steeds zijn eigen stommiteit vervloekend. Wie was dat, daar binnen bij Anne? Wat gebeurde er?

Philip was halverwege de deuropening toen er rakelings iets langs zijn gezicht flitste. Hij dook in elkaar, haalde instinctief uit en sloeg Lumdens musket weg voordat de sergeant een tweede uitval kon doen. Een duimbreed meer naar rechts en de bajonet zou dwars door zijn keel zijn gegaan.

'Lumden, goed volk!' De sergeant was kennelijk buiten zinnen van angst en bleef proberen zijn musket los te rukken. 'Lumden, verdomme, hou op! Ik ben het!'

Toen de sergeant eindelijk zag wie hij voor zich had, liet hij zijn wapen zakken en fluisterde met trillende stem: 'Kent, wat is er in 's hemelsnaam misgegaan?'

'Dat joch uit de Dragon heeft ons verraden. Mijn fout.'

'Ik dacht dat ik krankzinnig werd toen Daisy stom toevallig naar buiten keek en een van de officieren van m'n regiment zag afstijgen.'

'Weet je wie het is?'

'Nee, geen idee. Ik ben natuurlijk meteen naar de schuur gestoven. Voor ze ging opendoen, zei juffrouw Anne nog dat ze hem wel zou afpoeieren.'

Philip hoopte vurig dat Anne daarin zou slagen. Samen met Daisy en haar vader had ze een prachtig, maar nietszeggend verhaaltje ingestudeerd voor het geval er soldaten naar Lumden zouden komen zoeken. De eenvoud van dat verhaaltje stond er borg voor dat ze elkaar niet tegen zouden spreken. Lumden was weg, heel gewoon weg, en verder wisten zij het ook niet.

Maar wat zij niet hadden kunnen voorzien, was dat er al iemand naar de sergeant zou komen informeren vóór hij Boston had kunnen verlaten. Hoe moedig en slim Anne ook was, misschien zou zij zich per ongeluk vastpraten nu de officier maar naar de schuur hoefde te lopen om Lumden in zijn kraag te grijpen.

Was haar vader maar thuis, dacht Philip. Dan kon die haar helpen. Hij wist echter dat meneer Ware, die rond Lumdens vertrek geen moeilijkheden verwachtte, om een uur of vijf naar de Hancocks was gegaan En daar zou hij ook blijven eten.

Philip blies in zijn handen tegen de kou, maar verloor de achterkant van het huis geen moment uit het oog. In de keuken brandde licht, maar zo te zien was er niemand.

Hij moest Anne vertrouwen. Zich op Anne verlaten, op haar gezonde verstand en haar improvisatietalent.

'Maar hoe komt die officier zo ineens uit de lucht vallen, Kent? Dat heb je me nog niet uitgelegd!' jammerde Lumden.

'Hij komt niet uit de lucht vallen, maar is regelrecht gestuurd door dat vermaledijde stuk vullis uit de Dragon. Dat rotjong is zonder twijfel op bezoek geweest bij je regimentshoofdkwartier. Tegen mij gaf hij voor dat hij te bang was om te komen. Hij was me gevolgd, had jou gezien, geraden wat je van plan was en wilde met desertie niks te maken hebben. Klinkklare leugens, zoals nu blijkt. Hij heeft je gewoon tegen een fikse beloning verlinkt. Maar luister eens, we staan hier onze tijd te verdoen. Pak je spullen

en we smeren hem door de tuin en de steegjes. We moeten maar naar de drukkerij. Ik denk dat Anne de officier wel de deur uitkrijgt, maar misschien wil hij eerst nog hier kijken of je er werkelijk niet bent.'
'Maar misschien vertelt ze hem juist wel dat ik er bén!'
'Dat lijkt me onwaarschijnlijk. Ze weet dat je stevig aan de tand gevoeld zou worden. Je kunt dus maar het beste meteen verdwijnen. Vooruit, laat me je helpen.' Hij bukte zich en tastte in het donker naar Lumdens handbagage. En verstijfde, want ergens gilde een vrouw. Van angst, of van pijn.
De gil leek uit het huis te komen.
Philip sprong op en greep Lumdens musket. Het losmaken van de bajonet was een kwestie van seconden. Met het lange mes in zijn vuist geklemd rende hij door de tuin. Toen hij de keukentrap opvloog, werd er opnieuw gegild.
Het was Anne, dat wist hij nu zeker.

VIII Tocht naar het duister

1

Philip lette niet op het kabaal dat hij daarbij maakte. Met een paar sprongen was hij op de veranda en in de keuken. Naar de gang rennend, ving hij nog een glimp op van Daisy O'Brian. Angst leek haar met stomheid te hebben geslagen.

Het dienstmeisje had alle reden om doodsbang te zijn, want achter de schuifdeuren van de voorkamer hoorde Philip geluiden die alleen maar konden duiden op een worsteling.

Philips adem wolkte spookachtig in het kille duister van de hal. Slechts een flauw schijnsel van de sterren drong door het bovenlicht. Hij drukte zijn oor tegen de deuren, hoorde Anne een kreet van pijn slaken, en vervolgens een mannenstem, een stem die bijna vergeten gevoelens van vrees en haat bij hem tot nieuw leven wekte:

'. . .een eind maken aan uw leugenpraat, mevrouwtje! Is hij gevlucht of houdt u hem ergens verborgen? Komaan, voor de draad ermee!'

De klank van die voor Philip maar al te bekende stem liet vermoeden dat de eigenaar zijn woorden fysiek kracht bijzette. Opnieuw een kreet van pijn. Anne . . .

'Ja, mevrouwtje, andere commandanten laten hun ondergeschikten zulke onplezierige karweitjes opknappen. Maar ik ben mijn eigen provoost. Ik straf zowel de mannen van mijn regiment als de buitenstaanders die hen ophitsen tot verraad.'

Met zijn vrije hand schoof Philip de dubbele deur open. Een snelle stap voorwaarts bracht hem in de kamer,waar slechts een enkele olielamp brandde.

Hij kende die stem maar al te goed. Hij wist wie die man was en zag in een flits wat hij had aangericht.

Annes jurk vertoonde sporen van geweld. De officier had haar zo ruw beetgepakt, dat een van de mouwen bij de schouder was losgescheurd. Philip keek de man op diens scharlakenrode rug. Hij was net even groter, de schouders waren een fractie breder . . . En hij droeg zijn degen aan de verkeerde kant. Op de rechterheup. Omdat hij moest trekken en vechten met zijn onbeschadigde linkerhand, die hand die nu Annes pols omknelde?

Over de schouder van haar kwelgeest kijkend, kreeg Anne Philip in het oog. Ze slaagde er niet in haar reactie te verbergen.

De officier draaide zich om en hoorde Philip zeggen: 'Ja, dat had ik van je kunnen verwachten nu je niet langer in het geniep hoeft te handelen. Nu dat uniform je machtigt openlijk te martelen en te vernielen.'

Philip voelde zich wegzinken in de nachtmerrie van zijn verleden toen hij naar dat gehate gezicht staarde. Naar zijn verwrongen spiegelbeeld, extra sterk ontsierd door het hoefijzervormige litteken bij de linkerwenkbrauw. Roger Amberly's gezicht bleef een seconde lang zonder uitdrukking. Het leek niet tot hem door te dringen wie daar in de schuifdeuren stond. Philip hield de bajonet losjes ter hoogte van zijn bovenbeen. Dan: de schok der herkenning.

'God allemachtig! *Charboneau?*'

Philip keek naar de verminkte rechterhand van zijn halfbroer. De vingers waren voorgoed verkrampt tot een klauw. Lumden had niet overdreven. De hand zag er vreemd niet doorbloed uit, alsof hij niet alleen was verminkt, maar door gebrek aan beweging tevens verdord. Hij bungelde als een dood, verschrompeld ding aan een overigens normaal ontwikkelde arm. Het bloed dat Roger naar het hoofd steeg, kleurde het ontsierende litteken bijna zwart. Amberly's gezicht was een staalkaart van tegenstrijdige, verwarde emoties waarin ongeloof en razernij om de voorrang streden. Ondanks de verminkte hand was hij een indrukwekkende verschijning. Het felle rood van zijn uniformjas werd nog geaccentueerd door het groen van revers en manchetten.

Rogers ogen lieten die van zijn halfbroer niet los. Maar zijn greep rond Annes pols verslapte even. Ze rukte zich los, deed een stap achteruit en keek gespannen naar Philip, die zich geweld moest aandoen om Amberly niet meteen aan te vliegen.

'Charboneau?' echode hij 'Dat moet een vergissing zijn, m'n waarde kolonel. Voor zover ik weet is Charboneau in Londen vermoord. Of was het op weg van Londen naar Bristol? Maar dat kunt ú het beste weten, nietwaar? Verder is die moeder van Charboneau ook al niet meer onder de levenden, daar heeft u wel voor gezorgd. Nee, kolonel, de rekening wordt u gepresenteerd door een zekere Philip Kent.' Een stekende beweging van de bajonet. 'Kom mee naar buiten, zodat ik dit huis niet met je smerige bloed hoef te bevuilen!'

Roger leek niet in het minst onder de indruk. Stalen zenuwen konden hem niet worden ontzegd. 'Philip—hoe zei je ook weer?—Kent?'sneerde hij. Verachting krulde zijn mondhoeken. 'Goed, een nieuwe naam dus. Maar nog steeds de onhebbelijke bastaard die het waagde zich aan mij op te dringen. Het verbaast me niets dat ik je onaangename fysionomie terugzie in een broeinest van verraad. Jawel'—een knikje in de richting van Anne duidde aan dat het vervolg voor haar was bestemd—'het huis van Abraham Ware staat bij ons bekend als een vrijplaats voor die zogenaamde patriotten.'

Tergend langzaam bewoog zijn linkerhand zich naar het gevest op zijn heup. Dan, in een flits, lag de degen zwiepend in zijn vuist. De haat vernauwde zijn pupillen tot gloeiende speldepunten. Met een bijna tastbare walging zei hij nog: 'Het zal me een waar genoegen zijn mijn echtgenote

Alicia—je zult je haar meer dan oppervlakkig herinneren—te kunnen schrijven, dat het geluk me in staat heeft gesteld eindelijk een eind te maken aan je miserabele leven.' Zijn uitval kwam zonder verdere waarschuwing. Het koude staal van de kling flitste naar Philips borst.

Alleen een bliksemsnelle zijsprong redde Philips leven. Meer geluk dan wijsheid. Zingend boorde de punt van Rogers degen zich in het houtwerk. Een duimbreed naast Philips schouder. Hij rook het geparfumeerde haarpoeder dat Roger gebruikte, de klammige geur van een uniformjas, het zweterige luchtje dat altijd vrijkomt bij acuut lijfsgevaar. Even stonden de halfbroers oog in oog. Even haperde het raderwerk van de tijd. Door de felheid van zijn uitval had Roger zijn lichaam volledig blootgegeven. Philip stootte de bajonet opwaarts in Rogers buik en trok hem terug.

Rogers mond zakte open in een geluidloze kreet. Hij stapte zwabberend van Philip weg, waarbij de hakken van zijn laarzen tegen elkaar klakten. Zijn hand liet het gevest van de in het hout natrillende degen los. Met een blik van verbijstering staarde hij naar de snel groter wordende bloedvlek op zijn tuniek, links naast de glimmend gepoetste knopen. Het scharlaken van zijn jas verkleurde tot karmijn. Hij greep met zijn linkerhand naar de wond in zijn buik en slaakte een bijna kinderlijk aandoende zucht.

Philip, die al zijn blinde woede had samengebald in die ene, beslissende bajonetstoot, huiverde plotseling. Roger stond daar te sterven . . . Wankelend, met armen die molenwiekten om steun te zoeken. Er leek een floers over zijn donkere ogen te komen, ogen die Philip zochten, ogen waarin de hoovaardij had plaatsgemaakt voor het pijnlijke besef dat de steekwond in zijn buik hem fataal zou kunnen worden.

Philip voelde zich misselijk. Zijn vijand was niet langer angstaanjagend, alleen maar hulpeloos. De degen raakte door zijn eigen gewicht los uit de deur en rolde kletterend over de vloer. Met een kreet die smoorde in gerochel zakte Roger door zijn knieën en viel voorover.

Philip klemde de bebloede bajonet onder zijn linkeroksel en riep naar Anne dat ze moest komen helpen.

Hij hoefde haar niet te vertellen wat ze moest doen. Ze knielde aan de andere kant van Roger, en samen wentelden zij hem op zijn rug. Met gesloten ogen lag hij daar, reutelend en naar adem happend als een vis op het droge. Philip zag niet alleen wat voor verstrekkende gevolgen zijn daad zou kunnen krijgen, hij wist ook meteen wat hun te doen stond. 'Hij moet het huis uit. We moeten het bloeden zoveel mogelijk stelpen, in godsnaam zo min mogelijk vlekken, want zijn collega's komen zeker navraag naar hem doen. Ik zal hem door de achterdeur naar buiten slepen en zorgen dat ik het lijk ergens kwijtraak. Intussen ga jij'—zijn stem trilde nog van de doorstane spanning—'naar de straat om te zorgen dat zijn paard wegkomt. Kan me niet schelen waarheen, als het maar wegkomt.'

'Toen—toen Daisy hem aandiende,' zei Anne met een klein stemmetje, 'durfde ik nauwelijks mijn handen te laten zien, zo beefden ze . . .'

'Net als de mijne, kijk maar.'

'Ja, ik zie het. Ik wist trouwens meteen wie hij was, maar hij was gelukkig veel te driftig om zich dat te realiseren. Philip, hoe is hij in godsnaam hier . . . hoe wist hij het?'

'Die Jemmy uit de Dragon heeft ons verraden. Kon waarschijnlijk bij Lumdens officieren een betere prijs maken dan wij hem hadden geboden. Heeft Amberly iets uit je losgekregen, heb je . . .?'

'Nee, niets. Ik hield vol dat ik George al de hele dag niet had gezien. Ontkende dat ik iets afwist van zijn plannen om te deserteren. Maar daar nam je broer geen genoegen mee. Ik was doodsbang voor de manier waarop hij me aankeek. Volgens mij wist hij dat ik stond te liegen. Meteen toen ik hem zag, drong het tot me door dat je over zijn karakter niets te veel had gezegd. Eerder te weinig.'

'In elk geval zijn we nu voorgoed van hem verlost.' Hij schrok van de kille klank in zijn stem en schaamde zich. Er was echter geen tijd te verliezen. 'Het paard, Anne,' drong hij aan. 'Maar doe het stilletjes, zodat de buren niet wakker worden.

Philip stak Rogers degen in de schede terug en sleepte het roerloze lichaam naar de hal. Even tekenden de contouren van Annes lichaam zich daar duidelijk af in de open voordeur. Een tel later trok zij hem achter zich in het slot. Philip was bijna bij de keuken toen hij hoefslagen hoorde. Ai, wat maakten die ijzers een lawaai op de klinkers!

Daisy hoorde hem aankomen en repte zich naar de keukendeur. Toen het tot haar doordrong wie Philip daar achter zich aansleepte, toen ze de grote bloedvlek op Rogers uniformjas zag, propte ze met een kinderlijk gebaar, een vuist in haar mond. Ze maakte onsamenhangende, jankende geluidjes. Philip wist dat elke hysterische huilbui tot elke prijs voorkomen diende te worden. Hij greep haar bij een schouder en schudde haar stevig door elkaar.'Daisy, kijk me aan en luister.'

'Wa . . . wat?'

'Geen geluid, anders zijn we verloren. Ik heb George nodig. Hij moet me helpen met het lijk, zodat we geen bloedsporen achterlaten.'

Hij liet de kraag van de uniformjas los en Rogers gepoederde hoofd sloeg met een misselijk makende klap tegen de tegelvloer. Philip legde de bajonet, die hij nog steeds onder zijn arm knelde, op de keukentafel. 'Vooruit Daisy, ga Lumden halen. En zoek wat vodden waarmee ik dit ding hier kan schoonmaken. Daarna kun je ze verbran . . . Verdomme, schiet op meid, doe wat ik je zeg!'

Nog half verdoofd strompelde ze naar buiten. Maar ze had Philip begrepen, want binnen een paar minuten was ze terug. Met Lumden. Zonder iets te zeggen staarde de sergant naar het lijk van zijn commandant. Met iets van vreugde, meende Philip te zien. Maar niet lang, want even later las hij in Lumdens grijze ogen vooral schrik. En wellicht ook enig medelijden.

Philip was zelf ook nog steeds ten prooi aan allerlei tegenstrijdige emoties, aan de sensatie dat hij het allemaal maar had gedroomd. Hij schraapte zijn keel en zei: 'We zullen hem via de steegjes zo ver mogelijk wegsjouwen. Zo ver als het lukt zonder ontdekt te worden. Daarna komen we hier terug, ruimen de rotzooi op en gaan er samen vandoor.'

'Samen?'

'Ja, ik ga met je mee. Dat is voor jou de enige manier om nog veilig uit Boston weg te komen.'

'Maar het gaat je toch niet aan, Kent. Ik bedoel, ik ben toch degene die wil deserteren.'

'Natuurlijk, maar in je eentje heb je geen schijn van kans om over de Neck te komen. Bovendien, het zou al gek zijn als Amberly niet tegen zijn collega's had verteld waar hij heen ging, en waarom. Kom op, pak hem bij zijn laarzen. We hebben haast!'

Philip bukte zich en greep Rogers schouders beet. Hij wendde zijn ogen af van die slap openhangende mond, die wasbleke wangen en die grote bloed-vlek die zich inmiddels had uitgebreid tot het kruis en de pijpen van Rogers witte broek. Met het lijk als een zak zand tussen zich in daalden Philip en Lumden moeizaam de verandatrap af. Naar de schuur ging het verder gemakkelijk. Na een snelle blik in het steegje, sloegen ze rechtsaf. Bijna in looppas staken ze een verlaten straat over en verdwenen in de volgende steeg. Binnen een paar minuten waren ze met hun last al een flink eind van Launder Street.

Ze stonden op het punt de volgende hoofdstraat over te steken, toen Philip het lijk plotseling losliet. Aan het eind van de straat hoorde hij hoefslagen en de ratelende wielen van een rijtuig. En die voerman had haast ook!

'We zullen 'm hier maar laten liggen,' fluisterde Philip. Hij trok het lijk in een zittende positie tegen het hoekhuis, ervoor zorgend dat Rogers gezicht naar de muur was gericht. Het rijtuig naderde snel . . .

Philip voelde geen enkele voldoening meer, alleen nog de noodzaak snel en alert te handelen. Hij stelde zich naast Lumden op, schouder aan schouder, om het lijk zoveel mogelijk af te schermen. Hopelijk hielp het donker een handje!

Hoefbeslag en ijzeren wielbanden spatten vonken uit het wegdek. Een lichte berline was het, bespannen met twee paarden. Voorbij was hij alweer . . .

Philip greep de traag reagerende sergeant bij zijn arm en maande hem tot spoed. Terug naar Launder Street.

Onder het hollen probeerde hij enige orde te scheppen in de chaos van zijn gedachten. In nauwelijks een paar minuten, minder nog, waren al zijn plannen voor de toekomst door het heden achterhaald. Maar Philip wist wat hem te doen stond. Van gevaren ontbloot was de voorgenomen reis allerminst. Terwijl hij, met Lumden in zijn kielzog, de trap opvloog, zond hij Amberly een vervloeking achterna. In de keuken werden zij opgewacht door Anne en Daisy, die er allebei nog steeds bleek en ontredderd uitzagen.

Philip trapte de deur achter zich dicht. Op de tafel lag de schoongeveegde bajonet. Geen spoortje bloed meer te zien. De vodden lagen al te branden in de schouw.

352

Goed, dacht Philip, dat was tenminste het begin van een poging om te redden wat er nog te redden viel.

2

'Ik ga samen met Lumden naar je vaders boerderij,' kondigde Philip aan. Hij zat tegenover Daisy aan de keukentafel, vechtend tegen een barstende hoofdpijn.

Anne, wier kastanjebruine lokken ordeloos rond haar gezicht piekten, leek te willen tegensputteren. Maar Philip ontnam haar resoluut de gelegenheid: 'Zonder mij heeft Lumden geen schijn van kans om Boston te ontvluchten—en hij móet vanavond nog weg. Waar heb je de rum staan Daisy?'

Lumdens roodharige vriendin haastte zich naar de provisiekamer en kwam even later terug met de kruik die, zoals ze al hadden afgesproken, een belangrijke rol bij Lumdens ontsnapping moest spelen. Philip pakte hem aan, zette hem op tafel en hield hem stevig vast om het beven van zijn handen te verbergen.

'Denk je dat we welkom zijn bij je vader?' vroeg hij.

Daisy knikte.

'Hoe komen we precies naar zijn boerderij? Even buiten Concord, was het niet?'

'Als u bij het dorp bent, neemt u de noorderbrug. Volg de weg in westelijke richting en u komt bij een grote hoeve. Daar woont kolonel Barrett. Een halve mijl verderop ligt een wat kleinere boerderij. Daar is het.'

'Dat moet te vinden zijn,' Philip voelde Annes blik op zich gericht en keek op. Ze zag er afgemat uit en van haar zelfverzekerdheid leek nog maar weinig over.

'Anne, het staat vast dat ze je hier aan de tand komen voelen,' zei hij. 'Daar moet je je dus op voorbereiden. Misschien krijg je morgen al een paar collega's van Amberly op bezoek. Je bent zijn paard toch . . .?'

'Ja, dat ben ik zonder moeite kwijtgeraakt.'

'Voor de rest moeten we maar hopen dat we geluk hebben. Het zou tijd worden na zo'n avond. Als de buren niet nieuwsgierig zijn geworden toen ze Amberly's paard hoorden, en áls ze geen Britse officier voor de deur hebben zien afstijgen, dán is er geen verband te leggen tussen dit huis en Amberly's verdwijning. In elk geval geen ánder verband dan zijn voornemen hier naartoe te komen. En je kunt er vergif op innemen, dat hij het wel aan iemand op zijn hoofdkwartier heeft verteld. Je moet dus door dik en dun volhouden dat hij hier helemaal niet is geweest. Zodra we weg zijn, moet je ervoor zorgen dat alle sporen die het tegendeel bewijzen, worden uitgewist. Kijk goed in de voorkamer naar eventuele bloedspatten. Let verder op sporen van het haarpoeder dat hij gebruikte, ook in de hal, waar ik hem even heb neergelegd. Als je vader thuiskomt, vertel hem dan meteen wat er allemaal is gebeurd. Zorg ervoor dat hij je verhaal dekt en—en dat geldt ook voor jou, Daisy—dat hij verder ontkent dat hij ook maar iets heeft afgeweten van Lumdens voornemen om te deserteren.'

'Maak je maar geen zorgen,' zei Anne.

'Je hebt er de sergeant met geen woord over horen spreken, begrepen? Met geen woord.'

'Ja, ik begrijp je wel.'

'Lumden was iemand die zijn eigen gangetje ging. Jullie zagen hem alleen aan tafel. Zo, was hij van plan uit het leger te deserteren? Nou, dan heeft hij dat zorgvuldig voor iedereen geheim gehouden. Goed, nu nog het volgende . . .' Philip trommelde gefrustreerd met zijn knokkels op tafel. Zijn gezicht betrok. Was hij dan gedoemd om ten eeuwigen dage op de vlucht te slaan? Moest elk sprankje hoop op de toekomst dan telkens opnieuw de bodem worden ingeslagen? Hij vocht tegen een golf van zelfmedelijden en vervolgde: 'Over een dag of wat, als het gevaar geweken is, moet je twee mensen over mijn vertrek inlichten. Die twee, en niemand anders. Je hoeft niet in bijzonderheden te treden. Vertel ze alleen maar dat ik moeilijkheden had en meteen de benen moest nemen.'

'Zeg maar naar wie ik toe moet.'

'Naar Ben Edes en naar Henry Knox. Zeg tegen ze, dat ik zo vlug mogelijk naar Boston hoop terug te keren en vraag Edes of hij je mijn zwaard en het koffertje van m'n moeder meegeeft.'

'Vergeet je het flesje met thee niet?' Anne deed dapper haar best, maar het lachen wilde niet lukken.

'Ja, neem dat ook maar mee. Mijn spullen zijn in dit huis veiliger dan bij Edes. Vandaag of morgen wordt de drukkerij nog in brand gestoken; of gesloten op last van generaal Gage.'

Anne knikte zwijgend ten teken dat ze hem begrepen had. Philip was bekaf, maar al wat minder beverig dan toen het nog maar net tot hem was doorgedrongen dat hij voorgoed had afgerekend met zijn doodsvijand, iets wat hem, realiseerde hij zich ook, heel wat minder genoegen deed dan hij had verwacht. Nee, al wat Rogers dood tot dusver had opgeleverd waren extra complicaties. Alsof het allemaal al niet moeilijk genoeg was!

Lumden had aandachtig naar Philip geluisterd en zag er wat wakkerder uit dan tijdens hun expeditie door de steegjes. 'Zal ik mijn musket uit de schuur halen, Philip?' vroeg hij.

'Nee laat het daar maar liggen. Trouwens, breng dit ook maar naar het schuurtje.' Met duidelijke tegenzin schoof Philip hem de bajonet toe. 'Als ze je wapens en je uniformstukken vinden, zullen ze meer geloof hechten aan Annes verhaal. Ja, dat is een goed idee, Anne, zorg ervoor dat de heren van Lumdens regiment in elk geval zijn wapens te zien krijgen.'

'Ik zal ervoor zorgen.'

'Mochten de wapens niet in beslag worden genomen, zorg er dan voor dat ze bij Knox en zijn grenadiers terechtkomen.'

354

Philip had nog steeds zijn zinnen gezet op het musket, maar hij wist dat hij het wapen onmogelijk kon meenemen. Het was uigesloten dat ze langs de wachtposten op de Neck konden komen met de wapens die duidelijk afkomstig waren uit het arsenaal van de koning zelf. Philip veegde zich met de rug van zijn hand langs zijn lippen. Hij keek van Daisy naar Anne en van Anne naar Daisy, kwam overeind en zei:'Jullie moeten ons laten weten hoe de zaken hier verder verlopen. Daar rekenen we op. Probeer ons een boodschap te sturen zodra de kust weer veilig is. George, als ik jou was zou ik nu maar afscheid nemen van Daisy. Maar doe er alsjeblieft geen uren over. Hoe vlugger we bij de Neck zijn, des te vlugger zijn we ook langs de wacht.'

De luchthartige toon waarop hij dit zei, was in tegenspraak met de twijfel die hij voelde. Ze waren niet in het bezit van doorgangspapieren. Soms lieten de soldaten boeren uit de omtrek zonder papieren door, maar soms ook niet. Al met al liepen ze een forse kans te worden teruggestuurd. Philip wachtte er zich echter wel voor dit uit te spreken. Ze hadden het al moeilijk genoeg.

3

In de hal, bij het schijnsel van de sterren die door het bovenlicht naar binnen pinkten, nam Philip Anne in zijn armen. Hij streelde haar haar en fluisterde tedere afscheidswoorden in haar oor. Zo stonden ze daar een paar ogenblikken, hij met zijn lippen tegen haar wang, zij met haar armen rond zijn middel, de handen stevig op zijn rug. Philip ervoer een bitterzoet gevoel van weemoed. Nooit tevoren, zelfs niet tijdens hun allerintiemste momenten, had hij zoveel voor haar gevoeld, zoveel zorg, zoveel tederheid.

Was dat liefde?

Wat het ook was, Philip schaamde zich niet voor de tranen die in zijn ogen opwelden terwijl hij haar in het halfduister stevig tegen zich aandrukte.

In het voorbijgaan had Anne de deuren van de voorkamer dichtgeschoven, als het gordijn na de laatste akte van een tragedie. Maar Philip wist dat er nog vele bedrijven zouden volgen.

'Anne, ik hoop dat je me vergeven kunt.'

'Wat zou ik je moeten vergeven?'

'Dat ik jou en je vader in gevaar heb gebracht. Een gevaar waaraan jullie nog weken, misschien wel maanden, bloot zullen staan. Ik dacht er niet aan toen ik Roger neerstak.'

'Uit zelfverdediging, want hij viel aan!'

'Ja, maar dat verandert niets aan . . .'

De rest van zijn antwoord smoorde in gemompel doordat zij haar vingers op zijn mond drukte. Ze waren ijskoud en bewezen dat Anne zich nog niet volledig had hersteld. Haar stem klonk echter kalm en vast: We zullen het hier wel klaren. Het verhaal dat jij ons hebt ingeprent zit goed in elkaar. Op één ding na: de mogelijkheid dat iemand Amberly heeft zien aankloppen. Maar dit zwakke punt kan door Daisy worden ondervangen. Ik kan haar laten vertellen, dat hij aan de deur genoegen heeft genomen met de mededeling dat George er niet was.'

'Ja, maar dat is ook weer riskant. Op het moment dat ze je ondervragen, hebben ze misschien al gesproken met een paar Tories in de straat. Dat kun jij nooit met zekerheid weten.'

'Goed, maar dat risico zullen we moeten nemen. En verder zullen we moeten handelen naar bevind van zaken. We redden het wel.' Opnieuw lukte haar lachje maar half. 'Papa is advocaat, weet je, en spitsvondig redeneren is hem wel toevertrouwd. Misschien pakken de Britten hun onderzoek wel niet al te slim aan. Misschien komen we er wel achter of ze al met de buren hebben gepraat en kunnen we onze antwoorden daarop afstemmen. Blijkt iemand Amberly te hebben gezien, dan is hij na een paar woorden met Daisy weer weggegaan; is dat het niet het geval, dan houden we ons aan jouw versie. Dan is Amberly hier helemaal nooit geweest. Maak je nu maar geen zorgen, improviseren is een bij uitstek vrouwelijk talent. Per slot van rekening wordt ons het afwimpelen van vreemde manspersonen met de paplepel ingegoten!

Haar schertsende toon beviel Philip maar half. Hij realiseerde zich echter dat zij hem een hart onder de riem wilde steken, net zoals hij haar een moment tevoren in de keuken had opgevangen. Haastig vervolgde zij, een kus ontwijkend: 'In zeker opzicht, Philip, zou je deze avond kunnen beschouwen als een keerpunt in je leven. Ik weet hoe je gebukt ging onder datgene wat die man je heeft aangedaan. Maar dat hoofdstuk is nu voorgoed afgesloten. Je kunt nu verder . . .'

'Verder vluchten?' Philips stem klonk bitter. 'Mijn god, ik stelde me heel wat anders voor toen ik hier aan land stapte!'

'Wat stelde je je dan voor? Je fortuin te maken als drukker? En dan naar Engeland terug te keren om ze te laten zien wat voor een fijne Tory-meneer je wel geworden was? Terug te keren zodat je die . . . die vrouw weer kon zien?' Haar stem klonk schril. Geschrokken onderbrak ze zichzelf en wendde haar gezicht af. 'Het spijt me, dat had ik niet moeten zeggen. Maar ik ben jaloers op dat mens, ik haat haar. En verder hoop ik dat je eindelijk zult ontdekken dat je de man bent die ik in je zie.'

'Het ziet ernaar uit dat de omstandigheden me nauwelijks de keus laten. Zoals de zaken zich hier ontwikkelen, kun je zeggen dat er voor me wórdt gekozen . . .'

'Zo heeft de wereld altijd in elkaar gezeten, Philip. Maar in ons geval liggen de zaken toch anders. Als onze toekomst wordt vergiftigd, ligt dat niet aan het blinde noodlot. Nee, dan is het mensenwerk.'

Hij sloot haar opnieuw in zijn armen. Misschien had ze wel gelijk. Misschien had ze de vinger gelegd op het wezenlijke van de strijd die Adams,

Edes en al die anderen hadden aangebonden, een strijd tegen de willekeur van lieden die niet schroomden anderen te offeren op het altaar van hun machtswellust, op het altaar van een door en door vermolmd stelsel.

Ach, maar wat had je in deze barre tijden aan al dat idealisme? Wat maakte het uit als je voor een rechtvaardige zaak vocht als je . . .?

Annes warme lichaam tegen het zijne bracht het springtij in zijn gemoed enigzins tot bedaren. Met haar zachte lippen tegen zijn oor fluisterde ze: 'Je hoort zo vlug mogelijk van me. Denk aan me en onthoud wat ik je nu zeg: ik hou van je.' Ze kuste hem alsof ze hem nooit meer zou kussen.

Toen ze de gangdeur hoorden opengaan, lieten ze elkaar los. Het waren Daisy en Lumden. De laatste de kruik rum in zijn hand.

'We kunnen het beste achterom,' zei Philip.

Terwijl hij met Lumden door de tuin naar de schuur liep, stak zijn angst de kop weer op. Zelfs zijn warme mantel bood geen beschutting tegen de vochtige kou van de januarinacht. Bij de schuur liet hij Lumden voorgaan. Even keek hij om naar het verlichte keukenvenster, waar Anne en Daisy hen stonden na te kijken. Anne hief haar hand in een laatste groet . . .

Philip rechtte zijn schouders en volgde Lumden het duister in. Als een verre donderslag rolde de roffel van de Britse taptoe door de uitgestorven straten.

De weg naar Neck voerde hen door het zuidelijke deel van Boston en vlak langs de vrijheidsboom. Aan een van de suizelende takken flakkerde het nietige vlammetje van een lampion.

Even nietig als de kans dat Edes en zijn geestverwanten hun strijd nog op vreedzame wijze kunnen winnen, dacht Philip pessimistisch.

Nog voor hij zijn hoofd had afgewend, woei een windvlaag het vlammetje uit.

4

Zonder hindernissen bereikten ze Orange Street, waar Philip zijn metgezel meetrok naar de veilige schaduw van een vervallen pand. In de verte, achter de stadspoort met zijn dubbele boog, walmden de flambouwen van het wachtpeloton bij de Neck.

'Bukken maar, George,' zei Philip, wiens grimas waarschijnlijk een lach moest voorstellen. 'Tijd voor de zalving. En denk erom: niets zeggen. Struikelen mag je. Lallen mag je. Maar praten mag je in geen geval. Laat mij het woord maar doen.' Hij ontkurkte de kruik, goot de inhoud over Lumdens hoofd en in zijn kraag en drukte hem het staartje rum in de hand. 'Niet doorslikken, hoor. Alleen maar gorgelen en weer uitspugen. Het gaat er maar om dat ook je adem naar de drank ruikt.'

De sergeant deed wat hem gezegd werd. Net toen hij een brede straal rum de goot in spoog, kwam een snuffelende straathond de hoek om. Het beest kreeg een stortbad en begon woedend te blaffen. Philip pakte een steen en smeet die naar de hond.

Het mormel rende weg, maar bleef, eenmaal buiten bereik van zijn belagers, staan. Zijn geblaf maakte een leven als een oordeel in de stille straat. Philip meende achter de poort schimmen te zien bewegen. Kennelijk was de wacht geïnteresseerd in de oorzaak van het lawaai.

Philip vloekte onderdrukt en sloeg een arm om Lumdens schouders. 'Je moet op me leunen, George. Beeld je in dat je stomdronken bent. Je mag best iets zingen, als het in godsnaam maar geen marsliedje van je regiment is. Vooruit, daar gaan we!'

Zo stommelde en zwaaide het tweetal de stadspoort door. Ze werden begroet door een bitterkoude wind die over de smalle landtong striemde. Philip huiverde en Lumden begon te klappertanden.

De wirwar van sporen en voren was door de ijzige winterwind keihard geworden en maakte de anders modderige weg moeilijk begaanbaar. De schimmen van de doorlaatpost aan gene zijde van de Neck namen vastere vorm aan. Twee Britse soldaten, nee, drie man. Eén in het flodderige wachthuisje, de andere twee achter de neergelaten slagboom.

Zwalkend en voetje voor voetje staken ze de magere 'strot' tussen Boston en zijn achterland over. Verderop lag Roxbury, een flauwgeel lichtbaken in de duisternis. Aan de ene kant kabbelde het rivierwater van de Charles, aan de andere kant dat van de haven.

Philip snoof en constateerde, dat de rumstank het met gemak won van de zilte zeelucht. Maar zou Lumden de soldaten met evenveel gemak om de tuin leiden? En hij, hoe overtuigend zou hij zijn rol spelen?

Philip was zijn buitenlandse tongval grotendeels kwijt. Grotendeels, maar hij had nog steeds een licht accent. En Lumden? Al bij diens eerste woorden zouden de soldaten horen dat hij niet uit Massachusetts kwam.

Nog maar een paar stappen naar de slagboom. 'Godverjume, Ned, loop eens een beetje rechtop,' kankerde Philip met stemverheffing.

Dat mormel van een hond draaide nog steeds kringetjes om hen heen, blaffend als een bezetene. Philip draaide zich half om en gooide nog een steen naar zijn kop. Die trof het andere uiteinde en het beest ging er jankend en met de staart tussen zijn poten vandoor.

In weerwil van de kou glommen Lumdens wangen van het zweet. Godallemachtig, dat is niet zo best, dacht Philip terwijl hij zijn zwabberende metgezel naar de slagboom sleepte. Daar werden ze zwijgend opgewacht door de twee roodjassen. In het licht van de flambouwen aan weerszijden van het wachthuisje blikkerden hun bajonetten. Langzaam brachten ze hun musketten op heuphoogte. De een leek niet ouder dan een jaar of zestien. Zijn collega was een buikige veteraan.

Lumden mompelde iets onverstaanbaars en deed alsof hij door zijn knieën ging zakken. 'Verdomme, Ned, sta eens op je eigen poten. Ik ga je niet naar Roxbury dragen!'

Lumden bazelde net zo overtuigend als een echte dronkelap. De dikbuikige

wachtpost prikte Philip lichtjes in de borst met zijn bajonet. 'Niks te Roxbury. Eerst even een paar vragen beantwoorden. Wie mogen jullie wel zijn
bijvoorbeeld?'
'Ik heet George Kemble, meneer.' Het was een naam die hij Knox eens had
horen noemen. 'Ik boer even buiten Roxbury. Mijn neef Ned hier, Ned
Kemble, is een vaste klant van de hoertjes in Boston. Zoals gewoonlijk
hebben ze hem weer apelazerus gevoerd. En zoals gewoonlijk moest ik weer
naar de stad om hem uit hun klauwen te bevrijden.'
De soldaat bracht zijn gezicht dicht bij dat van Lumden. De pseudo-dronk-
aard lachte schaapachtig en zeverde. Met een uitdrukking van walging trok
de soldaat zijn hoofd terug. 'Kunnen jullie je legitimeren?'
'Lemetegieren?' Philip keek de man niet begrijpend aan en produceerde
een uiterst stompzinnige grijns. 'Ned en ik kunnen onze naam niet eens
schrijven. We weten alles van boeren, maar niks van lemetegieren. Als we
tekenen, zetten we een kruisje. Maar moet u horen, toen ik vanmiddag naar
Boston ging zei niemand niks over leme . . .'
'Ja, erin is heel wat anders dan eruit. Schoften zoals die zilversmid, die
Revere, moeten met papieren bewijzen dat ze geen verraderswerk gaan
opknappen.'
'O,' zei Philip alleen maar. Hij probeerde even ongelukkig als dom te kijken.
'Nou, zet die neef van je maar 's even op z'n eigen benen,' vervolgde de
soldaat. 'Want we zullen jullie in elk geval moeten fouilleren.'
Philip liet zijn metgezel met tegenzin los. Lumden zwaaide stuurloos op
zijn benen en probeerde houvast te vinden in de lucht. Philip greep hem
haastig in zijn kraag en de sergeant spuwde met verachting op de grond.
'Op jullie soort kan de kolonie trots zijn! Vertel me eens, Kemble—'hij
zette zijn musket tegen de slagboom en begon Philip af te tasten.— '—zijn
jullie jongens soms lid van de vrijwilligerscompagnieën waarover we
zoveel horen? De keurtroepen die het ooit eens met ons willen komen uitvechten?'
'Wij Kembles zijn koning George door dik en dun trouw, meneer,' lachte
Philip honingzoet.
'Is het werkelijk?' Met een geroutineerd gebaar tastten de handen langs
Philips broek en laarzen. 'Nou dat zegt iedereen die zich bij deze slagboom
vervoegt. Waarbij ik me afvraag waarom ze dolken, kogels en kruit meeslepen. Niet dat het er ene moer toe doet, hoor. Als jullie het ooit in je rare kop
halen om het op te nemen tegen 's konings regimenten, als jij en je soort
eindelijk uitgemarcheerd zijn met die rare stokken in plaats van musketten, dan wacht jullie maar één ding: een jas van zes plankjes, Kemble. Of je
wordt gewoon onder de grond gestopt, gesnopen? Arch, hoe zit dat met die
andere snuiter? Is hij schoon?'
'Nou, dat niet bepaald,' antwoordde zijn jongere collega die Lumden had
gefouilleerd. 'Hij zit onder de bagger en de rum.'
Inwendig kookte Philip van woede over de minachting waarmee die volge-

vreten roodjas neerkeek op de militaire kwaliteiten van de kolonisten. Wacht maar eens tot hij kennismaakte met iemand als Henry Knox! Maar hij moest zich nu rustig zien te houden. Daar greep de man met zijn mollige hand naar het touw waarmee hij de slagboom zou openen ... Tergend langzaam kwam het ding omhoog. De flambouwen walmden en vonkten in de wind.

Philip slikte iets weg, sloeg zijn arm weer om Lumdens rug en maande hem tot doorlopen. 'Kom op, Ned, werk in jezusnaam een beetje mee! Dronken lor dat je 'r bent, altijd moet ik je uit de stront komen trekken en dan verdom jij het ...'

Stiekem opzijloerend zag Philip het wachthuisje en de slagboom uit zijn ooghoek verdwijnen. Lumden bleef goed in zijn rol en deed alsof hij uitgleed. Philip gaf hem een klinkende draai om zijn oren en zond een paar knetterende vloeken hemelwaarts.

Weer een stap verder.

En weer een. De lichten van Roxbury wenkten in de verte. Jezus, ze hadden het hem gelapt!

Nog een stap.

En nog een ...

'Halt, staan blijven!'

Het was de jongste soldaat die hen nariep. Philip verbeet een uitroep van teleurstelling. De derde roodjas, die in het wachthuisje, was te voorschijn gekomen en keek toe hoe zijn collega's onder de slagboom door doken, achter Philip en Lumden aan.

Philip voelde hoe hij hardhandig bij een schouder werd gegrepen. Hij liet Lumden los en die viel, half en half gespeeld, plat voorover op zijn gezicht. Harder dan hij van plan was, getuige zijn typisch Engelse vloek: 'Drommels!'

We zijn erbij, schoot het door Philip heen. Iemand trok zijn linkerarm omhoog.

'Kijk, dat is wat je over het hoofd hebt gezien,' hoorde hij het soldaatje triomfantelijk zeggen. 'Ik zag het ook pas toen hij wegliep. Als dat geen bloed is laat ik me hangen!'

'Het lijkt er veel op, Arch,' gromde zijn buikige collega. Hij dwong Philip zich om te draaien. Philip riep alle heiligen aan om ervoor te zorgen dat de bloedvlek onder zijn mantelmouw, waar hij de bajonet tegen zijn lichaam had geklemd, de soldaten zou afleiden van het feit dat Lumden als een onvervalste landgenoot had gevloekt.

'Waar komt dat bloed vandaan, Kemble?' vroeg de oudste op dringende toon, 'Vooruit, laat eens horen! En vlug wat.'

Philip lachte nog steeds die even stupide als steriele lach. 'O, had ik u dat niet verteld? Nou, Ned had het vanavond met een paar lekkere deernes aangelegd. Toen ik hem kwam halen, krabden ze me zowat open. Zo zal ik die bloedvlek wel hebben opgelopen. Een van die pesthoeren trok een mesje uit d'r kouseband. Toen ik het afpakte sneed ze zich een beetje. Per ongeluk, als u begrijpt wat ik bedoel.' Hij knipoogde. 'Bloeden als een rund dat ze deed!'

De roodjas met het embonpoint leek nog niet overtuigd. 'Dat bloed is dan wel op een rare plaats terechtgekomen.'

'Moet ik u gelijk in geven, edele heer. Maar anders weet ik het ook niet. Ik had het te druk met bakkeleien om op mijn goeie goed te letten. Ben ook een paar keer gevallen, misschien wel in haar bloed. Ja, zo zal het wel zijn gebeurd.' Hij voelde het angstzweet over zijn rug gutsen. Hoe langer ze daar stonden te praten, des te groter de kans dat ze voorgoed zouden worden vastgehouden, of erger nog, zouden worden teruggestuurd. Hij wierp een vettige grijns in de strijd. 'Maar van een ding ben ik zeker. Die slet heeft haar trekken van me thuisgekregen. Die ligt zelf in de ziekenboeg in plaats van fatsoenlijke kerels ziek te maken.'

Zijn laatste opmerking maakte de dikke aan het lachen. 'Nou, daarmee heb je de kroon met recht een dienst bewezen. Ik ben niet vies van een nummertje, maar één kennismaking met de Franse ziekte is voor mij genoeg geweest. Het lijkt godverju wel alsof je naalden staat te pissen.' Hij deed een stap naar achteren. 'Donder maar op.'

'Meteen, meneer. Dank u wel, meneer.' Philip trok Lumden op zijn benen, waarbij hij zich geweld moest aandoen om het niet op een lopen te zetten. Hij dwong zich echter tot kalmte en liep langzaam verder. Voetje voor voetje, zijn ogen gericht op de karresporen vlak voor de punten van zijn laarzen.

Donkerder werd de weg, donkerder en donkerder . . .

Eindelijk, eindelijk waren ze buiten de lichtcirkel van de toortsen.

De huilende wind en het klotsende water zongen een klaaglijk duet. Weldra zouden ze in Roxbury zijn, maar dat was nog maar het begin. Er wachtte hen een voettocht van zo'n zeventien mijl voor ze Concord zouden bereiken. Het duister kreeg iets vijandigs.

Philip werd gekweld door zorgen om Anne. Om Lumden te helpen had hij haar achtergelaten. Haar veiligheid, misschien wel haar vrijheid, in de waagschaal gesteld.

Lumden begon hem ineens breedvoerig zijn dank te betuigen, maar Philip siste hem toe dat hij zijn mond moest dichthouden. Hun laarzen maakten een zuigend geluid in de halfbevroren blubber. Van koud werd het kouder. Uit de Atlantische Oceaan gierde een felle noordoostenwind op hen af.

Philip besteedde nauwelijks aandacht aan de karren die hen tegemoet reden, een transport vis op weg naar de stad. Toen ze krakend waren gepaseerd, strekte de weg zich weer duister en onzeker voor hem uit. Even duister en onzeker als zijn toekomst was geworden, na de tragische gebeurtenissen in Launder Street. Philip stopte zijn handen diep in de zakken van zijn mantel en liep rillend die duistere toekomst tegemoet.

DEEL VIER

De weg van de vrijheid

I De brief

1

Hanegekraai kondigde een nieuwe dag aan. Het was de tweede ochtend sinds de vluchtelingen Roxbury Neck achter zich hadden gelaten. Philip, die rilde van de kou en wiens maag vervaarlijk knorde, hurkte in een greppel langs de weg en observeerde de boerderij. Deze was overnaads, tegen de regen, uit duighout opgetrokken. Een waterig januarizonnetje zette de windwijzer in een oranjerode gloed. Achter de boerderij stonden twee gammele bijgebouwen. Het grootste van de twee, een stal, ging nog grotendeels schuil in de slagschaduwen van een witberijpte heuvelrug op de achtergrond. Vanuit de stal klonk het gebries van paarden. Een koe loeide.

Ze hadden de hoeve van O'Brian nu bijna tien minuten bespioneerd en Philip kreeg er genoeg van: 'Vooruit, George, in godsnaam! Laten we er naartoe lopen en hem wakker maken. Ik dek wat je te zeggen hebt.'

De sergeant streek geagiteerd over de moedervlek op zijn voorhoofd. Dat was zijn tic als hij zenuwachtig werd, had Philip gemerkt.

'Had ik Daisy maar om iets persoonlijks gevraagd,' klaagde Lumden.

'Om iets dat haar vader als het hare zou herkennen.'

Philip sprong over een bevroren plas naar de andere kant van de greppel en werkte zich omhoog naar de weg. 'In elk geval ben ik het wachten beu. Ik sterf verdomme zowat van de honger en de wind heeft me tot op het bot verkleumd. Wat kan er gebeuren? Dat ie ons voor roodjassen aanziet en op kogels trakteert?'

'Precies,' antwoordde Lumden met een grafstem. 'Ik weet uit de beste bron, dat Gage spionnen gebruikt die als boer zijn vermomd.' Terwijl hij Philip naar de weg volgde, begonnen zijn tanden weer te klapperen.

Ze hadden het grootste gedeelte van de twee nachten en de dag er tussenin gelopen. Eerst van Brookline noordwaarts via Cambridge, vervolgens in noordwestelijke richting naar het gehucht Lexington. Van daaruit hadden de laatste vijf mijl hen in Concord gebracht, een flink wat groter dorp met zo'n duizend, wellicht vijftienhonderd inwoners. Concord kon bogen op welvarend ogende woonhuizen, een korenmolen aan het ene uiteinde van een breed ven, een kerkje en een taveerne waar men blijkens het knarsende uithangbord bij herbergier Wright te gast was.

Snel opschieten was er niet bij geweest, aangezien ze de gebaande wegen uit angst voor eventuele achtervolgers hadden gemeden. Lumden, die niets aanhad over zijn leren hemd, had het zwaarst te lijden gehad van de winterkou.

Toen ze Concord even voor het krieken van de dag achter zich hadden gelaten, staken ze ten noordwesten van het dorp de gelijknamige rivier over via een smalle houten voetgangersbrug. Het landschap was hier minder vlak dan dat rond Lexington. Tegen de horizon tekenden zich heuvelruggen af. De door Daisy aangegeven weg voerde door glooiend terrein. Ze passeerden de boerderij waar volgens Lumdens geliefde een zekere Barrett woonde. De volgende hoeve, minder welvarend dan die van Barrett, lag er naargeestig bij in het kil-oranje strijklicht dat over de heuvels aan de oosterkim viel.

'Vooruit, George, opschieten nu.' Philip, die de confrontatie niet langer wilde uitstellen, klonk ontevreden.

Terwijl ze de weg overstaken naar het smalle pad dat langs de boerderij liep, trad er uit de schaduwen rond de stal een man naar voren. Philip en Lumden bleven staan, betrapt in open terrein, duidelijk zichtbaar in het daglicht dat nu snel aan kracht won.

De gestalte stond roerloos bij de staldeur. Hij was merkwaardig donker, zelfs ter hoogte van zijn gezicht. Een schim uit de schaduw. Philips hart klopte sneller. Hij stak een hand op, opende zijn mond om de man iets toe te roepen, om hem te verzekeren dat ze geen rovers waren.

Bliksemsnel verdween de man weer in de stal.

Lumden had een bezorgde vraag op de lippen, maar Philip snoerde hem met een gebaar de mond en rende zo snel hij kon naar de boerderij, voor het geval zijn angst gegrond mocht blijken.

En dat bleek hij. De schaduwman kwam weer te voorschijn, ditmaal met een musket aan de schouder.

'Duiken!' brulde Philip. Met een zijsprong lichtte hij Lumden van de benen en rolde met hem in het bevroren gras, terwijl het ontbrandende kruit de dodelijke lading met een harde knal uit het musket spoog.

Philip hoorde de kogel voorbijfluiten en ergens achter hem, op de weg, inslaan. Als bezeten begon hij met zijn vrije arm te zwaaien.

'Wacht! We zijn vrienden. Daisy O'Brian heeft ons gestuurd.'

De man bij de stal, die al bezig was zijn wapen te herladen, aarzelde. Binnen in de hoeve hoorde Philip iemand vloeken.

De schaduwman kwam met grote passen aangesneld, zijn musket bij de loop vattend, klaar om hem als knots te gebruiken. Philip kwam langzaam overeind en ademde diep door van verbazing. Hij zag nu waardoor de man zo volkomen was opgegaan in de schaduwen rond de stal. Zwarte handen omklemden de loop van het vuurroer. Witte tanden blikkerden tussen bijna zwarte lippen. De neger bleek van middelbare leeftijd, droeg een simpele boerenkiel, een oude broek en daaronder laarzen. Maar hij was krachtig gebouwd en zag er niet uit alsof er met hem te spotten viel. Onder zijn grijze kroeshaar fonkelden twee donkere, allesbehalve vriendelijke ogen.

'Goed volk sluipt niet voor dag en dauw het erf op,' sprak hij, een meter of wat van Philip en diens gezel halt houdend. 'Paardendieven doen dat wel. Vertel me maar 's wie je bent en zonder smoesjes.'

366

De deur van de boerderij ging open. Achter een wolk adem ontwaarde Philip een korte, gezette verschijning in een tot op de blote enkels vallend nachthemd. De ogen en rozige gelaatskleur van de man deden aan die van Daisy denken.

'Waarom voor de donder ben je aan het schieten, Arthur?' blafte de boer nijdig.

'Maakte jacht op een paar heel merkwaardige vogels, m'neer O'Brian' antwoordde de zwarte. 'Kreeg ze in het oog toen ze over de weg kropen.'

'We zijn vrienden . . .' begon Philip.

'Een vervloekte leugenaar, dat ben je.' O'Brians kille blauwe ogen namen het duo van top tot teen op. 'Ik heb geen van jullie beiden ooit eerder gezien.'

'Meneer O'Brian, laat me het u uitleggen,' hernam Philip, een stap naderbij zettend.

Arthurs zwarte knuisten grepen de loop van het musket steviger beet. Hij zwaaide het wapen achterwaarts over zijn schouder, klaar om er op los te slaan.

'Het klopt dat u ons niet kent. Mijn naam is Kent. Dit is George Lumden.'

'Dat zegt me nog niks. Waar komen jullie vandaan?'

'Uit Boston. We zijn allebei kennissen van uw dochter.'

'Zo, zijn jullie dat?' Een pauze. 'Welke dochter?'

'Die in Boston natuurlijk.'

'Hoe mag die wel heten?'

'Daisy.'

De boer dacht even na, om vervolgens te grommen: 'Vertel me wat je hier komt zoeken.'

'Meneer Lumden is een gedroste soldaat uit de infanterie. Ik heb hem twee nachten geleden helpen ontsnappen. Daisy heeft ons hierheen gestuurd, omdat . . .'

Nou, vooruit dan maar met de geit.

'Omdat meneer Lumden en uw dochter trouwplannen hebben.'

Even dacht Philip dat O'Brian een beroerte zou krijgen. 'Trouwen? Daar kom je me bij nacht en ontij naar mijn huis geslopen, om me te begroeten met het nieuws dat dit hier mijn aanstaande schoonzoon is? Moeder Maria, sta me bij! Het zijn krankzinnige tijden, maar zò gek? Nee.'

Met behoedzame bewegingen—de neger stond nog steeds met knots en argusogen klaar—tastte Philip onder zijn mantel. Zijn hand was nog niet uit het gezicht of O'Brian brieste: 'Arthur, ik kan me maar het best aankleden en mijn jachtgeweer laden. We zullen deze dollemannen naar Concord brengen en ze daar laten opsluiten. Daisy's aanstaande? Heremetijd, zien jullie me voor een complete idioot aan?' Hij fronste de wenkbrauwen. 'Ik verwed er wat onder dat dit dichter bij de waarheid komt: jullie zijn soldaten van de koning, vermomd en op zoek naar verborgen wapens.'

'Nee, meneer, zo is het niet,' antwoordde Philip. 'Wilt u hier even naar kijken? Het zal u ervan helpen overtuigen.'

Hij wipte medaille en ketting naar buiten.

O'Brian schudde zijn hoofd. 'Dat je een medaille van de moederkerk draagt, wil geen verdommenis zeggen. Men verzekert me dat er genoeg kreefteruggen uit Ierland komen.'

'Dit is geen scapulier, meneer O'Brian. Kijk toch even naar deze vrijheids-boom!'

Dat sloeg een eerste, lichte bres in O'Brians wantrouwen. 'Je bent dus lid van het korps uit Boston?' vroeg hij.

'Inderdaad.'

'Laat zien.'

Philip schoof naderbij. Met zijn dikke, vereelte vingers keerde O'Brian de medaille om en om. Pas na hem aan beide kanten zorgvuldig te hebben bekeken, liet hij los. 'Ziet er echt genoeg uit, maar kan best gestolen zijn.'

'Kan best, maar het is niet zo.'

'Hij vertelt de waarheid, meneer O'Brian,' onderbrak Lumden met klappe-rende tanden. 'Ik ben gedeserteerd uit het Drieëndertigste infanterie, in deze kleren die uw dochter me heeft bezorgd.'

'Wil je werkelijk zeggen dat mijn dochter en jij? Dat jullie tweeën . . .?'

'Ja, meneer. Ik was ingekwartierd bij Daisy's werkgever. In het huis van meneer Ware. Zo hebben we elkaar leren kennen.'

Philip wachtte gespannen, terwijl O'Brian hen beiden nogmaals van top tot teen in zich opnam. Daarop leken diens gelaatsrekken zich wat te ontspan-nen. 'Nou vraag ik je! Word ik uit mijn gezonde slaap gehaald door de knal van Arthurs musket, vind ik twee rillende bedelaars op mijn erf . . . Dus zo wordt er tegenwoordig om iemands hand gevraagd? Arthur . . .'

'Baas?'

'Wat denk je ervan?'

'Het is allemaal zonderling, baas.'

'Zo godvergeten zonderling, dat er wel een kern van waarheid in moet zitten. Laten we met ze naar binnen gaan om de rest van het fantastische verhaal te horen.'

Een nog steeds waakzame Arthur volgde Philip en diens metgezel, toen O'Brian hen via een paar onverwarmde voorkamers voorging naar de woonkeuken. De boer liep blootsvoets naar de schouw en sloeg vuur onder het aanmaakhout.

'Welaan,' beval hij, 'neem plaats en vertel me alles van voren af aan. Daar-na kan ik jullie altijd nog in Concord in het blok laten slaan.'

Philip dacht bij zichzelf, dat hij die hoofdige boer wel mocht. Je kon O'Brian zijn wantrouwen zeker niet kwalijk nemen. In elk geval waren ze uit de kou. Hij schoof zijn stoel wat dichter bij het knappende haardvuur en richtte zijn blik, net als O'Brian, op Lumden.

'Wil een van jullie nu eindelijk eens zijn mond opendoen,' maande de boer.

Lumden liep rood aan. 'Wat mijn vriend Kent u heeft verteld is de zuivere

waarheid, meneer O'Brian,' stotterde hij, druk over zijn moedervlek wrijvend. 'Ik ben George Lumden, tot voor kort sergeant bij het Drieëndertigste. Terwijl ik was ingekwartierd ten huize van meneer Abraham Ware, de
advocaat, ontstond er tussen uw dochter en mijzelf' — hij kreeg een kop als
een boei — 'een . . . een . . .' Zijn stem daalde tot een binnensmonds gefluister.
'Spreek wat duidelijker, man!' donderde O'Brian.
'Een wederzijdse genegenheid,' ging Lumden met verstikte stem voort.
'Tegelijk werd het me duidelijk, dat ik geen zin heb in deze koloniale twist
met mede-Engelsen. Dat verzeker ik u zonder schaamte, meneer: ik wil er
niets mee te maken hebben! Ik wens slechts uw dochter te trouwen, een
goede man voor haar te zijn en voor haar te zorgen zo lang wij leven.'
O'Brian kneep zijn ogen toe. 'Hoe had je dat gedacht te doen?'
'Kijk, meneer, mijn vader, in Engeland, was smid. Ik beheers dat ambacht
zo'n beetje en . . .'
'Bij gods lieve heiligen! Het is dat je dit gewauwel lijkt te menen, anders zou
ik zeggen dat je een klap van de molen beet hebt! Anders ik wel!'
'Meneer, het is gemeend, Daisy en ik zijn . . .' Lumden, die er opnieuw als
een kreeft bijzat, werd opnieuw onverstaanbaar.
'Verwacht je soms met mijn dochter te trouwen zonder mijn zegen te vra-
gen?' donderde O'Brian.
'Zeker niet. Die . . . die vraag ik u bij deze.'
'Nou je krijgt hem niet! Nog niet.' De boer boog zich naar hem toe. 'Tot
welk kerkgenootschap behoor je?'
'Ik ben anglicaans, meneer.'
'Moeder Maria, ook dat nog!'
'Maar Daisy en ik hebben afgesproken dat wij in haar kerk zullen trouwen
en onze kinderen in haar geloof zullen opvoeden!'
O'Brian knipperde met zijn ogen. 'Is dat zo?'
'Absoluut zeker.'
O'Brian krabde zich nadenkend onder de kin en wendde zich tot de neger.
'Wat vind jij er van, Arthur?'
'Het is gewoon te gek om niet waar te zijn, meneer O'Brian,' antwoordde de
grijze kroeskop. 'Maar ik wil ook die ander wel eens zijn mond open horen
doen.'
Maar voordat Philip wat had kunnen zeggen, merkte Lumden droogjes op:
'Ik wist niet dat de kolonialen ook belangstelling hadden voor de mening
van hun slaven.'
Arthurs ogen schoten vuur en de kolf van zijn musket kwam met een harde
klap neer op de houten vloer. Pas nu zag Philip eeltringen aan de binnenkant
van die zwarte polsen. Door boeren veroorzaakt littekenweefsel?
O'Brian hief de handen in een gebaar van verzoening. 'Hij spreekt zoals de
onnozele kinderen, Arthur.' En tot Lumden: 'Wij in de kolonie Massachusetts moeten niets hebben van slavernij. Arthur is een vrije kleurling, werkt
net als anderen voor zijn loon en de kost. Hij kan opzeggen en zijns weegs

gaan op elk moment dat hem dit goeddunkt. Denk daaraan wanneer je tot hem spreekt.'

Lumden liep voor de zoveelste keer rood aan. 'Ik wil absoluut niemand kwetsen. Mijn verontschuldigingen, Arthur . . . als ik je zo noemen mag.'

'Van mij wel. Een andere naam heb ik niet.' Het klonk nog wat stuurs, maar ook de neger was nu duidelijk beter gestemd.

Voor Philip stond het, gezien de littekens, vast dat de man een weggelopen slaaf was. Wellicht uit een van de zuidelijke koloniën, waar die door progressief Boston zo verfoeide instelling van oudsher uitnemend floreerde. En dat dan mede dank zij kapiteins uit datzelfde Boston voor wie zwart mensenvlees een goed lonende retourvracht betekende op de driehoeksroute Engeland-Afrika-Amerika.

'De goede God,' hervatte O'Brian het gesprek, 'beschikte, dat mijn vrouw zaliger gedachtenis slechts dochters zou baren. Vijf ervan zijn al getrouwd en wonen in diverse dorpen op het platteland. Daisy verruilde de boerderij voor een dienstje in Boston, in de hoop eveneens een goede partij te doen . . .' Opnieuw een schuinse blik naar Lumden, alsof hij zeggen wilde dat hij aan dat 'goede' zo zijn twijfels had. 'Zodoende houden Arthur en ik het bedrijf met ons tweetjes draaiende. Zoeken jullie een wijkplaats, dan zal daar dus met werk voor moeten worden betaald.'

'Die prijs zullen we graag betalen,' antwoordde Philip. 'George is niet van plan de kennismaking met Boston te hernieuwen. En zelf kan ik pas op zijn vroegst over enkele weken terug. Zo al ooit. Ik . . .' Hij aarzelde slechts een moment, tot de slotsom komend dat hij de bejaarde boer op zijn minst een deel van het verhaal kon toevertrouwen. '. . . Ik heb wat moeilijkheden gekregen met een van zijne majesteits officieren. Het kan zijn dat er een arrestatiebevel tegen me is uitgevaardigd.'

'Loopt Daisy hoe dan ook gevaar?' vroeg O'Brian haastig.

Voor liegen voelde Philip weinig. Maar aan de andere kant wilde hij de man ook niet nodeloos ongerust maken.

'Voor zover mij bekend, meneer, geen enkel. Samen met juffrouw Ware heeft zij George de plunje voor zijn ontsnapping bezorgd, meer niet. Uw dochter heeft ons hierheen gestuurd, en gezegd dat zij nog een boodschap zal sturen . . .'

'Waarover?'

'Over haar komst hierheen.'

'Wanneer komt ze?'

'Ik heb geen idee, meneer.'

'Maar die roodjassen willen jou oppakken?'

'Die kans is niet denkbeeldig, nee.'

Daarop plooiden O'Brians gelaatstrekken zich voor het eerst sinds de kennismaking in een gulle lach. 'Nou, dat is tenminste een goede aanbeveling.'

Philip voelde zich weer mens worden. De inmiddels behaaglijk warme keuken baadde in het gouden licht van de winterzon.

370

'Trouwens, je verkeert in het best denkbare gezelschap,' vervolgde de Ier. 'We hebben gehoord dat het leven van mensen als Sam Adams en Johnny Hancock geen rode shilling meer waard is als ze nog veel langer in Boston blijven. Er schijnt zelfs een goede kans te bestaan dat ze in deze contreien een goed heenkomen zullen zoeken. En, Kent, als je geen leugenaar of bluffer bent, dan zal je graag kennismaken met mijn buurman hier even verderop. Jim Barrett, de kolonel. Hij voert het bevel over de vrijwilligers van Concord.'

Philip knikte. 'Wat graag! Ik had in Boston trouwens al dienst genomen bij de grenadiers van kapitein Pierce.'

'Uitstekend. Arthur, hang de pappot boven het vuur. Laten we die twee vagebonden wat te eten geven, onszelf ook trouwens. Ik kan, geloof ik, verder maar het beste wat aanpappen met dit stuk Tommy hier. Het ziet er naar uit dat ik met hem zit opgescheept, graag of niet. Zodra ze te eten hebben gehad, kun je ze aan het werk zetten.'

Dit laatste bracht, eindelijk, ook een grijns op het zwarte gezicht.

'Ik hou ze wel bezig, meneer O'Brian, maakt u zich vooral geen zorgen.'

2

Als voorman bleek Arthur veeleisend, maar niet onredelijk. Hij liet Martin O'Brians ongenode kostgangers allereerst een nieuwe zijwand timmeren voor de gammele stal, een broodnodige reparatieklus. Van de vroege ochtend tot de late avond was het tweetal met zaag en hamer in de weer. Philip was blij met het zware werk. Niet alleen maakte het hem lichamelijk moe, er resteerde tevens weinig energie om te piekeren over Anne Ware.

Maar hoe vermoeid hij ook 's avonds was, zijn ongerustheid over Anne verdween nooit helemaal. Een grijze maand februari brak aan en nog steeds was er geen bericht.

De lange avonden bij de keukenschouw boden O'Brian en zijn aanstaande schoonzoon een goede gelegenheid elkaar beter te leren kennen. Ze wisselden van gedachten over het touwtrekken tussen de kroon en haar koloniën, discussieerden over het militaire gewicht dat de Britten in de schaal zouden kunnen gooien als het op een regelrechte oorlog zou aankomen. O'Brian voelde Lumden ook stevig aan de tand over de oprechtheid van diens voornemen over te gaan tot het katholieke geloof.

Philip was door zijn gastheer inmiddels geïntroduceerd bij buurman James Barrett. De getaande kolonel was bezig de militie van Concord en haar parate compagnieën voor te bereiden op eventuele vijandelijkheden. Philips oprechtheid en staat van dienst in Boston overtuigden Barrett ervan dat hij te maken had met een geschikte rekruut. Hij oefende in het dorp met mannen van alle leeftijden. Onder de ouderen waren er die bij Rogers' Rangers hadden gediend in de oorlog tegen de Fransen en de Indianen, de strijd die Philip in het verre, schimmige Auvergne had horen aanduiden als de Zevenjarige Oorlog. Toen hadden die oudstrijders nog 's konings wapenrok gedragen . . .

Hier op het platteland, merkte Philip, kon het vrijwilligersleger zonder problemen worden uitgerust met musketten, kruit en lood. De wapenvoorraden waren in de loop der maanden gestaag aangegroeid. Barretts eigen rokerij was een van de belangrijkste arsenalen. Nog meer wapens, waaronder zes stukken veldgeschut, waren verborgen in het bedehuis van Concord.

Maar, prentte Barrett zijn manschappen onophoudelijk in, juist vanwege die voorraden zou hun rustige dorpje, waar de Sudbury en de Assabet samenvloeien in de rivier de Concord, heel wel een belangrijk doelwit kunnen vormen als Gage tot een veldtocht mocht besluiten.

Hoewel de doorgangscontrole bij de Neck naar verluidde inmiddels scherper was dan ooit, kwam er bij Wrights taveerne regelmatig nieuws binnen over de spanningen die in Boston steeds hoger opliepen. Dat nieuws werd meegebracht door patriotten die er onder dekking van het nachtelijk duister in slaagden de Charles over te roeien.

Revere had een spionnencompagnie gevormd, ambachtslui die speciaal letten op eventuele plotselinge troepenbewegingen van Boston naar het platteland.

Pas uit Engeland aangekomen schepen brachten het bericht dat Amerika's pleitbezorger, Pitt senior, thans graaf van Chatham, het oor had geleend aan de grieven die het Congres in een nota had samengevat. Hij had het Britse parlement een plan voor verzoening aangeboden, met daarin onder meer het voorstel alle koninklijke troepen uit Boston terug te trekken. Maar Pitts plan was weggestemd.

Verder was bij geruchte vernomen, dat het kabinet North, onder het mom van een eigen verzoeningspoging, bezig was wetsvoorstellen op te stellen die nog repressiever en economisch nog schadelijker zouden uitpakken. North zou de koopvaarders uit New England de handel willen ontzeggen op alle havens, behalve die in Engeland en Brits West-Indië, en de vissers uit New England willen verbieden hun netten uit te werpen op de Noordatlantische visgronden. Nog onheilspellender echter waren de berichten over een wet die in Londen reeds aangenomen heette te zijn. Deze wet, die Gage alleen nog via de officiële kanalen moest bereiken om van kracht te kunnen worden, zou de generaal bij het afdwingen van alle andere Londense decreten de vrije hand geven.

Terwijl het februari-ijs begon af te brokkelen onder de eerste maartse buien, kwamen de patriotten van Concord bijeen in de donkere taveerne om daar te horen dat zowel Hoger- als Lagerhuis, doof blijvend voor de pleidooien van mensen als Pitt en Burke, de provincie Massachusetts reeds het stempel 'opstandig' hadden opgedrukt. Gage leek dienovereenkomstig te handelen. Hij stuurde soldaten naar Salem om beslag te leggen op het koloniale arsenaal aldaar.

Diezelfde nacht werd Philip uit zijn slaap gehaald door een harde roffel op O'Brians deur. Hij greep zijn musket en legde de hele weg naar Concord in looppas af.

Het regionale alarmsysteem, van koeriers te paard en wijd en zijd beierende klokken, bleek nu perfect te werken. Binnen enkele uren waren alle vrijwilligers-eenheden van Concord paraat op de been.

De spanning ebde even weg toen een ruiter het bericht bracht dat de wapens in Salem buiten het bereik van Gages troepen in veiligheid waren gebracht, terwijl diens officieren het kennelijk niet tot een gevecht hadden willen laten komen door verder te zoeken.

Niettemin waren alle patriotten in de tot hoofdkwartier gebombardeerde herberg—die door de Tory-gezinden in Concord wijselijk werd gemeden—het er roerend over eens dat bloedvergieten onvermijdelijk zou blijken. Een kwestie van weken, dagen wellicht.

Het provinciale Congres, in Cambridge bijeen onder voorzitterschap van Hancock en dokter Warren, liep daarop vooruit met het consigne aan de compagnieën, dat elke troepenverplaatsing uit Boston, van 'vijfhonderd man of meer', zou worden opgevat als een aanleiding voor algehele mobilisatie.

Philip hield zichzelf voor dat hij zijn belangstelling eigenlijk meer moest richten op al deze zorgwekkende ontwikkelingen. Centraal in zijn gedachten bleef echter de ongerustheid over Anne, van wie nog steeds elk levensteken ontbrak. O'Brian maakte zich al even grote zorgen om zijn dochter. Om van Lumden maar te zwijgen.

Toen maart zijn tweede week inging, besloot Philip, na ruggespraak met zijn gastheer en de oud-sergeant, een poging te wagen naar Boston terug te keren.

De ochtend daarop—het beloofde een gure, regenachtige dag te worden—stond Philip op het punt O'Brians oude, doorgezakte merrie te zadelen, toen hij buiten paardehoeven en ratelende karrewielen hoorde. Hij wierp een blik naar buiten . . .

Arthur was met de wagen naar Concord geweest om een lading meel en andere proviand in te slaan. Maar terwijl de knecht zijn kar het erf op mende, dacht Philip op de bok een tweede figuur te zien. Hij tuurde door het regengordijn en zag een lok vuurrood haar.

'George! Daisy is hier!' brulde hij naar Lumden die achterin de stal planken stond te zagen.

Om het hardst renden ze naar de wagen, die door Arthur hotsend over het verharde pad langs de boerderij werd gestuurd. Lachend en huilend tegelijk, wierp Daisy zich in Lumdens armen.

Toen ze zich uit de omhelzing had losgemaakt, moest Philip er aan geloven. 'Juffrouw Anne wacht in Concord op u, in de herberg,' bracht ze uit. 'Je bedoelt dat ze met je meegekomen is?'

Daisy knikte. 'Zij en haar vader hebben er kamers gehuurd. Adams is definitief uit Boston gevlucht. Meneer Hancock ook. Ze zijn er 's nachts tussen uitgeknepen, alsof het dieven waren.

'Is het gevaar zo acuut geworden?'

'Daar is iedereen het over eens. Meneer Ware heeft ons verteld dat alleen Warren is achtergebleven.'

Zich de vreugdetranen van het gezicht wissend, blikte ze in het rond, terwijl Lumden schaapachtig naar haar stond te staren, zijn zaag lag in de modder bij zijn voeten. Zijn stralende vreugde deed bijna komiek aan.

'Waar is mijn vader?' vroeg Daisy.

'Bij de buren om met kolonel Barrett te praten,' antwoordde Arthur. Met een ruk draaide ze zich weer om naar Lumden. 'Heb je . . .? Ik bedoel, geeft hij . . .?'

Lumden kon alleen maar grijnzend knikken. Met een kreet van blijdschap wierp Daisy zich andermaal in zijn armen.

Philip liep naar het huis om zijn mantel te halen. Over zijn schouder riep hij: 'Zeg tegen meneer O'Brian, dat ik naar het dorp ben om . . .'

Een blik op Daisy deed hem stokstijf stilstaan. Hangend aan Lumdens arm keek ze naar hem met een plotseling allerminst gelukkige uitdrukking op haar gezicht.

'Daisy, wat is er aan de hand?' vroeg hij beklemd.

Ze snelde naar hem toe en fluisterde: 'Dat zal juffrouw Anne u wel vertellen.'

'Nee, vertel jij het me maar.'

'Het . . . het is zo goed als zeker, dat die officier . . . ik bedoel, die aan de deur kwam op de avond dat jullie vertrokken, dat die officier niet . . .' Haar stem stokte.

'Ga door, Daisy! Niet wat?'

'Niet dood is.'

3

Ten prooi aan een kille angst, kil en snijdend als de maartse buien, slingerde Philip zich in het zadel en dreef hij de merrie, zo vlug deze draven wilde, over de opgedooide weg naar Concord.

Bij het huis van de kolonel stond O'Brians paard vastgebonden. Maar zonder in te houden dreef Philip het zijne voort, over de brug, door de dorpskern naar de herberg van Wright. Verse sporen in de modder vertelden hem dat er niet lang tevoren een koets was aangekomen. Daisy's woorden hadden hem als een kaakslag getroffen. En toch, realiseerde hij zich onder het afstijgen, had hij deze dramatische wending eigenlijk kunnen voorzien. Terugdenkend aan die bloedbevlekte avond in Launder Street, kon hij zich niet herinneren ook maar oppervlakkig te hebben gecontroleerd of Roger Amberly inderdaad dood was. Hij had voetstoots aangenomen dat de bajonetsteek fataal was geweest.

Die fout zou hém nu fataal kunnen worden.

Zonder acht te slaan op de modderkluiten aan zijn laarzen viel hij de taveerne binnen. De herbergier wees hem dat hij boven moest zijn, in de kamers aan de voorzijde. Zonder kloppen stormde hij de spaarzaam gemeubileerde zitkamer binnen, waar hij bijna struikelde over Abraham Ware die bezig was een zware hutkoffer naar een van de slaapkamers te slepen.

Anne ontdeed zich net van haar klammige schoudermantel en draaide zich verrast om. Haar ogen sperden zich wijd open. 'O Philip.'

Een paar werktuiglijke passen over het versleten tapijt. Zijn armen die haar omvatten en stevig tegen zich aandrukten. 'Anne, Anne. Ik snakte naar bericht . . .!'

Na een innig ogenblik lieten ze elkaar los. Philip schrok van haar fletse gelaatskleur. Ondanks de blijdschap over hun hereniging scheen ze slecht op haar gemak, wat zijn eigen gevoel van onbehagen nog versterkte. Ware, die er zelf ook moe en verpletterd uitzag, kwam terug uit de slaapkamer en schraapte demonstratief zijn keel.

'De toestand in Boston is aanzienlijk verslechterd, Philip,' zei hij. 'We zagen geen kans om op verantwoorde wijze contact met je te leggen. De koeriers doen gevaarlijk werk en hebben ook zonder postillon d'amour te spelen al genoeg aan hun hoofd.'

'Ik was stomverbaasd toen ik hoorde dat Anne in Concord was,' antwoordde Philip.

'We hebben nogal louche wegen moeten bewandelen om aan de vervalste papieren te komen waarmee we de Neck konden oversteken.' Ware wees op de hutkoffers. 'Dit is alles wat we mee mochten nemen. Wat de rest aangaat—het huis, ons meubilair—daarover zullen de soldaten of die vervloekte Tories zich inmiddels wel hebben ontfermd. Maar ja, ik moest kiezen tussen vluchten of gearresteerd worden wegens mijn werk. Alleen Warren wilde koste wat kost achterblijven, en Revere natuurlijk, om het militaire spionagewerk te leiden.'

'We hebben gehoord, dat Gage bezig is een strafexpeditie tegen het platteland voor te bereiden,' merkte Philip op.

'Klopt. Om wapens in beslag te nemen. Hij schijnt alleen nog te wachten op het schip dat hem de machtiging van Darmouth, de minister van Koloniën, brengt.'

'Ook dat is ons inmiddels bekend.' Al die tijd nam Anne hem op met een vreemde, omfloerste blik die hij niet kon peilen.

Ware klakte een paar maal met zijn tong en vervolgde: 'Warren zal ervoor zorgen dat Paul en een paar anderen uit Boston kunnen wegkomen om ons te waarschuwen wanneer Gage tot actie overgaat. Tenminste, als alles volgens plan verloopt. De zaken staan er nu voor zoals Sam Adams ze altijd heeft gewild. Misschien heeft het zo moeten zijn, maar, God sta me bij, ik kan je wel zeggen dat ik doodsbang ben.'

'Hoe gaan de zaken bij meneer Edes?' vroeg Philip.

'Moeilijk. De verspreiding van de *Gazette* is nog net niet verboden, maar wel uiterst riskant. Toen ik Ben twee dagen geleden voor het laatst sprak, was hij bezig de pers te demonteren. Hij hoopt hem bij stukjes en beetjes, met een paar complete letterbakken, over de Charles te kunnen smokkelen. Misschien kan hij hem in Watertown weer opzetten. Revere en hij praten druk over het geld.'

Niet begrijpend fronste Philip zijn voorhoofd.

'Het drukken van geld!' riep Ware uit. 'Komt er oorlog, dan moeten de koloniën zichzelf kunnen bedruipen. Paul is al bezig de bankbiljetten te ontwerpen. Maar, m'n jongen, we brengen nieuws dat je persoonlijk meer zal raken . . .' In zijn altijd wat bolle ogen las Philip nu iets van respect. 'Het betreft de officier die in mijn huis zo onverwachts door een, eh, ongeluk werd getroffen. Anne heeft me er vanzelfsprekend alles over verteld.'

'Volgens Daisy is er reden te veronderstellen dat de man het, eh, ongeluk heeft overleefd.'

'Een goede reden, inderdaad.' Ware plofte neer in een krakkemikkige stoel en tuurde somber door de vergeelde kanten vitrage naar de regen die op de daken van Concord plensde.

'Dank zij Anne wisten we wat we moesten zeggen, toen zijn collega-officieren in Launder Street navraag kwamen doen. Nog steeds dank zij mijn dochter wist ook Daisy haar prevelementje vlot op te dreunen. Trouwens, de officieren waren loslippig genoeg om zich te laten ontvallen dat ze tevoren de buren al aan de tand hadden gevoeld. Die hadden, vertelden ze, gezien dat Amberly bij ons aanklopte. Daisy loog zich er dapper doorheen. Vertelde ze dat Lumden diezelfde ochtend al was verdwenen. Ik neem aan dat hij veilig is op haar vaders boerderij?'

'Zo veilig als maar mogelijk is.'

'Daisy maakte de roodjassen wijs dat zij Amberly de spullen had laten zien die Lumden in de schuur had achtergelaten. Daarna was hij volgens haar onverrichter zaken vetrokken. Ook tijdens twee volgende verhoren bleven Anne en Daisy bij hun gelijkluidende verhaal. Volledig geloofd werden ze waarschijnlijk geen van beiden.'

'Daar ben ik wel zeker van,' viel Anne in.

'Erger werd ons alleen bespaard doordat Gage verdachten niet laat martelen. Nog niet! Misschien op voorspraak van die Amerikaanse vrouw van hem. De geheimzinnigheid die later rond Amberly's verblijfplaats ontstond, kan er eveneens toe hebben bijgedragen dat we buiten schot bleven.'

Philip had nog steeds geen verklaring voor die vreemde, strakke blik waarmee Anne hem bleef aankijken. Wat was ze bleek! Hoe hol stonden haar ogen boven blauwgroene vegen van vermoeidheid!

'Hoe bedoelt u, geheimzinnigheid?' vroeg hij.

Ditmaal antwoordde Anne. 'Men heeft Amberly kennelijk gevonden op de plek waar jij hem had achtergelaten. Buiten kennis, maar nog in leven. Een paar dagen later verdween hij uit Boston.'

'Verdween hij!' riep Philip uit. 'Maar werd hij dan niet opgenomen in het militair hospitaal?'

'Dat zou je verwachten,' antwoordde Ware. 'En het gebeurde ook, maar niet voor lang. Iemand, wie weten we niet, heeft hem er uitgehaald. Kennelijk om hem elders beter te verplegen.'

'Verklaar u nader.'

'Volgens een van Reveres spionnen, die ik had gevraagd een oogje in het zeil te houden, werd Amberly—wiens toestand onverminderd ernstig was—door een paar mannen uit het hospitaal gehaald en een particuliere koets ingedragen. Mijn informant, een jongen nog, kende hen niet, maar vond ze eruitzien als huisbedienden. Ze droegen overigens geen livrei. De koets reed weg en werd bij de Neck zonder formaliteiten doorgelaten.'

Er lag een bittere, haast verbeten trek rond Wares mond. 'Klaarblijkelijk is het nog steeds mogelijk een medische voorkeursbehandeling te kopen, net zoals gevangenen in Engeland extra voedsel en een betere cel kunnen kopen. Trouwens, net zoals die ellendeling zijn officiersaanstelling heeft gekocht! Kennelijk heeft een relatie zich zijn lot aangetrokken en ervoor gezorgd dat hij gespaard werd voor het militair hospitaal, waar hij meer kans liep te sterven dan te genezen. Het zijn ook je reinste pesthuizen. Wat er werkt heet heelmeester, maar kan zich beter slager noemen. Met dat al blijft het allemaal verdomde vreemd.'

Hij hield Philips ogen vast met een borende blik. 'Maar Anne heeft iets voor je meegebracht, dat zo op het oog best eens de sleutel tot het mysterie zou kunnen bevatten.'

'Waar heeft je vader het over, Anne?'

'Een brief.'

'Die we niet hebben opengemaakt,' vulde Ware aan. 'Wat er in staat is jouw zaak. Geef hem die brief nou maar, Anne. Ik ga beneden in de tapperij proberen of een hartversterking m'n bloed weer aan het stromen wil brengen.'

Hij had de deur nog niet achter zich dichtgetrokken, of Anne bukte zich bij de kleinste hutkoffer. Ze wipte de sluithaken los en maakte hem open. Tussen de stapeltjes kleren zag Philip het kistje van zijn moeder, Gils in een lap gewikkelde zwaard en zowaar zelfs het groene stopflesje met thee. Hij was geroerd door de zorg waarmee Anne ook zijn bezittingen had ingepakt.

Diep in de koffer tastend, bracht ze de brief te voorschijn en gaf hem aan Philip.

De was waarmee het nogal beduimelde couvert was gesloten droeg geen indrukken van een zegel. Een fraaie, hem onbekende hand richtte zich tot de *welgeboren Philip Kent*, per adres huize Ware in de Launder Street te Boston.

Hij keek op. 'Hoe kom je aan deze brief, Anne?'

'Een speciale koerier kwam ermee aan de deur. We stonden op het punt de koffers in het rijtuig te laden.'

377

'Je bedoelt dat je mijn naam niet bij de postale annonces in de krant hebt gelezen? Dat je hem niet bij het postkantoor hebt afgehaald?'

Anne schudde het hoofd. 'Iemand,' sprak ze toonloos, 'heeft er veel geld voor over gehad om hem per ijlbode te laten bestellen in plaats van via de normale post.'

Op dat moment werd het Philip te moede alsof het lot hem fysiek aanraakte. In die simpele kamer, zo roerloos in het grijze licht van een maartse regendag, tolde het rad van fortuin als bezeten in het rond. Hij kon niet verklaren waarom die gekreukte brief in zijn hand hem plotseling angst aanjoeg. Maar angst was wat hij voelde.

Bijna met tegenzin verbrak hij de was en vouwde hij de vellen open. Al bij het lezen van de eerste zinnen voelde hij hoe zijn keel werd dichtgesnoerd. De contouren van de dingen om hem heen vervaagden. Het briefhoofd vermeldde *Philadelphia* en een recente datum. Met de aanhef beet het verleden zich als een meedogenloos roofdier in hem vast:

Mijn allerliefste Phillipe,
Na een barre oversteek die veel van mij vergde, heb ik hier mijn intrek genomen ten huize van mijn tante en haar echtgenoot, de heer Tobias Trumbull, in Arch Street. Ik schrijf je deze brief in het geheim, bij het licht van een kaars. In de kamer hiernaast ligt Roger te bed, nauwelijks bij bewustzijn en wellicht reeds ten dode opgeschreven.

Alvorens hij in Engeland met zijn regiment scheep ging, hadden wij afgesproken dat hij, mocht de militaire dienst overzee hem te staan komen op ernstige kwetsuren, daarvan zo mogelijk mijn tante zou verwittigen, per normale post of per speciale koerier. Immers, waar ze ook in het imperium mogen liggen, de militaire hospitalen staan bekend als oorden waar een zwaargewonde soldaat zeker zal bezwijken aan vervuiling, het geknoei van onbekwame artsen en wat dies meer zij. Nadat hij ergens op de openbare weg was gevonden met een diepe steekwond, en men hem naar zo'n hospitaal had overgebracht . . .

Zij weet alles! schoot het door hem heen. De herinnering aan het verleden hield hem in een wurggreep en beroofde hem bijna van zijn adem.

. . . kwam hij lang genoeg bij kennis om te betalen voor een koerier naar Philadelphia. Van hieruit zond mijn goede tante Sue een particulier rijtuig om hem op te halen. Links en rechts moesten steekpenningen worden betaald om zijn vertrek mogelijk te maken. Maar aangezien Roger nimmer kampt met een tekort aan middelen, kon het doel worden bereikt. Mijn tante zond me de onheilstijding met de eerste snelle zeiler. Ik haastte mij naar Rogers ziekbed en kwam eerst gisteren in de haven van Philadelphia aan. Gisterenavond was mijn echtvriend lang genoeg bij kennis om even met mij te kunnen praten. Hij heeft de lange rit over de slechte wegen maar nauwelijks doorstaan, en . . .

De woorden die volgden waren met driftige halen onderstreept.

. . . heeft mij de naam genoemd van degene die hem neerstak. Hij vertelde

mij hoe en waar dat is gebeurd.

Hij noemde zowel je nieuwe naam als de oude, waaraan ik omwille van zoete herinneringen in de aanhef de voorkeur heb gegeven. En nu, mijn liefste Phillipe, kan ik mijn hart naar waarheid bij je uitstorten. Ik heb Quarry Hill nooit vergeten, kan dat ook niet. Uit het diepst van mijn ziel zeg ik je dat ik niets ter wereld vuriger wens dan je te zien. Met je te praten. Dicht bij je te zijn, even dicht bij je, ik geef het zonder schaamte toe als ik eens was.

Afgrijzen belette Philip een moment lang verder te lezen. Hij zag haar voor zich, schrijvend naast een flakkerende kaars, in een bedompt vertrek dat stonk naar etterende wonden.

Ik weet niet of mijn echtgenoot je, voor zijn komst hierheen, ook aan anderen heeft bekend gemaakt als de man die hem heeft verwond. Uit wat hij me heeft verteld, maak ik echter eerder het tegendeel op. Wellicht heeft hij zich, verzwakt als hij was, allereerst bekommerd om zijn eigen welzijn en het verwittigen van tante.

Zekerheid heb ik nochtans niet. Die zal ik wél hebben als er nooit antwoord komt op deze brief die ik verstuur aan het adres in Boston dat Roger mij gisteren toefluisterde.

Mocht deze brief je echter door een wonder toch bereiken, kom dan, smeek ik je, per snelste gelegenheid naar Philadelphia opdat wij elkaar kunnen zien en spreken. Je bent veilig voor represailles. Als je ooit van me hebt gehouden, moet je dit geloven. Ik verlang er slechts naar me opnieuw in je aanwezigheid te koesteren. Want al moet ik er eeuwig voor branden dat ik je dit schrijf, mijn echtgenoot is wat ik al jaren terug wist dat hij zou zijn. Een kille man, een lege huls. Met hem te trouwen was een dwaasheid die ik al die tijd heb moeten berouwen. Ik smeek je, Phillipe, blijf niet doof voor mijn bede. Neem alle voorzorgsmaatregelen die je nodig acht. Maar kom, zelfs al kunnen wij elkaar slechts een enkele dag zien.

Als bewijs dat ik te goeder trouw ben en je nog steeds vurig bemin, sluit ik af met je te vertellen dat ik de artsen van mijn echtgenoot heb verzocht erop toe te zien dat hij onder een zwaar opiaat wordt gehouden, om de pijn te verlichten maar ook om te beletten dat hij nogmaals de naam noemt die hij alleen mij gisterenavond, in de beslotenheid van zijn ziekenkamer, heeft toegefluisterd. Mijn tante en haar echtgenoot weten van je bestaan niet af, daarvan ben ik zeker. Om 's hemels wil, mijn liefste, kom!

De brief eindigde met een nieuwe serie dikke strepen onder de laatste zin en de kwellende voornaam:

Alicia

Ten prooi aan een ongekende emotie, keek Philip naar Anne. In haar blik las hij, dat ze iets van wat hij zojuist had gelezen, moest hebben voorvoeld. Met een smartelijk vertrokken gezicht trok ze de brief uit zijn krachteloze hand en begon hem te lezen.

II Een sterfgeval in Philadelphia

1

Anne vouwde de brief op, legde hem op een tafeltje bij het raam en staarde zonder iets te zeggen naar buiten. Toen ze uiteindelijk sprak, had haar stem een scherpe ondertoon. 'En hoe had je gedacht hierop te reageren, Philip?'

Was het boosheid of verdriet die haar stem kleurde? Hij kon het niet precies bepalen, daarvoor was hij zélf te veel in de war. De brief had een aantal jaren uitgewist en emoties bij hem wakker geschud die sinds Quarry Hill hadden gesluimerd.

Anne voelde zijn onzekerheid en draaide zich met een ruk naar hem om. Opnieuw werd hij getroffen door haar ongezond bleke gelaatskleur. Was ze ziek en wilde ze dat voor hem verzwijgen?

Verdere speculaties in die richting werden afgekapt door de trek van verachting die plotseling rond haar mond lag. 'Wat je noemt een echte dame, hè,' hoonde ze. 'Afspraakjes maken met haar geliefde, terwijl haar man in de kamer ernaast met de dood worstelt. Hoe fijngevoelig! En dan dat verdovende middel, zodat hij het voorgenomen tête-à-tête niet zal storen door bij kennis te komen! Nee, echt een vrouw van hoge beginselen!'

'Anne . . .'

'Je hebt nog geen antwoord gegeven op mijn vraag. Kruip je als een hond naar haar toe op het moment dat ze je fluit?'

'Ik weet het nog niet.'

'God nog aan toe, dus je denkt er wél over!'

Hij incasseerde haar beschuldiging zonder iets te kunnen zeggen.

'Philip, weet je hoe ver het is naar Philadelphia? Ga je echt een kleine vierhonderd mijl reizen om bij aankomst te worden gearresteerd?'

'Gearresteerd? Ik denk niet dat ze me wil laten oppakken.' Hij moest echter toegeven, dat ze best gelijk kon hebben. Misschien verkeerde Roger helemaal niet in levensgevaar. Misschien was hij wel aan de beterende hand en had hij zijn vrouw zo ver gekregen een val te helpen zetten voor zijn doodsvijand.

'Nu ik er wat rustiger over nadenk,' schamperde Anne, 'betwijfel ik of ze wel zoveel juridische poespas zullen maken. Waarschijnlijk zullen ze je op de bekende manier aanpakken. Een bende moordenaars inhuren, die deze keer meer succes zal hebben dan destijds in Engeland. Je wilt me toch niet vertellen, dat je je nek willens en wetens in die strop gaat steken? Zó stompzinnig kun je toch niet zijn!'

Schril echode haar stem door de halfduistere kamer. Nadat haar woorden waren weggestorven, zorgde het tikken van de regen op de dakpannen voor een hypnotiserend contrapunt met het benauwde sissende geluid van haar ademhaling.

Philip wist absoluut niet hoe hij zijn antwoord moest inkleden. Hij realiseerde zich dat zij zich vooral afzette tegen Alicia. Dat had zij hem maanden geleden al duidelijk gemaakt. Het lag dus voor de hand dat zij het gevaar van een ontmoeting met Alicia extra dik aanzette.

Een gevaar dat niettemin uiterst reëel kon zijn. Omzichtig begon hij: 'Toegegeven, alles wat je me daar voorhoudt is mogelijk. Maar met één keihard feit houd je geen rekening. Alicia had in Engeland part noch deel aan Rogers aanslagen.'

'Waar ze bepaald geen stokje voor heeft trachten te steken!'

'Zeker heeft ze dat wél. Het was alleen dank zij haar waarschuwing, dat mijn moeder en ik op het nippertje uit Tonbridge hebben kunnen ontkomen. Ik ben er allesbehalve zeker van dat ze daarna iets van Rogers complotten heeft afgeweten.'

'Wie probeer je nu eigenlijk te overtuigen, Philip? Mij? Of jezelf?'

'Verdomme, Anne, wees een beetje redelijk!'

'Over een vrouw die jou van me probeert af te pakken. Van m'n leven niet.'

'Nou zie je de zaken toch niet erg helder.'

'Helder? De pot verwijt de ketel dat ie zwart ziet! Trouwens, wie schrijft me voor hoe ik tegen de zaken . . .?'

'Anne, luister! Stel dat Roger inderdaad aan de beterende hand is. Dan zou hij zijn moordenaars toch naar Launder Street hebben gestuurd om me daar te grazen te nemen of uit jou informatie over mijn verblijfplaats te persen. Dan zou hij me toch niet helemaal naar Philadelphia proberen te lokken.'

'Dat zeg je allemaal alleen maar omdat je het zélf wilt geloven,' riep Anne met een door tranen verstikte stem.

'Ik probeer de dingen logisch te beredeneren!'

'Spaar me je logica! Ik heb de afgelopen paar weken om jouwentwille al genoeg doorgemaakt. Dat schijn je het liefst maar te vergeten.'

Hij begreep dit gambiet maar al te goed. Een typisch vrouwelijk gambiet, ingegeven door haar woede. Kwalijk kon hij haar deze tirade tegen zijn vermeende ondankbaarheid niet nemen. Ervoor zwichten kon hij echter evenmin.

'Je had Daisy en haar sergeant ook onder je vleugels. Je hebt Lumden geholpen bij het uitbroeden van zijn plan, weet je nog wel?'

'Het doodsteken van Amberly stond anders niet in ons draaiboek.'

'Zijn bezoek ook niet! En ook niet dat die kleine smeerlap dubbel spel zou spelen!' wierp Philip met stemverheffing tegen.

'Ontken toch niet dat die steekpartij een mooie gelegenheid bood wraak te nemen.'

'Dat ontken ik wel degelijk!' Philip greep haar arm. 'Hij wilde jou pijn doen. Dat stond me bovenal voor de geest toen ik hem . . .' Wit van razernij rukte zij zich los.

'Je liegt! Je bent een leugenaar en een draaier! Daar ben je meester in geworden! Betekent alles wat je in Boston heb meegemaakt dan helemaal niets voor je? Al dat werk bij Edes . . . was dat dan allemaal maar tijdverdrijf, bij gebrek aan beter?' Anne verloor nu ook het laatste restje zelfbeheersing. 'En wat er tussen ons is gebeurd? Was dat soms ook bij gebrek aan beter?'

'Néé!'

Een getergde kreet die hij meteen betreurde. Zijn stem daalde, maar behield een bijna hardvochtige klank. 'Anne, ik heb je duidelijk gemaakt dat ik me niet wilde binden.'

'Omdat je voor jezelf niet kunt uitmaken wat je bent!' snerpte Anne. 'Vrij man of het kwispelende schoothondje van die . . . die Engelse snol. Waarom zou je er anders ook maar over dénken naar haar toe te gaan?'

'Als ik je dat zou proberen uit te leggen, zou je niet . . .'

'Een vent die vast in zijn schoenen staat zou die vervloekte brief meteen in het vuur gooien. Maar misschien heb ik je verkeerd beoordeeld. Misschien wil je eigenlijk toch maar het liefst bij haar soort horen. Misschien ben je te zwak om het bedrog te kunnen zien in al die krankzinnige dromen waarmee je moeder je heeft opgezadeld.'

'Je hebt niet het recht op die manier over mijn moeder te spreken!' viel hij driftig uit.

'O, maar ik doe het wél! Omdat het allemaal haar schuld is, met haar eindeloze gedram over je rechtmatige positie, je hoge geboorte . . .'

'Houd je mond.'

'Niet voordat ik klaar ben. Want één ding staat vast. Als je naar Philadelphia vertrekt, onttrek je je aan de strijd die hier binnenkort wordt uitgevochten. Waarmee je meteen laat zien wat je werkelijk bent, een lafhartige aristocraat, net als meneer de echtgenoot van dat wijf. Vooruit, ga maar en dat de duivel je hale! Het spijt me, dat ik ooit iets in je gezien heb, dat ik me ooit door je heb laten aanraken!'

'Als ik me niet vergis, Anne, was dat laatste jóuw beslissing.'

Ook deze verbitterde stoot onder de gordel haalde niets uit. Anne trilde als een riet, nagenoeg hysterisch nu. Het laatste beetje kleur was uit haar gezicht weggetrokken. Onder haar ogen leken de kringen van vermoeidheid wel beurse plekken. Philip had de neiging haar een klap te geven . . .

Hij perste zijn gebalde vuisten tegen zijn zijden en dwong zich tot kalmte: 'Anne, je weet dat ik veel om je geef.'

'Hou op! We zijn uitgepraat.'

'Nee, dat zijn we niet. Het verleden kan alleen worden begraven wanneer ik Alicia een laatste keer spreek.'

'Al weer een leugen!' Ze liet haar tranen nu de vrije loop.

'Nee, geloof me toch.'

'Je hoort niet thuis in Massachusetts. Je hoort in het een of andere naar reukwatertjes stinkend landhuis overzee. Daar wil je zijn en daar ga je dan ook naar toe!'

Ten prooi aan een blinde drift greep ze hem bij de keel. Hij sprong geschrokken achteruit, terwijl haar vingers onder zijn kraag klauwden, de ketting grepen. Een woedende ruk en . . .

Hij voelde de schakeltjes in zijn nek snijden, voelde de ketting breken.

Ze liet de kapotte ketting en de medaille een ogenblik voor zijn ogen bengelen. 'Maar maak de reis niet met dit ding om je nek, Philip. Je bent niet waard dat je het draagt!' Ze smeet de medaille van zich af.

Hij hoorde hem tegen de wand slaan en rinkelend op de vloer rollen.

In Annes blik laaide het vuur van de haat. Haar mond was een dunne streep. Onder haar keurs gingen haar borsten heftig op en neer alsof ze aan de stof wilden ontsnappen. Hij wilde haar in zijn armen nemen, haar laten inzien dat hij emotioneel pas vrij kon worden door de confrontatie met het spook van zijn verleden niet te schuwen . . .

Vergeefs zocht hij naar passende woorden. Hij probeerde het haar wel duidelijk te maken, maar bracht slechts een onsamenhangend gestamel voort.

Anne wendde zich af van zijn smekend uitgestrekte hand.

'Dat ik ga, wil nog niet zeggen dat ik niet terugkom,' wist hij tenslotte uit te brengen.

Haar woede bleek te zijn verdampt. Medelijden en verdriet vormden het restant. 'Dat is dan de zoveelste leugen. Misschien weet je niet eens meer dat je jezelf een rad voor ogen draait. Maar ik weet, Philip, dat ik je nooit meer zal zien als je gaat.'

'Wie zal dat dan zo hebben gewild? Ikzélf of jij?'

'Wij beiden!' Haar gezicht in een arm verbergend, rende ze naar achteren. De slaapkamerdeur knalde dicht.

De regen trok sporen op het vensterglas, als van tranen.

Philip beende naar de deur waarachter ze was verdwenen. 'Anne?'

Stilte. Hij morrelde aan de knop.

Op slot.

Met een grimmige uitdrukking op zijn gezicht keek hij de kamer rond. Alicia's brief lag, naast het tafeltje, op het totaal versleten vloerkleed. Hij zakte door zijn knieën, raapte hem op en stak hem in zijn zak. Vanuit de slaapkamer drong het geluid van Annes snikken tot hem door.

Hij was tegelijk boos, beschaamd en bitter gestemd over de scène van daarnet. Plotseling echter week die baaierd van emoties voor een gevoel van berusting. Hij kon niet meer of minder zijn dan wat hij was: een man die wilde leven in het heden, maar die tegelijk meedogenloos werd aangetrokken door een doodgewaand verleden.

Hij pakte Gils zwaard, het groene stopflesje en het kistje van zijn moeder uit de openstaande hutkoffer en verliet het vertrek. De vrijheidsmedaille bleef liggen waar zij was gevallen.

383

2

Ware, die in Wrights gelagkamer zat te praten met een paar dorpelingen, keek op toen Philip zo haastig de trap afdaalde. Philip negeerde zijn vragende blik en beende linea recta naar de voordeur. De advocaat sprong op en probeerde hem aan te klampen. 'Kent, ik moet je even spreken! Anne voelde zich de laatste weken onwel. Ik heb een vermoeden over de oorzaak.'

Philip was echter al buiten, waar het nog steeds regende. Hij slingerde zich in het zadel en dreef O'Brians merrie in de richting van de brug, terug naar de boerderij. Hij hoorde hoe Ware woedend zijn naam riep. Maar omkijken deed hij niet.

3

O'Brian probeerde er vanzelfsprekend achter te komen waarom Philip in allerijl op reis wilde. Philip hield zich echter op de vlakte, liet alleen los dat het om een 'spoedeisende kwestie' ging. Toch toonde de boer zich uiteindelijk bereid hem de merrie te lenen. Toen hij echter hoorde waar Philip heen wilde, kreeg deze als volgt de pen op de neus: 'Ik heb koeriers uit Boston horen beweren dat ze die rit, uit en thuis, in elf dagen hebben gemaakt. Maar als je dat van ouwe Nell denkt te kunnen vergen, valt ze dood onder je neer. Denk erom, dertig, hooguit vijfendertig mijl per dag is al wat ze kan. Laat haar verder regelmatig rusten. Als je me dat niet kunt beloven, krijg je haar niet mee.'

Een rekensommetje leerde Philip, dat hij in zo'n tempo voor de heenreis dik tien dagen nodig zou hebben. Maar al was de merrie dan ook geen snelheidswonder, de reis op haar rug bleef verre te verkiezen boven het enige alternatief: lopen.

'Goed, meneer O'Brian, mijn hand erop.'

'Nogmaals: je weet zeker dat de zaak al die haast waard is?'

'Reken maar.'

'Vraag dan maar aan Arthur of hij je zadeltassen wil vullen. Neem brood mee en wat appels uit de kelder. We hebben nog ergens een oude wijnzak liggen. Laat die maar vullen met cider.'

'Dank u.'

'Waar denk je trouwens te slapen?'

'O, langs de kant van de weg, in een schuur, ik zie wel. Het beetje geld dat ik had gespaard, heb ik achtergelaten onder de hoede van meneer Edes, mijn baas de drukker. De hemel weet wat er onder de huidige omstandigheden mee gebeurd is.'

'Hoor eens hier,' gromde de Ierse boer, 'ik denk niet dat ze je in Philadelphia zo maar op straat laten slapen. Ik zal je wat geld voorschieten. Maar op voorwaarde dat je het terugbetaalt.'

'Ik ben u enorm dankbaar, meneer. Natuurlijk krijgt u het terug.'

'Denk je vlug weer terug te zijn?'

'Zoals de vlag er momenteel bijhangt, wél,' antwoordde Philip met een lichte aarzeling. Hij voelde zich onbehaaglijk over die halve waarheid. De hele waarheid was immers, dat hij geen flauw idee had hoe zijn reis zou uitpakken.

O'Brian krabde zich nadenkend achter zijn oor en keek Philip vorsend aan. 'Er moet vandaag iets zijn gebeurd, iets ingrijpends,' zei hij. 'Ik heb je nog nooit zo zenuwachtig meegemaakt. Zelfs niet op de ochtend van onze kennismaking, toen Arthur je bijna had neergeschoten. Wil je me echt niet vertellen waarom je plotseling zo'n verre reis gaat maken?'

Philips antwoord maakte O'Brian niet veel wijzer, maar kostte hem zelf de nodige moeite: 'Het gaat om een persoonlijke kwestie die ik eens en voorgoed moet regelen.'

'Kolonel Barrett zal het niet leuk vinden dat zijn compagnie wordt verzwakt, al is het maar met een enkele musketier.'

'Vertelt u hem maar dat ik geen keus had.' Hij liep van het woonhuis naar de stal om Arthur te zoeken en afscheid te nemen van Daisy en George Lumden. Hij liet zich niet lang ophouden, zodat hij zich al vroeg in de middag op de weg naar Lexington bevond. Het miezerde nog steeds. Ter hoogte van zijn hart, waar Alicia's kleingevouwen brief zat, bolde zijn mantel licht.

Deed hij goed aan zijn reis? Hij was nog steeds te verward om het voor zichzelf te kunnen uitmaken. Maar in elk geval had hij O'Brian één keer de volle waarheid verteld.

Hij had geen keus.

4

Die eerste nacht, in de luwte van een boerenstal bij Cambridge, kon hij de slaap niet vatten. Door het knagende gevoel te hebben gefaald, een zwakkeling te zijn.

Maar bovenal door een gevoel van schuld.

Hij had Anne Ware als een kille, harteloze bruut behandeld. Dezelfde Anne die zich zonder reserves aan hem had gegeven. Toegegeven, in een woordenstrijd zegt iedereen wel eens wat te veel. Maar als excuus voor zijn optreden kwam hem dat zélf ook te mager voor. Hoewel Annes verwijten hem nog steeds in de oren klonken, kon hij er zich niet langer boos over maken. Het was duidelijk dat ze zo tegen hem was uitgevallen omdat ze van hem hield.

Terwijl hij zo, met Nell vlakbij, in het donker tegen de stal kleumde, borrelde het schuldgevoel ook uit een tweede bron bij hem op. Die bron werd gevormd door zijn eigen emoties.

Philip kon zichzelf geen rad voor ogen draaien. Hij verlangde wel degelijk naar Alicia Parkhurst. Dat verlangen was alleen maar onderdrukt. Verdrongen door het lot en door de aanwezigheid van Anne. Voorlopig was hij echter nog te moe en te verward om uit te kunnen maken of zijn gevoelens voor Alicia verder gingen dan het zuiver lichamelijke. Misschien dat hij daarover met zichzelf in het reine kon komen tijdens zijn eenzame rit naar de stad van die curieuze Quaker-sekte.

Het werd in elk geval hoog tijd.

Philip was doornat en voelde zich uiterst miserabel. Maar in weerwil van dat ongemak ervoer hij nu iets van dankbaarheid over de kans op bezinning die zijn rit naar het zuiden hem bood.

'God, vergeef het me. Jij ook Anne, als je kunt,' bad hij daar tegen de natte planken in Cambridge. 'Behalve voor een enkeling, zoals de oude Adams, lijkt de weg die een man te gaan heeft duister en ongebaand . . .'

5

Philip bevond zich nu in Connecticut en volgde, parallel aan de gelijknamige rivier, de hoofdweg die door zijn vele kuilen en voren eerder een karrespoor mocht heten. Het weer was een beetje beter geworden. Indachtig zijn belofte aan O'Brian, zorgde hij ervoor ouwe Nell zoveel mogelijk te ontzien. Maar hoewel hij dus betrekkelijk langzaam vorderde, werd de zadelpijn er niet minder op en voelde zijn achterste elke avond opnieuw beurs aan.

In het stadje Hartford wist hij een hap eten en een nacht logies los te praten bij een herberg, waarvan het uithangbord nog steeds het geflatteerde konterfeitsel van een bolwangige koning George vertoonde. De herbergier en zijn vrouw waren zo nieuwsgierig naar de lopende gebeurtenissen in Massachusetts, dat zij Philips relaas graag betaalden met forse hompen vers brood, boerenboter en een paar verrukkelijke gepofte appels. Op een bank naast de schouw mocht hij zijn bedje spreiden en voor de eerste keer sinds zijn vertrek had hij het 's nachts niet koud.

Wat een verkwikkende slaap had moeten zijn, werd echter verstoord door droombeelden waarin Alicia's gezicht overvloeide in dat van Anne Ware—en vice versa.

Een houten brug bracht hem op de noordelijke oever van het bosrijke eiland op welke uiterste zuidpunt New York gonsde van bedrijvigheid. Hij keek er een ochtend rond en liet zich vervolgens door een pont over de Hudson zetten. Die oversteek naar Jersey verminderde het bedragje dat O'Brian hem had geleend met een shilling. De volgende etappe voerde van Jersey naar Trenton, waar hij zijn schamele beurs opnieuw moest aanspreken om over de Delaware te komen.

386

Maart liep ten einde en een zoele bries kondigde het voorjaar aan, toen ouwe Nell haar vier hoeven op het grondgebied van Pennsylvania plantte. In Frankfort, nog maar vijf mijl van Philadelphia, moest Philip tot zijn teleurstelling toegeven dat de lange rit hem wel vlak bij zijn doel, doch geen stap dichter bij de oplossing van zijn probleem had gebracht. Nog steeds was hij aan tweestrijd ten prooi, realiseerde hij zich.

Met een nauwelijks geringer onbehagen was hij zich bewust van een bijna koortsachtige opwinding over het vooruitzicht Alicia weldra terug te zien.

Van de twee vrouwen in zijn leven was Anne veruit het verstandigst en het betrouwbaarst. Daarenboven deed ze voor haar Engelse rivale niet onder in hartstocht en tederheid. Geen man kon zich een betere vrouw wensen . . .

Maar ze vertegenwoordigde tevens een element van onzekerheid, de ongewisheid van een land dat voor zijn vrijheid zou moeten vechten. Bij elke pleisterplaats op zijn lange tocht naar het zuiden, was hij aangeklampt door mensen die hem bezorgd over de kans op oorlog hadden gepolst.

Want hoe hij zich ook kon vinden in de beginselen waarvoor patriotten van het kaliber Adams streden, hij had voldoende werkelijkheidszin om te weten dat ieder die zich tot de koloniale zaak bekende, lijf en goed in de waagschaal stelde.

Alicia, daarentegen, stond voor alles wat hem gedurende zijn jeugd in de Auvergne als begerenswaardig was ingeprent. Hij wist dat haar zogenaamd adellijke wereld grotendeels even wreed als immoreel was. Dat het een wereld was, waar geld, status en macht meedogenloos werden gebruikt om van die drie zaken nog meer te krijgen, ten koste van anderen. Toch verlangde een deel van hem er ook nu nog naar om tot die wereld te worden toegelaten.

Het versmaden van een kans daartoe had voor zijn moeder méér dan een halsmisdaad betekend. Op sommige momenten was hij het naar hart en ziel met haar eens. Op sommige momenten was hij doodsbang voor het naamloze bestaan van een armoedzaaier, machteloos overgeleverd aan de grillen van het noodlot.

Ooit had hij zich, met de familie Sholto als inspiratiebron, voorgesteld om hier in Amerika een eigen drukkerij te beginnen. Het vak had zijn verbeelding geprikkeld, deed dat nog steeds. Hij had als weinig anderen ervaren, welk een macht de *Gazette* vertegenwoordigde. Hoe zo'n krant de mensen kon bewegen zich met hoofd en hart in te zetten voor een ideaal. Maar hoe kon hij onder de huidige omstandigheden ooit de gelegenheid vinden om zélf zo'n bedrijf op poten te zetten?

Ben Edes was al genoodzaakt zijn pers te ontmantelen, had Ware hem verteld. En nu het bijna zeker op oorlog zou uitdraaien, met alle chaos en verwarring vandien, liep zijn opgepotte loon een meer dan gerede kans in de patriottische krijgskas te verdwijnen. Of te worden geconfisqueerd als Edes werd aangehouden. Dat beetje spaargeld was alles wat hij ter wereld bezat. Alleen een regelrechte zot, dacht Philip, zou zich onder zulke omstandigheden nog zoiets als een solide toekomst dromen.

Terwijl hij Philadelphia naderde, zag Philip plotseling een parallel tussen zijn eigen bestaan en dat van Amerika. Stel dat de koloniën gezamenlijk zouden streven naar de totale onafhankelijkheid die door Sam Adams zo openlijk werd gepredikt. Zou de jonge natie dan niet in zekere zin, net als hijzelf, een bastaard zijn? Een bastaard die het alleen en zonder beschermers moest zien te rooien in een gevaarlijke wereld; het hoofd biedend aan risico's waaraan inschikkelijker, meer op zekerheid spelende karakters nooit bloot zouden staan? En zou deze bastaard zich niet van tijd tot tijd genoodzaakt zien mensenlevens te nemen om te kunnen overleven?

Een overleven dat bovendien verre van zeker zou zijn!

En passant vroeg Philip zich hierbij af, of er aan zijn eigen handen evenveel bloed zou kleven, of zijn geweten even belast zou zijn, als hij in een beter nest was geboren. Hij dacht van niet.

En tenslotte moest hij opnieuw denken aan de brief van James Amberly, die zich nu onder O'Brians hoede bevond. Hoe lang was het niet geleden dat hij de hoop had opgegeven ooit te kunnen opeisen wat hem daarin was toegezegd?

Toch had hij het document bewaard.

Waarom?

De weg die hem nu door de buitenwijken van Philadelphia voerde, werd steeds drukker. Merendeels karren die naar de markt reden. Over Philips stoffige en bezwete gezicht speelde een zoel lentebriesje. Het was heel goed mogelijk dat er in Arch Street, waar Alicia's familie woonde, gevaar dreigde. Niettemin was het een opluchting dat hij nu niet lang meer hoefde te wachten op een confrontatie die waarschijnlijk door de voorzienigheid zo was gewild. Niet zozeer een confrontatie met Alicia, schoot het in een flits door hem heen, alswel een confrontatie met zichzelf. Het was hem ineens duidelijk, dat hij de reis in hoofdzaak had aanvaard om achter de waarheid te komen. De waarheid over zichzelf, over wat hij wilde met de rest van zijn leven.

Had hij hiervan maar iets, hoe weinig dan ook, aan Anne kunnen uitleggen!

Wie was hij nu eigenlijk? Phillipe Charboneau, de bastaard en erfgenaam van een edelman, of de simpele drukkersgezel Philip Kent? Het werd meer dan tijd dat hij het antwoord vond. Misschien wel hier, in de stad waarvan hij het silhouet in de heldere ochtendzon voor zich zag.

6

De voerman met wie hij vanaf de buitenwijken gelijk op reed, vertelde hem dat Philadelphia, gelegen aan de Schuylkill, twee keer zo groot was als Boston. En wat een verademing toen het stoffige karrespoor na die lange rit vanuit Massachusetts eindelijk overging in klinkers!

De straten waren breed en aan weerskanten afgezet met bomen. Hij liet Nell een tijdje de vrije teugel om het stadsbeeld wat beter in zich op te nemen. Rondkijkend kwam hij onder de indruk van de vele fraaie huizen, de kerken en de koopmanskantoren. Hij werd speciaal getroffen door de grote hoeveelheden straatlantaarns, heel wat anders dan de walmende roetbollen waarmee Boston het 's avonds moest doen. De lantaarns van Philadelphia bestonden uit vier rechthoekige glasvensters met daar bovenop een soort schoorsteentje, kennelijk voor de rookafvoer. Een voorbijganger knikte bevestigend, toen Philip hem vroeg of dit nu de fameuze lantaarns van doctor Franklin waren.

De hoofdstraten waren bevolkt met uitstekend geklede mensen. Philip zag heren in fluweel, gesticulerend met hun wandelstokken, en jongedames onder hun parasols. Er waren er, die hun tere huid bovendien nog met een voile beschermden tegen de zonnestralen.

Op vrijwel alle straathoeken stonden venters die hun verse groenten of hun warme *scrapple*, een soort vleespasteitjes, luidkeels aanprezen. Boven de drukke kades aan de rivier wuifde een mastbos van koopvaarders in alle soorten en maten. Hoewel de reis hem had uitgeput, onderging Philip die drukte en het lawaai als een opkikkertje.

Toch bleef hij zich bewust van de noodzaak Arch Street alleen met de grootst mogelijke omzichtigheid te benaderen.

Na een paar maal vragen vond hij de straat waar Alicia logeerde, vlak bij Chestnut Street, een van de grote verkeerswegen. Daarna keerde hij terug naar de rivierkant, waar hij zijn zwetende merrie toevertrouwde aan de stalknecht van The Ship. In hetzelfde morsige logement huurde hij een bedompt hokje onder de hanebalken. Hij betaalde voor één nacht logies.

Pas toen de zon die dinsdagavond onderging, zocht Philip Arch Street weer op. Lopend ditmaal. Op de hoek van Chestnut Street sprak hij een groententventer aan, die juist een dekkleed over zijn negotie gooide. De man bleek alle betere families in de buurt te kennen en wees Philip het vierde huis aan de rechterkant van Arch Street, een bakstenen kolos. 'Iedereen in de stad kent de Trumbulls,' vertelde hij Philip. 'Meneer is eigenaar van de grootste touwslagerij tussen New York en Charleston. Verder is hij zo koningsgezind als de pest. Ik weet niet wat je bij ze te zoeken hebt, maar de familie is wél in de rouw.'

Philip die al een paar stappen was doorgelopen, draaide zich met een ruk om. 'Wie is er dan dood?'

De koopman liet een fluim op de keien spatten. 'Kijk 's m'n jongen,' antwoordde hij, 'de rijkdom vertelt ons soort mensen natuurlijk niet veel. Ik weet alleen wat ik hoor en wat iedereen kan zien. Loop er maar heen, dan zie je het ook.' De man zette zich schrap en duwde zijn handkar de hoek om.

Philip overtuigde er zich zo goed mogelijk van, dat de kust veilig was—er mochten eens minder vriendelijke elementen op hem wachten—en liep toen aan de overkant de straat in. Hoge ijzeren hekken beschermden hier de privacy. Pal tegenover huize Trumbull gekomen, hield hij zijn schreden in. Zijn adem ook.

Zowel gelijkvloers als op de bovenverdieping waren de vensters afgeschermd met zware gordijnen. Alleen waar die uiteenweken ontsnapte enig licht. Aan de imposante voordeur hing een rouwkrans met zwarte linten. In memoriam Roger Amberly?

Even voelde hij een grimmige voldoening in zich opwellen. Zich meteen weer schamend voor dit wraakzuchtige gevoel, haastte hij zich de straat uit en terug naar zijn logement. Hij zette zich aan een tafeltje achteraf, wachtte tot hem een kroes bier was gebracht en schreef toen een briefje aan *Mevrouw Alicia Amberly*, per adres *Huize Trumbull, Arch Street*. De boodschap bestond slechts uit één enkele zin: *Een vriend zou graag weten om wie de familie rouwt*.

Na even in gedachten op zijn ganzeveer te hebben gekauwd, tekende hij met *P. Charboneau*.

Het hulpje van de herbergier was bereid het briefje voor een fooi te gaan bezorgen.

Philip gaf de jongen duidelijke instructies mee. 'Je mag dit alleen afgeven aan de dame voor wie het is bestemd. Denk er om, aan niemand anders.'

'Komt in orde, meneer.'

'En eventueel wacht je op antwoord.'

'Begrepen,' zei de jongen en haastte zich weg.

Philip verschoof zijn stoel zodat hij rugdekking had van de muur. In die positie kon hij, turend door de rook, het gaan en komen van varensgasten in het oog houden. Boven het geroezemoes uit hoorde hij de klok achter de toog negen keer slaan. Hij bestelde nog een kroes bier en ledigde die met forse teugen. Rozig door het bier masseerde hij zijn pijnlijke bovenbenen, nog steeds behoorlijk stijf door al die dagen in het zadel.

Hij doezelde weg, maar schrok plotseling wakker uit zijn ondiepe slaap door het geluid van voetstappen die zijn tafeltje naderden. Opkijkend, klaarwakker nu, zag hij een lange man met een schoudermantel om en een driekante steek op het hoofd. De man nam Philip met nauwverholen minachting op.

Het hulpje van de waard, dat kennelijk weinig op zijn gemak was, kroop achter de man weg. De onbekende sloeg zijn mantel over de rechterschouder terug, waarbij hij Philip een blik gunde op zijn livrei—en op het met koper beslagen pistool in zijn gordel. 'Bent u degene die een boodschap naar huize Trumbull heeft gestuurd?'

Het klamme zweet brak Philip uit. Hij had het niet begrepen op de hand die daar zo roerloos op de gordel rustte, vlak bij het pistool. Philip dwong zich tot kalmte en antwoordde: 'Dat ben ik inderdaad.'

'Uw naam is dus Charboneau?'

'Ja.'

'Vanaf morgen is er een kamer voor u gereserveerd in de City Tavern. Weet u waar die is?'

'Nee, maar ik vind hem wel.'

De trek rond zijn mond liet vermoeden dat hij het allemaal maar een duister zaakje vond. 'De dame tot wie u zich hebt gericht, wenst dat ik u de ontvangst van uw briefje bevestig. Er zal te gelegener tijd contact met u worden opgenomen in de City Tavern. U zult uiteraard begrijpen dat daar wel een paar dagen overheen kunnen gaan, gezien het verlies dat de familie heeft geleden.'

'Een sterfgeval,' echode Philip. Hij vroeg zich steeds af of dit alles niet een ingewikkelde afleidingsmanoeuvre was. Of de knecht niet plotseling zijn pistool zou trekken om hem neer te knallen. Hij greep de tafel stevig beet, klaar om hem om te donderen en er achter weg te duiken.

De man maakte echter geen verdachte beweging. Sterker nog, hij gedroeg zich alsof het hele gesprek ver beneden zijn waardigheid was. Met een arrogant lachje antwoordde hij: 'Inderdaad, een sterfgeval. De echtgenoot van de bewuste dame, luitenant-kolonel Amberly.'

Het kon allemaal nog steeds een valstrik zijn, een web van leugens. Niettemin trachtte Philip met iets van deelneming te kijken toen hij vroeg: 'Wanneer is hij overleden?'

'Jongstleden zondag. Het heeft er de schijn van, dat de weduwen hier nogal wat korter rouwen dan in Engeland.'

'Gaat u dat soms wat aan?' Philips stem klonk scherp.

'Ik zou die opmerking tegen niemand anders durven maken. Maar uw . . . relatie met de dame in kwestie leek me nogal . . . persoonlijk. Zullen we het daar op houden? Een goede avond, *meneer.*'

De man draaide zich op zijn hakken om en baande zich tussen de varensgasten en havenwerkers door een weg naar de deur. Eén hunner gromde een duidelijk hoorbare opmerking over de koningsgezinden. De man hield even in, leek op het punt te staan zijn pistool te trekken . . . Een snelle blik langs de tap leerde hem echter dat de overmacht te groot was. Hij beende verder naar de deur waar hij zich nog even met een insinuerend lachje naar Philip omkeerde. Toen verliet hij de kroeg.

Philip sliep die nacht slecht, omdat hij gespannen lag te luisteren naar verdachte geluiden op de trap. Hij werd echter door niemand gestoord en ging tegen het aanbreken van de dag even onder zeil.

Na een simpel ontbijt in de gelagkamer, vroeg hij de herbergier de weg naar de City Tavern.

'Hebben ze je gisterenavond een schip met geld gebracht?' vroeg de man lachend. 'Dat is een heel wat chiquer etablissement dan het mijne. Het zijn piekfijne heren die daar logeren—een paar zijn er momenteel bezig het volgende Congres voor te bereiden.'

'Vertel me nou maar gewoon hoe ik er kom,' antwoordde Philip wiens hoofd niet naar grapjes stond.

Nadat de waard hem verteld had hoe hij moest rijden, haalde Philip Nell uit de stal en begaf zich op weg. Het was druk op straat, want er was markt in Philadelphia.

In de City Tavern keek het personeel al net zo laatdunkend naar zijn goedkope, door de reis niet meer zo frisse kleren als Trumbulls knecht de vorige avond had gedaan. Niettemin wees men hem netjes een ruime, goed geventileerde kamer op de tweede verdieping. Een staljongen ontfermde zich over Nell, hing haar de haverzak om en begon haar eens flink te roskammen. Het was duidelijk, dat iemand flink in de beurs had getast om zijn verblijf zo aangenaam mogelijk te maken. Voor zover Philip nog twijfelde, werd hem dat wel duidelijk toen hij wat schichtig naar de prijzen informeerde. Nee, de rekening zou door iemand anders worden voldaan, iemand die anoniem wenste te blijven.

Tegen de avond bracht het kamermeisje een beddepan om het dek voor te verwarmen. Philip ging naar beneden.

Hoewel hem in de drukke gelagkamer een uitstekende maaltijd werd voorgezet, at Philip met lange tanden. Voor zover hij kon horen praatten de andere gasten uitsluitend over politiek. Om half negen ging hij weer naar boven, waar hij zich met een langgerekte geeuw in een gemakkelijke schommelstoel nestelde. Hij was niet van plan om te gaan slapen. Maar omdat hij nog steeds hondsmoe was van zijn elfdaagse rit, slaagde hij er niet in zijn ogen open te houden.

Hij schrok wakker met de gedachte dat hij een vreemd geluid had gehoord. Had hij het alleen maar gedroomd? Hij leunde voorover, luisterde scherp, maar ving alleen het vage geroezemoes uit de gelagkamer op. Een ogenblik later echter hoorde hij het geluid opnieuw. Iemand klopte zachtjes op de deur. Hij kwam uit zijn stoel, sloop stilletjes naar het venster en maakte de grendel los. Al meteen na zijn aankomst had hij het raam als vluchtweg gekozen, mocht men hem nog steeds in een val willen lokken. Hij zou een gewaagde sprong moeten maken naar de klinkers van het trottoir. Maar het was tenminste een uitweg.

In het licht van de lamp boven zijn opengeslagen bed tekenden zijn hoofd en schouders zich als groteske schaduwen af terwijl hij naar de deur sloop. Hij wist volstrekt niet wat hem te wachten stond. Gewapende mannen misschien? Zijn handen prikten, zijn mond was droog als zoolleer.

Opnieuw werd er geklopt, dwingender nu. Een laatste stap en zijn hand strekte zich uit naar de deurknop.

7

In het licht op de gang fonkelde het koperbeslag van een pistool dat hij eerder had gezien. Rond de mond van de lange huisknecht speelde nog steeds die veelbetekenende glimlach. Kon de vent soms niet anders kijken?

'Ik heb opdracht te vragen of u met mij mee wilt komen, als het u schikt,' sprak de man afgemeten.

Terwijl hij om de lange gestalte heen de schemerdonkere gang in tuurde, was Philip er zich onaangenaam van bewust dat hij geen wapen had. 'Waarheen?' vroeg hij.

De knecht gebaarde met zijn geschoeide hand. 'Hierheen, langs de achtertrap. Een paar huizen verderop wacht een koets. De dame die u wenst te spreken, kan onmogelijk een openbare gelegenheid betreden. Zeker niet deze gelegenheid. Zij zou niet alleen opvallen door haar rouwkleding, maar ook vanwege haar politieke gezindheid.'

'Dat laatste begrijp ik niet.'

'Hoewel,' vervolgde de knecht zijn afgemeten volzinnen, 'deze gelegenheid een voortreffelijke roep geniet, zou de heer Trumbull noch zijn echtgenote ooit een voet in dit addernest zetten. En wat mijzelf betreft, ik zou dit huis volgaarne platbranden—met al degenen die hier hun verraderlijke plannen smeden.' De troebel-bruine ogen van de man stonden ongeduldig. 'Komt u nu eindelijk mee?'

'Ja. Een ogenblik.' Philip pakte zijn mantel, blies de lamp uit en trok de deur achter zich dicht.

Terwijl hij Philip voorging over de krakende achtertrap gniffelde de knecht zachtjes. Een obsceen en kennelijk zo bedoeld geluid. Het was klaarblijkelijk zijn eer te na om de deur voor Philip open te houden. In plaats daarvan repte hij zich door de zoele nachtlucht naar het einde van de steeg. Daar wachtte een statige koets met hoge wielen. De paarden stampvoetten ongeduldig en de koetsier vloekte binnensmonds, zijn ene laars ferm op de rem geplant.

De knecht trok het portier open en stapte opzij. Het interieur was niet verlicht en Philip zag alleen het donker dat hem aangrijnsde.

III Alicia

1

Philip vocht een moment lang tegen de neiging weg te rennen. Het silhouet van de koets tekende zich sinister af tegen de heiige sterrenhemel van de vroege aprilnacht. Zou de familie Amberly Rogers moordenaar een betere val hebben kunnen zetten?

De lange knecht, wiens gezicht nu schuil ging in de schaduw, wachtte roerloos, zijn hand op de kruk van het portier. De paarden hinnikten en de man op de bok vloekte nu hardop.

'Stap toch in,' drong de knecht aan.

Philip meende dat hij binnen de koets iemand zag bewegen, maar wie het was kon hij niet onderscheiden. In de City Tavern hief een vedelaar 'n vrolijk wijsje aan.

'Meneer, alstublieft!' De knecht was nu duidelijk geïrriteerd door Philips talmen.

De gestalte in de koets leunde naar voren, iets meer nu dan een flauwe contour. 'Kom, Philippe. Je hebt niets te vrezen en we hebben weinig tijd.'

'Alicia?'

'Natuurlijk!'

Philip zette een voet op de treeplank en stortte zich de donkere koets in. Even hoorde hij het zachte ruisen van vrouwenkleren, toen sloeg de knecht het portier dicht. De koets deinde en kraakte toen de man via het voorwiel op de bok klom. Alicia tikte gebiedend op het dak en het span trok aan.

Zien kon Philip haar nog steeds niet. Wel rook hij een vleug van haar parfum, een bitterzoete geur van citroenen. Vermengd met het zwaardere boeket van rode wijn.

Het span draaide de steeg uit, en het licht van de huizen in de hoofdstraat streek even over Alicia's gezicht. Het leek Philip of al die jaren sinds Quarry Hill slechts een seconde hadden geduurd.

Alicia keek hem aan, te geëmotioneerd om iets te kunnen zeggen. Haar gezicht straalde des te sterker door het contrast met haar rouwkleren: zwart op zwart, van de rok tot en met het ondanks alles modieuze steekje op haar hoofd. Een paar weerbarstige, donkerblonde lokken waren eraan ontsnapt en lagen op de kraag van haar schoudermantel.

In het licht van de langzaam voorbijglijdende huizen zag Philip opnieuw die blauwe ogen, dezelfde die de zijne lang geleden met zoveel hartstocht en pijn hadden vastgehouden. Maar naarmate hij Alicia's gezicht aandachtiger bestudeerde, werd hij zich bewust van subtiele veranderingen in die zo bekende trekken. Haar mond stond gespannen. Haar huid was grover dan vroeger . . . de sporen van een teveel aan cosmetica?

En toen ze sprak verried haar dictie, o zo subtiel maar onmiskenbaar, een teveel aan wijn: 'Heer in de hemel, de wonderen zijn deze afschuwelijke wereld dus toch nog niet uit!' Haar wangen waren nat van tranen. Zwartge-schoeide vingers zochten zijn gezicht.

Die aanraking verdreef het besef van de vergroving in haar trekken. Philip gleed dichter naar haar toe op de fluwelen bank. Zijn handen omvatten haar middel, haar hongerige mond vond de zijne.

De kus was lang en innig, smaakte naar wijn toen hun tongen elkaar begroetten. Na een eeuwigheid onttrok zij zich aan zijn mond, met een nerveus lachje waarin haar lust en haar tranen om de voorrang streden. 'Hou me vast, o, hou me alleen maar tegen je aan.'

Hij sloeg zijn armen om haar heen en ze begroef haar gezicht in zijn schou-der. De greep van die kleine hand op zijn bovenarm was bijna pijnlijk.

Na een tijdje maakte ze zich ook uit die omhelzing los en trok zijn handen in haar schoot, zijn blik met woordeloze vreugde vasthoudend. De kale olmen langs de straat, nog steeds in hun winterkleed, wierpen grillige scha-duwen in het binnenste van de voortratelende koets. Philip kon haar nu duidelijk zien. In de vatting van haar zwarte kleren glansde Alicia's gezicht als een zeldzame steen.

Terwijl ze haar rechterhand liefkozend langs zijn gezicht liet gaan, welden er in haar blauwe ogen opnieuw tranen op. 'Je bent geen jongen meer. Het leven heeft je getekend, ik zie . . .'

'De tijd heeft niet stil gestaan, Alicia.'

'Maar je kijkt me met zo'n vreemde blik aan. Waarom?'

'Ik had je niet zo snel verwacht. Trouwens, ik was er allerminst zeker van dát je zou komen. Ik vroeg me af of dit niet allemaal zou uitdraaien op een valstrik.'

'Maar was je door mijn brief dan niet van het tegendeel overtuigd?' zei ze zachtjes.

'Om eerlijk te zijn: nee, niet helemaal.'

'Het zal ook wel een vreselijk verwarde brief zijn geweest. Zo voelde ik me die avond nadat Roger me over je had verteld. Over Philippe die Philip Kent was geworden. Wat trouwens een uitstekende naam is, als je bedenkt wie je vader was.'

In een impuls drukte ze zijn hand tegen haar borsten. Ondanks alle textiel tussen zijn vingers en haar huid, herinnerde zijn lichaam zich onmisken-baar hoe zeer hij haar eens had bemind.

Was dat nog steeds het geval?

Bijna meisjesachtig in haar opgetogenheid ratelde ze verder: 'Volgens de eerbaarheid en het decorum had ik minstens een week moeten wachten alvorens ook maar één voet buiten huize Trumbull te zetten. Maar dat kon ik gewoonweg niet. En het kan me niets schelen als mijn tante en haar man er aanstoot aan nemen. Dat ik jou heb teruggevonden, is het enige dat er op aankomt.'

'Waar denkt die familie van je dat je naartoe bent vanavond?'

'Een luchtje scheppen. Even weg uit dat benauwende huis, waar de lucht vergeven is van de kaarsen die bij Rogers baar branden. Ik zal hem mee naar huis moeten nemen om hem daar te begraven, maar ik weet niet of ik dat wel aan kan . . .' Haar stem stokte even, dan: 'Hoe zijn jullie eigenlijk met elkaar in gevecht geraakt?'

'Moeten we het daarover hebben?'

'Ik ben alleen maar nieuwsgierig. Roger heeft er niets over losgelaten, zie je.'

'Dat doe ik liever ook niet. Tenzij je het vreselijk belangrijk vindt.'

Ze schudde haar hoofd. 'Hij is nooit belangrijk voor me geweest. Dat wist ik al die laatste keer dat we elkaar zagen. Maar ik moest zo nodig tóch trouwen.'

'Hebben jullie kinderen?'

'Nee, al heeft dat niet aan hem gelegen. Ik heb in Engeland een verschrikkelijke fout gemaakt, Phillipe. Vind je het erg als ik je nog steeds zo noem?'

'Waarom zou ik dat erg vinden?'

'Daar ben ik blij om, want het is de enige naam waarmee ik aan je denken kan.'

'Je had het over een fout.'

'Ja. Ik had met je mee moeten gaan.'

'Waarom heb je dat dan niet gedaan?'

'O, lieveling, dat heb ik je toch verteld op Quarry Hill. Ik had er de moed niet voor. Maar nadat je weg was, voelde ik niets voor hem. Niets, zelfs geen minuut lang. Misschien is het een doodzonde om zoiets te zeggen terwijl hij nog boven de aarde staat, maar ik kan het niet helpen.' Na een moment te hebben gezwegen vervolgde ze: 'Maar laten we het niet over die sombere dingen hebben. Ik had geen idee dat je was geëmigreerd en stond perplex toen Roger je naam noemde. Wanneer heb je besloten naar de koloniën te gaan?'

'Toen ik in Londen zat. Het leek me beter dan als een armoedzaaier, met hangende pootjes terug te keren naar Frankrijk.'

'Vertel me toch hoe het je is vergaan in Boston, die broedstoof van separatisme. Philadelphia gonst van de verhalen over een gewapend conflict, misschien al heel binnenkort. Ben jij daar ook bij betrokken?'

'Tot op zekere hoogte.'

'En je moeder? Hoe is het met haar?'

'Mijn moeder,' antwoordde Philip langzaam, 'is onderweg naar Amerika gestorven.'

'Wat ellendig voor je. Hoe kon dat toch allemaal gebeuren?'

'Jouw echtge . . . Roger zette huurmoordenaars op ons spoor. In Londen waren we hun te snel af. Maar niet voor lang, want toen we de postkoets naar Bristol namen, werden we opnieuw gevolgd. Al die angst, het vluchten, knakte mijn moeders gezondheid, naar lichaam en geest.'

'Wat is er van dat tuig geworden?'

'Laten we het daar maar niet over hebben.'

Alicia hield zijn blik onverbiddelijk vast. 'Heb je ze gedood, Phillipe?'

'Hou het er maar op, dat we wisten te ontsnappen.'

'Geloof me, ik heb niets over zulke moordplannen gehoord sinds de avond dat je Rogers bedienden in Tonbridge het nakijken had gegeven.'

'Ik ben ervan overtuigd dat Roger zijn plannetjes voor zich heeft gehouden. Hoewel ik er ook van overtuigd ben dat Lady Jane er wel degelijk van op de hoogte was. Volgens mij voelde zij zich nog het meest bedreigd door mijn bestaan.'

'Bedreigd? Misschien. Maar nadat je Rogers hand had verminkt, viel haar haat in het niet bij de zijne. Wees daar zeker van.'

'Zoals je zélf al zei,' antwoordde Philip schouderophalend, 'waarom zouden we nog stilstaan bij zulke sombere dingen? Het is allemaal voorbij. Roger is het slachtoffer geworden van zijn eigen zucht naar wraak. Zijn eigen schuld, niet de mijne.'

'Ja, je bent zeker hard geworden,' zuchtte Alicia. 'En de littekens zitten niet alleen aan de buitenkant. Maar, liefste, op beide fronten kan ik je in pasmunt betalen.'

Philip keek langs haar heen naar buiten, en zag dat de koetsier hen naar de havenwijk had gereden. Aan de ene kant doemden de omtrekken van pakhuizen op. Door het andere venster zag hij de deinende boordlichten van schepen die daar voor anker lagen. De zoele wind voerde een vleug zilte zeelucht met zich mee.

Zwijgend zaten ze zo even naast elkaar. Philips been raakte het hare en in zijn lichaam stak het verlangen weer de kop op. Maar hoewel hij haar opnieuw in zijn armen wilde nemen, was er iets dat hem tegenhield. De deur van een kroeg ging open en even gloeiden haar blauwe ogen op in het licht dat naar buiten viel. Hij kon niet precies bepalen wat die blik uitdrukte. Was het liefde? Of zat ze hem te observeren om er achter te komen wat hij dacht? Een onbehaaglijk gevoel maakte zich van hem meester.

Het drong ineens met volle kracht tot hem door dat Alicia Parkhurst altijd al een uitermate uitgekiend persoontje was geweest. Dat had ze in Engeland afdoende bewezen door bij Roger te blijven, ofschoon ze alleen van hem zei te houden. Achterdocht, onbestemd nog, bekroop Philip. 'Zijn die lui op de bok te vertrouwen?' vroeg hij.

'Dat mag ik wel hopen, ja! Ik heb genoeg geld betaald om ze hun mond te laten houden. Maar vertel me toch eens wat meer over Boston. Heb je je echt ingelaten met die hoogverraders daar?'

'Kun je iets anders afleiden uit wat er met Roger is gebeurd?'

'Nee.'

'Nou, daar heb je het antwoord op je vraag.'

'Maar ik bedoel: heb je ook echt partij gekozen?' Een liefkozend kneepje in zijn hand. 'Niet dat het zo verschrikkelijk belangrijk is, begrijp me goed. Alleen, we hebben elkaar zo lang niet gezien. Ik popel gewoon om te weten wat er allemaal met je is gebeurd, wat je gedaan hebt. Heb je een vak?'

'In Londen heb ik een tijdje bij een drukker gewerkt. Dank zij die ervaring kon ik in Boston een baantje krijgen. Ik werkte daar bij iemand die een krant uitgeeft waar die generaal Gage van jullie nou niet bepaald warm voor loopt.'

'Gage, de militaire gouverneur?'

Philip knikte.

'Míjn generaal Gage is hij anders niet!' vervolgde Alicia. 'Ik werd knap ziek van het geschuimbek in Rogers brieven. Eén groot betoog tegen de aanhangers van die zogenaamde vrijheidsbeweging.'

'Dat viel te verwachten van iemand met een moeder als Lady Jane.'

'Hoe dan ook,' hernam Alicia, 'de politiek kan me geen zier schelen. En het verleden ook niet. Als ik in Engeland terug ben, zal ik een tijdje keurig netjes in de rouw moeten blijven. Maar als die periode voorbij is . . .' Ze vlijde zich tegen hem aan; een lok van haar donkerblonde haar sprong uit de band en beroerde zijn huid. 'Als dat achter de rug is, kan ik bij jou zijn, bij jou, zoals ik al sinds onze eerste ontmoeting heb gewild. Je herinnert je toch dat ik daar steeds . . .'

'Natuurlijk herinner ik me dat. Maar je kon de moed niet opbrengen, dat heb je daarnet nog toegegeven.'

'De jaren hebben me veranderd.' Met een bruuske beweging ging ze recht-op zitten. 'Phillipe, je hebt iets! Wat is er aan de hand?'

Hij voelde zich draaierig en misselijk worden door het hotsen van de koets over de met kinderkopjes geplaveide kaai.

'Phillipe, vertel het me toch!'

'Dit hele rendez-vous is in feite behoorlijk verdorven, Alicia.'

'Verdorven? Waarom?'

'Omdat ik je man heb gedood, daarom!'

'En ik zeg je nogmaals, dat dat er niets toe doet! Waarom zou jij, uitgere-kend jij, je schuldig gaan voelen? Je hebt me net verteld hoe vaak hij jou naar het leven heeft gestaan. Vaker dan ik ooit heb geweten.'

'Ja, dat is waar.'

'Nou dan, waar pieker je dan nog over? Heb je hem soms in de rug aange-vallen? Vanuit een hinderlaag?'

'Nee, dat niet. We ontmoetten elkaar toevallig.'

'Denk dan niet meer aan hem. Hij is er niet meer! Jou kan hij niet meer bedreigen en op mij kan hij geen rechten meer laten gelden. Van mijn kant was ons huwelijk trouwens toch een en al bedrog.'

'Hoe bedoel je dat?'

'Zoals ik het zeg.' Ik heb hem bedrogen met een hele rits minnaars. En stuk voor stuk waren ze een surrogaat voor jou. Als ik mijn ogen sloot zag ik jouw gezicht, altijd het jouwe. En nu ik je weer heb teruggevonden, laat ik je niet meer gaan.'

'Dat zal je wel moeten als ik word gearresteerd,' antwoordde Philip met een wrang lachje.

'In deze stad weet niemand wie Roger heeft gedood! Hij heeft het alleen tegen mij gezegd, daar ben ik zeker van. Gevaar is er dus niet, tenminste, als je in Boston niet door de mand bent gevallen.'

'Nee, dat denk ik niet.'

'Dat betekent dat hij het geheim meeneemt in zijn graf. We zijn vrij!

'Alicia . . .' Opnieuw kon hij zijn zin niet afmaken. Hij schudde zijn hoofd.

'Maar vertel me nu eens wat je écht dwars zit, want dat het Roger is geloof ik niet.'

Het ontging hem niet, dat haar stem een staalharde bijklank had gekregen. De lantaarn van 'n tagrijn wierp een ombarmhartig licht op de putjes in haar wangen. Philip had zich niet vergist. Hoewel ze nog jong was, vertoonde haar gezicht reeds de sporen van het blanketsel en de smeerseltjes waarmee welgeboren dames hun schoonheid aan de mode offerden. Even schitterden haar ogen, koud als agaat. Althans, daaraan moest hij denken terwijl de koets langs de winkel een donkerder stuk van de kade ophobbelde.

Met een geveinsd 'daar schiet me wat te binnen' sloeg ze haar handen ineen. 'Lieve hemel,' riep ze, 'maar daar vergeet ik je de meest voor de hand liggende vraag te stellen. Een vraag waarop ik het antwoord wel weet.' Haar glimlach was een staaltje koketterie van de bovenste plank. 'Je bent natuurlijk al met een ander getrouwd!'

'Nee, getrouwd ben ik niet.'

'Goed, verloofd dan. Wie is de gelukkige? De een of andere domme gans van een koopmansdochter?'

Philip was niet gecharmeerd van haar spot. 'Bespaar me je frivoliteiten, Alicia,' wees hij haar scherp terecht. 'Volgens jou kunnen we Rogers dood vergeten. Maar er zijn andere dingen die we niet kunnen negeren. Ik ben bijvoorbeeld nog steeds wat ik mijn leven lang ben geweest, de zoon van een herbergierster. Welke pretenties'—er klonk sarcasme in zijn stem—'mij ook naar Kentland brachten, ze zijn thans van nul en generlei waarde. Ik heb me er zonder titel en zonder geld doorheen moeten slaan, en dat is me gelukt ook. Veel heb ik niet verdiend, maar honger geleden heb ik evenmin! Laten we even aannemen dat we nog steeds hetzelfde voor elkaar voelen als toen, in Engeland. Dan nog verandert dat geen jota, niet aan mijn huidige positie en ook niet aan mijn vooruitzichten.'

'Allemaal uitvluchten!' fluisterde Alicia. Ze vlijde zich weer tegen hem aan en liet haar lippen over zijn gezicht dwalen. 'Maak me maar niets wijs! Natuurlijk ben je verstrikt in de netten van een andere vrouw.'

'Alicia, luister!'

'Dacht je soms, dat ik je haar niet kan laten vergeten? Ik hou van jou, Phillipe Charboneau. En als je liever Philip Kent wilt zijn, dan verandert dat niets aan mijn liefde. Want ik ben vast van plan mijn fout te herstellen en van je te houden, van je te houden . . .'

Haar zachte, vochtige mond bedekte zijn gezicht met kussen; een hand liefkoosde zijn nek. Philip voelde dat ze naar hem verlangde. Maar vreemd genoeg werd hij bijna even sterk afgestoten als aangetrokken. 'Ik ben van plan met je te trouwen, Phillipe,' lispelde ze. 'Ik zal je alle andere vrouwen laten vergeten. Alle dagen, alle nachten . . .'

Haar vrije hand lag als een vraagteken op zijn dij. Zijn lichaam antwoordde met een uitroepteken.

' . . . zolang we leven.'

Alicia's hongerige mond vond de zijne. Haar hand gleed tussen zijn benen en sloot zich stevig rond zijn erectie.

Philips reserve verdween als bij toverslag. Zijn hand gleed onder haar mantel om zich daar te verwarmen aan de volle ronding van haar borst. Ze kreunde en drukte zich steviger tegen hem aan. De vingers in zijn kruis openden en sloten zich, maakten zijn opwinding bijna ondraaglijk. Zijn lichaam wilde van geen wachten weten, wilde haar ter plekke nemen, in die voortratelende koets. Wat kon het hem schelen als die twee op de bok zouden meesmuilen over de geluiden van hun liefdesspel? Met geld was immers alles te koop. Zowel hun zwijgen als een komplot om hem van zijn erfdeel te beroven. En moord . . .

Ze voelde het verlangen in hem wegebben en trok snel haar hand terug. Haar stem, meer nog dan haar gezicht, verried dat ze ziedde van drift. 'Er is dus toch iets met je aan de hand,' beet ze hem toe. 'Wat je me in Engeland beloofd hebt, ben je kennelijk vergeten!'

'Alicia . . .' Zijn handen grepen de hare, voelden dat ze tot in haar vingertoppen trilde van spanning. 'Wanneer je me op die manier liefkoost, lijkt het alsof er niets veranderd is. Alsof de tijd heeft stilgestaan. Toch ben ik nog steeds niet rijk, zoals Roger was! Ik heb nog steeds geen titel en bijna geen geld.'

'Maar je zult toch wel hogerop willen!'

'Natuurlijk. Maar elk moment kan die vervloekte rotoorlog uitbreken, en wat zijn mijn plannen dan nog waard? En ook al wordt het geen vechten, dan nog zal ik naar jouw maatstaven altijd een armoedzaaier blijven, dan nog zou ik je nooit de dingen kunnen geven waaraan je gewend bent. Dingen die voor jou doodgewoon zijn. Als we op die basis zouden trouwen, piep je na een half jaar waarschijnlijk heel anders dan vanavond.'

'Ben je dan zó bang me op de proef te stellen?' vroeg ze, terugvallend in haar plagerige toon.

Maar Philip bleef ernstig. 'Alicia, luister naar me! Mijn huis in Boston was 'n hokje in een kelder. Een groezelige kelder, met maar één kaars om bij te lezen! Dat is wat ik je in Amerika te bieden heb, zeker de eerste jaren.'

'Je bent een beetje in de war, Phillipe. Wat let ons terug te gaan naar Engeland? Ik moet Roger daar begraven. We kunnen toch zeker wel passage boeken voor de vlam hier in de pan slaat.'

'En hoe zou je familie daarop reageren? Ik zie je daar al binnenstappen aan de arm van een drukkersleerling wiens hele garderobe bestaat uit het laken-

400

se pak dat ie aanheeft.'

'Het kan me niet schélen hoe ze reageren, Phillipe! Dat probeer ik je nu al de hele tijd aan het verstand te brengen!'

'Maar mij kan het wel degelijk schelen. Vroeg of laat zou de armoe namelijk alles kapot maken wat er tussen ons bestaat. Laten we eens aannemen dat ik redelijk goed boer in het drukkersvak. Dan nog ben ik in jouw kringen minder dan niets.'

Ze wuifde zijn woorden met een handgebaar weg, maar in het binnenvallende licht was duidelijk te zien dat ze zich moest forceren om te blijven lachen. 'Engeland is aan het veranderen,' vervolgde ze. 'Mijn vader gruwt ervan, probeert er zijn ogen voor te sluiten, maar er helpt geen lievemoederen aan. De koopmansklasse wordt steeds rijker en dus steeds machtiger. Adellijke meisjes trouwen steeds vaker met gezeten burgers. Het lijkt wel alsof je het allemaal niet wílt zien. We hoeven helemaal niet terug naar Engeland! Als Rogers begrafenis achter de rug is, kom ik gewoon weer naar Amerika. Maar hoe dan ook, alles is volmaakt onbelangrijk, behalve dat ik van je hóu!'

Ze sloeg haar armen rond zijn hals en kuste hem. Philip voelde hoe hij zijn verzet opgaf, hoe zijn defensieve stellingen onder de voet werden gelopen door haar warme lichaam, haar strelende handen en haar hongerige mond. Vergeten was zijn achterdocht, vergeten het knagende vermoeden dat er in hun emotionele legpuzzel ergens een vitaal stukje ontbrak, dat zij hem iets belangrijks had verzwegen. Hij vergat het allemaal door de hartstochtelijke kussen die zij wisselden, terwijl de koets voorthotste door de flauwverlichte straten van Philadelphia.

Na een eeuwigheid maakte Alicia zich los uit hun omhelzing. Met een lachje waarin tegelijk blijdschap en droefheid doorklonk bette zij haar ogen. 'God, wat zouden ze zich thuis vermaken. De dochter van Parkhurst die als een dienstmeid om haar vrijer zit te snotteren. Ik zou je er bijna om kunnen haten, Phillipe. Als ik niet zoveel van je hield.'

Nadat ze nogmaals een innige kus hadden gewisseld zei ze, ditmaal met droge ogen: 'Toch zal ik nog heel wat te vechten krijgen.'

'Met mij?'

'Met jou, ja! Je hebt een muur rond je hart opgetrokken en daar moet ik doorheen. En reken maar, Phillipe, dat ik als een leeuwin zal vechten, want wij zúllen man en vrouw worden.'

Philip verwerkte haar 'oorlogsverklaring' in stilte. Alicia strekte haar arm en tikte twee keer op het dak. De paarden zetten zich in draf en het ratelende geluid van de ijzeren wielbanden nam in hevigheid toe.

'Niettemin,' vervolgde ze, 'moeten we het decorum voorlopig even in acht nemen. Kun je nog een paar dagen in Philadelphia blijven?'

Bijna had Philip nee gezegd. Het gevoel, onbestemd maar onmiskenbaar, dat er iets niet klopte bleef hem dwarszitten. Had het met Anne te maken? Of beviel het hem niet dat hij op haar kosten in de City Tavern logeerde? Kon hij er maar de vinger op leggen.

401

Een kneepje in zijn arm. 'Phillipe?'

'Ja,' antwoordde hij, 'ik kan blijven.'

'De volgende keer kom ik naar je kamer. We moeten even geduld hebben, maar ik hoop het toch snel te kunnen regelen. Roger moet nu eenmaal in Engeland worden begraven, en dat geeft me gelegenheid de stad in te gaan om het transport van de kist te regelen. Trumbull, de man van tante Sue, vindt dat kersverse weduwen zich thuis met hun rouw moeten opsluiten. Maar ik zal hem ervan overtuigen, dat hij ongelijk heeft. In mijn geval tenminste.'

Ze klinkt volmaakt zeker van haar zaak, dacht Philip met een gevoel van verbijstering. Hij moest denken aan die eerste keer dat hij haar had gezien, op Kentland, samen met de man die zij zou trouwen en die hij zou doden. Het betere soort hoer, had hij toen gedacht. Een vrouw die mannen voor haar eigen doeleinden gebruikt.

Haar opmerkingen van daarnet bewezen, dat ze minder was veranderd dan ze voorgaf. 'Waarom had hij er dan toch in toegestemd te blijven? Hij wist het zelf niet helemaal. Ze had de macht hem te beheksen, emoties bij hem wakker te roepen waartegen zijn nuchtere verstand het aflegde.

Alicia liet haar stem opnieuw tot een intiem gefluister dalen. 'Ik wil met je samen zijn, Phillipe. Samen, zoals we vroeger samen waren. De jaren van onze eenzaamheid moeten worden uitgewist. O, ik heb je meer te vragen dan me nu te binnen wil schieten!'

Haar blauwe ogen vingen het licht dat door de glas-in-loodvensters van de City Tavern naar buiten viel. De koetsier mende zijn span langs de voorkant van de herberg, terug naar de steeg. Ze legde haar hand tegen zijn wang. 'Ik ga met je trouwen, Phillipe Charboneau. Iedereen die er wat tegen in wil brengen kan voor mijn part naar de duivel lopen.'

Ze kuste hem en haar tong nam teder afscheid van de zijne. De koets kwam wiegend tot stilstand. Philip hoorde de lange knecht iets tegen de voerman grommen. Gelaarsde voeten ploften op de grond en het portier werd opengetrokken.

Vunzige pretlichtjes glommen in de man zijn ogen toen Philip naar buiten klauterde. Had de lange wat durven te zeggen, Philip zou hem een klap hebben verkocht.

De man realiseerde zich echter dat er grenzen waren. Zonder een woord hees hij zich op de bok en gaf de koetsier het teken weg te rijden. Philip stond een moment roerloos onder de sterrenhemel. De wind speelde door zijn samengebonden haar. Toen de koets de hoek om sloeg en uit zijn gezichtsveld verdween, meende hij boven het ratelen van de wielen een klokkend lachje te horen. Een lach die blijdschap uitdrukte. Zeker, maar ook . . . Triomf.

God allemachtig, met welk een gemak had ze hem naar haar hand weten te zetten! En toch onderneem je daar niets tegen, of wel soms, mijn beste kerel?

En tegen het gevoel van onbehagen dat hem kwelde stond hij al even machteloos. Wat zat hem toch dwars? Misschien wás het Anne, misschien de herinnering aan het gebaar waarmee ze de vrijheidsmedaille van zijn hals had gerukt. Misschien ook schaamde hij zich omdat Alicia's echtgenoot nog niet eens begraven was.

Van één ding was hij echter overtuigd. Een jaar of drie, vier geleden zou hij zich zonder marchanderen hebben geschikt in de toekomst zoals Alicia die zag. Trouwen met de dochter van een graaf! Al zijn wensen zouden daarmee in vervulling zijn gegaan.

Toen.

Maar de jaren en zijn belevenissen hadden hem veranderd. Dat bleek wel uit het feit dat hij nu aarzelde.

Denk aan wat ze vertegenwoordigt. Macht van het soort waarmee de Amberly's je naar het leven hebben gestaan. Waarom zou ze daar afstand van willen doen?

Van alle vragen lag die hem het zwaarst op de maag. Hij kende Alicia te goed om te kunnen geloven dat de liefde in haar karakter een wonder had voltrokken. Van tweeën één. Ze was volledig overmand door haar hartstocht en had geen oog voor de consequenties van haar uitspraken, of, en hier stak zijn achterdocht de kop weer op, er was iets anders dat hem nog ontging.

In plaats van de achtertrap naar zijn kamer te nemen, liep Philip naar de hoofdingang van de City Tavern. Aan een tafeltje in de gelagkamer dronk hij drie grote kroezen warm bier, terwijl hij vergeefs probeerde het raadsel Alicia te doorgronden. Uit louter frustratie bestelde hij nog een vierde kroes om dan maar de vraagtekens weg te drinken.

Half dronken stommelde hij tenslotte naar boven. Hij schaamde zich omdat de waard hem zijn drankjes niet had laten betalen. Dat kwam wel goed met de totaalrekening, had de man hem verzekerd.

Hij stak geen kaars aan, trok de beddepan tussen de lakens vandaan en strekte zich uit op het bed om de zaak nog eens te overdenken. De slaap overmande hem echter vrijwel meteen en in zijn dromen zag hij niet Alicia's gezicht, maar dat van Anne Ware.

2

Het aprilweer bleef zacht. Philip was nu een week in Philadelphia, lang genoeg om iets te proeven van de sfeer en het levensritme in die welvarende Quakerstad.

Woensdag was marktdag, wat de avond tevoren reeds met een sonoor gelui werd aangekondigd door de 'boterklokken' van Christ Church. Maar ook op de markt gingen de gesprekken, net als elders in de stad, minder over koop en verkoop dan over de gespannen situatie in Massachusetts.

Kennelijk stonden de patriotten uit beide koloniën via bereden koeriers met elkaar in contact, want door tijdens zijn maaltijden in de City Tavern goed op te letten kwam hem stukje bij beetje heel wat nieuws ter ore.

Eenheden van het Britse garnizoen in Boston, hoorde hij, hadden andermaal een expeditie ondernomen, met als doel het dorp Brookline. Philip kreeg overigens de indruk dat Gage minder dan vijfhonderd man had gestuurd. Over eventuele gevechtshandelingen hoorde hij niets.

Niettemin bleken de chique heren aan hun stamtafel, waar zij eten en drinken rijkelijk lardeerden met verwensingen aan het adres van de regering North, dezelfde mening toegedaan als Philip vrijwel overal hoorde verkondigen: een oorlog was nu niet meer te vermijden.

Sommige klanten in de City Tavern gaven hoog op van een zekere Henry uit Virginia, iemand met grote redenaarsbegaafdheid. Deze Henry werd speciaal geroemd om de rede die hij eind maart in het Huis van Afgevaardigden van Virginia had gehouden en waarvan hij verklaard had dat—nu het conflict bijna zeker op een oorlog zou uitdraaien—mannen van eer voor een simpele keus werden gesteld, die tussen vrijheid en dood.

De heren in de City Tavern, die met hun kanten kragen en bepoederde pruiken een elegant gezelschap vormden, bleken al even vlug op de hoogte van het nieuws dat de schepen uit Engeland meebrachten. Jazeker, de koning was vastbesloten het op een krachtmeting te laten aankomen. 'Foei, foei, foei!' kreten de heren in koor en stampten met hun stokken op de vloer tot de rokerige eetzaal er van dreunde.

Eén van de patriotten verhief zich uit zijn zetel om, enigszins onvast, enkele treffende passages uit Henry's speech aan te halen. En weer sloegen de stokken een felle roffel, waarmee de heren ditmaal hun instemming vertolkten.

Zo was dus een week verstreken, een week waarin Philip zich doorlopend bezorgd had afgevraagd hoe Anne Ware en haar vader het zouden maken. Op een gegeven moment had hij Nell gezadeld, van plan naar Arch Street te rijden om van Alicia afscheid te nemen en daarna naar het noorden terug te keren. Maar amper had hij de buikriem vastgesjord of hij maakte hem al weer los. Terwijl hij het zadel in een hoek smeet vervloekte hij zijn eigen besluiteloosheid. En de hypnotiserende invloed die Alicia op hem uitoefende. *We zullen elkaar nog één keer zien. Daarna zet ik er een punt achter.*

Maar zelfs daarvan was hij niet zeker.

Stel dat ze *werkelijk*—want ondoorgrondelijk zijn de wegen van het hart—tot de slotsom was gekomen dat de wereld van Roger Amberly haar niet kon bieden wat zij zocht. Stel dat ze *werkelijk* met hem wilde trouwen en onverschillig was voor de onzekere toekomst die zij met hem tegemoet zou gaan. Een paar veelbewogen jaren hadden hém veranderd, waarom zou hetzelfde niet met háár zijn gebeurd?

Dit zelfonderzoek pinde hem vast in Philadelphia, het voorportaal van wat zowel hemel als hel kon blijken.

In de herberg werd druk gepraat over het Tweede Continentale Congres, dat begin mei bijeen zou komen, nu George III van geen wijken wilde weten. Op de zevende dag van zijn verblijf in de stad liet Philip zich de weg wijzen naar het State House, waar de assemblée zou vergaderen. Laat in de middag wandelde hij onder de olmen, die nu vol knoppen zaten, naar dat imposante, uit baksteen opgetrokken gebouw.

Op de binnenplaats, die dienst deed als exercitieterrein, was een compagnie van de plaatselijke schutterij aan het oefenen. Een stuk of wat fraaie rijpaarden stonden aan de rand van het terrein op hun meesters te wachten. Terwijl de schutters strak in het gelid rechtsomkeert maakten, moest Philip met een gevoel van pijn terugdenken aan kolonel Barrett en de vrijwilligers van Concord—aan al degenen die hem als een vriend hadden opgenomen, hem deelgenoot hadden gemaakt van de zaak waarvoor zij streden.

Ben Edes.

Meester Ware.

Anne . . .

God nog aan toe! Wat kan een man door vrouwen tot machteloze twijfel worden gedoemd!

Langer wachten, wist hij, was nu ineens onverdraaglijk. Hij moest een boodschap naar Arch Street sturen. Moest Alicia te spreken krijgen en zijn chaotische, tegenstrijdige gedachten zien te ordenen. Want het ene ogenblik werd hij verteerd door verlangen, om het volgende weer argwaan te koesteren tegen haar motieven.

Dat was het, een briefje naar Arch Street! Er was in de City Tavern vast wel een hulpje dat hij om een boodschap kon sturen. Maling aan de heisa die dat in huize Trumbull zou veroorzaken! Terwijl hij zich, vastbesloten de confrontatie geen dag langer uit te stellen, van het State House verwijderde, hoorde Philip met een half oor hoe een ruiter, vlak achter hem, zijn paard inhield.

'Meneer, een ogenblik alstublieft. Kennen wij elkaar niet?'

De stem onderbrak Philips gedachtenstroom. Hij draaide zich om en zag, hoog te paard, een gezette heer op leeftijd. Die bril, die vrijwel kale schedel . . .

Lieve hemel, het was Franklin!

Kennelijk was de hooggeleerde zojuist door de poort van het State House gekomen, op een van de paarden die Philip bij het exercitieterrein had zien staan. De doctor zag er magnifiek uit in een jas van diepgroen fluweel en een broek waarvan het wit terugkeerde in de kanten kraag van zijn hals. Op zijn schoenen blonken zilveren gespen. Franklin dreef zijn paard met een drukje van zijn knieën dichterbij.

Even waande Philip zich weer in Londen, terug in Sweet's Lane of in Craven Street. Doctor Franklin droeg nog steeds dezelfde bril, die met de dubbel-focus glazen. De ogen erachter fonkelden nog even alert, maar de vervaagde lijn van zijn zware kin en de daarentegen juist dieper ingeëtste rimpels bewezen dat ook voor hem de tijd niet had stilgestaan. Bovendien trof Franklins glimlach Philip als anders, minder spontaan en gul als vroeger, een tikje droefgeestig zelfs.

'Wat een aangename verrassing u te zien, doctor Franklin,' groette Philip.

'Meneer Charboneau, zo is het toch? Onze kennismaking in Londen staat me nog helder voor de geest.'

Philip lachte gevleid. 'Dat is dan wederzijds, meneer. Vanzelfsprekend herinner ik me u, en met gevoelens van dankbaarheid. Dank zij de vijf pond die u me leende heb ik, via Bristol, de koloniën weten te halen.'

'Prachtig, prachtig.'

'Maar hier in Amerika,' vervolgde Philip, 'heb ik een andere naam aangenomen. Ik heet nu Philip Kent.'

'Formidabel! Ik heb gehoord, dat u zich genoodzaakt zag Londen indertijd enigszins haastig de rug toe te keren. Mag ik aannemen dat mijn lijstje en mijn introductiebrief u van dienst zijn geweest bij het vinden van een betrekking in het drukkersvak?' Franklin duwde zijn bril naar het puntje van zijn neus en fixeerde Philip even met het blote oog. 'Waarmee, meneer, maar gezegd wil zijn dat ik terugbetaling verwacht zodra u door noest werken fortuin hebt gemaakt!'

Philip voelde er niets voor om Franklin te vertellen op welke manier hij diens brieven was kwijtgeraakt. 'U krijgt uw geld terug, daar kunt u zeker van zijn,' omzeilde hij het probleem. 'Ik heb,' vervolgde hij, 'het geluk gehad in Boston bij een goede patroon, meneer Edes, aan de slag te kunnen.'

'Bij Ben Edes, van de *Gazette*? Maar dan woont u dus niet in Philadelphia?'

'Nee, inderdaad, ik ben hier alleen maar voor . . . voor zaken.'

Franklin leunde enthousiast naar voren in zijn glimmend gepoetste zadel. 'Mijn waarde, kom met me mee! Laat me u trakteren op een beker koffie of cacao, en terwijl u daarvan geniet kunt u me alles vertellen over de situatie in onze belegerde zusterstad. Wanneer bent u precies uit Boston vertrokken?'

'Bijna drie weken geleden. Ik vrees dat wat ik u te vertellen heb al aardig oudbakken is.'

'Tja, dat zal dan wel. Maar aangezien u voor Ben Edes werkt, mag ik aannemen dat u aan de goede kant staat, is het niet, meneer . . . Kent, zei u toch?'

'Inderdaad.'

'Mijn complimenten, uitstekende Amerikaanse naam. Deze kant op. Er is een prima gelegenheid hier vlakbij. Ik sta erop dat u iets met mij drinkt, want ik wil graag horen hoe het u is vergaan. Per slot van rekening'—opnieuw die wat geforceerde glimlach—'ligt het ook een beetje aan mij dat u uw heil aan deze kant van de oceaan hebt gezocht.'

'En niet zo'n klein beetje ook, doctor Franklin.'

'En? Begint u het niet te betreuren dat u mijn raad hebt opgevolgd, nu het hier zo'n rampzalige boel geworden is?'

IV Fluitjes hebben hun prijs

1

Het was nog geen honderd passen naar Franklins favoriete koffiehuis, The Sovereign. De doctor fronste zijn wenkbrauwen bij het zien van de vele paarden die buiten stonden vastgebonden. Zwarte staljongens hielden er nog eens twee aan de teugel. Met een voor zijn jaren opvallende lenigheid veerde Franklin uit het zadel. Philips oog werd getroffen door het vaal geworden uithangbord boven de deur. Konterfeitsels van de Hannoveriaanse vorst zag je overal in de stad. Maar dan wel zonder een paardevijg als mouche op zijn bolle wangen. Kennelijk had de eigenaar van het etablissement vrede met dit originele huldeblijk.

'Verdraaid, het is drukker dan ik dacht,' zei Franklin, Philip voor zich uit naar binnen loodsend. 'Laten we hopen dat mijn vaste plaatsje nog vrij is. Allemachtig, daar heb je het al!'

De grote hoektafel die hij Philip wees, bleek inderdaad bezet. Franklin wreef nadenkend over zijn kin. Links en rechts stokten de gesprekken, er werd gewezen en gefluisterd. Philip realiseerde zich dat hij naast een beroemdheid stond.

Niet dat er in het koffiehuis ook maar iemand aanstalten maakte om zijn plaats aan die beroemdheid af te staan. Ze zouden genoegen moeten nemen met dat krakkemikkige tafeltje in een hoekje achteraan.

De olijke twinkeling in Franklins ogen verried echter dat hij iets in de zin had. Hij bleef staan en wenkte het hulpje van de herbergier. 'Jongeman! Mag ik je verzoeken!' schalde zijn stem door de gelagkamer. De jongen zag wie hij voor zich had en haastte zich naar Franklin toe. 'Het spijt me ontzettend, doctor, maar we hebben alleen dat tafeltje nog vrij . . .'

'Daar zal dan wel niks anders opzitten.' Franklin haalde zijn schouders op. 'Tussen twee haakjes, mijn paard staat buiten en het heeft honger. Die grote ruin, je kent hem toch?'

'Tuurlijk, mijnheer.'

'Goed, breng hem dan onmiddellijk een dozijn oesters.'

'Oesters?'

'Je verstaat me toch: een dozijn oesters!' Franklins stem was twee huizen verderop nog te horen. Alle ogen waren nu op hem gericht, ogen zo groot als koffiekoppen. 'Er zijn van de maand toch oesters?'

'Jazeker, meneer, volop.'

'Nou, schiet dan een beetje op. Mijn paard heeft een razende trek in oesters.'

Franklin negeerde Philips vragende blik en beende majestueus voor hem uit naar het armetierige tafeltje achterin de zaak. Nog voor ze konden gaan zitten, kwam het duvelstoejagertje al weer de keuken uit, een koperen potje in zijn handen. Twee heren lieten hun tafel in de steek en sloten zich bij hem aan. Twee anderen volgden hun voorbeeld. En nog geen minuut later was The Sovereign vrijwel uitgestorven omdat de meeste klanten zich het spektakel van een oesters slobberend paard niet wilden laten ontgaan.

'We kunnen nu bij het raam gaan zitten, meneer Kent,' zei Franklin. 'Ik zie dat mijn vaste plaats vrij is. Franklin nestelde zich breeduit op de comfortabele bank. 'Een trucje uit mijn tijd als postmeester, jaren geleden,' legde hij in antwoord op Philips gegrinnik uit. 'Ik placht de postroutes persoonlijk te inspecteren. De meeste herbergen waar ik 's avonds aanlegde waren bomvol. Maar ik wist me altijd een plaatsje bij het vuur te veroveren door m'n paard oesters te laten serveren. Vast pandoer. Let maar op, zo meteen komt de jongen terug om onze bestelling op te nemen.'

Franklin bleek gelijk te hebben. Met een verongelijkt gezicht en een lege oesterpot voegde het hulpje zich even later bij hun tafel, wrijvend over een rode plek op zijn onderarm. 'Die knol lust helemaal geen oesters, doctor Franklin! Hij heeft mijn arm er zowat afgebeten en al die goeie oesters zijn in het zand gevallen.'

Franklin keek hem peinzend aan. 'Mijn paard moet plotseling zijn eetlust zijn kwijtgeraakt.'

'Net zoals ik mijn plaats ben kwijtgeraakt!' riep een van de klanten die weer was teruggekomen.

'O, ik dacht dat u was vertrokken, meneer,' reageerde Franklin droogjes. 'Maar wat doet het er ook toe, er is plaats genoeg aan die andere tafels. Komaan, jongen, breng hier eens twee kommen cacao. En natuurlijk zet je ook die oesters op mijn rekening.' Met een voldaan gezicht keerde hij zich weer naar Philip, die bij het zien van de stoelendans die volgde bijna in een schaterlach uitbarstte.

Franklin keurde de andere klanten geen blik meer waardig. Het zonlicht dat door het donkergroene matglas naar binnen viel vonkte in zijn brilleglazen toen hij Philip vroeg of diens moeder tevreden was met haar tweede vaderland. Philip vertelde hem hoe zij aan boord van de *Eclipse* was overleden.

'Ach, dat is tragisch. Mijn oprechte deelneming, m'n jongen. Ik weet wat het is, want jongstleden december heb ik zelf een zwaar verlies geleden. Twee dampende kommen chocolademelk werden op tafel gezet. 'Ik was nog in Engeland, toen mij het bericht bereikte dat mijn lieve Sjaantje me was ontvallen.'

'Uw vrouw? Dat moet een slag voor u zijn geweest.'

'Gelukkig had ik hier in Philadelphia nog een onderkomen bij mijn dochter Sally en haar man, Richard Bache.' Philip vroeg zich af waarom Franklin niets zei over zijn zoon uit een buitenechtelijke verhouding. 'En u, meneer Kent, u hebt dus ook een tehuis—als het niet naar de geest is, dan toch wel

408

lichamelijk—bij Ben Edes?'

'Ik heb in Boston'—Philip ontweek een rechtstreeks antwoord—'ook kennisgemaakt met Samuel Adams, meneer Revere, dokter Warren en nog veel meer vooraanstaande patriotten.'

'Stuk voor stuk waardevolle mensen,' knikte Franklin, een slok van zijn cacao nemend. 'Maar naar ik hoor, verbeuren ze hun leven als ze nog veel langer in Boston blijven.'

'Voor zover ik weet zijn alleen Warren en Revere nog in de stad en hebben de anderen hun toevlucht gezocht op het platteland,' antwoordde Philip. 'Trouwens, ikzelf heb daar een Britse sergeant aan een veilig onderduikadres geholpen.'

'U hebt hem geholpen uit het leger te deserteren?'

Philip knikte. 'Hij voelde er niets voor om andere Engelsen dwars te zitten. Ik heb hem meegenomen naar Concord, waar ik me zélf heb aangesloten bij een van de schutterscompagnieën.'

Franklin schoof zijn bril naar het puntje van zijn neus. 'Bent u dan misschien uit dien hoofde hier, in Philadelphia?'

Philip voelde dat hij een kleur kreeg. 'Nee, dat betreft een . . . een persoonlijke kwestie. In zekere zin is het trouwens een opluchting om even uit Massachusetts weg te zijn. Het is allemaal zo'n vervloekte warboel. Sommige mensen willen onafhankelijkheid, anderen weer niet—en de meesten hebben helemaal geen mening, maar knijpen hem wel, omdat iedereen ervan overtuigd is dat er oorlog komt.'

Franklin knikte somber. 'De ironie wil, dat ik vlak voor mijn vertrek uit Engeland—ik had, misschien hebt u dat gehoord, niet alleen mijn vrouw, maar ook flink wat prestige verloren!—nog ben ontvangen door de graaf van Chatham. Hij is een van de weinigen in het moederland die zich nog tot de vrienden van Amerika rekenen. Ik verzekerde hem dat ik in al mijn koloniale jaren nooit iemand, zelfs geen dronkelap, was tegengekomen voor wie onafhankelijkheid méér betekende dan een woord of voor wie afscheiding de belofte inhield van profijt, hoe gering ook. Dat heb ik hem met volle overtuiging op het hart gedrukt, alleen maar om bij mijn terugkomst te moeten constateren dat er thans openlijk over wordt gesproken. Hoe lang is het geleden dat alleen een handjevol radicalen erover durfde te fluisteren?'

Franklins vinnige oogjes hielden die van Philip vast. 'En, Kent, hoe zit het met u, hebt u al partij gekozen? Het Tweede Congres, dat binnenkort bijeenkomt, zal veel aandacht besteden aan wat de burgerij hierover denkt. Ieders mening telt dus mee.'

Philip dacht even na en schudde vervolgens lusteloos zijn hoofd. 'Ik heb in Engeland een paar onaangename ervaringen opgedaan.'

'Ja, zoiets vertelde u al toen u me in Craven Street opzocht. Had het niet iets te maken met een van de invloedrijke families?'

'Dat klopt. Wat ik van ze te verduren heb gehad, laat me bepaald niet warmlopen voor de heersende klasse. Daar staat echter tegenover, dat iedereen, behalve dan uitgesproken radicalen zoals Sam Adams, voorstander is van een vergelijk.'

'Ook in dit stadium nog?'

'Als er nog te praten valt wel, ja. Maar misschien is het inderdaad al te laat. In elk geval is het optreden van de soldaten, op enkele incidenten na, tot dusver terughoudend geweest. Dat geldt zeker voor de gouverneur. Ik bedoel, als je ziet hoe Gage in de *Gazette* is aangevallen, dan zou iemand als Ben Edes ergens anders toch al lang achter de tralies zitten?'

'Juist die terughoudendheid,' wierp Franklin tegen, 'is een van de redenen waarom Gage in Londen wordt beschouwd als een vallende ster. Ik moet me sterk vergissen als hij niet binnenkort wordt vervangen. De koning en zijn kliek willen geen halve maatregelen meer, nu Massachusetts naar hun allerdoorluchtigste mening 'in opstand' is.'

'Hoe dan ook,' antwoordde Philip, 'de toekomst ziet er verre van rooskleurig uit. Ik ben naar Amerika gekomen in de hoop er een bestaan op te kunnen bouwen. Misschien sta ik daarom nog steeds in dubio. Goed, ik heb meneer Edes geholpen, een vrijheidsmedaille gedragen en meer van die dingen. Toch heb ik altijd een slag om de arm gehouden. Wie wil zijn toekomstdromen zien opgaan in kruitdamp? En ook nog zijn eigen leven op het spel zetten?'

'Geen zinnig mens,' gaf Franklin toe. 'Toch kan in elk mensenleven het moment komen dat er gekozen moet worden. Ik besef heel goed dat veel mensen in Amerika de zekerheid van hun huidige bestaan verkiezen boven de onzekerheden van een oorlog.' Franklins stem daalde een octaaf en zijn brilleglazen schoten vuur in het zonlicht. 'Maar degenen die het wezen van de vrijheid verkwanselen voor de zekerheid van het moment, verdienen vrijheid noch zekerheid!' Hij zweeg even. Philip zag hoe zijn gezicht weer die droefgeestige trek aannam. 'We moeten dus verder gaan, ongeacht de gevolgen, hoewel het voor mij allerminst vaststaat, dat we een oorlog ook zouden kunnen winnen.'

'Die mening heb ik nog niet eerder gehoord.'

'Waarschijnlijk hoort u alleen die van de patriotten. Felle partijgangers zijn nimmer objectief, dat geven ze trouwens zelf toe. Maar ik probeer overal de meningen te peilen en volgens mij zou gewapend verzet slechts door een minderheid van de bevolking worden gesteund. Door een kwart schat ik, een derde als we geluk hebben. We hebben geen staand leger en wie durft te voorspellen hoe een samenraapsel van boeren en ambachtslieden zich zal houden in het gevecht tegen regimenten die zich op alle slagvelden ter wereld hebben onderscheiden? En toch,' vervolgde hij na weer even te hebben nagedacht, 'ben ik ervan overtuigd dat ons geen andere weg open staat. Naar mijn overtuiging begaat een mens het zwaarst denkbare misdrijf, wanneer hij er zich bij neerlegt dat een ander hem, of zijn land, ketent in de kluisters der slavernij. Maar ja'—hij haalde de schouders op—'tot die conclusie moet ieder voor zich komen.'

Franklins woorden troffen Philip als een vuistslag. Voor zijn geestesoog doemde het beeld op van zijn moeder, Marie Charboneau. Ongetwijfeld zou ze geen goed woord hebben over gehad voor Franklins standpunt. Maar Philip, die de ingehouden kracht van diens stellingname in zich liet doorwerken, moest in stilte toegeven dat hij het met hem eens was.

Plotseling vielen een aantal stukjes van de puzzel op hun plaats: *Wat mijn moeder nastreefde was niets anders dan een variant op het thema slavernij. Vrijwillige horigheid aan de Amberly's en hun manier van leven. Geen levenscheppende dienstbaarheid, zoals Anne die zag, maar een horigheid die vernietigde. Mijn moeder heeft dat alleen nooit kunnen inzien . . .*

Franklin zei iets dat verloren ging in het geroezemoes van de gesprekken om hen heen. Philip keek vragend op. Franklins ogen waren onzichtbaar achter de fonkelende brilleglazen. Maar Philip had het tergende gevoel dat de doctor dwars door hem heen naar iets anders keek, iets van een peilloze treurigheid.

'Neem me niet kwalijk, doctor, ik was even afgeleid.'

'Hindert niet, ik dacht alleen maar even hardop aan mijn eigen Billy.'

'Uw zoon, bedoelt u?'

'Ja, zijne excellentie de gouverneur des konings in New Jersey,' antwoordde Franklin met een ondertoon van bitterheid. 'Zoals ik al zei, iedereen moet zélf zijn standpunt bepalen. Dat heeft Billy dan ook gedaan. Maar ik ben zijn kruiwagen geweest. Ik heb in Londen, toen de koloniën er nog krediet hadden, alle mogelijke deuren voor hem platgelopen. Billy op een hoge post, dat is wat ik wilde. Alleen dacht ik dat ik hem in zijn jeugd ook wat verstand had bijgebracht.' Franklin balde zijn vuist met zoveel kracht, dat de knokkels wit werden. 'Toen ik een paar weken geleden de thuisreis aanvaardde, was ik nog vol goede hoop. Ik bad toen ik hier aan land ging te mogen vernemen dat Billy was afgetreden uit protest tegen de handelwijze van de kroon. Welnu, meneer, Kent, dat was hij niet! En naar men mij verzekert, denkt hij er ook niet over. Behalve mijn lieve vrouw zaliger houd ik van niemand ter wereld méér, en daar schaam ik me ook niet voor. Maar, God is mijn getuige, de vrijheid is me dierbaarder. Billy schijnt daar anders over te denken. Naar ik hoor gaan de macht en de franje van zijn weelderige leventje hem meer ter harte. Dat zal ons van elkaar verwijderen, voorgoed als hij niet verandert.'

Franklin liet zijn bril zakken en weer zag Philip de treurigheid in die blik. Een treurigheid waarvan hij nu de oorzaak kende.

'Het is allemaal maar de vraag, meneer Kent,' zuchtte Franklin, 'hoeveel je voor het fluitje wilt betalen.'

'Pardon?'

'Ach, natuurlijk'—een toegeeflijk lachje—'hoe zou u ook op de hoogte zijn van mijn allerpersoonlijkste uitdrukkingen? Dat zit zo. Als kind in Boston kreeg ik eens wat los geld van een vriend des huizes. Even later kwam ik op straat een jongetje tegen dat op een fluitje liep te blazen. Ik had nog nooit zoiets moois gehoord. Ik bood die jongen al het geld dat ik had gekregen en kwam zo trots als een pauw thuis, almaar op dat fluitje blazend. Maar mijn broers en zusters lachten me uit. Het was een hele klap toen ze me er, met steun van mijn vader, eindelijk van hadden overtuigd dat ik voor hetzelfde geld wel vier fluitjes had kunnen kopen. Mijn eigen fluitje was meteen niet meer dan een dood stukje hout. Toen ik thuis werd uitgelachen en het tot me doordrong dat ik mijn fortuin over de balk had gegooid, huilde ik tranen met tuiten. Zo'n totaal verdriet voel je alleen als kind. Die gebeurtenis is me mijn hele leven bijgebleven. Telkens als ik de neiging voel om in plaats van het doornige pad der gerechtigheid de weg van de minste weerstand te kiezen, hou ik mezelf voor: "Franklin, betaal niet te veel voor het fluitje". Billy heeft dat wél gedaan, begrijpt u. Ik'—het kostte Franklin zichtbaar moeite verder te gaan,—'ik zal hem hoogstwaarschijnlijk nooit meer zien als hij niet aftreedt. Wat me zo verdriet, is dat hij er volgens mij niet de moed toe heeft. Hij is nog steeds onder de betovering van een fluitje waarvoor hij een te hoge prijs heeft betaald.'

Philip staarde naar zijn handen, vergeefs zoekend naar woorden.

Franklin slaakte een diepe zucht. 'Neem me niet kwalijk, ik ben even afgedwaald. We hadden het over de situatie in het algemeen. Wist ik maar hoe het allemaal af zal lopen. We zijn een taai slag mensen hier in Amerika. In veel opzichten zelfs uniek. Mochten de heren ministers ons voor het blok zetten, dan zullen ze raar opkijken, in het begin tenminste. Wat een langdurige oorlog betreft'—een rukje met de schouders—'nou ja, u weet al hoe ik daarover denk.'

'Denkt u dat de regering ons voor het blok zal zetten, doctor?'

'George is er koppig genoeg voor, ja. Zijne majesteit is geen slecht mens, maar wel een slechte en misleide vorst. En in de regering zit niemand die hem tegen durft te spreken. North niet, Dartmouth niet, Kentland niet, Marl . . .'

Franklin onderbrak zichzelf, zette zijn kom met een klap neer. 'Is er iets, meneer Kent? U wordt zo wit als een doek.'

'U noemde daar een naam. Heb ik die goed verstaan? Kentland?'

Franklin knikte. 'Zeker, James Amberly, de hertog van Kentland. Hoort bij het kliekje vertrouwelingen, dat ze de Vrienden des Konings noemen. Hij is onderminister voor overzeese aangelegenheden op het departement van Lord Dartmouth.' Een scherpe blik over de brilleglazen. 'Kent u hem dan?'

'Ik . . . ik heb zijn naam bij Sholt horen noemen,' verzon Philip bliksemsnel. 'Ze vertelden me, dat hij een machtig man was. Later heb ik echter horen vertellen dat hij was overleden. Kan het zijn dat iemand anders met dezelfde naam—?'

'Meneer Kent, de erfelijke titel van hertog van Kentland kan slechts door één man tegelijk worden gevoerd. Een vergissing is uitgesloten. Maar nu ik er aan denk, Amberly was een paar jaar geleden inderdaad ernstig ziek. Hij was maanden lang aan zijn bed gekluisterd, op het landgoed van de familie. Maar nadat hij weer was hersteld, keerde de hertog terug naar Londen om zitting te nemen in de regering. Als ik me niet vergis was hij dat ook al van plan voor een oude wond uit de oorlog hem bijna ten grave sleepte.'

'Maar hij leeft dus nog? Op dit moment?'

'Ik zou helderziende moeten zijn om die laatste vraag te kunnen beantwoorden. Maar ik kan u wel vertellen dat ik veertien dagen voor mijn vertrek nog bij het Hogerhuis met de hertog heb staan praten. Hij is in alle opzichten een verstandig en humaan man, als men zijn blinde trouw aan koning George even vergeet. Zijn vrouw is echter een heel ander chapiter. Een hooghartig loeder, tenminste als ze een hart hád. Ik moet toegeven, dat Amberly er niet blakend uitzag toen we elkaar spraken. Maar in elk geval is zijn gezondheid goed genoeg om Dartmouth's rechterhand te zijn in diens buitenlandse beleid. Hij vertelde me nog, dat zijn enige zoon hier, in Amerika, het bevel voert over een eigen regi . . . Lieve hemel, wat mankeert u?'

De tafel wankelde, zo bruusk was Philip opgesprongen. Zijn gezicht was verwrongen, een staalkaart van emoties waarin ongeloof domineerde. Ze hadden gezegd dat hij dood was. *Ze hebben ons wijsgemaakt dat hij dood was.* Een kille woede maakte zich van Philip meester, nu het tot hem doordrong wat dit bedrog allemaal betekende. Hij kon nauwelijks uit zijn woorden komen. 'Doctor Franklin, u moet me verontschuldigen . . . dringende zaak. Ik . . .'

'Kent, wacht even! Ineens herinner ik me ons gesprek in Craven Street. Uw vader die nooit met uw moeder kon trouwen, was dat Amberly soms?'

Philip liet Franklins vraag onbeantwoord, draaide zich om en stoof The Sovereign uit. Buiten zette hij het op een lopen. Ja, het begon hem nu allemaal duidelijk te worden. Ook—en het was Philip of iemand een gloeiende pook tegen zijn hart drukte—welk spelletje Alicia dacht te spelen.

Reken maar dat er nu een confrontatie zou komen! Huize Trumbull zou schudden op zijn koningsgezinde grondvesten!

Hij hield zijn looppas vol tot aan de City Tavern, waar de klanten verbaasd opkeken toen hij door de gelagkamer naar de trap rende. Mantel en zadeltassen pakken. Nell zadelen. En daarna naar Arch Street.

Bij de trap werd hij echter staande gehouden door de herbergier. 'Meneer Kent, boven op uw kamer wacht een bezoekster. Ze kwam even na zonsondergang aan de achterdeur.' En met een brede grijns: 'Dezelfde weldoenster, mag ik aannemen, die zich garant heeft gesteld voor uw rekening. Het zou mijn andere klanten niet bevallen als ze wisten dat ik geld van de Tories aanpak. Maar ja, als de vrouw in kwestie zo mooi en zo rijk is als degene . . .'

Philip was al halverwege de treden.

De deur van zijn kamer zat op slot. Na een roffel op de deur hoorde hij de grendel wegschuiven en . . . Alicia.

2

Het licht van een enkele kaars wierp een gouden gloed over haar blote schouders. Naast de kandelaar zag Philip een tinnen dienblad met daarop twee roemers en een karaf rode wijn.

Alicia deed een stap terug en liet hem binnen. Haar donkerblonde lokken golfden los over schouders en rug. Ze had de beddesprei als een kapmantel omgeslagen en hield de punten samen bij haar borsten. Laag genoeg echter om hem een blik te gunnen in haar geïmproviseerde decolleté. Tot in de details verried de kamer dat zij overigens niets aan het toeval had overgelaten.

Het bed was opengeslagen. De gesloten vensters hielden de lentenacht buiten. In een hoek lagen haar kleren als een plas schuimende kant. Blootsvoets en met ogen waarin de hartstocht smeulde gleed ze op Philip af. Maar de woedende klap waarmee hij de deur achter zich dichtsmeet doofde het vuur.

Haar lippen bewogen, vormden het begin van een vraag. Hij was haar te snel af.

'Waarom heb je me verzwegen dat Lord Kentland nog leeft?'

'Wat?' Een punt van de sprei ontglipte haar vingers en liet een borst vrij. Zijn vingers sloten zich in een stalen greep rond haar onderarm.

'Waarom heb je me niet verteld dat mijn vader helemaal niet dood is?'

Zelfs haar roze tepel verslapte. Alicia leek met stomheid geslagen.

Philips stem klonk als een zweepslag: 'Waarom, Alicia?'

'Ik wilde wachten tot een geschikt moment.' Ze probeerde zich los te rukken maar Philip hield haar stevig vast. Zo stevig, dat haar huid rond zijn vingers wit wegtrok. 'Van wie heb je het gehoord?' hijgde ze.

'Van iemand die pas een paar weken uit Engeland terug is, als dat je wat uitmaakt. Dus mijn vader was niet dood toen ze mijn moeder en mij op Kentland de deur wezen. Ze hebben ons een rad voor ogen gedraaid, alles in scène gezet! Iedereen, tot en met de bedienden in de rouw . . . Jezus, wat zullen ze gelachen hebben over die sufkoppen. Over die boerenpummels uit Frankrijk die elk verhaaltje voor zoete koek zouden slikken!'

'Phillipe, laat me het uitleggen . . .'

'En geslikt hebben we het, of niet soms? Wie, Alicia, wie heeft ons dat kunstje geflikt?'

' . . . als je me los laat, je doet me pijn . . .'

Hij draaide haar pols om. 'Vertel op, godverdomme!'

'Au, Phillipe, alsjeblieft schat.' Ze huilde bijna. 'Laat me toch los.'

Toen Philip zijn greep nog verstevigde, probeerde ze zijn hand te kussen. Haar vrije arm streelde de zijne. Haar gezicht ging schuil achter de lokken die over haar voorhoofd vielen. 'Alsjeblieft, toe lieveling, doe me toch geen pijn . . .'

Met een gebaar van woede en weerzin gooide hij haar van zich af.

Alicia struikelde, probeerde haar val nog met een hand te breken, maar klapte tegen het bed op de grond. Ze had de sprei verloren en zag er in het kaarslicht uit als een in brons gegoten liggend naakt. De flakkerende vlam accentueerde haar hoge borsten, de ronding van haar buik en de donkerblonde driehoek daaronder . . .

Ze werkte zich tegen de rand van het bed omhoog, maar liet zich na een blik op Philips gezicht weer terugglijden. Haar hakkelende, bijna ademloze manier van spreken verried dat ze doodsbang was. 'Lady Jane heeft het allemaal bedacht. Ze voelde zich bedreigd door jou en je moeder en die brief van de hertog. Toen . . . toen het duidelijk was, dat je niet zou vertrekken zonder je vader te hebben gezien, besloot ze je alle hoop op een gesprek voorgoed te ontnemen.'

'En daar kwam ze met een koopje vanaf ook,' sneerde Philip. 'Een paar shilling voor rouwkransen op de deur, een paar shilling om de bedienden stemmig te laten kijken. Voor een grijpstuiver kijkt het gemene volk immers zoals je het voorschrijft. Ja, voor Lady Jane is alles en iedereen te koop. Met geld of met dreigementen. Rijkdom en een titel; meer heb je niet nodig om zo'n Franse druiloor en zijn moeder met een kluitje in het riet te sturen.'

'Maar ze was bang! Ze wist dat Amberly je ook voor de buitenwacht als zijn zoon zou erkennen, zodra hij je had gezien. Ze wist dat ze alleen met een wanhopige list van je af kon komen.'

'Alleen als Rogers aanpak geen succes zou hebben, bedoel je toch?' zei Philip bijtend. 'Maar ook toen ze ons ervan overtuigd had dat Amberly dood was, ook toen we onze biezen al hadden gepakt, ook toen liet ze Roger ervoor zorgen, dat we Londen niet levend zouden verlaten. En ik die me niet realiseerde hoeveel macht ik over haar had! Mijn moeder die maar bleef beweren dat die brief van onschatbare waarde was! Pas vandaag is het tot me doorgedrongen dat de brief van mijn vader nog steeds even waardevol is.'

Langzaam, bijna dreigend, kwam hij op haar af. Ze leek ineen te krimpen waar ze lag.

'Vandaag zijn me ook een paar andere dingen duidelijk geworden. Ik weet nu waarom we in Londen nooit iets hoorden over Amberly's begrafenis.' Philips donkere ogen vernauwden zich tot spleetjes toen hij terugdacht aan een zeker wilgenbosje aan de Medway. 'Want toen je me kwam waarschuwen voor Roger, kort voordat mijn moeder en ik uit Tonbridge de wijk namen, zei je iets dat me meteen al merkwaardig voorkwam. Iets over het regelen van de begrafenis. Dat kon wachten, zei je. Zeker tot Roger met ons had afgerekend. Ja, natuurlijk was er geen enkele haast.'

Hij bukte zich en pakte haar ruw bij de schouder. Haar borsten dansten op en neer toen ze zich met een onderdrukte kreet van pijn uit zijn greep probeerde te bevrijden. Ze slaagde er niet in.

'Je wist toen dus al dat de dood van mijn vader een leugen was. Je had genoeg moed om me voor Roger te waarschuwen, maar niet genoeg om me de volle waarheid te vertellen. Ik kreeg toen al het gevoel dat je iets voor me

415

verzweeg, alleen had ik er geen idee van wat het was.'

Dikke tranen biggelden over haar wangen. 'Laat me toch los,' smeekte ze op het randje van hysterie. Hij liet haar gaan. Maar alleen omdat hij haar anders bij de keel zou hebben gegrepen.

Philip liep naar het venster en trok de luiken een eindje open. Achter zich hoorde hij Alicia zachtjes huilen. Hij keek naar de sterren zonder ze te zien, bang dat hij haar geweld aan zou doen.

Hij merkte te laat dat ze op hem toe was gelopen. Haar armen gleden rond zijn middel en ze drukte zich tegen hem aan. De warmte van haar lichaam gloeide tegen zijn rug en zijn billen. 'Alsjeblieft, Phillipe, probeer me niet te haten. Eerlijk, ik heb geprobeerd het je te vertellen, dat van je vader, maar ik wist niet hoe ik beginnen moest. Ik ben nu eenmaal het produkt van mijn afkomst en mijn opvoeding. Als je gebleven was, als je achter de waarheid was gekomen . . . O, ik was er zeker van dat je dan opnieuw met Roger zou hebben gevochten. Ik was bang dat hij je misschien zou doden.'

Met een ruk bevrijdde hij zich uit haar omarming.

'Of bang dat ik hém zou doden? Je toekomst aan scherven zou gooien? Nee, Lady Jane was niet de enige die me weg wilde hebben!'

'Phillipe, ik hou van je. En ik hield ook toen al van je. Ik heb de vorige keer toch toegegeven dat ik een fout heb gemaakt. Pas die afschuwelijke jaren met Roger hebben me dat laten inzien. Ik weet wel, dat ik je meteen de volle waarheid had moeten vertellen. Maar dat kon ik niet omdat ik, op mijn eigen manier, even bang was als Lady Jane. Ja, je maakt me terecht verwijten. Maar het is allemaal verleden tijd. Wij hebben de toekomst, engel van me.'

Ze viel hem om de hals, bracht haar mond bij zijn oor en fluisterde: 'Jij bent de enige om wie ik geef!'

Wild drukte ze haar lippen op de zijne, kuste en kuste hem tot ze hijgde van ademnood, er niettemin voor zorgend dat haar tepels in zijn borstkas bleven priemen.

'Kom bij me, Phillipe. Nu, op het bed. Laat me je bewijzen dat het verleden niet langer telt. Roger is er niet meer. Je vader leeft nog. We hebben elkaar teruggevonden. Alsjeblieft, Phillipe, kom mee naar bed.'

Hij doorzag haar nu volkomen en voelde zich verkillen. Voor de tweede keer duwde hij haar van zich af. Een definitief gebaar. 'In jouw geval, Alicia, telt het verleden nog wel degelijk. Speciaal vanwege de consequenties voor je positie en je welstand. Inderdaad, Roger is dood en de hertog leeft nog. En ik ben zijn enige erfgenaam.'

'Ja, daarom sta je juist zo sterk! Sterker dan ooit!' De uitdrukking van vreugde op haar gezicht was slechts gespeeld. De enthousiaste klank in haar stem was te gejaagd, te geforceerd om te kunnen overtuigen. 'Als je in het geheim naar Londen teruggaat en je vader benadert voordat Lady Jane er achter komt—hem de brief laat zien—Phillipe, die brief héb je toch nog wel?' De zweetdruppeltjes op haar bovenlip regen zich aaneen tot een glinsterend snorretje.

416

Haar naaktheid stond hem plotseling tegen.

'En als ik hem nou eens niet meer had,' tartte hij. 'Als ik hem nou eens samen met mijn moeder aan de golven had toevertrouwd?'

'Vertel me de waarheid!' gilde Alicia. Ze hief een gebalde vuist en rende op hem af, kennelijk van plan hem een klap te geven.

Op het nippertje hield ze zich in. Het drong tot haar door dat ze het masker had laten vallen. Haar stem kreeg een smekende klank: 'Alsjeblieft, Phillipe, speel geen spelletjes met me. Niet nu die brief een nieuw leven voor je kan betekenen.'

'Voor jou ook, bedoel je toch zeker.'

'Maar je hebt altijd willen leven zoals je vader! Dat leven ligt nu voor het grijpen!'

'Daar ben ik me van bewust.'

Het was een besef dat als een zware last op zijn schouders drukte. Al die jaren waarin hij er vergeefs naar had verlangd, hij was afgescheept, was gegriefd en behandeld als een nummer. Al die jaren konden nu verleden tijd worden. Voltooid verleden tijd. Zijn belofte aan Marie kon alsnog worden ingelost. Hij kon zijn droom waarmaken en terugkeren naar Engeland, terugkeren als een vermogend man.

Nee, nog meer. Als een vermogend man van *adel*.

Dat alles lag binnen handbereik.

Bovendien hoefde hij maar één woord te zeggen en deze verleidelijke vrouw met haar stevige borsten zou de zijne worden. Een vrouw die hem de regels van het spel zou leren. Die hem de nodige omgangsvormen zou bijbrengen voor een gladde entree aan de hoven en in de salons waar hij volgens zijn moeder thuishoorde.

Wanneer dit alles hem rechtens toebehoorde, waarom in godsnaam voelde hij dan dat iets in hem er zich van afkeerde?

Flarden uit het verleden trokken aan zijn geestesoog voorbij, alsof ze hem het antwoord wilden bieden.

Hij dacht aan Girard en aan diens voorspelling dat de verziekte maatschappij en haar overleefde machtsverhoudingen weldra zouden worden weggevaagd door de rukwinden van een nieuwe tijd.

Hij dacht aan Ben Edes, een eenvoudig man maar toch machtig dank zij zijn knarsende drukpers. Hij dacht aan de boodschap in de artikelen van Patriot en al die anderen, waaraan Edes en hij tot diep in de nacht hadden gewerkt.

Hij dacht aan de vrijheidsmedaille en aan de nachtelijke thee-party in de haven van Boston.

En hij dacht aan alles wat Benjamin Franklin nauwelijks een uur geleden tegen hem had gezegd.

Philip staarde naar Alicia met ogen die leeg en afstandelijk bleven. Ze was mooi. *Beeldschoon.* Maar in zijn oren hoorde hij een stem die hem dwingend vroeg: *Hoeveel is het fluitje je waard? Welke prijs wil je ervoor betalen, m'n vriend?*

417

Alicia week terug naar het bed, zich eensklaps bewust van haar naaktheid. Ze bedekte haar borsten en haar schaamstreek met de sprei. Philip zag dat ze kippevel op haar schouders had. Zijn mondhoeken krulden in een vreugdeloos lachje. Zo kil was de lentelucht nu ook weer niet.

'Je had het bij het verkeerde eind,' sprak hij in stilte tot zijn overleden moeder. 'De zwaarste misdaad bega je niet door je te schikken in naamloze armoede, maar door je te schikken in de slavernij. Als je je door iemand anders horig laat maken. Horig, niet alleen naar het lichaam maar ook naar de geest. Vergeef me, als je kunt.'

Een last leek van hem af te glijden. Een loden last van twijfel, achterhaalde dromen en verlangens naar wraak. Die last viel van hem af en verbrokkelde aan zijn voeten. Hij wist wie en wat Alicia was: precies zoals de Amberly's. Hoe lang, hoe kort, zou het duren voor hij ook zo was? Een slaaf, gedoemd ook anderen tot slaaf te maken?

En eindelijk vatte hij zijn gedachten in woorden: 'Ik besef heel goed wat ik voor het grijpen heb, Alicia. Het is fraaie muziek, jammer alleen van die valse noot. Van die hele kleine dissonant.'

Met twee stappen was hij bij het bed. Hij rukte de sprei van haar lichaam en greep ruw tussen haar benen. Greep in het kroezende haar en wat zich daar verborg. Koopwaar voor de hoogste bieder.

'De valse noot die me vertelt, dat je me dit hier nooit zou aanbieden als ik de brief niet had. Niet dit hier, niet je liefkozende woordjes en al helemaal niet je verzekering dat je je wereld wilt opgeven om met me te kunnen trouwen.'

Ze rukte zich los, kwam struikelend overeind en viel naast het bed op haar knieën. Ze huilde opnieuw, nu met wanhopige uithalen: 'Ik hou van je, Phillipe. God is mijn getuige.'

Hij ontweek haar radeloos naar hem grijpende handen. 'Je moet me maar vergeven, maar ik geloof je niet. Misschien dat je destijds in Engeland een beetje van me hield. Maar toch niet genoeg om me te vertellen hoe ik werd bedrogen. Niet genoeg om Roger op te geven. Net genoeg om jezelf aan te bieden toen het vaststond dat Roger zou sterven. Toen het tot je doordrong dat ik misschien, heel misschien, aanspraak zou kunnen maken op het familiefortuin van Kentland. James Amberly heb ik nooit gekend. Misschien is hij anders dan de rest van jullie slag. Ik zou me daar natuurlijk van kunnen overtuigen, maar ik bedank voor de eer.'

'Ongelooflijke stommeling die je bent!' gilde ze. Ze was haar schaamte vergeten en probeerde haar naaktheid niet langer te bedekken. 'Afstand te doen van je rijkdommen, van je positie, alleen maar omdat ik één fout heb gemaakt.'

'Je hebt er veel meer gemaakt, Alicia. Op Kentland. Op Quarry Hill en bij de rivier. Een paar dagen geleden in de koets . . . O, ja, veel meer dan één fout.'

'Maar die brief betekent alles wat je hebt gewild!' schreeuwde ze buiten zichzelf.

418

'Inderdaad, héb gewild! Maar ik heb geen belangstelling meer voor alles wat ik ermee kan kopen, jou inbegrepen. Je moet inzien, dat ik voor het gebruiken van de brief een te hoge prijs moet betalen.'

'Prijs? Wat voor een prijs bedoel je? Phillipe, in 's hemelsnaam geef me antwoord!'

Ik moet hier weg, dacht hij. Nu meteen, *anders vermoord ik haar nog.*

Hij keek naar zijn handen die zich krampachtig openden en weer sloten. Ze leken een eigen leven te leiden. Alicia lag nog steeds op haar knieën. Het donkerblonde haar hing in ongeordende strengen om haar schouders. In haar blauwe ogen vochten verbijstering en angst om de voorrang. Het flakkerende kaarslicht vervormde de schaduw van haar lichaam tot een stuitende karikatuur.

Philip vermande zich en liep naar de hoek waar zijn zadeltassen lagen. Hij raapte ze op en dwong zich niet naar haar te kijken. Hij keerde zich om en liep naar de deur.

'De brief kan je alles geven wat je maar wilt,' drong ze huilend aan. Als in trance wiegde ze haar bovenlichaam heen en weer. Haar gebalde vuisten sloegen zonder ophouden op haar blote bovenbenen. De hysterische klank van haar stem boezemde hem zowel afkeer als medelijden in. Hij liep door. Nog maar vier passen naar de deur . . .

'Als de hertog je aanspraken erkent, krijg je datgene waar duizenden anderen vergeefs naar snakken. Phillipe? Ga niet weg!'

'Vaarwel, Alicia.'

'Ik word gek als je me in de steek laat. Ik zal zelfmoord plegen.'

'Onzin. Binnen een jaar ben je met een andere rijkaard getrouwd.'

'Nee! Ik hou van jóu!'

'Maar niet genoeg.'

'Dat doe ik wel, nu wel . . . Meer dan genoeg!'

'Vaarwel, Alicia.'

Ze schreeuwde zijn naam; kwam overeind om zich aan zijn voeten te werpen. Maar ze verloor haar evenwicht en viel languit op de grond. Met haar handen wist ze nog juist een van zijn laarzen beet te grijpen.

Philip keek neer op haar donkerblonde hoofd. Iets van medelijden welde in hem op. Maar veel sterker was het gevoel dat hij, na een lange tocht door een donker en vijandig dal, nu eindelijk in het zonlicht de weg zag die hij gaan moest. De aanvechting om haar lichamelijk te kwetsen verdween.

'Je mag me niet in de steek laten. Ik ga dood als je me verlaat. Phillipe!'

Hij bukte zich en wrong haar vingers open, een voor een. De aanblik van haar ontreddering verschafte hem geen genoegdoening. Met een mengeling van medelijden en afkeer las hij in haar blik tot welk een razernij iemand kan vervallen als zijn spel is gespeeld en verloren.

'Alicia, je vergeet iets,' zei hij. Sussend, bijna. 'Mijn naam is Philip Kent. Ik ben niet de man op wie je je zinnen had gezet. Ik ben een drukkertje uit Boston. De man die de brief in zijn bezit had, die man is dood.'

Philip opende de deur en stapte de donkere gang op. Hij keek niet om.

3

Hij vergde het uiterste van de merrie en bereikte even na tienen de Delaware. De oude veerman was al onder zeil, maar bleek na enig tegensputteren toch bereid paard en ruiter over te zetten.

Onder het licht van de lantaren op de voorplecht stroomde de rivier snel voorbij. Het was frisjes geworden op het water. Met een hand op Nells fluwelen neus staarde Philip naar het donker van de andere oever. Achter zijn rug hing de oude veerman zachtjes vloekend op zijn helmstok.

De rekening is eindelijk opgemaakt, dacht Philip. Op de debetzijde stond wellicht haast, en zeker wrok. En, ja ook dat, een gevoel van schuld jegens Marie.

Schoot die praam maar wat sneller op!

Ik moet van dat schuldgevoel af, hield hij zich voor. Want ik heb al veel te lang het leven geleefd dat zij voor me had uitgestippeld.

Philip maakte zich geen illusies over een leven na de dood, zeker niet over het hiernamaals waarover de dienaren des woords hun mond vol hadden. Toch voelde hij de haast mystieke hoop, dat zijn nieuwe visie op de toekomst zou worden begrepen door de vrouw die hem het leven had geschonken. En die andere gift waarvan hij enkele uren tevoren voorgoed afstand had gedaan.

De schuit naderde de andere oever. De lichtjes van verspreid liggende boerderijen pinkten in het donker. Terwijl de wind door zijn haar waaide, moest hij erkennen dat menigeen hem voor gek zou verslijten om wat hij vanavond had gedaan.

Maar allengs begon hij er anders tegen aan te kijken. Wat hij tegen Alicia had gezegd, was slechts de formele bekrachtiging van iets dat al maanden bij hem had gesluimerd. Hij had geen trek in wat het perkament in Maries koffertje hem kon verschaffen, als hij daarvoor moest worden zoals de Amberly's en hun gelijken. Mensen die anderen gebruikten. Mensen die anderen hun wil oplegden, met belastingen, decreten, arglist of een dolkstoot in de rug. Hij verafschuwde zulke mensen. Hij was een ander mens geworden.

Nu hij op zijn levensloop terugblikte, kon hij niet exact het moment aangeven waarop die verandering zich had voltrokken. Wel voelde hij, dat de uitkomst van zijn nachtmerrie-achtige afrekening met Alicia waarschijnlijk voorbeschikt was geweest. Alleen was dat pas tot zijn bewustzijn doorgedrongen toen het moment daar was.

Het veer bonkte tegen de gammele steiger tussen de rietstengels. De oude botenbaas legde de schuit vast en pakte de lantaren. Zijn tanden waren geelbruine stompjes en zijn adem stonk een uur in de wind. Maar toen hij Philip bijlichtte, fonkelden zijn oogjes met de levenskracht van een jonge kerel. 'U hebt de tongval van iemand uit New England, meneer. Bent u met permissie op de thuisreis?'

'Uit New England?' Philip glimlachte, even van zijn stuk gebracht. Sinds wanneer was zelfs zijn tongval zo ingrijpend veranderd? Hij knikte vriendelijk. 'Ja, daar kom ik vandaan. Uit Boston. Daar rijd ik nu naar toe.'

'Volgens de meeste mensen wordt het binnenkort oorlog. Bent u van plan mee te vechten? Of bent u soms een Tory?'

'Nee, meneer. Ik mag me wel tot de Whigs rekenen. Ik zal de wapens opnemen als het zo moet zijn.'

'Afschuwelijke zaak, oorlog en al dat bloedvergieten. Ik heb zelf een zoon verloren op de Plains of Abraham, ziet u . . .'

'Het spijt me dat te horen.'

' . . . maar even goed kunnen we die Duitse speknek niet zo maar zijn zin geven, of wel soms?'

'Nee, meneer, dat zal niet gaan.' Philip slingerde zich in het zadel. Een paar tellen klonken Nells hoeven hol op de gammele steiger, toen had ze de vaste grond van Jersey onder haar oude voeten. Noordwaarts ging het onder de sterren van de aprilnacht. De heilwens van de veerman verwoei in de wind.

Philip dreef zijn knieën in de flanken van zijn paard. Hij voelde zich ontslagen van zijn schuldgevoelens, in het reine met Marie. Zijn enige zorg, een zorg die uit het diepst van zijn hart opwelde, gold nu een andere vrouw.

Anne. Hij moest Anne terugvinden. Dat was nu belangrijker dan al het andere.

Stel je voor, dat ze niet meer in Concord was! Stel je voor, dat de vijandelijkheden al waren uitgebroken! Zou de chaos van een mobilisatie hem niet elke kans ontnemen haar terug te zien? Maar dan: wilde ze hem nog wel zien? Hij dacht aan de manier waarop hij haar had behandeld en kon het haar niet kwalijk nemen als ze dat niet wilde.

Hij vergat wat hij O'Brian beloofd had en zette de merrie tot grotere spoed aan. Zo galoppeerde hij even later door de nacht, alsof de duivel hem op de hielen zat.

V Alarm om middernacht

1

Bij het licht van de maan zag Philip dat het landschap bekende trekken begon te vertonen. De nacht was zoel. Het milde weer was hem vanuit Philadelphia als een trouwe reisgenoot naar het noorden gevolgd. Hij had hoofdzakelijk onder de blote hemel geslapen. En op een paar frisse buien na was het droog gebleven. Ook deze nacht viel het best uit te houden. Toch voelde Philip zich van binnen niet bepaald warm, toen het tot hem doordrong dat het naar Concord nu geen tien mijl rijden meer was.

Hij had tien dagen in het zadel doorgebracht, of waren het er elf? Het aangekoekte vuil op zijn lichaam irriteerde hem danig. Onderweg had hij zijn gezicht en zijn handen gewassen bij deze en gene bron, althans wanneer bij een boer trof die er geen bezwaar tegen maakte dat zo'n haveloze vreemdeling zich op zijn land bevond. Diverse keren was hij met dreigementen weggejaagd en één keer had men zelfs een musket op hem afgevuurd.

Als gevolg daarvan was hij verre van schoon. En bovendien deden al zijn gewrichten pijn van de lange rit over de hobbelige karresporen. Philip wist nu eens en voorgoed dat hij nooit een goed ruiter zou worden, net zo min als hij zeebenen had. Nee, hij had vaste grond onder zijn voeten nodig om zich op zijn gemak te voelen.

Ook de wetenschap, dat hij zich nu vlak bij het dorpje bevond waar hij, als hij geluk had, Anne zou kunnen vinden, kon het spinrag in zijn hoofd niet verdrijven. Als een zoutzak hing hij in het zadel, misselijk van de lucht van eigen lijf. Al zijn zintuigen werkten op halve kracht.

Het maanlicht verfde de weiden om hem heen krijtwit. Voor zich uit zag hij het gehucht Lexington opdoemen. In de meeste huizen brandde licht. Hé, dat was vreemd. Het liep toch zeker al tegen middernacht . . .

Philips geeuw ging over in een uitdrukking van gespannen aandacht. Op de brink was het een drukte van belang. Tientallen dorpelingen, voor Philip niet groter dan poppetjes, krioelden schijnbaar doelloos door elkaar. Sommigen droegen lantarens.

Philip rook onraad, al wist hij niet precies wat er aan de hand kon zijn. Misschien waren het de Britten, waren er soldaten in aantocht om in Lexington naar verborgen wapens te zoeken.

Of misschien waren ze er al. Philip besloot zijn nieuwsgierigheid maar liever niet te bevredigen. Hij gaf een ruk aan de teugel en leidde Nell, dwars door de weilanden, in een wijde boog rond het dorp. Pas nu drong het tot hem door, dat hij die avond al eerder getuige was geweest van een merkwaardige drukte. Ten noorden van Boston was hij grote groepen mensen tegengekomen. De meesten hadden hem hartelijk gegroet, om als antwoord een lusteloos gemompel te horen. Op dat moment had hij nauwelijks aandacht geschonken aan die late wandelaars, laat staan dat hij zich had afgevraagd waarom zij nog niet in bed lagen. Maar nu, met het beeld van de bedrijvigheid in Lexington vers op zijn netvlies, zou hij deksels graag weten waarom er zoveel volk op de been was. Viel er iets te vieren? Was het soms een feestdag, vandaag?

Hij realiseerde zich opeens dat hij niet wist welke dag het precies was. Zeventien april? Of was het al de achttiende? Hij was de tel kwijtgeraakt. Maar hoe dan ook, van enige feestdag in deze periode was hem niets bekend. Wellicht had het fraaie weer al die mensen naar buiten gelokt. Wellicht waren de ouderen op weg naar de dichtstbijzijnde taveerne, en ging de jeugd in de omtrek uit vrijen.

Na zijn omtrekkende beweging had hij Lexington al snel achter zich gelaten. Hij stuurde Nell door een bres in een van de lage muurtjes die de gebaande weg naar Concord markeerden. Nog een kleine vijf mijl. Hij geeuwde opnieuw en rekte zich uit in de stijgbeugels. Onder zijn broek voelde de binnenkant van zijn bovenbeen rauw aan.

Philip doezelde weer weg op de deinende paarderug, maar schoot plotseling met een ruk overeind in het zadel. Voor zich uit hoorde hij een onverwacht geluid. Iemand roffelde ongeduldig op wat klonk als een houten deur . . .

Hij tuurde door de laag overhangende takken en onderscheidde aan zijn linkerhand, waar het muurtje ophield, een wat van de weg afliggende boerderij. Hij hield Nell in en kwam stapvoets naderbij. De lentenacht was zwanger van de zware geuren die vrijkwamen uit de vochtige aarde.

Een ruiter . . .

Nee, twee ruiters.

Weer mis, het waren er drie. Drie mannen van wie de paarden bij het huis een rusteloze pas op de plaats uitvoerden. Een van de mannen riep luidkeels: 'Hallo, wakker worden', terwijl een van zijn metgezellen de deurpost bewerkte met het dikke eind van zijn rijzweep.

De deur ging open en een flakkerende kaars werd zichtbaar. De man achter de blaker bleef voor Philip een schim. Hij bracht zijn merrie tot staan en wachtte doodstil af. Vanuit zijn positie kon hij niet uitmaken of de ruiters in uniform waren.

'Wat voor de donder betekent al dat lawaai om middernacht?' hoorde Philip de boer grauwen. 'Wie zijn jullie. Wat moeten jullie hier?'

De langste van het drietal dreef zijn paard naar de deur, zodat de boer bij het licht van de kaars zijn profiel en driekante steek kon onderscheiden.

'Herkent u me nu, meneer Hunnicutt? Dokter Prescott uit Concord.'

'Ja, u ken ik wel, maar die twee anderen zeggen me niets.'

'Koeriers uit Boston,' antwoordde de man die zich als Prescott had aangediend. 'Ik ben ze al in Lexington tegengekomen bij de tapperij van Munroe.

Ze hadden een dringende boodschap voor de familie Clarke, waar Hancock en Adams logeren. Aangezien iedereen in Concord me kent, leek het me verstandig om met ze mee te rijden. Omdat ik voor ze in kan staan begrijpt u?'

'Dat is allemaal goed en wel, dokter, maar is dat een reden om godvrezende mensen in het holst van de nacht uit hun slaap te halen?'

Ditmaal gaf een van de andere ruiters antwoord. Philip voelde een rilling over zijn rug lopen, want hij herkende die stem meteen.

'Die reden is er, meneer,' sprak de stem. 'We hebben er vanavond eerst voor gezorgd, dat koster Newman van Christ's Church rode lantarens in zijn toren zou hangen. Daarna zijn meneer Dawes en ik uit de stad ontsnapt—hij via de Neck, ikzelf door stilletjes over de Charles te roeien—om de bevolking van het platteland te alarmeren.'

'Alarmeren?' echode nu de klaarwakker klinkende boer.

'Jazeker, meneer. Het Britse leger is in aantocht.'

Philips vuist sloot zich rond de zadelknop toen Revere vervolgde: 'Ik ben bang dat u binnen een paar uur nog heel wat meer herrie zult horen. De roodjassen worden momenteel in boten over de Charles gezet.'

'Lieve hemel! U weet zeker dat u zich niet vergist?'

'Ik ben zeker van mijn zaak. Ze zijn onderweg. Op zijn minst vijfhonderd man en misschien wel vijftienhonderd. Volgens de verspieders van doctor Warren hebben ze het op Concord gemunt.'

'Ze zullen uit zijn op wat daar nog aan militaire voorraden verborgen ligt,' vulde Prescott aan.

'Houd uw ogen open en uw wapen vuurklaar,' besloot Revere. Hij tikte bij wijze van groet tegen zijn steek en keerde zijn paard om weg te rijden.

Philip dreef het zijne voorwaarts, maar hoorde Prescott nog zeggen: 'Nog één ding, meneer Hunnicutt. Een paar uur geleden zijn hier minstens negen Britse officieren door Lexington gereden. Volgens onze informatie in deze richting. Verspieders misschien. U hebt ze niet toevallig voorbij horen komen?'

Hunnicutt zei van niet. Daarvoor had hij veel te vast geslapen.

'Nu ja, de kans bestaat, dat we hen nog steeds vóór ons hebben,' antwoordde Prescott. Na een 'sterkte vannacht, Hunnicutt', dreef hij zijn paard naar de boom waaronder Revere en diens metgezel stonden te wachten. Terwijl de drie ruiters in zijn richting draaiden, zette Philip Nell met een klakje van zijn tong in beweging.

Hunnicutt sloeg de deur achter zich dicht en brulde met een stentorstem dat zijn vrouw onmiddellijk de echtelijke sponde diende te verlaten.

Philip was gewoon te moe om met angst te reageren op het onheilspellende nieuws dat hem zojuist ter ore was gekomen. De drie ruiters versperden hem de weg, en in de hand van Dawes zag hij staal flitsen: een dolk of een jachtmes. Philip kende Dawes vagelijk uit Boston. Hij had de slungelige leerbewerker een paar maal in de Dragon gezien, samen met Revere.

'Wie bent u?' Reveres stem klonk scherp toen Philip op een paar passen afstand van het trio zijn paard inhield.

'Kent, meneer Revere. Weet u wel? Philip Kent van Ben Edes.'

Met een paar galopsprongen bracht de zilversmid zijn paard op een open stuk langs de weg, waar het maanlicht niet werd tegengehouden door de bomen. 'Kom wat dichterbij, zodat ik je gezicht kan zien.'

Toen Revere hem had herkend, zei deze: 'Ik hoorde van Edes dat je de stad uit was. Waar ga je nu naartoe?'

'Jullie kant op. Ik kom net uit Philadelphia.'

Dawes stak zijn mes weg. In een donker bosje, verderop langs de weg, kraste een uil. Dokter Prescott, een jonge man nog, bracht zijn paard naderbij om de nieuwkomer in ogenschouw te nemen. 'U kent deze man en kunt voor hem instaan?' vroeg hij Revere.

'Ja. Hij is niet de geringste onder de Zonen der Vrijheid.' Reveres lachje klonk vermoeid. 'Trouwens, ik ken hem ook in mijn kwaliteit als tandarts.'

'Laten we dan opschieten,' maande Prescott. 'We komen krap in onze tijd te zitten.' Dawes en dokter Prescott namen de kop en Revere kwam naast Philip rijden. 'Zo, dus de roodjassen zijn eindelijk in beweging gekomen?' merkte de laatste op.

'Ja, en in groten getale ook,' antwoordde de zilversmid, en voegde er met een cynische grijns aan toe: 'Had je anders verwacht?'

'Nee, dat niet. Maar, zoals ik je al vertelde, ik ben een tijdje weggeweest en ik heb er geen idee van wat er allemaal in de stad gebeurd is.'

'Nou, we hebben het al een paar dagen zien aankomen. Groepjes officieren doken her en der op in deze contreien. Sommigen in burger, anderen gewoon in uniform. In de vooravond ontdekten onze spionnen dat er iets belangrijks op til was. Ze zagen hoe soldaten van de lichte infanterie en mannen van het korps grenadiers—let wel, het puikje van diverse regimenten—met stille trom hun kosthuizen uitslopen. Ze verzamelden zich allemaal bij de boten die al enkele dagen eerder bij de Black Bay waren klaargelegd. Sinds die boten daarheen werden gebracht, was het alleen nog maar de vraag wanneer ze voor een belangrijke troepenverplaatsing zouden worden gebruikt. Vanavond kregen we het antwoord, toen een van mijn jongens op straat twee doodgestoken honden aantrof.'

Philip schudde zijn hoofd. 'Dat laatste begrijp ik niet.'

'Ze steken alle loslopende honden met de bajonet overhoop om te voorkomen dat ze beginnen te blaffen. Ja, ze hebben er alles voor over om hun expeditie geheim te houden.'

'Ik heb een omtrekkende beweging rond Lexington gemaakt,' vertelde Philip. 'Want ik zag een hoop lantarens, en geren en gevlieg op de brink . . .'

'Ja, onze parate compagnieën worden in het geweer geroepen. Hancock en zijn hele entourage, en meneer Adams, niet te vergeten, zijn in vliegende haast aan het pakken. Want als de soldaten hen te pakken krijgen worden ze meteen opgeknoopt.'

425

Revere hield abrupt zijn paard in, want even verderop had Dawes een waarschuwende hand opgestoken.

Met welbehagen snoof Philip de lieflijke lentegeuren op. Hij haalde diep adem en merkte hoe zijn matte stemming als bij toverslag verdween. Gedurende deze nacht, zo vredig onder het zilveren maanlicht, zou werkelijkheid worden wat iedereen al zolang had gevreesd.

Het zou eigenlijk moeten stormen, dacht hij. Donder en bliksem zouden niet van de lucht horen te zijn. Op de een of andere manier klopte dit alles niet met het zachte weer . . .

Dawes wees in de richting van Concord en siste tegen Revere: 'Twee man te paard, Paul. Ik dacht insignes te zien blikkeren. Misschien een paar van die officieren.'

'Als het er maar twee zijn, hebben die negen zich gesplitst in kleinere patrouilles. We moesten maar eens gaan uitzoeken wat ze van plan zijn.'

Dokter Prescott wilde iets tegenwerpen, maar Revere gaf zijn paard al de sporen en dreef het tussen de rijdieren van Dawes en de arts door. Er zat voor de andere twee niets anders op dan hem te volgen. Philip vormde de achterhoede.

Van tijd tot tijd ving Philip de hoefslagen van de andere paarden op, maar het was te donker om de ruiters te kunnen onderscheiden. Het maanlicht drong niet door tot het bladerdek, terwijl de heuvelruggen die Concord in de verte omsloten het duister compleet maakten.

Plotseling hoorde Philip in het struikgewas aan zijn linkerhand iets dat klonk als een stem. Twijgen knapten en zonder verdere waarschuwing braakten de duisternis drie ruiters uit.

Philip richtte zich op in de stijgbeugels en schreeuwde: 'Revere!'

'Hou je paard precies waar het nu staat,' zei de voorste ruiter. Onder zijn teruggeslagen mantel schemerde het scharlaken van zijn uniformjas. De haan van het pistool dat hij op Philip richtte was gespannen.

De twee andere officieren waren eveneens met ruiterpistolen van militair model gewapend. Zonder een greintje humor grinnikte de een: 'Mooi stelletje kinkels hebben we gevangen. Maar goed dat we ons over beide kanten van de weg hebben verdeeld. Waar zijn de anderen?'

'Nog een paar vogeltjes aan het verschalken,' antwoordde de officier die het eerst had gesproken.

Er klonk een kreet en uit de bosjes aan Philips rechterhand kwamen nog eens vier Britse officieren tevoorschijn. Philip kreeg een merkwaardig gevoel in zijn maagstreek, toen het kwartet zich via een bres in het stenen muurtje bij de anderen voegde. En over de weg, recht voor zich uit, kwamen er nog eens twee aangegaloppeerd. Een van de laatkomers brulde: 'Majoor Mitchell? We komen niet met lege handen.'

Binnen enkele ogenblikken werden Revere, Dawes en Prescott de cirkel binnen gedreven waar Philip al onder schot werd gehouden. De vier patriotten zagen nu negen pistolen op zich gericht. De officier die majoor Mitchell bleek te heten, richtte zich in het afgemeten Engels van de betere klassen tot de zilversmid: 'Mag ik u verzoeken uw naam bekend te maken, meneer? En die van uw metgezellen?'

'Ik heet Paul Revere en ik kom uit Boston.'

'Revere! Heren, daar heeft u een goede vangst gedaan.' En tot de zilversmid: 'En die vrienden van u, wie zijn dat?'

'Het is aan de anderen om te beslissen of zij hun naam willen noemen.'

'Spreken zullen ze, verdomme!' grauwde een van de andere officieren. 'Anders schieten we ze de koppen van de vervloekte romp.'

Mitchell legde de man met zijn vrije hand het zwijgen op en vroeg: 'Waarom bent u nog zo laat op pad, meneer Revere? Soms bezig met koeriersdiensten?'

'Aangezien ik de waarheid liefheb, meneer, kan ik uw vraag alleen met ja beantwoorden,' zei Revere, om met een stoutmoedigheid die Philip versteld deed staan te vervolgen: 'Maar mag ik u hetzelfde vragen?'

In het lachje van majoor Mitchell klonk oprechte waardering door.

Philip was getroffen door de hoffelijke manier waarop dit kat en muisspelletje werd gespeeld. Die roodjassen waren de vijand! Dat Mitchell zich überhaupt verwaardigde Revere antwoord te geven, was wellicht een graadmeter voor de tegenzin, bij beide partijen, om van het smeulende vuurtje een uitslaande brand te maken.

'Wel, meneer Revere, wij maken jacht op een groepje deserteurs.' De toon van zijn stem maakte duidelijk dat hij Revere te slim achtte om deze smoes voor zoete koek te nemen. 'Met die verklaring zult u het moeten doen,' vervolgde hij droogjes. 'Maar van u verwacht ik heel wat meer inlichtingen.' En met een sardonische klank in zijn stem richtte hij zijn pistool op Reveres voorhoofd.

'Majoor, in dat weiland hierachter is het wat lichter,' merkte een van de andere officieren op. 'Daar kunnen we onze vangst wat beter bekijken.'

'Uitstekend idee,' antwoordde Mitchell. 'Laat uw paarden keren,' beval hij zijn gevangenen, 'en rijd tussen ons in naar die open plek achter de bomen via de bres in het muurtje.'

Philip spoorde de merrie aan en kwam naast Prescott rijden. De arts boog zich naar hem toe en fluisterde iets dat Philip door de gejaagde toon niet kon verstaan.

Een van de officieren liet de kolf van zijn pistool met kracht op Prescotts schouder neerdalen. 'Koppen dicht!'

Prescott onderdrukte een vloek.

Terwijl de vier gevangenen door de officieren naar de bres in het muurtje werden gedreven, hoorde Philip een van hen achter zich uitroepen: 'Laat dat, meneer Revere, we kennen uw reputatie als ruiter. Handen af dus van die teugels en laat uw paard stappen!'

De twee voorop rijdende officieren hadden de muur bereikt en stelden zich op aan weerszijden van de bres, wachtend op Prescott. Maar met een bloedstollende kreet dreef de dokter zijn sporen in de flanken van zijn paard, dat met een machtige sprong over de muur verdween.

De Britten hadden het nakijken.

Een schot. Verwarring en gevloek. Met een felle lichtflits ging het tweede pistool af. Daarna leek het alsof alles tegelijk gebeurde.

Revere sprong uit het zadel, rende gebukt tussen zijn bereden bewakers door en veerde lenig over het muurtje aan de andere kant van de weg. Dawes slaakte een bijna vrolijk klinkende kreet, liet zijn steigerende paard op de achterbenen draaien en vloog langs Mitchell, de verbijsterde majoor in het voorbijgaan een vuistslag toedienend.

Mitchell tuimelde zowat uit het zadel. Het schot dat hij per ongeluk loste trof geen doel. In de nevel van kruitdamp vochten de officieren verwoed om hun steigerende paarden onder controle te krijgen.

Philip zag dat de bres in de muur niet werd afgedekt. Hij gaf Nell een dubbele schop in haar flanken en sprong door het gat, Prescott achterna die voor hem uit als een zilverkleurige schicht over het weiland vloog. Philip voelde—meer dan hij het zag—dat links van hem een pistool werd geheven. Een van de roodjassen probeerde zijn paard meester te worden en tegelijk Philip op de korrel te nemen . . .

Dichte braamstruiken brachten de merrie bijna ten val. Het pistool ontbrandde met een oranje vlam die Philip een moment verblindde. De kogel vloog rakelings langs zijn hoofd en schroeide de haren in zijn nek. Philip sloeg beide armen om Nells hals en zette haar schreeuwend aan tot grotere vaart.

Ze vocht zich struikelend door de doornen heen en bereikte, eindelijk, het vlakke grasland. Philip lag nog steeds plat tegen haar manen om een minimaal trefvlak te bieden. Achter hem klonk opnieuw een schot. Het vervagende rumoer op de weg bewees dat de roodjassen nog steeds niet van hun verrassing waren bekomen. Philip hoorde vloeken en tegenstrijdige bevelen. Revere was de ene kant op, Dawes de andere. Zij waren het wild dat majoor Mitchell en de zijnen het liefst zouden achterhalen, althans, een snelle blik over zijn schouder leerde Philip dat hij ogenschijnlijk niet werd achtervolgd.

Maar goed ook, want Philip voelde dat Nell deze vliegende galop niet lang meer zou kunnen volhouden, hoe hard hij zijn hakken ook in haar flanken dreef. Prescott was al uit het gezicht verdwenen, opgeslokt door de bomen aan de rand van het grasland.

Philip rechtte zijn rug en keek nog een keer om. Een van de Britse officieren had hem toch achtervolgd en naderde snel, zijn mantel wapperend in de wind . . .

Een paar laatste galopsprongen brachten de merrie onder de veilige bomen. Philip minderde vaart. Zijn achtervolger stopte midden in de wei en zond een paar knetterende vloeken hemelwaarts.

Op de weg schreeuwde iemand een voor Philip onverstaanbaar bevel. De officier keerde zijn paard en reed terug naar het muurtje, kennelijk om deel te nemen aan de jacht op groter wild.

2

Philip liet de merrie een klein half uur tussen de bomen voortstappen, alvorens hij de weg naar Concord weer opzocht. Pas na de heg een poosje in beide richtingen te hebben bespied, kwam hij uit zijn groene schuilplaats te voorschijn en sloeg linksaf naar het dorp.

De maanovergoten aprilnacht was nog steeds aangenaam zoel. Maar Philip rilde. Het pantser van zijn moeheid was aan flarden geschoten—niet alleen door de roodjassen, maar bovenal door het onheilspellende bericht van Revere. *Het Britse leger is in aantocht.* Daar beierde de noodklok al, nog voor hij Concord in het zicht kreeg.

Het alarm plantte zich galmend voort, van heuvelrug naar heuvelrug, wekte de slapende boeren en riep hen bij elkaar in het dorp om de wapens op te nemen. Huiverend herinnerde Philip zich hoe laag Benjamin Franklin de kans had aangeslagen, dat ze het zouden kunnen winnen van de Britse keurtroepen.

Toen Philip onder het gelui van de kerkklok Concord binnenreed, zag hij dat de dorpelingen even druk in de weer waren als hun buren in Lexington. Bij de herberg van Wright liepen mannen in en uit, oud en jong. Maar bijna allemaal voorzien van een musket. Het bewijs dat doktor Prescott erin was geslaagd om uit de handen van zijn achtervolgers te blijven.

Philip zag hoe twee knapen op pony's zich uit het gewoel bij de herberg losmaakten en in de richting van de brug reden. Ongetwijfeld koeriers die de vrijwilligers in de omliggende gehuchten gingen waarschuwen. Philip had het allemaal ettelijke malen zien oefenen. Hij had het zélf ingeprent gekregen bij Barretts compagnie. Maar toch, terwijl sommigen orders blaften en anderen gehoorzaamden, leek het vanavond allemaal anders. De stemmen klonken hees, de gezichten stonden gespannen. Want dit was geen oefening. Vannacht waren de Britten in aantocht.

Stram en met benen die schrijnden van de lange rit, liet Philip zich uit het zadel glijden. Hij bond Nell bij de herberg vast en werkte zich met zijn ellebogen naar voren tussen een groep mannen die naar iemand stonden te luisteren. In het centrum van de cirkel zag Philip bij het licht van de lantaarn een bekend gezicht. Prescott deed zijn best om tientallen verschillende vragen tegelijk te beantwoorden:

'Ja, vermoedelijk hebben ze Revere weer te pakken gekregen. Zeker, hij heeft de Britse soldaten met eigen ogen zien uitrukken. Nee, ik weet niet precies hoeveel het er zijn. Maar meer dan vijfhonderd man, dat wist hij zeker. Wat? Nee, geen volledige regimenten. Wel complete compagnieën, en flankeurs van diverse regimenten. Van de lichte infanterie, de grenadiers . . .'

Prescotts gehoor, zo'n man of vijftig inmiddels, reageerde met een bezorgd gemompel op dat laatste stukje informatie. De mannen, van wie de meesten met een musket gewapend waren, wisten wat dit betekende. Als Gage zijn lichte infanterie en de grenadiers stuurde, had hij geen picknick in de zin. De flankeurs waren de meest geharde, de dapperste soldaten, want aan de vleugels zaten ze altijd in het heetst van de strijd.

Een vierkant gebouwde, gedrongen man baande zich een weg naar de stoep van de herberg. Philip herkende hem als majoor John Buttrick, de adjudant van kolonel Barrett.

Buttrick verzocht met opgestoken hand om stilte en blafte: 'Mannen, degenen van jullie die al gewapend zijn blijven hier. De anderen gaan als de bliksem hun musketten halen. Daarna weer hier verzamelen. Geen getreuzel verder. Er liggen hier nog voorraden die moeten worden versleept. We kunnen dus geen man missen.'

'Krijgen we nog hulp uit andere dorpen?' brulde iemand.

'Ja! De parate compagnieën van Lincoln zijn al onderweg. Dus als de kreefterruggen helemaal tot Concord oprukken, kunnen we ze een warm onthaal geven.'

Zo op het oog leken Buttricks woorden niemand een hart onder de riem te steken. Iedereen, van melkmuil tot grijsaard, wist immers maar al te goed dat zelfs ettelijke vrijwilligerscompagnieën de Britse keurtroepen waarschijnlijk niet lang zouden kunnen tegenhouden. Maar niemand gaf openlijk lucht aan twijfel of angst.

Buttrick schreeuwde in hoog tempo nog een serie orders. Maar de inhoud ontging Philip, want over de schouder van de majoor zag hij een paar vijandige ogen op zich gericht.

Ware!

Hij had zijn broek kennelijk in grote haast over zijn nachthemd aangeschoten. De wind had vrij spel met zijn dunne haarslierten. In zijn bolle ogen, die hem dikwijls zo'n komisch uiterlijk verleenden, lag een ijskoude blik.

Buttrick gaf een laatste bevel en de menigte verspreidde zich. Philip liep op de herberg toe, want Ware mocht hem nog zo dreigend aanstaren, hij moest en hij zou Anne spreken. De advocaat wachtte hem in de deuropening op. Hij was een kop kleiner dan Philip, maar had nu veel weg van een reus, een uitermate verbolgen reus.

Philip was halverwege toen Buttrick hem staande hield. 'Jij bent toch Kent, is het niet? Die bij O'Brian in de kost is?'

'Ja, dat klopt.'

'Als je je musket gaat halen, controleer dan even of Barrett de klok wel heeft gehoord. Want soms,' vervolgde hij met een mat lachje, 'wil Jim nogal zwaar slapen op al die rum die hij drinkt.'

Buttrick liet Philips arm los en was meteen in het gewoel verdwenen.

Links en rechts zag Philip hoe mannen allerlei kisten de straat op sleepten.

Ware stond nog steeds als een grimmige zoutpilaar naar hem te staren. Toen Philip naderbij kwam riep hij hem toe: 'Zo! Je bent dus naar Philadelphia geweest.'

'Ja, meneer Ware, dat klopt.'

'Nou, je hebt een mooi tijdstip uitgezocht om terug te komen. Je zult er wel spijt van hebben.'

'Spijt, hoe bedoelt u, spijt?'

'Ik dacht dat je hem was gesmeerd voor de gevaren. En voor de gevolgen van je beschamende daden.'

Philip begreep niet precies wat Ware met zijn bijtende opmerking bedoelde en hij werd boos. Met nauwverholen drift kaatste hij terug: 'Ik had zaken af te handelen, dringende zaken die alleen mij aangaan. Is Anne binnen?'

'Het doet er niet toe waar mijn dochter is. Ik heb je in Boston al gewaarschuwd, kereltje. En ik zeg je nu nogmaals, dat ik niet duld dat iemand haar pijn doet. Ze is ontroostbaar door wat jij haar hebt aangedaan, en door wat je vermoedelijk voor je vertrek tegen haar hebt gezegd. Wat het precies is wil ze me niet vertellen, alleen dat het tussen jullie beiden definitief is afgelopen. Vooruit, doe wat je commandant je heeft opgedragen. En probeer nooit meer contact met haar op te nemen.'

'Maar meneer Ware . . .'

'Je hoort wat ik zeg. Nooit meer!'

'Luister toch, meneer Ware! Anne begreep dat ik weg moest, dat ik nog één ding moest regelen alvorens . . .'

'Begréép? Waar haal je het lef vandaan?'

Philip werd vuurrood toen het tot hem doordrong dat hij impulsief had gelogen. 'Laat het me toch uitleggen . . .' probeerde hij.

'Je kunt naar de verdommenis lopen met je praatjes! En ik spreek ook namens Anne. Mijn Anne heeft haar leven voor je geriskeerd tijdens het onderzoek naar de dood van die Britse officier. En wat deed jij? Jij ging er vandoor en maakte haar ongelukkig! Maar ik heb je gewaarschuwd!' Wares smalle schouders schokten van drift.

'Laat Anne het zélf tegen me zeggen als ze me niet meer wil zien!' schreeuwde Philip. Hij maakte aanstalten om Ware opzij te schuiven, maar diens blauw dooraderde hand verdween in een broekzak . . . En Philip zag de tromp van een klein zakpistool op zich gericht. Het geciseleerde zilver van de loop glansde mat in het lamplicht. Philip was bang dat het pistool per ongeluk af zou gaan, zo hevig beefde de hand die het vasthield. De haan was gespannen. Van zo dichtbij zou de kogel zijn halve hoofd kunnen wegrukken.

'Ik heb dit ding voor noodgevallen bij de hand,' zei Ware. 'Altijd gedacht dat ik het tegen de roodjassen zou gebruiken als ze me zouden aanhouden. Maar als je niet meteen verdwijnt, is de kogel die er inzit voor jou. Scheer je weg en laat ik je uitgestreken smoel nooit meer zien.'

'Maar verdomme, meneer Ware. Ik begrijp niet waarom . . .'

'Als je dat nu nog niet begrijpt, ben je niet alleen een lichtmis maar nog stom op de koop toe! Anne heeft de waarheid voor me verborgen gehouden. Maar wat ze niet verborgen kán houden, is haar vermoeide, witte gezicht. De aanvallen van misselijkheid die met steeds kortere tussenpozen terugkomen . . .'

431

Terwijl de noodklok zijn zware galm liet horen, flitsten Philips gedachten terug naar de laatste keer dat hij Anne had gezien. Maar al te goed herinnerde hij zich de onnatuurlijk bleke kleur die haar gezicht had vertoond.

'Ik beloof je één ding, Kent,' zei Ware hees. 'Als ik het bij het rechte eind heb, en mijn dochter verwacht inderdaad een kind . . .'

'Een kind!'

' . . .en als dat kind van jou is, dan zal ik je weten te vinden, waar je ook bent. Dan vermoord ik je. En denk maar niet dat dit een loos dreigement is.' Hij draaide zich bruusk om en liep de gelagkamer in, het pistool nog steeds in zijn bevende hand geklemd.

Philip keek hem verbijsterd na. Een moment voelde hij de aanvechting de bejaarde jurist naar de benen te springen, hem te ontwapenen. Anne. Tot elke prijs moest hij haar nu spreken . . .

'Kent, voor de donder, wat hang je hier nog rond,' hoorde hij achter zich. 'Vooruit, naar Barrett en je musket halen. Dit is een dienstbevel!'

Buttrick was al weer een paar huizen verder. De deur van de herberg sloeg met een slag dicht. *Bimbam, bimbam* beierde de klok.

Philip wankelde naar zijn paard. Terwijl hij zich in het zadel hees, wierp hij nog een besluiteloze blik op de herberg. Achter een van de ramen aan de voorkant stond Ware hem na te kijken, een iel mannetje, maar in zijn gramschap van een bijna profetisch postuur.

Een kind, een kind, hamerde het in Philips hoofd. Hij kon het nog maar nauwelijks bevatten. *Ons kind?*

Hij probeerde te achterhalen wanneer het moest zijn gebeurd. Oudejaarsavond, dat kon haast niet anders. Anne, Anne. Hij moest haar zien. Stel je voor, dat ze vannacht nog met haar vader de vlucht nam. Misschien zou hij haar dan nooit meer terugvinden.

Buttrick, die als een spook naast de merrie opdook, schreeuwde hem opnieuw toe dat hij voort moest maken. Als de majoor niet verschenen was, dan zou Philip misschien alsnog naar de herberg zijn teruggereden. In plaats daarvan vervolgde hij zijn weg naar de noorderbrug, langs mannen die zwaar hijgend bezig waren vaten buskruit de straat op te rollen.

Terwijl Nells hoeven over het houten brugdek bonkten, staakte de kerkklok zijn droefgeestig gelui. Philip dacht slechts aan één ding, zo dwingend dat hij bijna in tranen uitbarstte. *Ze wist het al toen ik haar in de steek liet. Ze wist het, maar wilde me er niet mee binden!*

En nu, terwijl de Britten in aantocht waren, nu zou het te laat kunnen zijn. Als ze tot Concord oprukten, zouden er doden kunnen vallen.

Philip Kent onder anderen.

3

Barretts boerderij was donker, maar in de stal brandde licht. Philip vond er de commandant bezig zijn uitrusting bijeen te zoeken. De kolonel was kennelijk toch door het gebeier wakker geworden, al was hij nog niet helemaal bij de tijd en rook hij naar rum.

'Dacht Buttrick werkelijk dat ik door de klok heen zou slapen?' Barrett boerde. 'Dat gebeier zou ik onder in de hel nog hebben gehoord. Blij dat je terug bent, Kent. Sommige mensen zeiden dat je er voorgoed tussenuit geknepen was. Overgelopen naar de andere partij misschien.'

'Ik zou nooit de kant van de Tories kunnen kiezen, kolonel.'

'Zo mag ik het horen. We hebben iedereen hard nodig als ze inderdaad van plan zijn mijn boerderij-annex-arsenaal met vijftienhonderd man overhoop te komen halen. Mooie kwaliteit kruit heb ik hier op zolder liggen, verborgen onder beddelakens. De kanonnen staan in droge greppels, achterop mijn land. En heb je er enig idee van hoeveel er nog in Concord ligt?'

'Op weg hierheen zag ik vaten wegrollen.'

'Dat is nog maar een fractie! Alleen al voor de musketiers ligt er een kleine ton aan kogels en patronen. Vijfendertig vaatjes kruit. Affuiten, zoute vis en pekelvlees, tuig voor de paarden en spaden. Afijn, als Gage het te pakken krijgt, heeft hij geen verloren avond. Wij ook niet, als we er in slagen onze voorraden te verdedigen. We hebben de Britse overval al een paar dagen zien aankomen en een deel van de spullen is dus al overgebracht naar andere dorpen, verder naar het westen. Maar lang niet alles. Trouwens, wat sta ik hier onze tijd te verpraten? Vooruit, jongen, haal je musket!'

4

Toen Philip een paar minuten later het erf van O'Brian opreed, trof hij er de hele huishouding op een kluitje bij elkaar. De Ierse boer, zijn dochter Daisy, Arthur en Lumden debatteerden heftig over de vraag wat het alarm wel kon betekenen.

De vier hadden wel wat anders aan hun hoofd, dan lang stil te staan bij Philips plotselinge verschijning, en wilden meteen van hem horen waarom men in Concord de klok had geluid. Terwijl Philip zijn relaas deed, bracht Arthur zijn eigen wapens en die van O'Brian bij elkaar: de man een musket en een bandelier. Daarin zaten al de met loden kogels gevulde patronen en de afgepaste porties kruit, verpakt in papier.

O'Brian neuriede een krijgshaftig wijsje en controleerde zijn uitrusting met een opgewektheid die ook hem sierde. Lumden beklaagde zich erover, dat er voor hem geen musket was. Moest hij de boerderij soms met zijn blote handen verdedigen?

Arthur liet zijn tanden blinken in een grimmige lach. 'Niet bij de pakken neerzitten, sergeant George. Als de Tommies zich op ons erf wagen, liggen er in de stal genoeg zeisen en sikkels. En vanaf de hooizolder kun je ze bij verrassing op hun nek springen.'

'Nou, reken daar maar op!'

Philip maakte van de gelegenheid gebruik om Daisy even apart te nemen. 'Toen ik in het dorp was, heb ik geprobeerd om Anne te spreken te krijgen. Maar haar vader wilde me niet binnen laten. Ik wil je geen risico's laten lopen Daisy, maar zie jij soms kans haar een boodschap over te brengen en terug te komen voor de hel losbreekt?'

'Natuurlijk kan ik dat,' antwoordde Daisy zonder aarzelen.

'Zeg haar dan . . .' Philip moest een brok in zijn keel wegslikken en het musket in zijn hand woog zwaar. 'Zeg haar dan dat ik van haar houd. Mochten we elkaar niet meer zien.'

'Ik zal het haar zeggen,' fluisterde het roodharige dienstmeisje, geschrokken van de wanhopige uitdrukking op zijn gezicht.

'Zeg haar ook dat het me spijt haar . . .'

'Kent! Vooruit, laten we gaan!' brulde O'Brian.

Philip knikte gelaten en draaide zich om. Een plotselinge ingeving hield hem terug. 'Moment nog, meneer O'Brian!' schreeuwde hij. Hij wendde zich opnieuw tot Daisy, die haar omslagdoek al aan het pakken was. 'Zeg eens, Daisy, mijn spullen liggen toch nog steeds in de kleerkast?'

'Het zwaard en dat stopflesje met thee?'

'Ja, en het koffertje.'

Ze knikte.

Philip zette zijn musket tegen de wand en knielde bij de kleerkast, rommelde wat op de onderste plank tot hij het leren koffertje te pakken had. Hij maakte het open, pakte het bovenste perkament, legde het koffertje terug en liep naar de keuken waar Arthur in de schouw vuur had gemaakt.

Een paar seconden staarde hij naar de handtekeningen van zijn vader en diens getuigen om de brief vervolgens met een resoluut gebaar in de vlammen te gooien. Daarna greep hij zijn musket en verliet het huis. Terwijl hij naar de weg liep, waar O'Brian trappelend van ongeduld op hem wachtte, nam Philip de zachte lentelucht met diepe teugen in zich op. In het oosten achter de heuvels, verfden de eerste zonnestralen de hemel bloedrood.

VI 'Vervloekt, ze schieten met scherp!'

1

Philip stampte de kolf van zijn musket een eindje de grond in om meer houvast te krijgen. De ochtendzon prikte al heet in zijn nek

Even tevoren had het commando 'laadt uw wapens' geklonken.

Hij beet een van de papieren patronen kapot, stortte het kruit in de lange loop en liet vervolgens de kogel naar binnen glijden. Driemaal porren en draaien met de laadstok en zijn musket was vuurklaar, op het kruit in de pan na.

Philips handpalmen waren vochtig en de mannen om hem heen, een paar honderd inmiddels, waren al even zenuwachtig. De compagnieën van Concord hadden versterking gekregen van eenheden uit Lincoln, Acton, Bedford en andere dorpen. Verder waren er nog mannen, zowel oude als jonge, die tot geen enkele compagnie behoorden, maar die met hun antieke jachtgeweren, ja pistolen zelfs, waren opgekomen nadat de koeriers en de kerkklokken hun het angstaanjagende nieuws hadden verkondigd: *De Britten zijn in aantocht.*

Uit de stand van de zon leidde Philip af dat het tegen elven moest lopen. Hij stond schouder aan schouder met O'Brian op de hooggelegen appelplaats, een goed eind ter rechterzijde van de weg die achter de brug over het riviertje westwaarts kronkelde.

De bereden officieren hervatten hun tactisch overleg en Philip wiste zich het zweet van zijn voorhoofd. Knipperend tegen het felle zonlicht zag hij witte wolken kalm en majestueus langs de hemel drijven. Zijn keel was droog en hij had een bittere smaak in zijn mond. Zo voelde het dus als een man, vlak voor de strijd, de dood in de ogen zag.

Elke kans dat het alsnog met een sisser zou aflopen was nu immers voorgoed verkeken. Even achter de heuvels, onzichtbaar voor het vrijwilligerslegertje dat zich op de appelplaats had teruggetrokken, waren de Britten in hun vlammend rode uniformen al over de brug getrokken.

Het leek nog steeds onwezenlijk.

De hele ochtend had trouwens veel weg gehad van een benauwde droom. Sinds het aanbreken van de dag had Philip zich een speelbal gevoeld, stuurloos opgenomen in een maalstroom van gebeurtenissen. Gebeurtenissen die afweken van alles wat hij zich in de Auvergne ooit had kunnen voorstellen. Of in Londen, of Boston.

Maar hoe stuurloos ook, steeds had hij naar Anne uitgekeken. Hij had haar echter niet te zien gekregen—evenmin als, godzijdank, haar vader. Misschien was hij haar een paar keer op het nippertje misgelopen. Niet dat deze gedachte hem kon troosten op dit moment.

2

Philip en O'Brian waren bij zonsopgang aangekomen in een Concord dat wemelde van de mensen. Mannen uit de omtrek kwamen zich, net als zijzelf, met hun wapens melden. Anderen waren nog steeds doende militaire voorraden over te brengen naar veiliger oorden. Voor de meeste huizen stonden vrouwen gespannen met elkaar te fluisteren. Slaapdronken kinderen hingen aan hun rokken.

Rond de klok van zes bracht een verkenner nieuws uit Lexington. De Britten rukten inderdaad, ter sterkte van ettelijke compagnieën, op in de richting van Concord. Op de brink in Lexington was al geschoten tussen de Britse voorhoede en de mannen van kapitein Parker. De verkenner was er bij het eerste salvo meteen in vliegende galop vandoor gegaan, zodat hij geen antwoord kon geven op de vraag die een ieder op de lippen brandde: *Schoten de Britten met scherp of bleef het bij los kruit?*

De verkenner haalde de schouders op. 'Ik weet het niet zeker,' antwoordde hij, 'maar ik acht het waarschijnlijk dat ze met scherp schieten.'

De man kon evenmin met zekerheid zeggen wie het eerste schot had gelost, een soldaat van de koning of een heetgebakerde kolonist. Die vraag was ook van louter academische aard. Als een lopend vuurtje verspreidde het nieuws zich onder de nu dodelijk ongeruste dorpelingen: *Er was geschoten.*

De Rubicon was overschreden. Van nu af aan zou de oorlog niet meer met woorden, maar met wapens worden gevoerd. En dus stelde het legertje zich even voor zevenen op om richting Lexington te marcheren. Daar bevond zich de vijand en daar zou men een eerste indruk kunnen krijgen van zijn kracht.

In het snel terrein winnende ochtendlicht trokken zij naar het oosten. Het marstempo werd aangegeven door de tamboer, een broodmagere boerenknecht van wie Philip alleen wist dat hij Hosmer heette. De troep telde op dat moment nauwelijks honderd man, die bepaald geen krijgshaftige indruk maakten in hun vuile werkkleding boven de met stalmest besmeurde laarzen.

In het voorste gelid werd geroepen en gewezen. Daar in het oosten, nog ver weg, zagen Philip en zijn strijdmakkers de kop van een reusachtige rode slang die over de weg op hen af kronkelde.

Minstens een paar honderd grenadiers en mannen van de lichte infanterie. Ze werden voorafgegaan door hun tamboers en hun pijpers. De opgaande zon sloeg vonken uit hun bajonetten. Op de hoge zwarte petten van de grenadiers blikkerden de regimentskentekens als spiegeltjes. Al even oogverblindend was het wit van hun met pijpaarde bestreken bandelieren en hun dito kniebroeken. De marsmuziek en het gestamp van hun laarzen golfden in een machtige stroom over het land.

Kolonel Barrett hield zijn paard in en fronste zijn voorhoofd. Na een moment te hebben nagedacht, beval hij zijn mannen rechtsomkeert te maken en terug te marcheren. Barrett moest wel, want de roodgejaste vijand was numeriek veruit de meerdere van zijn legertje. Misschien stuwde die steeds luider klinkende marsmuziek wel vijfhonderd, wie weet wel duizend man in zijn richting.

En zo, op bevel van hun commandant, gingen de mannen van Concord hun vijanden voor naar het dorp, verrassend goed in het gelid blijvend en zonder een spoor van paniek. Maar wel in een tempo dat door die vijand werd gedicteerd, aangezien Hosmers trommeltje volledig werd overstemd door de Britse tamboers.

Merkwaardige optocht, dacht Philip bij zichzelf toen ze Concord weer binnen marcheerden. Daar liepen ze—maakten zelfs grapjes—alsof die monsterlijke rode slang niet écht bestond.

Barrett en de andere officieren reden snel vooruit naar de dorpskern, om de vrouwen en bejaarde mannen het bevel te geven om binnenshuis te blijven. Het zou geen uur meer duren voor de roodjassen Concord binnentrokken!

Bij Wrights taveerne maakte de militie na een commando op de plaats rust. Opnieuw speurde Philip tussen de samendrommende mensen naar een glimp van Anne. Maar hij zag haar niet.

Een grimmig lachje krulde zijn mondhoeken, toen hij bedacht dat ze zich tegenover de vijand tot dusver als een soort welkomstcomité hadden gedragen. Tot dusver had alleen Hosmer trommelvuur afgegeven. Uiteindelijk was hij echter voor de overmacht gezwicht en had zelfs het ritme van de Britse tamboers overgenomen!

Terwijl het geluid van de vijandelijke trommen snel aanzwol, vond er tussen de officieren en het publiek een korte woordenwisseling plaats. Sommige mensen, dominee Emerson met name, waren tegen verder terugtrekken en wilden het meteen met de Britten uitvechten. Maar Barrett wist deze heethoofden uiteindelijk zijn wil op te leggen. De wapenvoorraden in het dorp waren nu redelijk goed verstopt, betoogde hij. En niemand, vervolgde de kolonel, kon op dat moment precies zeggen hoe ver de Britten in hun razzia's zouden gaan en of ze geweld zouden gebruiken. 'En als we moeten vechten, dan liefst zo laat mogelijk, nadat we versterking hebben gekregen uit de andere dorpen.'

Ook in de troep werd er luidkeels en boos geprotesteerd tegen Barretts beslissing. Maar toen de kolonel het marsbevel gaf was er niemand die bleef staan.

Zo ging het in ijltempo via de noorderbrug naar de strategisch goedgelegen appelplaats, hoog in de heuvels. Achteroprijdende verkenners meldden, dat de Britten hun tamboers en hun pijpers hadden teruggehaald naar de achterhoede. Eenheden van de lichte infanterie waren bezig vanaf de weg uit te waaieren over de heuvels aan hun rechterhand, duidelijk op zoek naar de vijand . . .

Toen ze eenmaal over de brug waren, gaf Barrett zijn adjudanten opdracht de voor hen liggende heuvels te zuiveren van tientallen dorpelingen en boeren, hele families, die door de rivier waren gewaad om niets te missen van het komende gevecht. Elke keer als Philip, gedurende de klim naar het appelterrein omkeek, zag hij aan gene zijde van het dorp de roodwitte Britse uniformen door het groen langs de weg marcheren. Een stuk of zes, zeven compagnieën lichte infanterie, schatte hij. Oprukkend in westelijke richting, vrijwel zeker op zoek naar de wapenvoorraad in en rond Barretts boerderij.

Toen de mannen het appelterrein hadden bereikt, droeg Barrett het bevel even over aan majoor Buttrick. Zélf reed hij spoorslags naar zijn boerderij om voor de laatste keer te controleren of alles goed was verborgen.

Steeds feller brandde de zon.

Daar kwamen de Britten de brug over gemarcheerd. Drie compagnieën vormden een linie langs de westelijke oever. De andere vier marcheerden, onder onophoudelijk tromgeroffel, verder in de richting van Barretts boerderij.

Het duurde niet lang voor de kolonel weer terug was. Hij had een wijde boog beschreven om niet in de handen van de Britten te vallen. Vlak bij de heuveltop steeg hij af om de situatie rond de brug in ogenschouw te nemen.

Op de appelplaats meldden zich intussen steeds meer versterkingen uit dorpen verder naar het noorden en zuiden. Sommige mannen hadden de tocht alleen gemaakt, anderen arriveerden in groepjes.

Hoger en hoger klom de zon aan de hemel.

Philip en de anderen drentelden nerveus heen en weer, terwijl Barrett met zijn officieren een stafbespreking voerde. Over de heuvels blies een warme bries die geen enkele verkoeling bracht.

Barrett, zo ging een gerucht door de troep, gokte erop dat zijn boerderij het doelwit zou zijn van de grootste razzia. Volgens die theorie zouden de roodjassen er zich in het dorp toe beperken de bevolking louter door hun aanwezigheid te laten zien wie de lakens uitdeelde.

Mocht Barrett dit inderdaad hebben gedacht, de feiten stelden hem al snel in het ongelijk. Rond tien uur meldde een verkenner, die kans had gezien over de rivier te glippen, dat de Britse bevelhebber, een zekere luitenant-kolonel Smith, de herberg had gevorderd als commandopost. Zijn mannen waren bezig het dorp met de fijne stofkam te doorzoeken, waarbij geen huis werd overgeslagen. Daarbij gedroegen ze zich tot dusver overigens als heren, vertelde de verkenner. De dorpelingen werden niet onheus bejegend, laat staan mishandeld. Wel hadden de soldaten ettelijke zakken kogels en vaten kruit ontdekt en onder luid gejuich in de molenvijver gekieperd. Dat was de schade, althans voorlopig . . .

438

De hele operatie had tot dusver een aarzelend karakter, dacht Philip. Het leek alsof de Britten in stilte hoopten, de kolonisten alsnog zonder geweld in het gareel te kunnen brengen. Had de verkenner de gebeurtenissen bij Lexington misschien overdreven? Die mogelijkheid deed hem even opgelucht ademhalen.

Speciaal met het oog op Anne. Waar ze zich in het dorp ook mocht bevinden, dacht hij, ze leek er veiliger dan een paar uur geleden.

Hij had zich echter blij gemaakt met een dooie mus, want tegen elf uur zagen de mannen op de appelplaats hoe een zwarte rookkolom uit het dorp opsteeg. Vanuit hun positie viel niet precies vast te stellen welke gebouwen er precies in brand stonden. Maar het was iedereen duidelijk wat de rook betekende.

'Verdomme nog aan toe, laat u ons dorp zomaar platbranden?' riep een van de adjudanten woedend naar Barrett.

Als antwoord gaf de kolonel het bevel met scherp te laden.

3

Hosmer roffelde er weer lustig op los. In colonnes van twee marcheerden de mannen achter hem de heuvel af, in de richting van het dorp.

Philip liep naast O'Brian en zag dat de Ierse boer grimmig lachte. Hij zag ook in, dat Barrett de juiste strategie had gekozen. Hij marcheerde in het midden van een dubbele colonne die nu zeker vijfhonderd man sterk was. Daarentegen telden de Britse compagnieën aan deze kant van de brug ogenschijnlijk niet meer dan honderd, op zijn hoogst honderdtwintig soldaten.

Barrett, hoog te paard aan de kant van de weg, liet zijn troepen aan zich voorbijtrekken, terwijl hij voortdurend het bevel herhaalde: 'Niet het eerst schieten! Als er geschoten moet worden, schiet dan niet het eerst!'

Philips hart bonkte in zijn keel, bijna in het door Hosmer aangegeven tempo. Naar beneden kijkend, zag hij hoe de kop van hun colonne het vlakke terrein bereikte en afdraaide naar de brug. Het leek allemaal nog steeds onwezenlijk.

Behalve dan de zwarte rookzuil die boven de boomtoppen uittorende en heel Concord aan het oog onttrok.

'Kijk nou 's! Ze nemen de benen!' brulde O'Brian geestdriftig.

En inderdaad, op bevel van hun officieren schaarden de drie Britse compagnieën zich vliegensvlug in het gelid en maakten rechtsomkeert. Het volgende moment daverden hun laarzen al over het houten brugdek. Hosmer liet zijn trommelstokken als derwisjen over het strakgespannen vel dansen.

Barrett reed spoorslags naar de kop, zijn ogen tot spleetjes vernauwd in het felle zonlicht. Philip en O'Brian bereikten de weg en volgden de anderen linksaf. Aan de overkant van het murmelende riviertje kon Philip niet veel meer onderscheiden dan rode schimmen die haastig alle kanten opvlogen. Een van de compagnieën maakte vlak achter de brug front, terwijl de andere twee links en rechts voor flankdekking zorgden. Het waren allemaal mannen van de lichte infanterie.

De soldaten van de centrum-compagnie stelden zich drie rijen dik achter elkaar op, in de klassieke formatie voor het straatgevecht. De bruine lopen van hun lange musketten glansden in de zon. Het zonlicht weerkaatste op de bajonetten toen de voorste linie neerknielde. De tweede linie sloot onmiddellijk aan.

'Sneller, tamboer, sneller!' schreeuwde Barrett.

Onvervaard liet de kolonel zijn paard voor de troep uit draven, de vijand tegemoet. Volgens Philip kwamen de mannen in het voorste gelid bijna allemaal uit Acton. Barrett was nu zo dicht bij de brug, dat hij de roodjassen kon beschreeuwen. Een vijftal Britse soldaten, zag Philip, stelde pogingen in het werk om de planken aan de overkant op te breken.

'Handen af van die brug!' brulde Barrett dreigend.

Philip hoorde geen bevel, maar plotseling braakten de musketten van de knielende Britten lood.

Donderende knallen. Wolken kruitdamp.

In het voorste gelid greep de kapitein uit Acton naar zijn borst en zakte door zijn knieën.

Middenin een roffel viel de trommel stil. Stervend zeeg Hosmer ineen. Bloed gulpte uit een gapende wond in zijn keel en kleurde het vel van zijn trommel rood.

Barretts paard hinnikte wild en probeerde met een zijsprong te ontkomen aan de donderende knallen van het Britse salvo. Ergens in het strijdgewoel hoorde Philip Buttrick schreeuwen:'Vuur, verdommelingen! Vuur!'

Doordat de militie in colonnes van twee marcheerde, hadden aanvankelijk alleen de voorste mannen een vrij schootsveld. Maar reeds een paar tellen na de eerste schoten verbraken de anderen hun gelederen, zonder het commando daartoe af te wachten, om aan weerszijden van de weg zowel dekking te zoeken als ruimte om terug te schieten.

Philip week uit naar rechts, O'Brian koos de andere kant. Boven het kraken van de musketten hoorde Philip de Ier nog razend van drift brullen: 'Vervloekt, ze schieten met scherp!'

Philip liet zich op één knie vallen in het hoge gras. Met een stevige tik tegen de loop stuwde hij een deel van het kruit door het zundgat van zijn musket en bracht het zware wapen in de aanslag—en toen, één verschrikkelijk moment lang, terwijl zijn wapenbroeders links en rechts van hem schoten, terwijl de kruitdamp verstikkend over de velden kolkte, terwijl er werd geroepen en gecommandeerd, was zijn wil als verlamd.

Aan de waterkant, vlak achter de brug, zag hij een officier getroffen in elkaar zakken. En nog een. De voorste Britse soldaten veerden op uit hun knielende positie, stapten snel achteruit zodat de tweede haag schutters

ongehinderd kon aanleggen. Philips vinger spande zich rond de trekker . . .
Spande zich . . . Een eeuwigheid leek te verstrijken.
Dit was het moment van de waarheid!
Vervlogen was zijn laatste hoop op een rustig en geregeld leven. Gesmoord
in de kreten van woede en pijn. Gestorven in de tamboer en de man uit
Acton.
Gestorven op een mooie ochtend in april. *Vuur!*
Philip sloeg zowat achterover door de zware terugslag van zijn musket. Hij
zag hoe een Britse infanterist van zijn benen werd gelicht. De man maakte
een halve draai door de lucht en smakte voorover in het gras. Roerloos.
Was het zijn kogel geweest? Of was die treffer van iemand anders? Philip
wist het met geen mogelijkheid te zeggen.
Wel wist hij dat een tijdperk was afgesloten, dat een nieuw tijdperk was
aangebroken. Voor hem en alle andere Amerikanen, die vloekend en tierend hun musketten bleven afvuren op de soldaten van de koning aan de
andere kant van de waterscheiding.

4

Niemand onder de kolonisten vond ooit een geheel bevredigende verklaring voor wat er daarna gebeurde.
Gedurende al die maanden dat het conflict op deze climax afstevende,
hadden velen openlijk voorspeld dat een oorlog onvermijdelijk was. Maar
in één adem door hadden zij hun gehoor gewezen op de dubieuze krijgskan-
sen. Hoe zouden die boertjes uit Massachusetts het met hun gebrekkige
opleiding en hun povere bewapening ooit kunnen opnemen tegen de Britten? Tegen keurtroepen die overal ter wereld roemrijk hadden gevochten.
En gewonnen.
Philip geloofde zijn ogen dan ook nauwelijks, toen hij zag wat er na de
schotenwisseling—één enkel salvo over en weer—aan de overkant van het
riviertje gebeurde.
Hij was bijna klaar met het herladen van zijn musket, toen die illustere
Britse infanteristen hun gelederen verbraken. Hun doden en gewonden
achter zich aanslepend, trokken zij zich in allerijl naar Concord terug. En
niet in het gelid, of zelfs maar ordelijk. Nee, als een stel panische angstha-
zen lieten ze hun hakken zien!
Aan Philips kant had niemand een verklaring voor de wanorde in het Britse
kamp. Waren ze geïmponeerd door de doodsverachting waarmee de Amerikanen, zonder zich te bekommeren om dekking, uit de heuvels op hen af
waren gemarcheerd? Waren ze gezwicht voor het Amerikaanse musket-
vuur, dat, ondanks zijn angstaanjagende gedonder, toch verre van accuraat
was? Of hadden ze domweg op geen enkele tegenstand gerekend?
Hoe dan ook: de roodjassen kozen het hazepad, in totale wanorde, terwijl

Barretts mannen zich juist weer keurig in het gelid schaarden. Achter hun kolonel marcheerden ze de brug over. Vlak naast het plankier lag een jonge infanterist. Hij had een kogel in zijn rug gekregen en was voorover gevallen. Was hij getroffen toen de eerste Britse linie zich omdraaide om de tweede vrijuit te laten aanleggen? Wie zou het ooit met zekerheid kunnen zeggen?

Terwijl Philip langs de gevallen soldaat marcheerde, zag hij diens hoogblonde hoofd even bewegen. Hij leefde dus nog. Een van de Amerikanen spoog verachtelijk in zijn richting. Maar niemand stak een hand uit om te helpen.

Zo'n driehonderd meter verder gaf Barrett het bevel van de weg af te buigen en de glooiende berm te beklimmen. Daar, achter de borstwering van een stenen muurtje, legden zij zich verspreid in het hoge gras om de verdere gebeurtenissen af te wachten.

In de verte zag Philip enkele eenheden grenadiers, herkenbaar aan hun hoge zwarte hoofddeksels, opdoemen uit de rook die het dorp nog steeds vrijwel onzichtbaar maakte. De grenadiers, kennelijk versterkingen op weg naar de brug, stuitten frontaal op hun halsoverkop vluchtende makkers van de infanterie. Mochten sommige Britse officieren nog hebben geprobeerd het geheel te hergroeperen voor een nieuwe aanval, dan kwam daar niets van terecht, want binnen een paar minuten waren alle soldaten weer achter het rookgordijn verdwenen.

Het hoge gras kriebelde tegen Philips wang. Hij had de enorme betekenis van de korte schermutseling nog steeds niet helemaal verwerkt. We hebben geschoten op soldaten van de koning, hamerde het in zijn hoofd.

De anderen waren niet minder verbluft dan Philip. Vrijwel iedereen zweeg. Na de eerste triomfkreten bij de brug kon je achter het muurtje nu een speld horen vallen. En iedereen bleef stil, zelfs toen uit de richting van het water opnieuw het gestamp van laarzen klonk. Philip drukte zich met zijn ellebogen op en zag een paar Britse compagnieën in ijlmars de brug over komen. Het waren de soldaten die hij enkele uren eerder naar Barretts boerderij had zien oprukken. Links en rechts speurden zijn ogen naar de kolonel, Buttrick of een van de andere officieren. Het leek wel alsof de aarde hen had verzwolgen.

Wist een van de andere mensen soms waar ze waren? Ja, antwoordde een man even verderop, alle officieren waren in de richting van het dorp gereden om de situatie daar, met de heuvels als dekking, in ogenschouw te nemen. Met dat al was er niemand die het bevel tot vuren kon geven, terwijl de vier compagnieën beneden binnen schootsafstand voorbij marcheerden.

Er werd geen schot gelost. Op wat binnensmonds gevloek na, bleef het stil achter de natuurstenen borstwering. Voelden ook de anderen, dacht Philip, ineens hun angst terugkeren? Met één geslaagd voorpostengevecht was de revolutie immers nog niet gewonnen.

Het gestamp van de Britse laarzen stierf langzaam weg. Er was geen zuchtje

442

wind en de wachtende boeren kregen het steeds warmer in de brandende zon.

Eindelijk, tegen het middaguur, bracht een van de officieren het nieuws dat alle Britse eenheden zich hadden teruggetrokken in de richting van Lexington. In Concord was de rust weergekeerd.

5

Een betrekkelijke rust, want in de straten heerste de uitgelaten sfeer van een jaarmarkt. Weinig vleiende grollen over het Britse loopvermogen gingen van mond tot mond. Het werd steeds drukker, want uit alle windstreken kwamen nog steeds gewapende mannen het dorp binnen om zich te melden. Met name de zuiderbrug was een belangrijke doorlaatpost. Na in het dorp hun orders te hebben gekregen, haastten de nieuwkomers zich terug naar de heuvels om daar positie te kiezen langs en boven de hoofdweg naar Lexington en Boston.

Toen vaststond, dat de Britten inderdaad de aftocht hadden geblazen, waren Philip en de andere soldaten van het eerste uur ijlings naar het dorp teruggemarcheerd. Ze ontdekten daar met gemengde gevoelens wat de oorzaak van die zwarte rookwolk was geweest, en indirect dus ook van hun opmars en het vuurgevecht dat daarop was gevolgd.

De soldaten van overste Smith hadden in Concord helemaal geen huizen in brand gestoken. Verre daarvan. Bij hun razzia hadden ze in de kerk enkele affuiten gevonden, naar buiten gesleept en in brand gestoken. Meer niet. Grinnikend staarde Philip naar de verkoolde, deels nog nasmeulende restanten. Zo gemakkelijk kon het dus tot oorlog komen. Per abuis, door de onjuiste beoordeling van een incident.

Overal om zich heen zag hij gewapende mannen oostwaarts trekken. Op de heuvels ten noorden van het dorp zag het zwart van de rennende figuurtjes. Iemand greep hem van achteren ruw bij zijn arm. Toen hij zich omdraaide keek hij in O'Brians ogen, die vuur schoten. 'Vooruit, Philip, wat sta je nog te treuzelen! We moeten ze achterna. We zullen ze naar Boston terugjagen. Rennen zullen ze, verdomme, reken maar!'

'Stelletje verwaande saletjonkers!' viel iemand anders in. 'Met hun godvergeten pijpers en hun godvergeten tamboers. Nou, we hebben ze een lesje geleerd en we zijn nog niet klaar met ze!'

'Wat je zegt! riep een derde. 'Ze hebben met scherp geschoten en lik op stuk gekregen. En van nu af aan blijven we met scherp schieten!'

Zonder op Philip te wachten verdwenen O'Brian en de twee anderen in het gewoel.

Philip wiste het zweet van zijn voorhoofd. Ook onder zijn hemd transpireerde hij zwaar. Zoekend dwaalde zijn blik langs de opgewonden gezichten in de straat en bij de kerk, waar de smeulende affuiten eindelijk doofden in hun eigen as.

Geen glimp van haar te zien. Nergens. Hij slaakte een moedeloze zucht, schouderde zijn musket en slofte de anderen achterna.

'Philip?'

Als gestoken draaide hij zich om en tuurde vergeefs door de rookslierten. O, als zijn oren hem maar niet bedrogen. Liever geen hoop dan valse hoop.

Er vielen gaten in het rookgordijn. Daar stond ze!

Ze droeg een grijze huisjurk, vol vlekken en met scheuren in de mouwen. Haar rok was bij de zoom kletsnat. Het kastanjebruine haar hing in verwarde pieken rond haar gezicht. Er brak iets in zijn binnenste. Met tranen in zijn ogen rende hij op haar af, het musket hotsend op zijn schouder.

Ze tilde haar rokken een stukje op en rende hem tegemoet. Philip liet zijn musket vallen en sloeg zijn armen om haar heen, kuste de tranen op haar wangen weg. Zonder acht te slaan op de mensen om hen heen zocht en vond zijn mond de hare.

'Anne,' meer dan haar naam kon hij aanvankelijk niet uitbrengen. 'Anne, o, mijn god. Anne, ik dacht dat ik je nooit meer terug zou zien. Je vader heeft me gisteravond bij de herberg weggestuurd.'

'Ja, hij heeft het me verteld. Ook dat hij je met een pistool heeft bedreigd,' viel ze hem lachend en huilend tegelijk in de rede.

'Heeft Daisy je nog bereikt? Ik had haar een boodschap . . .'

'Ja, die heeft ze me overgebracht. Daarom heb ik de hele ochtend naar je lopen zoeken. Was je bij de brug?'

'Samen met O'Brian. Ik heb maar één schot kunnen lossen voordat de roodjassen er vandoor gingen.'

Haar handen leken overal tegelijk te zijn en streelden zijn gezicht.

'Je bent toch niet gewond?'

'Nee, nee, rustig maar. Aan onze kant zijn er maar twee of drie mannen gevallen.'

'O, wat zie ik eruit. Ik lijk wel een voddenraapster . . .' Haar gezicht was nog steeds nat van tranen en ze sprak hortend, bijna onverstaanbaar. 'Ik kom net van de molenvijver, waar we vaatjes kruit hebben staan opvissen. Die arme grenadiers, ze waren reuze voorkomend. Dachten er niet eens aan de vaatjes open te hakken. Het kruit is grotendeels drooggebleven en dus nog uitstekend te gebruiken. Trouwens, Philip, die arme dikzak zweette van angst.' Ze lachte meewarig. 'Ik bedoel Smith, hun commandant. Wist je dat hij de karren voor het transport van zijn gewonden niet heeft gevorderd, maar betaald? Betaald, handje contantje! Heren tot de dood erop volgt!'

'Inderdaad,' antwoordde Philip. 'Een paar van die heren hebben er vanochtend het leven bij ingeschoten. Ik moet eigenlijk meteen weer weg, terug naar Barretts groep. Volgens meneer O'Brian hebben we opdracht Smith en zijn mannen te achtervolgen, ze naar Boston terug te jagen.'

'Ik heb Smith tegen zijn officieren horen tieren over de tijd die zijn verster-

444

kingen nodig hadden om hier te komen. Philip, het is heel goed mogelijk dat er uit Boston nog veel meer soldaten onderweg zijn.'

'Laten we daar nu maar niet aan denken, Anne.' Liefkozend streek hij over de sproeten op haar wang. Met moeite vervolgde hij: 'Gisteravond hoorde ik van je vader . . . vertelde hij me . . .'

'Dat ik een kind verwacht? Ja, dat is zo.'

'Waarom heb je me dat niet verteld voor ik naar Philadelphia vertrok? Je wist het toen al, dat kan niet anders!'

'Natuurlijk wist ik het,' antwoordde ze kalm. 'Maar ik wilde er geen gebruik van maken om je tegen te houden.'

'Precies wat ik al dacht!'

'Ik wil geen man die niet van me houdt, Philip, en ik wil geen andere man dan jou.' Haar stem brak. Ze wreef over haar betraande wangen, even in verlegenheid. 'Geloof me, ik had er niet op gerekend dat je terug zou komen. Wat . . . wat is er in Philadelphia gebeurd?'

Met een merkwaardig lachje antwoordde Philip: 'Ik had er bijna een fluitje gekocht. Maar de prijs was me te hoog.'

'Een fluitje?' echode Anne niet begrijpend. 'Waar heb je het in vredesnaam over?'

'Laat maar, het is niet belangrijk,' zei Philip met dat curieuze lachje nog steeds rond zijn mondhoeken.

'Maar die . . . die vrouw, Philip. Hoe zit het daarmee?'

Hij antwoordde niet meteen, maar dacht even na. 'Dat zal ik je ooit nog wel eens vertellen,' zei hij toen. 'Misschien pas als wij oud zijn en ons kind al op eigen benen staat. Voor het moment hoef je niet meer te weten dan dat het voorbij is, afgelopen. En dat ik heb ontdekt wie ik ben en wat ik wil.'

'Ja, je bent de man geworden die ik altijd in je heb gezien!' fluisterde ze en drukte zich stralend tegen hem aan.

'Maar, Anne, ik heb je niets te bieden.' Philips stem klonk ineens ernstig. 'Jezus, ik weet niet eens of ik deze dag wel levend doorkom. Alleen de hemel weet hoe hard er gevochten zal worden als we de Britten achterna gaan. Maar, Anne, liefste, als ik terugkom wil ik met je trouwen . . .'

'Niet uit plichtsgevoel, alsjeblieft,' smeekte ze. 'Niet vanwege mijn vader. De enige reden om met me trouwen is . . .'

'Dat ik van je hou,' vulde Philip aan. Hij bezegelde zijn woorden met een innige kus.

Een paar mannen scholden hem in het voorbijgaan uit voor lafaard. Zou hij niet als de sodemieter maken dat hij in de heuvels kwam? Maar Philip besteedde geen aandacht aan hun schimpscheuten. Hij drukte Anne stevig tegen zich aan, alsof hij haar nooit meer wilde loslaten, en voelde de gloed van haar warme lichaam, voelde hoe zij trilde terwijl zij de doorstane emoties de vrije loop liet in warme vreugdetranen.

Ze sloeg haar armen rond zijn middel en begroef haar gezicht tegen zijn schouder. 'We zullen bomen van jongens krijgen, Philip, prachtkerels. Jij begint een eigen drukkerij, een eersteklas bedrijf, en je wordt rijk . . . We

445

wonen in een prachtig huis . . .'

'Anne, Anne . . .' Hij legde een vinger onder haar kin en hief haar hoofd op. 'Dat is een mooie droom, mooi maar erg onzeker. De vlam is in de pan geslagen, dat hebben we vanochtend aan den lijve ervaren. En ik heb gehoord, dat er in Lexington . . .'

'Ja, daar hebben de Britten een stuk of acht mannen van kapitein Parker op de brink doodgeschoten. Maar niemand weet toch beter dan jij, dat het hele platteland in verzet is gekomen, dat de mensen zullen vechten.'

'Natuurlijk, maar dat maakt het toekomstperspectief er niet rooskleuriger op. De koloniën in oorlog met het moederland, de machtigste natie ter wereld. Wie durft te voorspellen waarop dat voor ons zal uitdraaien?'

'Dat durf ík!' Een opgewonden blos kleurde haar wangen. 'Nu je partij gekozen hebt, durf ik dat te voorspellen. Je zult niet sterven, Philip, en samen zullen we ons er doorheen slaan. En als alles achter de rug is, dan zijn we nog samen. Je zult het zien. Wat Sam Adams heeft voorspeld, staat nu te gebeuren. Dat kan gewoon niet anders.'

'Een onafhankelijk Amerika, bedoel je?'

'Ja, misschien kondigt het Congres volgende maand al de onafhankelijkheid af. Begrijp me toch, Philip. Het is zover! We staan aan de wieg van een nieuwe natie. Bevrijd uit de boeien van het verleden, net zoals je jezelf hebt bevrijd. Wat er ook gebeurt, we zullen het redden. En we zullen het geslacht Kent een naam geven die klinkt als een klok.'

De ernstige uitdrukking op zijn gezicht week voor een glimlach. 'Even aangenomen dat je vader me niet eerst een kogel door mijn kop schiet. Waar is hij trouwens?'

'Bij de molenvijver. Hij vist op kruitvaatjes.' Ze lachte een aanstekelijke lach. 'Ik heb hem wijsgemaakt, dat ik weg moest omdat mijn zwangerschap me parten speelde. O, hij weet zich absoluut geen raad met zulke dingen. Ik liet hem in de waan dat ik in de herberg wat wilde rusten, maar natuurlijk kneep ik er tussenuit in de hoop jou te vinden. Maak je maar geen zorgen, tegen de tijd dat je terugkomt is hij weer zo mak als een lam, zeker nu ik je zover heb kunnen krijgen dat je m'n eer wilt redden,' besloot ze plagerig.

Als antwoord kreeg ze een kus die boekdelen sprak. 'Bij nader inzien, Anne, kon je wel eens gelijk hebben.'

'Waarover?'

Hij nam haar hand stevig tussen de zijne. 'Over de Kents. Het wordt vast en zeker een illuster geslacht.'

Zonder verder te dralen raapte hij zijn musket op en liep, na een laatste armzwaai als groet, met vaste tred naar het oosten.

6

Over gezelschap had Philip niet te klagen. Zijn lotgenoten, zijn landgenoten, waren klaarblijkelijk in een opperbeste stemming. Er werd druk gezongen. Sommigen vertelden de laatkomers over het gevecht van die ochtend, een verhaal dat ze veelal zélf uit de tweede of de derde hand hadden. Anderen maakten zich nog steeds luidruchtig, en in een gespierd idioom, vrolijk op kosten van de Britse troepen. Philip voelde dat zijn maag hevig protesteerde. Hoe lang was het geleden dat hij wat gegeten had, hoe lang was hij nu al niet op de been? Een eeuwigheid, leek het. Niettemin liep hij met verende pas. Het leek wel of zijn benen deel hadden aan het nieuwe gevoel voor richting in zijn hoofd. Ondanks alle gevaren die hem wachtten, voelde Philip zich korte tijd volmaakt gelukkig.

Weldra echter week zijn euforie voor een wat somberder stemming. Hoe zouden de Engelsen reageren op de gebeurtenissen van deze ochtend? vroeg hij zich af. Ongetwijfeld met een gepantserde vuist, met een compromisloze inzet van heel hun geduchte militaire apparaat. Alleen zo kon koning George hopen deze vrijheidslievende revolutie de kop in te drukken.

Maar daarom niet getreurd. De weg die in Concord was begonnen, moest hij volgen, waarheen hij ook leiden mocht. Daarna zou hij terugkeren bij Anne om hun kind geboren te zien worden. Hun stamhouder, de eersteling van een groot gezin . . .

Philip neuriede zacht voor zich heen, ondanks het vuil op zijn lichaam en de moeheid in zijn benen. Samen met de anderen verliet hij de gebaande weg en begon hij de klim naar de kam van de heuvels. Zag hij daarboven niet een paar mannen van zijn eigen compagnie? Hoe hoger hij kwam, des te feller scheen de zon. Het leek wel of zijn gezicht in brand stond. Even onder de top sloot hij zich aan bij een drietal mannen die hij kende. Concord verdween uit het gezicht. Net als Philip Kent, een van de vele Amerikanen die oostwaarts trokken om hun zware strijd te strijden.

Het hierna volgende fragment is het eerste hoofdstuk van *De Rebellen*, het vervolg op *De Gelukzoekers* en tweede deel in de romanserie *De kinderen van de vrijheid*.

I Een stalen voorproefje

1

Eerst weerklonk slechts het roffelen van één Britse trom, maar al gauw donderde een orkaan van geluid over het schiereiland Charlestown. Even leken de tamboers de beschietingen door het kanon op Copp's Hill in Boston, aan de overkant van de Charles, en vanaf de schepen die het schiereiland hadden omringd, te overstemmen.

Grimmig zei de magere neger die met zijn ouderwetse repeteergeweer naast Philip stond: 'Volgens mij is Tommy nu inderdaad klaar met eten'.

'Ik denk dat je gelijk hebt,' zei Philip. Zijn mond was zo opgezwollen dat zijn antwoord nauwelijks verstaanbaar was. Hij duwde met zijn laadstok de prop watten nog wat steviger tegen het kruit en de kogel in de loop van zijn kostbare Brown Bess, een musket van Britse makelij. Als hij in godsnaam toch maar een slokje water kon drinken!

Hij had al zo lang niet meer gegeten dat zijn maag hevig tekeer ging. Het eten dat hij had meegenomen toen zij zich de vorige avond bij zonsondergang in Cambridge verzameld hadden, was al lang op. Bovendien had hij overal pijn, god wat had hij een pijn! De hele nacht had hij met de andere koloniale soldaten op Breed's Hill moeten zwoegen. Ze hadden daar een vesting moeten graven toen de officieren het eindelijk eens waren geworden over de vraag of ze nou Breed's Hill zouden verdedigen of Bunker's Hill, de heuvel meer naar het noordwesten die de verbinding vormde tussen het schiereiland Charlestown en het gemakkelijker te verdedigen achterland.

Uiteindelijk had een genie-officier, Gridley, de knoop doorgehakt: Breed's Hill. Meteen hadden de Amerikanen, beschermd door het donker, een vierkante versterking gegraven van vijftig bij vijftig meter en met een pijlvormige schans aan de zuidkant die uitzag over de groene helling die naar de rivier de Charles leidde.

De neger, die naast Philip in de vesting stond, had gezegd dat hij Salem Prince heette. Philip had geen idee waar hij vandaan kwam. Hij kende trouwens het overgrote deel van de paar honderd andere soldaten die daar in die verstikkende kuil samengepakt waren, niet. Het was een middag in juni en de stralen van de zon waren moordend.

Vermoedelijk hoorde Salem Prince niet bij de regimenten uit Massachusetts. Of bij de strijdkrachten uit Connecticut die zich onder leiding van de oude Indianenvechter Putnam achter hen in een heuveltje op het land van een boer, genaamd Bunker, ingroeven. Op een moment dat Philip moest bukken om zich te beschermen tegen een voorbijsuizende kanonskogel was plotseling die neger naast hem opgedoken. De kogel had een krater geslagen in de heuvel die naar de rivier de Mystic leidde, links van de vesting. Toen Philip weer opkeek stond de neger naast hem over de loop van zijn ouderwetse repeteergeweer te wrijven, terwijl hij verlegen lachte. Het Amerikaanse leger bestond uit in tweedehands kleren gehulde soldaten, maar Salem zag er zo mogelijk nog slordiger uit. Waarschijnlijk was hij een vrije kleurling die op eigen houtje naar het schiereiland was gekomen. Het leger kon op dit moment vrijwilligers best gebruiken. Philip en Prince keken elkaar angstig aan. Ze luisterden beiden naar het tromgeroffel. Ze grijnsden naar elkaar alsof het aanzwellende, dreigende lawaai hen niet deerde. Maar ze wisten allebei wel beter.

Philip was langzamerhand even zwart geworden als Salem Prince. Zijn huid, zijn kniekousen en kniebroek en zijn losse, bezwete hemd waren door en door vuil. Aldoor bleven er mannen in en uit de vesting rennen, zodat men in de verwarring onmogelijk kon zeggen wie bij welk regiment hoorde. Slechts enkelen droegen een uniform.

Maar eb en vloed hielden elkaar in evenwicht. Er verschenen nieuwe vrijwilligers terwijl anderen gebruik maakten van een kanonschot om weg te glippen. Als er een kanonskogel explodeerde bedekten de soldaten hun hoofd om aan de zinderende, smerige gloed in de vesting te ontkomen. Philip vond dat de vesting wel verdacht veel weg had van een groot, pas gegraven graf.

Rechts van Philip keek iemand voorzichtig op zijn tenen over de aarden wal. Opnieuw kwam er een kogel aansuizen en meteen daarna weer een. Ze sloegen steeds dichterbij in. Steeds meer smerig stof daalde op Philip neer. Hij sloot zijn ogen. Maar zijn oren kon hij niet dichtstoppen. Hij hoorde het ritmische tromgeroffel steeds dichterbij komen.

Hij zag een verschrikkelijk beeld voor zich opdoemen een stinkende kuil vol met naamloze lijken. Jezus! Als een van die lijken nou dat van hem was!

Philip Kent. Geboren in Frankrijk bij het dorp Chavaniac. Gestorven op een mooie zaterdag, zeventien juni, 1775.

Anne! dacht hij in doodsangst. Hij zou zich op de een of andere manier door deze verschrikking heen slaan.

Het tromgeroffel weerklonk donderend. Weer vloog er een kanonskogel over hen heen. In ieder geval raakten zij langzamerhand gewend aan het verschrikkelijke geluid van die ijzeren monsters.

De Amerikanen hadden in de nacht van de zestiende op de zeventiende de versterking heimelijk gegraven. Iemand aan boord van het koninklijk schip de *Lively,* kennelijk iemand met een scherp oog, had het toch ontdekt. Om vier uur 's ochtends vuurde het schip het eerste salvo af.

De nieuwelingen in het leger schreeuwden van angst. Van een zekere Pollard, die buiten de vesting werkte, werd kort daarna het hoofd van de romp gerukt. Het gebeurde bij het aanbreken van de dageraad. Zijn bloederige, afgehouwen hoofd was een—waarschijnlijk overbodige—waarschuwing voor wat de mannen op Breed's Hill die dag te wachten kon staan.

In de loop van die hete ochtend werd het echter gaandeweg duidelijk, dat de Britse kanonnen op de rivier en in Boston niet goed genoeg opgesteld stonden om veel schade aan te richten. Maar door het bulderen van de kanonnen alleen al stond op ieder dodelijk beangst gezicht te lezen: *Omdat ik het gewaagd heb de wapens op te nemen tegen Zijne Koninklijke Majesteit, Koning George III kan dat vandaag mijn dood betekenen.*

Het kanongebulder nam weer toe. Philip maakte aanstalten om over de aarden wal te gluren om te zien wat hem en zijn medestrijders te wachten stond. Even zonk de moed hem in de schoenen. Op datzelfde moment weerklonk een kreet: 'Die godvergeten, smerige Britten! Ze hebben Charlestown in brand gestoken!'

Voordat Philip het risico had genomen over de wal te kijken, zag hij de rook en de vlammen. Door een heftige beschieting met roodgloeiende kanonskogels en brandende projectielen stonden de daken van het kleine stadje aan het water al in lichterlaaie. De doodsbange inwoners waren gevlucht.

'De versterkingen zijn aan land gekomen,' zei iemand.

'Koninklijke mariniers,' zei iemand anders.

'De geregelde troepen zijn begonnen aan de klim naar boven,' voegde weer een ander er met trillende stem aan toe. 'Kijk!'

'Koppen dicht, anders hoor je het bevel om te vuren niet!'

Het was de harde, raspende stem van hun commandant, de lange, grijzende kolonel Prescott uit Pepperell. Philip kon door de wirwar van mannen zien, dat Prescott een verrekijker uittrok en zich naar de enige ingang aan de achterkant van de vesting begaf. Voor al die honderden soldaten was dat de enige mogelijkheid te ontsnappen. Wat zou er gebeuren als de vesting werd ingenomen? Hij begon zich steeds meer te voelen als iemand die al begraven was. Plotseling hoorde hij opgewonden geschreeuw: 'Warren, het is dokter Warren!'

Zojuist was een buitengewoon knappe, blonde man de vesting binnengekomen. Hij had een musket en een zwaard bij zich. Het was Joseph Warren, een dokter uit Boston, en een van de eerste leiders van de patriottische zaak in Massachusetts. Philip had Warren leren kennen toen hij in de drukkerij van Edes en Gill werkte.

'Uw dienaar, kolonel,' zei de ernstig kijkende Warren tegen Prescott.

Prescott leek even uit het veld geslagen. Toen salueerde hij en bulderde boven het tromgeroffel en het kanonnengebulder uit: 'Generaal Warren! U heeft het recht het commando over te nemen!'

'Nee, kolonel, ik ben hier als vrijwilliger gekomen. Mijn aanstelling staat alleen nog maar op papier en moet nog getekend worden. Ik zal mij bij de anderen voegen.'

Er volgde een kort hoeraatje toen de elegante, maar bezwete, in met goud brocaten afgezette jas geklede dokter zich naar de uitgegraven aarden wal begaf. Prescott verdween naar de smalle ingang van de vesting om het commando op de borstwering op zich te nemen. Het tromgeroffel werd steeds luider.

Ik moet de vijand zien, dacht Philip.

Op dat moment kreeg Warren hem in de gaten. De dokter kwam haastig op hem af en er verscheen een vermoeide glimlach op zijn gezicht: 'Kent?' zei hij terwijl hij zijn hand uitstrekte.

'Ja, dokter Warren, goedemiddag.'

'Ik had je bijna niet herkend.'

'Dat graven was een smerig werkje.'

'Maar jullie hebben het prima gedaan, dat is duidelijk. Dus je bent in dienst gegaan . . .'

'Dat is het enige wat er voor ons opzit, neem ik aan.'

'Ik heb gehoord dat je getrouwd bent met de dochter van Ware, de advocaat.'

'Ja, meneer. Een maand geleden. Anne woont in een huurwoning in Watertown, samen met haar vader.'

'Nou ja,' zei Warren, 'als wij die Britten vanmiddag stevig aanpakken, zie je haar gauw terug.' De dokter zwaaide met zijn hand en keerde terug naar zijn plaats bij de wal. Overal om hem heen keken de mannen bewonderend naar hem op. Warren was een van de belangrijkste leiders van de opstandelingen. Samen met John Hancock, de neven Adams, Samuel en John, de zilversmid Paul Revere en nog een paar anderen had hij de Amerikanen van Massachusetts aangezet tot een gewapende confrontatie met de Britten. Dat zo'n gewichtig en aanzienlijk man deze mogelijk dodelijke valkuil was binnengekomen om als gewoon soldaat met de anderen mee te vechten gaf de mannen in de vesting moed.

Philip Kent voelde het tenminste zo. Hoe laat was het? Aan de stand van de zon te zien zo ongeveer drie uur, schatte hij. Ondanks het onophoudelijke kanongebulder ging hij op zijn tenen staan om over de wal te kijken naar de uitdaging die hem die middag te wachten stond.

Zijn adem stokte toen hij over vrijwel het hele schiereiland een lange roodgekleurde lijn Britse soldaten naderbij zag komen. Hij klemde zijn hand om de loop van zijn Brown Bess. Hij zweette en had het tegelijk koud.

Overal waar hij keek zag hij die rode kleur. Het moesten er op zijn minst duizend tot tweeduizend zijn. En het aantal van de Amerikaanse troepen moest nu wel geslonken zijn tot op de helft daarvan.

De Britten naderden zeer gedisciplineerd. Hoewel zij over stenen muurtjes moesten klimmen en bomen hun weg versperden bleven zij met perfecte regelmaat naar boven klimmen. Hun vlaggen wapperden in de warme wind.

Hun opmars leek op een parade. Een parade op de maat van het tromgeroffel dat steeds luider tussen de kanonschoten door weerklonk. De soldaten liepen in formatie in lange rode rijen die zich uitstrekten tot de rivier de Mystic. Schouder aan schouder kwamen de compagnieën af op de vesting

452

en de borstwering en op het lager gelegen houten hekwerk, dat in alle haast was opgetrokken en dichtgestopt met hooi om de kogels uit de musketten tegen te houden. Tussen het hekwerk en de rivier hadden de kolonialen een stenen muur gebouwd. Ook die was het doelwit van de Britse troepen. Achter de verschillende versterkingen wachtten de kolonialen, smerig en morsig gekleed. Philip keek de andere kant op. In Boston stonden duizenden mensen achter de ramen en op de daken toe te kijken. Ook kon hij duidelijk de witte rookwolkjes zien die opstegen uit de batterij op Copp's Hill.

Zijn blik werd weer naar de naderende troepen getrokken. Iemand had gezegd dat de troepen onder leiding stonden van generaal-majoor Sir William Howe persoonlijk, een van de drie officieren van die rang die half mei aangekomen waren om de staf van generaal Thomas Gage te versterken.

'Nog niet vuren,' schreeuwde een officier achter in de vesting. 'Wacht tot het bevel tot vuren gegeven wordt. Laat die klootzakken zo dichtbij komen dat jullie ze met je musketten kunt raken.'

Dat duurt een eeuwigheid, dacht Philip. Hij telde tien compagnieën in de langgerekte eerste Britse linie. En tien in de tweede linie. Honderden en honderden roodjassen die langzaam naar boven klauterden. Een rode muur, maar wel een die steeds dichterbij kwam . . . Onder zijn doorweekte hemd voelde hij het zweet naar beneden stromen. Hij kon zich goed voorstellen hoe de Britten zich moesten voelen in hun wollen uniformen en met hun zware last aan rantsoenen en dekens op hun rug. Maar toch bleven zij gestaag naar boven klimmen en onderbraken alleen het ritme om over obstakels heen te klimmen. Philip kon nu de gelaatstrekken van sommigen onderscheiden. Een man had een groot litteken op zijn kin, en borstelige koperkleurige wenkbrauwen. Bezwete gezichten.

Weer klonk het bevel 'Niet vuren. Prescott geeft het sein.'

Philip slikte moeilijk en legde de loop van zijn Brown Bess op de rand van de aarden wal. Salem Prince en de anderen namen dezelfde positie in. Door de rook van de kanonnen kon Philip Prescott zien. De kolonel ijsbeerde achter de borstwering en dook alleen naar beneden als er een kogel over hem heen suisde.

Het tromgeroffel zwol aan. Philip zag nu de uniformen van de Britse keurtroepen die opmarcheerden om de Amerikanen, die zo onverstandig waren geweest een van de twee belangrijkste strategische punten van Boston in te nemen, in de pan te hakken. Samen met hun gewone infanterie hadden de Britse schepen ook de trots van hun leger over zee aangevoerd—de lichte infanterie en de grenadierscompagnieën van verschillende regimenten. Achter de opmarcherende aanvalstroepen weerklonk zo af en toe de knallen van het lichte veldgeschut.

Wat Philip Kent het meest angstaanjagend vond was de vastbesloten manier waarop de soldaten naderbij kwamen. Zonder ook maar een seconde te aarzelen. Met voor op hun musketten glinsterend staal, het staal van de bajonetten . . .

Vrijwel geen enkele Amerikaan op Breed's Hill of Bunker's Hill had dat dodelijke wapen aan zijn musket. De kolonialen keken neer op een bajonet. Philip vroeg zich af of dat niet onverstandig was.

Toen in april de eerste gevechten uitbraken in Lexington en Concord, was Philip een van de honderden vrijwilligers geweest die het verbijsterde Britse leger smadelijk hadden teruggedreven naar Boston. Achter stenen verschansingen hadden zij de kreefteruggen een voor een neergeknald tijdens een ongeorganiseerde, maar dodelijke aanval waar de Britten niet op waren voorbereid. Daarna waren de Amerikanen in een jubelstemming geraakt; barstend van zelfvertrouwen. Als het scherpe oog van een koloniaal een musket richtte, was er toch zeker geen behoefte aan uitgekiende formaties die in het gelid liepen? Of aan staal?

Maar vandaag zou het wel eens anders kunnen lopen. De meest gediscipli-neerde troepen ter wereld waren de heuvel aan het beklimmen. Zwaarbe-wapend. Langzaam, zonder te aarzelen kwamen zij op de vesting af en beneden trokken zij over de moerassige grond naar het houten hekwerk en de stenen muur . . .

Als wij het tegen die bajonetten moeten opnemen, dacht Philip, dan zijn wij er geweest.

2

'Godallemachtig, wanneer mogen wij nou schieten?' tierde Salem Prince. Philip vroeg zich dat ook af. Maar weer klonk het bevel van de officieren: 'Kolonel Prescott zegt dat jullie niet mogen schieten voordat jullie het wit van hun ogen kunnen zien.'

Langzaam, maar onverbiddelijk klommen de grenadiers en de lichte infan-terie door het hoge gras. Philip veegde het zweet van zijn voorhoofd. Even leek het hem dat hij flauw zou vallen. Hij was uitgeput; uitgehongerd. Dit gevecht leek hem volmaakt nutteloos. Dat de koloniën, zijn nieuwe vader-land, het leger van het grootste wereldrijk sinds Rome uitdaagden was waanzin. Dat was het enige juiste woord.

Hij keek weer over de wal. Hij kon de gezichten nu nog scherper zien. Dikke en dunne, bleke en blozende, jonge en oude mannen. Duidelijk kon hij nu het wit van hun zenuwachtig knipperende ogen zien . . .

Achter de borstwering barstte plotseling het vuur van de musketten los. Langs de hele eerste Britse linie stortten mannen ter aarde.

'Vuur!' schreeuwde iemand in de vesting. Philip richtte zijn Brown Bess—met een musket kon je nooit precies genoeg richten—en haalde de trekker over.

Een seconde later zag hij een man van de lichte infanterie—iemand die niet veel ouder was dan hij—kreunend in het gras storten.

Als een grote loden zeis maaide het Amerikaanse vuur de gelederen van de

Britten neer. Maar zij bleven naderbij komen. Zonder te stokken—Hele rijen waren nu al neergeschoten. Overal kronkelden soldaten schreeuwend van de pijn over de grond, terwijl hun kameraden langs en over hen heen liepen, soms zelfs óp hen, als dat niet anders kon. De mannen die nog op de been waren laadden hun musketten en vuurden ze al lopend af.

Over Philips hoofd suisde een Britse kogel tegen de achterwal aan. Ook in de vesting schreeuwden gewonden—maar dat aantal was niet te vergelijken met de talloze roodjassen die, over het hele schiereiland verspreid, ter aarde stortten.

Opnieuw laadden de Amerikanen hun musketten, zo snel als maar mogelijk was; ze bleven schieten. Philip kon nergens anders aan denken dan aan de werktuiglijke routine van kruit, kogel en watten.

'Sneller laden,' riepen de officieren. 'Vuur, verdomme! Snel, snel!'

'Kijk daar! Kijk 'ns!' riep Salem Prince.

Philip keek op. De Britse troepen hadden hun beklimming gestaakt. De eerste linies kregen het bevel om te keren. In totale wanorde bliezen zij de aftocht. Zo snel mogelijk vluchtten zij terug naar Morton's Hill, waar zij even tevoren nog de lunch hadden gebruikt en een pijpje hadden gerookt.

In de vesting begonnen de mannen te juichen. Philip deed er niet aan mee. Hij likte met zijn tong over zijn hand, die half verbrand leek door de hete kolf van zijn musket. Toen leunde hij hijgend tegen de binnenkant van de wal. O, wat had hij behoefte aan een slok water! Maar er was geen water te bekennen. Boven hem scheen, door de dikke rookwolken heen, de zon met verzengende kracht. Met verstijfde vingers inspecteerde Philip zijn kruithoorn. Hij had zo vaak moeten laden en vuren dat deze nu half leeg was. Om hem heen hoorde hij ook de andere soldaten morren over het gebrek aan kruit.

'Blijf op je post,' werd er bevolen. 'Zo gemakkelijk zullen ze het niet opgeven.'

Philip sloot zijn ogen en probeerde wat bij te komen. Hij had geen zin om dood te gaan, net zo min als de anderen. Vlak bij hem kroop een soldaat uit Rhode Island door het stof. Een verdwaalde kogel had hem in het middenrif geraakt. Iemand uit Massachusetts verloste de man zorgvuldig van zijn musket, kruithoorn en van zijn simpele houten patroonkistje waarin de waardevolle watten en kogels zaten.

Het tromgeroffel was weggeëbd. Maar voor hoe lang?

Philip voelde dat de Britten de volgende keer zeker een nieuwe strategie zouden toepassen. Dank zij het feit dat zij perfect in het gelid en met perfecte discipline naar boven konden marcheren waren zij op de slagvelden van de hele wereld heer en meester. Maar vandaag was die manier van vechten rampzalig gebleken.

Maar ongeacht hun strategie: stel je voor dat ze met die bajonetten in de buurt van de Amerikanen konden komen?

Philip probeerde er niet aan te denken.

3

Na de slag bij Concord was Philip gedurende enkele weken in een euforische jubelstemming geweest. De Britten waren terug*gerend* naar Boston. En een Amerikaans leger—sjofel, slecht georganiseerd, maar toch een leger—had de stad omsingeld. Boston, waar de vijandige gezindheid tussen de Kroon en de kolonie na een jaar of tien tot een uitbarsting was gekomen. Toen eenmaal de belegeringslinies gesloten waren, werden de kleine, plaatselijke vrijwilligerslegertjes, waarin Philip in Concord ook had gediend, gereorganiseerd tot grotere staatsregimenten. Er kwamen ook stads- en staatsregimenten uit de andere koloniën te hulp. Het geheel werd enigszins op goed geluk geleid door generaal Artemas Ward. Op deze middag in juni lag de generaal in Cambridge ziek in zijn bed, en probeerde de strijdkrachten leiding te geven terwijl zijn verzwakte lichaam werd gegeseld door galstenen. De mannen uit Massachusetts op Breed's Hill hadden zich tot het eind van het jaar als vrijwilligers aangemeld voor de nieuwe regimenten. 'Het leger van de acht maanden', noemden de officieren het. En dat was niet grappig bedoeld.

Ook andere koloniën stuurden versterkingen naar Boston. Rhode Island, New Hampshire, Connecticut—Old Put, de Indianenvechter, had drieduizend man uit Connecticut meegebracht, plus een kudde schapen voor voedsel. Ondertussen werden politieke zaken geregeld vanuit de tijdelijke hoofdstad, Watertown. Cambridge was het hoofdkwartier van de strijdkrachten, maar de bevelen kwamen uit Watertown. Kolonel Benedict Arnold uit Connecticut werd eind april naar het westen gezonden om een nieuwe lichting mannen uit Massachusetts op de been te brengen en daarna, begin mei, zijn strijdkrachten samen te bundelen met die van Ethan Allen, een grofbesnaarde vechtjas uit Hampshire Grants. Allen stond aan het hoofd van een contingent soldaten die zich de Green Mountain Boys noemden.

Hoewel zij steeds ruzie hadden over het opperbevel, wisten Allen en Arnold bij verrassing het kleine garnizoen van Fort Ticonderoga bij Lake Champlain te overmeesteren. De officieren rond Boston moesten toegeven dat het militair gezien geen spectaculaire overwinning was. Er waren amper veertig Britse soldaten gevangen genomen. Het belang van Ticonderoga lag in zijn militaire voorraden, vooral in het geschut.

Niemand wist precies hoeveel geschut er was veroverd. Maar elk stuk geschut in de handen van de patriotten werd als een zegen gezien. Na de geslaagde actie om de koninklijke troepen bij Lexington en Concord op de vlucht te jagen—of het een geslaagde actie was of een misdrijf hing natuurlijk af van de politieke overtuiging die men had—konden de kolonialisten nu ook bogen op het innemen van een koninklijk fort en het buitmaken van een hoeveelheid koninklijke artillerie. 'In de naam van God en het Congres van de Dertien Staten,' zei Allen toen hij de eis tot overgave bekendmaakte. Het was de vraag of het tweede Congres der Dertien Staten, dat in mei in

Philadelphia begon, op de hoogte was van het feit dat de verovering van Ticonderoga in zijn naam geschied was, voordat een van de zwoegende ijlbodes van het noorden in Quaker City aangekomen was met nieuws. Een andere ijlbode reed terug met het bericht dat het Congres een opperbevelhebber wilde aanstellen die tot taak zou hebben het commando over het beleg van Massachusetts in handen te nemen.

Maar Philip had zijn geluksgevoel gedurende die lente aan iets heel anders te danken dan aan de militaire ontwikkelingen. Philip en het meisje dat hij het hof had gemaakt, Anne Ware uit Boston, waren eind april in een kleine congregationalistenkerk in Watertown getrouwd. De vader van Anne, een advocaat met uitpuilende ogen, die vele geschriften ter ondersteuning van de patriottische zaak had geschreven, had het bruidspaar met tegenzin zijn zegen gegeven. Want Anne was al vijf maanden zwanger. En Philip was de vader van het kind. Zoals zoveel jonge mannen en vrouwen gingen Philip en Anne een sombere toekomst tegemoet. Philips droom zijn eigen drukkerij te hebben zou moeten wachten tot de gewapende strijd voorbij was. Misschien dat er spoedig een wapenstilstand zou komen; een verzoening op basis van erkenning van de koloniale eisen. Philip had gehoord, dat het Congres onderhandelingen in die richting overwoog. Maar zolang ophitsers als Samuel Adams hun zin kregen, zou de oorlog voortduren — een gigantisch gevecht met als doel de volkomen onafhankelijkheid van de dertien koloniën.

Philip herlaadde zijn Brown Bess. Hij kon zich nauwelijks voorstellen dat dit met lijken bezaaide slagveld eens het vredige schiereiland was geweest waar hij zo'n onhandige poging had gedaan om Anne te verleiden. Het verleden leek nu zo onwerkelijk: het begin in de Franse streek de Auvergne, de moeilijkheden met de adellijke familie Amberly in Engeland, zijn emigratie naar Amerika en zijn werk aldaar voor de patriottische drukker Ben Edes. Philips aanvankelijke onverschilligheid voor de patriottische zaak was eerst omgeslagen in een gevoel van verwarring en daarna in een heilig geloof. Maar dat was één ding, en de werkelijkheid een tweede. Hij keek op naar de brandende zon die door de kruitdamp versluierd was en veegde het zweet van zijn voorhoofd. Hij wilde blijven leven. Hij wilde Anne weer terugzien; in goede gezondheid hun kind geboren zien worden . . . Anne en hij waren het er over eens geweest dat hij in dienst moest gaan. Philip was degene geweest die het eerst de kwestie ter sprake had gebracht, en meteen zijn beslissing bekend had gemaakt. Hij was de zaak met hart en ziel toegewijd. Annes heilige geloof was op hem overgegaan.

Toen hij haar vertelde dat hij in de kazerne ging wonen — de gebouwen van Harvard waren in allerijl tot kazerne getransformeerd — had zij instemmend geknikt en hem teder gekust, hoewel zij haar tranen nauwelijks had weten te bedwingen. De avond tevoren, om ongeveer zes uur, had dominee Langdon, de president van het college, gebeden voor de mannen, die zich in de Harvard Yard verzamelden om naar het schiereiland Charlestown te gaan. Die troepenbeweging moest een Britse opmars om de Dorchester

457

Heights te versterken, die volgens geruchten zondag achttien juni moest plaatsvinden, tegengaan. Met dekens, eten voor een dag en schoppen waren de Amerikanen — Philip schatte, dat het niet meer dan duizend man waren — de donkere nacht ingetrokken. Generaal Ward moest kreunend het bed houden en dominee Langdon zag er op toe dat de kostbare boeken uit de bibliotheek van Harvard naar Andover werden getransporteerd. Mocht het moment komen, dat de Britten niet meer zouden aarzelen en in groten getale uit Boston weg zouden trekken, dan was er een kans dat die boeken verbrand zouden worden, net zoals Charlestown vanmiddag in brand was gestoken.

Philips enorme zelfvertrouwen gedurende de dagen die volgden op de strijd in Concord was geheel verdwenen. Gewonden lagen te kreunen in de vesting. Philip keek om toen Salem Prince kalm zei: 'Zij komen terug.'

Philip sloot zijn ogen en ademde de verstikkende lucht in. Prince had gelijk. Hij hoorde de trommen.

4

De tweede aanval was bijna identiek aan de eerste. Philip vond het stom van de Britten. Samen met de anderen bleef hij keer op keer vuren. Voor de tweede keer zaaiden de vurige lopen van de Amerikaanse musketten dood en verderf onder de Britse gelederen. Voor de tweede keer moesten de overlevenden onder de opmarcherende soldaten ijlings het hazepad kiezen. En nu hadden de kolonisten werkelijk reden voor hun vreugdegeschal. Maar niet voor lang:

'Ik heb nog net genoeg kruit voor drie schoten,' zei Philip tegen Salem, nadat de tweede aanval was teruggeslagen. De kruitdamp in de vesting was dikker dan ooit.

'Dan ben je nog beter af dan ik,' zei de neger en keerde zijn lege kruithoorn om. 'Kogels heb ik ook bijna niet meer.'

Een voorbijkomende officier kwam op hen af. 'Als je nog kruit hebt, vuur dan alles af wat je maar kan vinden. Stenen — of dit.' Hij raapte een kromme spijker op die was overgebleven van het oprichten van het houten stutwerk van de vesting. Toen verdween hij weer in de kruitdampen. Philip staarde onthutst naar de spijker.

Hoe laat was het nu? Half vijf? Vijf uur? Philip tuurde over de wal. Hij zag honderden gevallen grenadiers en soldaten van de lichte infanterie. Het leek of de heuvel bezaaid was met rode bloemen van wol en bloed. Hij knipperde met zijn ogen in de scherpe, verstikkende kruitdamp. Toen pakte hij snel Salem bij zijn arm en wees naar beneden.

'Generaal Howe begint eindelijk zijn verstand te gebruiken,' merkte deze op. Maar in zijn ogen stond angst te lezen.

De Britse gelederen waren zich aan het hergroeperen en boden ditmaal een andere aanblik. De soldaten ontdeden zich van hun loodzware belasting en velduitrusting. Zij wierpen hun op mijters lijkende hoeden en hun beremutsen af. Ook hun witte bandelieren en hun rode uniformjassen gooiden zij op de grond . . .

Even verderop ontdeed ook dokter Warren zich van zijn fraaie jas. 'Ik denk, dat zij nu van plan zijn door te breken,' zei hij. 'Howe heeft meer dan genoeg kruit. Hij zal ongetwijfeld weten dat wij bijna niks meer hebben.'

'Waarom gaat niemand meer halen, verdomme,' klaagde iemand.

'Iemand is er al op uit,' zei Warren.

'Waar blijft het dan, verdomme?'

Warren schudde zijn hoofd. 'Ik weet het niet. Misschien is de boodschap onderschept. Of is de boodschapper weggelopen. Ik heb gemerkt dat dat vanmiddag wel vaker gebeurd is . . .' Weer weerklonk het tromgeroffel. Philip slikte en laadde. De Britten marcheerden de heuvel op en over de moerassige grond voor het houten hekwerk en de stenen muur. Ditmaal zagen zij er veel grimmiger uit. Zonder naar beneden te kijken stapten zij over hun gevallen kameraden, maar de razernij op hun gezicht was duidelijk zichtbaar.

De soldaten bleven komen, hun kousen zaten door de eerdere gevechten onder het bloed. De Amerikanen begonnen te vuren. Even leek het of het patroon van de twee eerste aanvallen zich zou herhalen. De voorste gelederen wankelden. Schreeuwend stortten soldaten ter aarde—De rook in de vesting was verstikkend. Hij bedekte Philip en de anderen als een doodskleed. Philip was buiten zichzelf van angst toen hij zijn laatste kruit gebruikte om er de kromme spijker mee af te schieten. De Brown Bess zou kunnen exploderen . . . Dat gebeurde niet. Maar hij kon niet zien of hij er iemand mee geraakt had.

De Britten waren halverwege Breed's Hill gekomen. Hun bajonetten glinsterden in de rook. Plotseling merkte hij dat het lawaai verminderde. Er vuurden steeds minder Amerikaanse musketten!

'Vuur!' schreeuwde kolonel Prescott.

Hese stemmen antwoordden: 'Het kruit is op!'

Toen stond Philips hart bijna stil van schrik. Hij hoorde dat ook Salem Prince een kreet slaakte. Allen die nog overeind waren gebleven in de vesting hoorden een angstaanjagend nieuw geluid aan de andere kant van de vesting. Het leek op een massaal koor. De Britse soldaten riepen elkaar moed toe: 'Voorwaarts! Voorwaarts! Voorwaarts!'

Philip keek snel over de rand van de wal en zag wat er zou gaan gebeuren: zo meteen zou de vesting ingenomen worden. Er was niet genoeg kruit meer om de aanval te stuiten.

Plotseling begonnen enkele Britse soldaten naar de top van de heuvel te rennen. Toen meer. Spoedig ondernam het hele eerste gelid een stormaanval. Met de bajonetten vooruit. Salem Prince leunde met zijn ellebogen op een stukje van de rand om zijn musket stil te houden en vuurde zijn laatste kogel af met het kruit dat hij van Philip had gekregen. De kogel veroorzaak-

459

te een rood gat in het voorhoofd van een dikke sergeant.

Maar zij bleven aanstormen: 'Voorwaarts! Voorwaarts! Voorwaarts!'

In die laatste afschuwelijke seconden dat hij nog de tijd had, hief Philip zijn Brown Bess omhoog als een stok, hoewel hij grimmig besefte dat zo'n wapen niet opgewassen was tegen de bajonetten. De Britse discipline, een ingeprente traditie die nooit verbroken mocht worden, had tenslotte toch zijn vruchten afgeworpen. In het spoor van twee rampzalige aanvallen, waren zij nu vastbesloten de derde te laten slagen:

'VOORWAARTS! VOORWAARTS!'

Over Philips hoofd flikkerde een bajonet. Met zijn musket in beide handen geklemd weerde Philip de naar beneden gerichte stoot van de Britse soldaat af, die op de rand van de vesting stond. Hij sloeg met zijn musket tegen het linkerbeen van de soldaat. De man viel voorover in de vesting. Zijn bajonet doorboorde de borst van Salem Prince.

Schreeuwend viel deze op de grond. De Brit lag spartelend op hem en probeerde weer overeind te komen. Een bajonet flitste naar Philips rug. Hij dook weg, hief zijn musket bij de loop omhoog en sloeg de gevallen soldaat twee, drie keer op zijn hoofd. Hij hijgde. De schedel van de soldaat was een gapend gat geworden en hij viel bovenop de dode neger. Maar honderden andere vijandelijke soldaten sprongen nu de vesting in en overal flitsten hun dodelijke bajonetten. In de kruitdamp was het haast onmogelijk vriend van vijand te onderscheiden. Philip hoorde een officier roepen: 'Terugtrekken! Terugtrekken naar Bunker's! Verlaat de vesting!'

Toen brak de hysterie los. Het pandemonium. De Koninklijke mariniers die de infanterieregimenten waren komen versterken sprongen nu ook de vesting in en vuurden van heel dichtbij.

Philip maaide zich met zijn musket een weg naar de nauwe ingang, die verstopt was met uitzinnige mannen. Zijn longen brandden van de rook. Hij hoestte. De tranen stroomden uit zijn ogen. Een bajonet die aan een spook scheen te behoren flitste naar zijn gezicht. Philip sloeg de onzichtbare soldaat op zijn been en hoorde hem vloeken. De bajonet miste Philip op een haar na en stak in het oog van een soldaat uit Rhode Island die achter hem stond. Het bloed stroomde over Philips smerige nek. Warm, versruikend bloed. Hij wilde schreeuwen, maar deed het niet.

Hij zag in de paniek dokter Warren met een musket zwaaien. In het spaarzame zonlicht leek zijn gezicht te glimmen als een medaille. Een bajonet trof Warren in zijn ribben. Toen verstarde hij, alsof hij getroffen was door een kogel uit een musket. Vol afschuw zag Philip hoe de patriottenleider onderging in het rokerige bloedbad.

Hij zag een glimp van zonlicht — de andere kant van de ingang. Hij hief zijn Brown Bess horizontaal boven zijn hoofd en vocht zich naar voren, met als enig doel die glimp helder licht aan de andere kant van de aarden wal.

Door de rook die hij inademde stond zijn borst in vuur en vlam. Hij worstelde zich naar buiten en zette het op een rennen door de boomgaard naar Breed's Hill. Vanuit de vesting hoorde hij nog steeds het geschreeuw van de stervenden, de knallen van de musketten en het gebrul van de roodjassen die wraak namen.

Het voorgaande fragment is het eerste hoofdstuk van *De Rebellen,* het vervolg op *De Gelukzoekers* en tweede deel in de romanserie *Kinderen van de vrijheid.*

In de romanserie
Kinderen van de Vrijheid
verschijnen de volgende delen:

De Gelukzoekers

De Rebellen

De Erfgenamen

De Eerzuchtigen

De Titanen

De Strijders

De Speculanten

De Immigranten

461

STAMBOOM VAN DE FAMILIE KENT

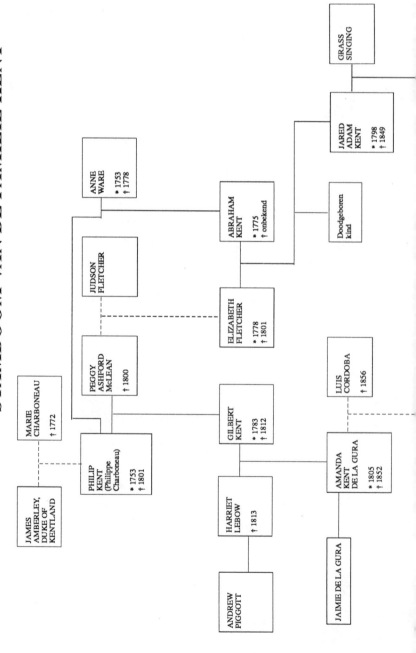

JAMES AMBERLEY, DUKE OF KENTLAND

MARIE CHARBONEAU †1772

PHILIP KENT (Phillipe Charboneau) *1753 †1801

PEGGY ASHFORD McLEAN †1800

JUDSON FLETCHER

ANNE WARE *1753 †1778

ELIZABETH FLETCHER *1778 †1801

ABRAHAM KENT *1775 †onbekend

Doodgeboren kind

JARED ADAM KENT *1798 †1849

GRASS SINGING

HARRIET LEBOW †1813

GILBERT KENT *1783 †1812

AMANDA KENT DE LA GURA *1805 †1852

LUIS CORDOBA †1856

ANDREW PIGGOTT

JAIMIE DE LA GURA

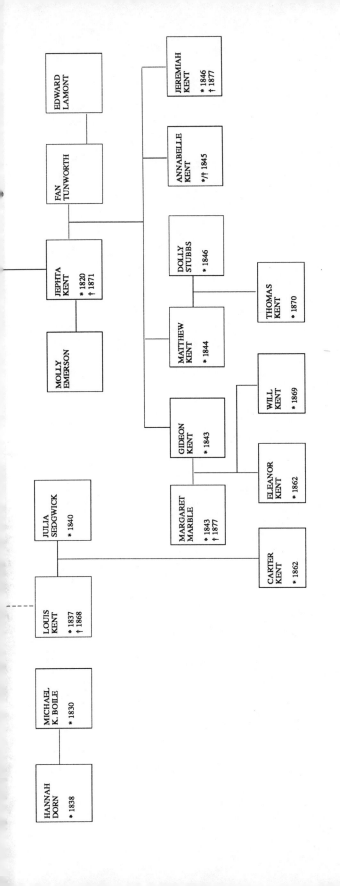